반반한 마을

KB075552

—

현영강 지음

목차

회색 구름만큼이나 내리는 비가 희게 보이는 날이었다. 사람들이 쥐고 있는 것들은 제각 각이었다. 비는 누군가에게는 더욱 내렸고, 누군가에게는 덜 내렸다. 아무튼, 모두가 젖어 있었다. 큼지막한 깃대를 든 사내는 몸이 무척이나 단단해 보였다. 그리고 양옆에서 그를 받치듯 버티고 서 있는 두 여인은 각각 파란색과 빨간색의 손수건을 손에 쥐고 있었다. 사 내가 깃대를 들고 어느 지점으로 이동하자, 파란색 손수건을 든 여인이 반대 방향으로 걸 음을 옮겼다. 흙이 가득한 땅이 물을 머금어 몹시 질퍽거렸다. 맨발인 사람들도 있었다. 시 티서 가져온 신이 수명을 다하였거나, 다하기 직전이거나 한 경우였다. 그리고 흰 비가 안 기는 침울을 벗어던지려는 듯이 그들 대부분은 핏줄 가득한 고함과 함께였다. 빨간색 손수 건을 쥔 여인 앞으로 두 명이 몸을 풀었다. 응원의 목소리는 치우쳐져 있었다. 빨간색 손수 건이 아래로 내려가고, 푸른색 손수건이 위로 솟구쳤다. 그리고, 그들은 달리기 시작했다.

1 퓨티와 포의 마을 입성

단상에 올라선 **피크**가 소리쳤다.

"약속의 날입니다!"

피크가 말을 시작하자, 웅성거리던 사람들은 입을 다물었다.

"우리는 도망자가 아닙니다! 우리는 도망자가 아닙니다!!"

큰 목소리로 말한 피크는 확성기에서 입을 떼, 목소리를 가다듬는 시늉을 몇 차례 보이고는 이어 말했다.

"오늘로 스물아홉, 그곳에서 벗어난 우리가 이 마을을 건립하고 오늘로써 스물아홉 번째 약속을 이행하게 되는 날입니다!! 결과가 어떻습니까? 우리가 아사한 존재가 되었습니까?!"

피크의 말에 사람들이 환호성을 내질렀다.

"그들의 예상대로 우리가 버티지 못하였습니까?!"

단상 아래의 사람들이 또 한 번 크게 환호성을 내질렀다. 피크는 사람들의 목소리가 완전히 사그라들 때까지 그들을 내려다봤다. 그리고 소리가 그치자, 말을 이었다.

"우리는 살아 있습니다. 여러분 모두는 죽지 않았습니다. 반대로 그들은 어떻게 살고 있습니까. 약탈, 살인, 분쟁, 그 모두를 방임하는 어리석은 우두머리. 그 모두를 수긍하고 사는 어리석은 인간들. 우리를 깔보던 그들 모두는 멍청한 역사를 여전히 되풀이하며 생의 시간을 보내고 있습니다. 그들이 패한 것입니다. 우리가 승리한 것입니다. …그리고 오늘!"

피크는 오른팔을 길게 뻗어 단상 계단 쪽을 가리켰다. 도살장에서 갓 뛰쳐나온 듯한 푸짐한 남자와 머리에서 발끝까지를 합하여도 그의 다리 하나 크기가 채 안 되는 꼬마 숙녀. 두 사람은 서로의 손을 꼭 붙잡고 있었다. 아니, 남자가 아이의 손을 놓아주지 않고 있었다. 손을 뻗은 피크가 말했다.

"저들의 참상이 보이십니까. 빛이 사라진 저들의 안색이 보이십니까."

피크는 집게손가락으로 눈두덩이를 찔러, 삐져나온 눈물을 손톱으로 두드렸다. 그를 본 아래의 사람들은 동조의 소리를 냈다.

"거울을 보는 것 같지 않으십니까? 과거의 우리인 채로!! 저 역시 저러하였습니다. 여러분들 역시 다르지 않았습니다. 하지만, 지금의 우리는 저들과 다릅니다. 왜냐하면 우리는 살아가는 법을 터득하였기 때문입니다."

그리고 피크는 단상 계단에 서 있는 두 사람을 향해 다가오라는 손짓을 보냈다. 그를 본 남자는 덤덤한, 혹은 조심스러운 발걸음을 계획한 듯한 표정을 내비쳤지만, 아이는 아니었다. 아이는 흰색 바탕에 남색 무늬가 섞인 땡땡이 드레스와 빨간색 구두를 신고 있었는데, 남자와는 분위기가 남달랐다. 아이는 단상으로 걸음을 옮겼다. 사람들의 시선이 아이를 따라 움직였다. 아이는 밝지도 어둡지도 않은, 무관심도 냉정함도 아닌, 단순하지만 엉켜 있는 듯한 표정을 띠고 있었다. 일곱도 안 돼 보이는 아이의 갑작스럽고도 어른스러운 등장에 북돋아 줄 준비를 하던 사람들은 일제히 입을 다물었다. 아이는 피크를 지나쳐 단상 앞쪽으로 나아갔다. 자신을 위해 마련된 소형 확성기도 아이는 무심히 비켜나 갔다. 분위기를 단숨에 주저앉히는 고역이라기보단, 서서히 아려 오는 서늘함에 가까웠다.

"처음 뵙겠습니다."

아이가 고개를 숙이며 말했다. 소녀의 첫마디에 사람들은 웅성거렸다. 그녀의 모습에 누군가는 경탄을, 누군가는 눈총을, 누군가는 연민을 꺼내 들었다.

"저는 퓨티라고 해요. 저기 있는 사람은 저의 아빠, 포. 아빠는 입을 다쳐서 말을 못 해요. 그래서 제가 대신해서 말을 해야 해요. 말하는 법은 엄마가 가르쳐 줬어요. 근데 엄마는 같이 오지 못했어요. 동그란 빛이 엄마를 비추려 할 때 제가 소리를 쳤어야 했는데, 그렇게 하지 못했어요."

그로부터 10년, 퓨티는 이때를 생생하게 기억했다. 10년이 지난 지금도 여전히 둘은 도망자, 그리고 반역자였다. 둘만이 아니었다. 이곳에 사는 모두가 그랬다. 그들이 도망쳐 나온 곳은 시티라고 불렸다. 퓨티는 그 단어가 과거에는 도심을 부르는 단순한 명칭이었음을 이제는 알고 있다. 무의식이 건네주는 그 순간을 어렴풋이 떠올리며 뒤따라 느껴지는 기름 냄새에 퓨티는 고개를 가로저었다.

"아버지, 오늘은 좀 어떠세요? 몸을 일으킬 수 있으시겠어요?"

답답하지도 않은 듯 턱밑까지 이불을 올린 포가 천천히 고개를 끄덕거렸다. 포는 결국 다친 입을 회복하지 못했다. 정확히는 혀였다. 시티에서 뜨기 전날 밤, 마지막으로 바에 들르겠다고 나선 다리가 화근이었다. 시티에서 바텐더는 사라진 직업이나 마찬가지였다. 블렌딩은 버드나무의 가지처럼 굵다란 기계들이 도맡았다. 바텐더라는 직함을 가진 이들이 하는 일은 해 봐야 레몬이나 올리브를 완성된 술잔 위에 꽂아 손님에게 건네는 것뿐이었다. 그마저도 기생 같은 남자나, 환락가의 여자들이 손님 유치를 위해 얼굴마담으로 서 있는 게 고작. 포는 그들 중 수전증이 있는 바텐더를 보러 갔었다. 그리고 그날 가더에 의해 혀가 지져졌다. 포가 좋아한 바텐더가 특별히 도덕심이 투철하거나 한 것이 아니었다. 그는 그저 **센터**에 납부해야 할 빚이 있는 어중이 신분에 불과했으니까.

"아랫집 **민트** 씨께서 먹을거리를 조금 나눠 주셨어요. 지난번 양보에 감사를 표하고 싶으시다면서요."

퓨티의 말에 포는 몇 없는 입 주변의 근육을 늘려 미소를 지어 보였다. 그에 퓨티도 따라 웃으며 말을 계속했다.

"저는 이곳에서 자라게 되어 얼마나 기쁜지 몰라요. 밤이 돼도 어두워지지 않는 시티의 모습이 아직도 선해요. 잠을 자지 않는 사람들, 잠을 잘 수 없는 사람들, 그들은 평생 평화롭다는 게 어떠한 감정인지 깨닫지 못한 채로 이 세상을 떠날 테니까."

"……"

포가 대꾸를 하고 싶은 듯 입을 움직였다. 퓨티는 이제 포의 입 모양을 보고도 그의 의중을 어느 정도 알 수 있는 정도가 되었다. 수화를 배워 보는 게 어떻겠냐고 과거에 퓨티가 물었었지만, 포가 거절했다. 퓨티는 짐작했다. 포의 의지가 꺾인 것이 비단 혀를 잃은 것 때문만은 아닐 거라고.

"드실 수 있겠어요?"

포는 고개를 끄덕거렸다. 도살장에 어울리던 풍채도 이제 그에겐 존재하지 않았다. 지금은 어느 산골짜기 판잣집에서 끼니를 죽으로만 때울 듯이 나약한 모습이었다. 포는 고갯짓 외에 다른 것은 하지 않았다. 고갯짓이 그가 하는 최대한의 의사표시였다. 퓨티는 포가 그럴 때마다 싫증이 느껴졌다. 퓨티는 예의, 거기에서 벗어나지 않았다. 누가 배려를 해 주는가, 누가 희생을 하고 있는가, 퓨티는 10이면 10, 본인이라고 생각했다. 그녀의 생각은 자못 단단했다. 혈육이란 이유, 딱 그것 하나로써 말이다. 소리가 없는 둘의 거리는 금세 다시 벌어졌고, 대화에서 멀어진 포는 다시 입을 다물었다. 입이 밀쩡할 당시에도 포는 말재간이 좋은 사람은 아니었다. 말을 뿌리는 사람이라기보단 말을 수집하는 사람에 가까웠다. 남들이 대신해 주는, 모두가 다 할 법한 말들, 포는 그것을 싫어했다. 정확히는 그 행위를 자신이 하는 것을 싫어했다. 가만히 기다리고 있으면 어차피 누군가가 하려던 말을 대신하여 줄 테니까.

"그럼, 저는 이만 나가 볼게요. 오늘은 **마토** 씨가 나무 자재들을 다듬는다고 하셔서 밭일에만 도움을 주러 가면 될 것 같아요."

"……"

포는 퓨티에게 손을 흔들어 보였다. 퓨티는 고개를 끄덕이고는 문을 열었다. 따스함이 내리쬐는 4월 중순, 마을은 녹지 비슷한 땅을 끼고서 동그랗게 늘어져 있었다. 마을 중앙에는 커다란 폭포가 있었고, 사람들은 그곳에서 물을 기워다 썼다. 겉으로는 풍성해 보이는 곳이었지만, 없는 것들이 많았다. 뭐, 없는 것들이라고 해 봐야 시티와 견주었을 때의 이야기지만. 퓨티는 현관문 바로 옆, 신발장에 뉘어 있는 삽과 호미를 챙겨 들었다. 그리고 그대로 계단을 내려가려는 순간, 발길이 멈춰 섰다. 눈에 들어온 건 피크의 아내, **워블**이었다. 마을에서는 좀처럼 구경키 힘든 스카프, 그것도 베이지색이었다. 퓨티는 기왕 발을 세운 김에 그녀를 관찰하기로 했다. 스카프가 부러운 것도 이유 중 하나였다. 팔짱을 낀 워블은 가슴과 팔꿈치를 난간에 올려놓은 채 지나가는 사람들을 바라보고 있었다. 마을에는 계급이 나뉘어 있는 시티와는 달리 계급이 없었다. 하지만, 계급이 없는 마을이라고 해서 단상에서의 확성기를 잡는 피크처럼, 즉, 권력까지 없는 것은 아니었다. 아래를 향하고 있던 워블은 시선을 느낀 듯 퓨티가 서 있는 곳으로 고개를 틀어 왔다. 둘은 서로의 얼굴을 거의 동시에 확인했다. 퓨티는 당황한 티를 내지 않기 위해 급히 고개를 숙였다. 그에 워블은 한 손을 올려 스카프의 끄트머리를 반대 방향으로 한 바퀴 빙글 던지며 숙인 듯 만 듯 고개를 끄덕여 보였다. 퓨티는 속으로 속삭였다.

'재수 없어.'

그리고 퓨티는 삐걱대는 계단으로 발을 내려놓았다. 마을의 집들은 모두 같았다. 지붕면은 바닥과 수평을 이루는 직선 구조였고, 너비라든지 색이라든지 창이라든지 하는 것들은 모두 자연과의 일관된 방치처럼 형태가 일정했다. 차이점은 그 속에 사는 사람의 얼굴, 성별, 나이, 그따위 것들뿐이었다. 숲속에 숨어, 직육면체 형태로 좁아지는 모양의 집들을 구별하는 방법은 따로 정해져 있는 것이 없었다. 각각이 표출하고 있는 그들만의 고유한 흠집이나 꾸밈으로써 대중하는 것이 고작이었다. 이 역시도 쉽게 자리잡힌 불문율이 아니었다. 마을 사람들 사이에서 처음 차별성을 두자는 의견으로 대문 아래에 명패를 매달자는 얘기가 나왔을 때, 반대한 이가 딱 한 사람 있었다. 피크였다. 그가 숲속 마을의 제작자였다. 창립 멤버로서 시티의 때가 묻어 있던 피크는 12년 전에만 하더라도 지나치게 강경했다. 사는 데에 있어 정말 필요한 것이 아니라면 시티와 다르게 나아가야 한다는 것이 피크의 철학과도 같은 심보였다. 사람들은 소극적이었고, 겁에 질려 있었다. 함께 도망쳐 나온 피크 역시 그들과 크게 다르지 않았다. 피크가 그들과 달랐던 점은 감정을 숨길 줄 알았다는 것. 욕망 또한 포함된 이야기였다. 시티에선 가누지 못한 것들을 도망자들 사이서만큼은 쟁취하고 싶다는 욕망. 절대적 지도자를 잃은 사람들은 자신들 가운데에서 리더십을 내비치는 피크에 이끌렸다. 말 그대로, 단상에 올라 확성기를 잡는 것은 피크만이 할 수 있었다.

"안녕히 주무셨어요! **레드** 할아버지!"

거리로 나선 퓨티는 길을 걷고 있는 노인을 발견하고는 인사를 건넸다. 퓨티의 활기찬 인사에 레드는 방긋 미소를 지으며 손을 흔들어 보였다. 레드는 마을 사람 중 유일하게 자신의 이름을 기억하지 못하는 사람이었다. 평균에 미치지 못하는 키와 그 키에서도 비쩍 마른 몸, 무시당할 만한 인물이었다. 사람들은 누구였는지는 기억하지 못했지만, 그 사람이 노인에 레드라는 이름을 붙인 이유는 잊지 않고 있었다. 그런 그도 피는 **빨갛다는** 것.

"변함없이 부지런하구나, 퓨티. 오늘은 밭일을 나가는 게냐?"

레드가 양손 가득한 퓨티의 짐을 보며 말했다. 레드의 목소리는 중후를 넘어, 깊었다. 퓨티는 레드와 말을 나눌 때면 시원한 동굴에 발을 들인 것 같아 기분이 좋았다.

"네. 오늘은 마토 씨가 자리를 비우셔서요. 아, 왜 자리를 비우시냐면 어제 마토 씨가 그토록 바라던 조각칼을 교환하시는 데 성공하셨거든요."

교환, 일명 약속의 날이었다. 약속의 날은 마을에서 유일하고도 공식적인 거래 수단이었다. 유일하고 공식적이라는 건 장사와 같은 행위를 금기시하는 데 의의를 둔 명목이었다. 교환은 달이 시작하는 날인 1일, 해가 뜨고 해가 질 때까지로 정해져 있었다. 횟수엔 달리 제한이 없었다. 사람들은 그 일시에 맞춰 재료를 준비하거나 준비한 물건으로 다른 사람의 것을 가늠해 보기만 하면 됐다. 대신 교환 장소는 정해져 있었는데, 단상이었다. 다시 말해, 화폐, 마을에는 화폐가 없었다. 화폐를 사용치 않는다는 행위는 그 어떠한 것보다 마을에 많은 변화를 안겨 주었다. 황토색 토지 위로 붉은빛의 사형대를 세워 올렸고, 세상을 떠난 이의 숭고한 무덤 옆으로 조롱의 말뚝을 박아 넣었다. 굵직하게 일을 치르거나 삐뚤게 구는 사람들은 이제 마을에 남아 있지 않았다. 적어도 표면적으로는 그랬다. 현재까지 마을에 박힌 말뚝은 총 셋. 하나 같이 악취가 심하고 흉물들로 득실대는 장소였다. 셋 모두 죄목은 살인이었다.

"그래? 그 귀한 걸 무얼 주고 얻었을꼬."

레드는 상상을 하듯 아련하게 말끝을 들어 올렸다.

"그러게요. 매일 눈으로 구경하는 것만 봐 왔는데. 대단해요."

"왠지 궁금하구나, 퓨티. 다음에 만나면 한번 물어봐 주겠니? 내게 구경시켜 줄 수 있는지도 말이야."

레드는 부탁의 말을 끝으로, 가던 곳으로 걸음을 내려놓았다. 퓨티는 레드의 그 행동이 대화에 지겨움을 느꼈을 때 보이는 행동임을 잘 알았다. 퓨티는 고개를 끄덕이며 피식 웃었다. 레드는 이미 자신의 등을 보이고 있었다. 그리고 얼마 지나지 않아, 소란스러운 거리가 나타났다. 안전모 아래로 땀 내음을 가득 머금은 사내들이 복판으로 흘러나오고 있었다. 퓨티는 깊이가 얼마 되지 않는 바지 주머니에 손을 찔러 넣고서, 곁눈질로 그들을 살피며 조심스레 걸음을 옮겼다. 소리치는 대부분이 누군가를 향해 손가락을 추켜세워 있었다. 그들과 똑같은 손 모양을 주머니 속에서 흉내 내며 시선을 따라간 퓨티는 끝에 선 사람을 확인한 순간에 땅을 차고 내달렸다.

"마토 씨!!"

마토가 주인공이었다. 마토는 자신 앞의 모두를 상대할 심산인 듯 상의를 거의 다 풀어 젖혀 있었다. 퓨티는 사람들 사이를 뚫고 마토의 곁으로 몸을 날렸다.

"무슨 일이에요? 왜들 이러시는 건데요?"

사람들은 여전히 상기된 호흡을 내쉬었지만, 그나마 말이 통할 상대가 나타났다는 데에 대한 안심을 드러내 보이기 시작했다. 첫마디부터가 그러하였다.

"퓨티! 때마침 잘 와 주었다. 마토 씨가 또다시 약속을 어겼어. 여기 있는 모두가 속아 넘어갔다고. 아니, 그는 다시 말장난을 펼친 거야. 타고난 못된 머리로 말이지."

그에 퓨티의 뒤로 몸이 가려진 마토가 헝클어진 옷깃을 정리하며 대꾸했다.

"나는 분명히 말했습니다. 벚꽃이 질 때까지가 기한이라고요."

"벚꽃이 남아 있잖은가! 자네 눈에는 저 꽃잎들이 보이지 않는다는 말인가?!"

그들 중 가장 연장자로 보이는 사내가 검은 자루를 붕붕 뒤흔들며 말했다. 태어나 웃음이라곤 지어 본 적 없을 듯한 생김이었다.

"마토 씨, 실례가 안 된다면 제가 지난번처럼 중재를 놓아 드려도 될까요? 상황 설명을 해 주실 수 있으시겠어요?"

퓨티는 재미없는 밭일을 미룰 수 있어 기뻤다. 그리고 무엇보다 그녀를 기쁘게 한 것은 시티의 흉내를 낼 수 있어서였다. 물론 무엇을 한들 가벼운 역할 놀이에 불과했지만, 퓨티는 그래도 좋았다. 바람에 쓰러진 화분을 일으키듯 퓨티는 상황을 천천히 둘러싸 갔다.

"지금 제 선에서 보기에는 서로의 물건을 교환하기로 한 것 같은데, 맞나요?"

퓨티는 마토를 보며 말했다.

"그래요, 퓨티. 나는 저들에게 종자를 나눠 주기로 약속했어요. 시간은 공식 석상에서 물건으로 작용하지 않으니까요."

시간은 물건으로 작용하지 않는다는 말. 다시 말해, 비공식적인 자리에서는 노동을 물건으로 대할 수 있다는 의미였다. 대답한 마토는 옷맵시를 정돈했다. 다혈질적인 행동거지와는 다르게 늘 안정된 톤 위에서 격식이 갖춰져 있는 말투, 마토의 특징이었다. 당연한 이야기지만, 마토의 그러한 이중성을 좋은 눈길로 바라보는 사람은 마을 내에 단 한 사람도 존재하지 않았다.

"종자요? 지난해에 수확한 종자라면 올봄에 배급하였잖아요."

"머저리들."

"뭐라고, 이 새끼야?"

마토의 중얼거림을 들은 연장자가 낡은 주먹에 힘을 집어넣으며 말했다.

"봄비와 꽃샘추위도 모르는 사람들한테 종자를 나눠 주니 이 사단이 나는 겁니다."

"올해는 봄비도 꽃샘추위도 오지 않았어!"

누군가가 소리쳤다.

"그래요? 그럼, 여러분들은 여기 왜 있는 겁니까? 그 귀한 종자를 왜 썩힌 겁니까? 금기에 가까운 인력을 왜 교환의 대상으로 들고 왔습니까?"

마토는 자신의 말 음절 하나하나에 맞추어 사람들 얼굴에 깃든 눈동자와 눈을 마주하였다. 열댓 명 남짓한 사람들 모두가 한 번씩 어깨를 들썩거렸다. 마토가 뱉은 방금의 말은 마을 사람들의 심기를, 그리고 자존심을 건드리는 대단히 위험한 문장이었다. 화폐가 없는 마을에서 인력이란 건 곧 물건을 뜻했고, 자신의 존재가 하나의 도구로 격하되는 것을 받아들이겠다는 꼴이 되었으니까.

"먹어야 하니까요!!!"

중년들의 배꼽 위에서 들린 소리가 아니었다. 키가 160인 퓨티의 배꼽보다도 아래에서 난 소리였다. 소리를 들은 사람들은 누가 먼저랄 것 없이 사그라들어 갔다. 자리에 있던 모두가 생각했을 것이다. 어린 나이에서 나올 이야기는 아니었다고, 자기들의 입에서 나와야 했을 이야길이라고.

"네가 왜 여기에 있어?"

남자 하나가 무리에서 떨어져 나와 아이를 감싸며 말했다. 아이는 흙먼지투성이인 남자의 어깨에 얼굴을 묻고서 뭐라 말을 중얼거렸는데, 그 길로 남자는 아이를 데리고 도망치듯 자리를 떠났다.

"마토 씨."

퓨티는 마토를 불렀다. 마토는 말없이 퓨티를 향해 눈썹을 들어 보였다. 역시, 라고 퓨티는 마음속으로 생각했다.

"꽃잎으로 장난을 치신 건 너무하셨어요."

"재밌지 않니?"

마토는 유일하게 퓨티에게만 말을 놓았다. 퓨티는 마토가 자신에게 마음이 있어 그런 것임을 알고 있었다.

"정량의 보수를 받는 저야 재밌죠. 하지만 저들 역시 마토 씨를 믿고 이곳까지 와 시간을 들이는 거잖아요. 아직 배운 지 얼마 되지 않아 서투르더라도요. 다른 것도 아닌 인력이에요. 지금이 벌써 두 번째고요. 사람들이 웃어넘기는 데에도 한계치가 있을 거예요, 마토 씨."

"알고 있어, 그리고 적어도 오늘이 그날이 아니라는 것도."

"어떡하실 거예요?"

"어떡하긴, 약속대로 해야지."

"처음 말씀하신 꽃이 지는 날이라면, 오늘은 지지 않았는걸요."

"아니, 잎은 졌어."

마토는 손가락을 뻗어 나무의 횅한 가지 쪽을 가리키며 말했다. 손을 쫓아간 퓨티는 어이없다는 입꼬리로 빈 곳에서 가득한 곳으로 시선을 훑어 내렸다.

"보통은 이파리가 남아 있지 않을 때를 가리켜 꽃이 졌다고 표현하지 않나요."

마토는 피식하더니 앞쪽으로 고개를 돌렸다. 그리고 여전히 상기돼 있는 다섯을 향하여, 나머지 열을 향하여 말했다.

"아쉽게 되었습니다. 이다음, 시기가 좋을 때 제 개인으로 다시 한번 거래의 장을 열도록 하겠습니다. 오늘 여러분들에게 돌려 드릴 종자는 없습니다. 죄송합니다."

—— 2 피크의 등장과 홈, 그리고 사형대

마을에는 특정한 종교가 없었지만, 믿음 아닌 믿음이 존재했다. 산 사람의 길은 고요하지만, 죽고 난 이후로는 시끄러워진다는 의미로써. 예컨대, 피크의 아들이 그랬다. 소년은 몹시 조용했다. 말수도 그랬지만, 색이 없었다. 활발하지도 않았고, 소심하지도 않았다. 소년은 반딧불의 꼬리와 같은 존재였다. 그럼에도 마을 사람들은 소년을 좋아했다. 어느 것보다 많은 애정과 관심을 소년을 향해 내밀었다. 아이가 드문 마을이었기에 그럴 수밖에 없었는지도 모른다.

적어도 그랬었다.

"오늘따라 더럽게 처지는군."

지킴이 키가 정오의 태양을 달 보듯 쳐다보며 말했다. 지킴이는 마을 전체에 영향력을 행사하는 인력이었다. 마을에 머무는 사람이라면 빠짐없이 지킴이에게 지불할 대가를 마련해야 했다. 예외는 없었다. 그들의 대우는 하나의 갑옷 같았다. 우선 그들은 식수 운반에서 제외되었다. 식수를 운반하는 일은 마을에서 제일가는 중노동에 속했다. 폭포가 떨어지는 강줄기에 다다르는 길은 가파르고 험했거니와 내려간 길을 다시 어마어마한 무게를 이고서 되돌아와야 성립한다는 전제가 따랐다. 열외가 되는 건 그뿐만이 아니었다. 대가가 따르는 모든 일에서 그들은 열외의 대상이었다. 따라서, 선발되고 싶어 하는 이들이 많았다. 공식 대회는 1년에 한 번. 발이 빠른 사람, 눈이 좋은 사람, 힘이 센 사람으로 각각 한 사람을 선발했다. 대회에는 기존에 올라 있는 지킴이들도 참가했다. 나태와 노화의 정도를 확인하기 위한 것이 그 이유였다. 그리고 공식 대회 날을 제외하고서 4개월에 한 번씩, 기존의 지킴이에게 패하였거나 도전자에 의해 떨어진 지킴이를 위한 자리가 열렸다. 사람들은 그것을 부활의 장이라고 불렀다. 그중 키는 지킴이가 도입된 무렵부터 지금껏 자리를 내주지 않은 인물로 유명했다. 나아가 그의 종목은 귀하디귀한 눈이었다. 키는 태양을 보며 지난 밤을 회상했다.

"쾌락을 위한 노력과 가치 없는 숨소리를 위하여!"

요란한 건배사였다. 제대로 된 술이라고는 있을 턱이 없었지만, 사람들 사이에서는 깨나 유행하는 행위였다. 근래 새로이 마을로 들어온 신참이 퍼뜨린 것이었는데, 그는 자신을 술 마시기를 좋아하는 꽃집 청년이라고 소개했다. 또한, 그는 어느 자리에서든 검은색 모자를 썼다. 연식이 된 마을 사람들은 그런 청년이 신경 쓰였지만, 차마 모를 사연에 물어볼 용기를 내지 못한 반면, 키는 용기를 냈다. 마을 내의 허름한 술집에서 술자리가 잡혀 있던 날 저녁으로, 키는 날을 잡았다.

"이봐, **홈**. 날도 슬슬 풀렸는데, 보고만 있어도 갑갑해 보이는 그 모자는 언제까지 쓰고 있을 속셈이야?"

청년은 자신의 이름을 홈이라고 했다. 마을 사람 모두는 시티의 라이선스를 버리고 오는 경우가 태반이라, 누가 본명을 대었고, 누가 가명을 대었는지 알 수 없었다. 나이 역시 마찬가지. 하지만 홈이란 이름은 특히 그런 경우였다. 고향이라는 뜻이었으니까.

"이거요? 꽃을 팔 때 줄곧 쓰고 있던 놈이에요. 어두운 걸 걸치고 있어야 꽃의 색감이 그나마 볼만해지거든요."

키는 그 자리에서 헛웃음을 터뜨렸다.

"큭큭, 빌어먹을. 물어본 내가 다 뻘쭘해지는 대답이군."

"왜요? 거슬렸어요?"

"그게 아니지, 이 사람아. 다들 걱정했다고, 네 그 모자에 무거운 사연이라도 들어 있지 않나 해서 말이야."

"예? 사연이요?"

"그래, 인마. 모두가 네 머리에 얹힌 그 검은색 모자를 흘겨봤을 텐데, 장사를 했다는 놈이 그런 눈치도 없어 어째."

"저야 생긴 게 좋아서 보는 줄 알았죠."

"어이가 없군."

그리고 키는 참지 않았다. 술자리에 있는 모두에게로 가, 자신이 낼 수 있는 최대한의 목소리로 모자의 비밀을 떠벌렸다. 웃음소리가 한쪽 구석에서 시작되더니, 순식간에 홈의 주위를 가득 둘러쌌다. 홈은 평소와 같은 능글맞음으로 사람들을 쉽게 쉽게 대처해 나가는 듯한 모습을 보였지만, 키는 그의 입꼬리에 달린 버거움이 보여 흡족의 미소를 머금었다. 그리고 다음 날 아침, 마을에는 중앙의 거대한 폭포 소리가 들리지 않을 정도로 비가 많이 내렸다. 홈은 땀에 젖은 채로 눈을 떴다. 눈을 깜빡이자, 딱딱한 나무 침대가 아침 기지개를 함께 켜고 싶다는 듯이 삐걱대며 신음했다. 한정된 장소, 비슷한 무렵, 한결같은 사람들. 홈의 꿈은 매번 엇비슷했다. 하지만 오늘은 조금 달랐다. 홈은 꿈이 과거, 자신의 가게에 진열돼 있던 꽃들의 피사체만큼이나 생생히 떠올랐다.

"휴…"

꽃향기와 일생을 보낸 남자답게 홈은 거친 언행을 쉽게 쓰지 않았다. 홈은 그대로 머리 맡의 창을 열어, 몸을 말렸다. 입을 벙긋대는 것만으로도 하루의 절반을 진행할 수 있었던 시티와는 완전히 다른 환경이었지만, 홈은 적당히 만족했다. 군더더기 없이 깨끗한 하늘, 맑은 공기 속에 절묘히 뒤섞인 향긋한 풀 내음, 책에서만 보던 원시인이 실제로 되어 버린 듯한 아찔함까지도, 홈은 대충 웃옷을 걸쳐 입고서 집 밖으로 나갔다. 홈은 눈을 감고 빗방울이 떨어지는 처마 아래에서 숨을 크게 들이마셨다. 그리고 홈이 숨을 뱉을 때, 앞쪽에서 말소리가 들려왔다.

"어이- 꽃집 총각! 오늘도 일찍 일어났네?"

꼭 50줄은 된 듯한 말투를 내뱉는 여자는 홈의 맞은편에 사는 여자였다. 그녀의 이름은 **페리**. 페리는 마을에 들어온 지 여덟 달쯤 되어 가는 사람이었는데, 나이를 밝히지 않아 아무도 그녀의 정확한 나이를 알지 못했다. 오로지 액면가로써, 마을 사람들은 페리를 대충 서른셋에서 여섯 사이의 인물로 의식하고, 그녀를 대하곤 했다. 마을에서 페리는 입담꾼인 한편, 어느 자리에서건 시티에서의 무용담을 빠뜨리지 않는 인물로도 유명했다. 노상 시티 고위층들의 옷감 물색과 디자인 관련된 일을 했었다며 떠벌리곤 했는데, 허세였던 것인지 그녀에게 소중히 건넸던 옷을 되받았다가 절망의 소리를 내뱉는 경우가 태반이었다. 당연하게도 이제 페리에게 수선을 교환의 대상으로 찾아가는 이는 없었다.

"예, 좋은 아침입니다. 페리 씨."

그리고 홈은 비를 뚫고서 페리가 서 있는 곳으로 달려갔다. 일찍 일어난 게 아니라 잠과 가까워지는 중이란 걸 놀리는 그녀에게 한 방 먹이기 위해서.

"어때요, 제 옷?"

"응? 뭐가?"

"지금 이거요. 제가 시티에 있을 때 최고로 아끼던 옷이거든요."

홈은 어디 대답해 보란 듯 자신의 늘어진 브이넥 반팔 티셔츠를 손으로 짚으며 말했다.

"글쎄. 오일을 듬뿍 바르고서 태닝 중인 남미 여자 옆에서 병맥주와 함께 낭만을 즐기는 용도로는 제격이라고 봐."

페리는 작은 돋보기라도 꺼낸 것처럼 유심히 홈의 상체를 한 바퀴 돌아보고서 대답했다. 그리고 그녀의 말을 들은 홈은 들리지 않는 목소리로 속삭였다. 지랄.

"이야, 역시. 디자이너는 표현 방식부터가 다르네요. 저는 그냥 소파에 누워 배때기나 긁을 때 쓰던 옷이었는데. 생화와 바다는 영 어울릴 수 없는 존재인지라, 조화라면 모를까."

"어머, 그랬어? 참 좋은 옷인데. 아쉽네."

"그런 말을 듣고 나니 욕구가 생기는데요? 조만간에 폭포 옆 바위에라도 앉아 낭만을 즐겨 봐야겠어요."

그제야 페리는 홈이 자신을 비꼬기 위해 비를 뚫고 날아왔다는 사실을 알아차린 듯한 얼굴을 내비쳤다. 붉게 달아오른 페리의 표정을 본 홈은 피식 웃음 짓고는 다시 자신의 집으로 내달렸다.

"디자이너는 개뿔. 어디 하수도 근방에 누워 있다가 시인 행세나 했겠구만."

홈은 발의 물기를 종아리의 마른 부분에 대충 문지르고는 침대에 걸터앉았다. 입구에서 침대까지는 세 걸음이면 충분했다. 그리고 홈은 홀로 생각에 잠겼다. 자신이 시티를 왜 도망쳐 나왔는지, 바닥에 가까울지언정 편의를 누릴 수 있는 권리를 왜 뿌리치고 나섰는지, 홈의 감긴 눈꺼풀이 부르르 떨렸다. 딱히 뼈 있는 계기도 아니었다. 생화 장수만의 다소곳한 자존심을 누군가로부터 불태워졌다던가, 하는. 어떤 날, 교통 가더 둘에 둘러싸인 여자를 보았고, 바로 이어서 들어가는 게 불가능할 짐을 트렁크에 넣기 위해 애쓰는 사람들을 보았을 뿐이었다.

"이거야 원, 시계도 없고 달력도 없으니 때를 알 수가 있나."

홈의 눈이 텅 빈 벽을 향했다. 그리고 양손을 꽉 쥐며 말했다.

"철쭉이 피는 무렵이랬지. 이제 라일락이 보이기 시작했으니까, 지금부터 한 마흔 밤쯤으로 생각하고 있으면 되겠다."

홈은 지킴이에 도전할 생각이었다. 시티에서 도망쳐 나온 밤, 마을 입구에서 키의 부릅

뜬 눈과 자신의 떨리는 눈이 마주쳤을 때가 끓어오름의 시작이었다. 횃불의 머리가 타오르는 어둠 속에서 발삭과 같은 거친 숨을 몰아쉬는 자신을 기만히 내려다보던 키의 깊고도 고독한 눈망울. 홈은 그때 깊게 다짐했다. 저 뜨거운 불꽃 옆이 자신이 있을 곳이라고.

"안녕하세요!"

페리는 아닌데, 목소리를 들은 홈은 속으로 생각했다. 그리고 고개를 돌렸다. 도토리를 닮은 동그란 코, 고무 끈으로 묶은 검은색 생머리. 얼굴을 확인한 홈은 침대에서 내려와 공손히 인사를 건넸다.

"안녕하세요, 퓨티 씨."

그에 퓨티는 홈의 얼굴을 빤히 보며 말했다.

"오늘도 잠을 잘 못 주무셨나 봐요."

"예, 뭐. 아직은 적응 중이라서요."

"약속 시간보다 일찍 오셨네요. 거리가 멀어 비를 많이 맞으셨을 텐데. 어서 들어오세요."

"흐흥."

이어지는 홈의 말에 퓨티는 이까짓 것 문제없어요, 라고 말하듯 콧소리를 냈다.

"이런 장대비가 내릴 줄 알았으면 다른 날로 부탁을 잡을걸."

"아니에요. 맑은 날에 가 볼 만한 곳도 아니잖아요?"

모자의 비밀이 들통 난 술자리가 있던 바로 그날, 주변의 웃음소리가 소강상태로 접어들 무렵, 홈은 건배를 하며 퓨티의 얼굴을 처음 보게 되었다. 홈은 자신과 나이가 같음을 알게 되었고(생일은 퓨티가 조금 더 빨랐다.), 퓨티가 자신보다 얼마나 이른 나이에 시티를 떠나 마을에 정착했는지를 그녀로부터 듣게 되었다. 둘은 말이 제법 잘 통했다. 홈은 마을에 대해 궁금한 것이 많았고, 퓨티는 시티에 대해 궁금한 것이 많았다. 그리고 거기서 서로가 서로의 흥미를 돋우던 중, 퓨티의 입에서 무덤 이야기가 나왔다. 홈은 그에 이끌렸다. 시티에서는 장례라는 것도 없거니와, 수명이 다한 인간을 더 이상 생물로 취급해 주지 않았기 때문이다.

"기다릴까요, 출발할까요?"

홈은 퓨티의 젖은 옷을 보며 말했다.

"출발하죠. 그칠 비도 아닌 거 같은데. 근데, 그쪽은 왜 젖어 있는 거예요? 지금 봤어요."

퓨티는 홈의 목을 기점으로 시선을 점점 아래로 내리며 말했다.

"아, 이거요? 그냥…, 그냥 한번 맞아 봤어요. 잠깐만 기다려요. 모자 좀 챙기고요."

"그놈의 모자."

소리 내 비웃은 퓨티는 먼저 집을 나섰다. 폭포까지 묻어 버린 비가 무서운지 마을의 거리에는 나와 있는 사람이 한 명도 없었다. 밖으로 나온 두 사람은 짧은 대화 몇 차례 이후, 말을 나누지 않았다. 퓨티를 뒤따르던 홈은 문득 몸이 떨리는 게 느껴졌다. 긴장감도 아니고, 일체감도 아닌, 모종의 떠 있는 기분과 비슷한 감정이라고 홈은 홀로 단정 지었다. 그리고 다시 홈은 묵묵히 퓨티 걸음 뒤를 따라 밟았다. 머리가 어깨에 닿을 정도로 둘은 키 차이가 나는 편이었지만, 퓨티의 다리가 평균 이상으로 긴 탓에 걸음의 속도는 크게 다르지 않았다.

"거의 다 와 가요. 슬슬 보이죠?"

20분간을 말없이 걷기만 하던 퓨티가 처음으로 홈을 향해 반쯤 어깨를 돌리며 말했다. 그리고 홈은 보았다. 그녀의 몸통 너머를. 홈은 처음에 땅이 흔들리는 것으로 착각했다. 그만큼 머리가 강하게 덜컥하고 주저앉는 것처럼 느껴졌기에.

"네, 보여요."

줄곧 퓨티의 뒤에만 서 있던 홈은 처음으로 그녀를 추월해 앞으로 나가며 대답했다. 그리고 홈은 모자챙을 바로잡았다.

"어때요? 무덤이란 걸 처음 본 기분이?"

퓨티는 홈의 옆에 나란히 발을 붙이며 물었다.

"…잘 모르겠어요. 비가 문제인지, 내가 문제인지."

홈은 갈래에서 시선을 분산시키지 않고서 박혀 있는 세 개의 말뚝을 두 눈에 담듯이 뚫어지게 바라봤다. 죄수들의 언덕은 그의 발목 아랫부분에도 닿지 않을 정도로 낮았다. 그리고 그 옆의 말뚝은 어떠한 글귀도 쓰여 있지 않은 채 보기만 해도 기분 나쁜 문양과 냄새나는 토사물들로 가득 뒤덮여 있었다. 해변의 모래사장처럼 반복에 반복인 것이다. 뒤에 남은 이웃들이 물, 그리고 바람으로써.

"살인이라고 했죠?"

홈은 말뚝을 향해 고개를 기울이며 물었다.

"네. 여기 아래 세 사람 모두요."

퓨티는 말뚝에서 소금 너 뒷걸음치며 대답했다.

"완벽하네요."

"뭐가요?"

"시티엔 이런 게 없거든요. 평평한 질서와 주름진 규율이 있고, 사람들이 빽빽하다 못해 넘쳐흐르는 곳임에도 불구하고 말이에요."

"미안한데, 뭐가 없다는 건지 이해를 못 했어요."

퓨티는 비로 인한 추위 때문인지 묘하게 떨면서 대답을 꺼냈다.

"과한 배려와 상충되는 경적. 완벽한 듯 보이는 시티의 민낯이라고나 할까요. 죽은 인간을 짐승 취급하는 곳이에요, 그곳은. 생전에 어떠한 위대한 업적을 쌓아 올렸든, 생전에 어떠한 죄질의 죄목을 선고받았든, 그 인간이 죽어 버리면, 죽어 버리기만 하면, 모든 게 연기처럼 사라지죠. 더 웃긴 건, 시티의 사람들은 그것을 당연한 것으로 치부하고서 살고 있다는 점이고요."

"…말을 곱씹어 보게끔 만드네요. 그러니까 홈 씨의 말은 선한 사람이든 악한 사람이든 관계없이, 아니, 당장에 죽은 사람에게도 이런 취급이란 걸 해 준다는 거에 대해 감탄을 한다는 거죠?"

"그래요. 적어도 이 마을엔 제가 좇던 아름다움이 있는 것 같아 다행입니다."

그리고 홈은 처음으로 말뚝에서 시선을 돌렸다.

"무서운 말을 쉽게 내뱉네요."

"그쪽은 말이 잘 통한다는 걸 알았으니까."

홈은 퓨티를 향해 미소 지으며 말하였다. 그리고 빗방울이 더욱 굵어졌다. 퓨티는 그만 돌아가자는 말을 건네고 싶었지만, 홈의 발걸음이 이미 사형대를 향하고 있었다. 흙바닥은 이제 완전히 두 사람의 무게를 지탱하지 못하는 상태로 변해 버렸다. 붉은빛의 사형대는 나무 한 그루 정도의 높이에 단단하고, 냉철해 보였다. 땅을 적시는 빗물이 사형대의 다리로 스며들 듯 파고들었고, 그로 인해 땅에서 올라오는 시원한 향취까지 모조리 흡수하고 있었다. 한마디로, 조금의 생기도 느껴지지 않는 검은 구멍과도 같은 곳이었다.

"물감 냄새가 아니네요."

홈이 사형대 기둥에 코를 대 보고는 퓨티를 뒤돌아보며 말했다. 식물 상징주의 놀이뿐만 아니라 화가 흉내도 줄곧 내었던 터라 홈은 그림에 있어서도 남들 따라 할 정도의 조예가 있었다.

"그런 물건이 여기에 있을 리 없죠."

퓨티는 말했다.

"피인가요?"

"네."

"누구의 피죠?"

"가해자, 그리고 그 사람의 일가족 전부."

답을 한 퓨티는 홈이 조금이라도 놀랄 줄 알았다. 아니, 그럴 거라고 확신했었다. 자신은 말을 하는 것만으로도 속이 울렁거렸으니까. 반면, 퓨티의 말을 들은 홈은 발동 걸린 사람처럼 행동했다. 제자리서 펌프질을 하듯 스스로를 쳐올렸다.

"돌겠네."

퓨티는 사형대에 오르려는 홈을 보며 말했다. 홈은 위로 세워져 있는 사다리를 체중을 실은 양손으로 누르며 탄성을 가늠했다. 사다리는 꽤 만듦새가 있었다. 간격도 일정했고, 잡는 부분도 거칠지 않았다. 무엇보다 흥미로운 건 고정 방법이었는데, 아래는 허수아비의 다리처럼 땅속 깊숙이 박혀 있었고, 윗부분만 덩굴과 같은 질긴 줄기들로 수없이 감아져 있었다.

"구경만 하고 올게요."

홈이 사다리에 손을 올린 채 말했다.

"거길 꼭 올라가야겠어요? 찜찜하지도 않아요?"

"궁금한걸요."

홈은 대답과 동시에 왼발을 사다리의 첫 마디에 올렸다.

"같이 가요, 그럼."

퓨티는 홈의 다음 발이 오르기 직전에 말을 뱉었다. 그리고 홈은 눈치가 좋았다.

"뭐야, 설마 처음인 건 아니죠?"

"처음은 당신이에요. 다들 여긴 듣고도 외면하거나 오르려 들지 않는다고요."

홈은 대답 대신 희열을 느끼듯 얼굴을 부르르 떨어 보이고는 위를 향했다. 홈은 능숙히 위로 전진했다. 퓨티는 사다리에 올라 보는 것이 처음이라 두려웠지만, 기에서 밀리기는 싫어, 홈의 엉덩이만 응시하며 발을 내렸다. 먼저 도착한 홈이 팔을 내밀며 말했다.

"힘내요. 한 발만 더 뻗으면 돼요."

올라선 퓨티는 그대로 네발로 바닥을 짚은 상태로 숨을 골랐다. 빗물에 바닥이 꽤 미끈거렸다. 사형대의 바닥은 대략 5평 남짓했다.

"죄를 심판하는 데치고는 운치가 좋네요."

홈이 등을 똑바로 펴고서 사방으로 시선을 내리며 말했다. 홈의 말에 퓨티는 쭈그린 채로 고개를 돌렸다. 그의 말 그대로였기에 퓨티는 속으로 공감했다. 나무줄기에 가리는 것만 빼면 끝에서 끝까지, 모든 게 보였다. 마지막 집, 입구 옆의 첫 집, 그리고 산맥 꼭대기부터 내려오는 폭포의 입술과 자락에서 튕겨 올라온 물이 만들어 낸 은하수까지. 퓨티는 천천히, 그리고 조심스럽게 몸을 일으켰다. 눈이 그녀가 주저앉아 있기를 내버려두지 않았다.

"신세계의 야만인들이 이런 삶을 누리고 있다는 걸 알면 너도나도 이곳으로 오고 싶어 하지 않을까요."

홈이 저 멀리 반대편에 있는 하나뿐인 출입구를 보며 말했다.

"신세계의 야만인? 그게 뭔데요?"

퓨티는 자존심이 센 여자였지만, 모르는 걸 아는 척할 만큼 몽매하진 않았다. 홈이 입구에서 눈을 떼지 않은 채로 답하였다.

"아주 오래전에, 뛰어난 작가가 쓴 책에 나오는 내용이에요. 마치 시티의 시민으로 살아본 것처럼 휘갈겨 놓았죠."

말을 한 홈은 입술을 깨물었다. 그리고 퓨티는 아무 생각 없이 궁금하다는 얼굴로 대화를 이었다.

"오, 재밌어 보이네요. 그 책, 결말이 어떻게 돼요?"

── 3 피크의 아내, 워블

세월이 흘렀지만, 여전히 객기 속에서 매일의 하루를 지새우는 피크와는 달리 그의 아내 워블은 일과가 매우 단출했다. 대략 십몇 년 전부터 그녀에겐 식사라는 개념이 없었다. 속이 쓰리고 소리 날 정도로 배가 고프길 기다렸다가, 피크가 만들어 놓은 미음을 떠먹는 것이 공기를 제외코서 그녀의 속으로 들어가는 전부였다. 그렇게 어느 정도 속이 채워지면 워블은 곧장 집의 난간으로 기어갔다. 마을을 대충 둘러보다, 금세 고개를 처들어 드넓은 하늘에서 구름을 골랐다. 그녀가 찾는 것은 작고, 동그랗고, **빵빵**한 모양의 것들이었다. 처음 워블의 그런 모습에 사람들은 의아해했지만, 햇수가 쌓이고부터는 모두가 의문을 거둬들였다. 워블이 구름으로부터 무엇을 짜내고 있는지를 눈치챘기 때문이었다. 원망의 화살은 피크에게로 날아갔다. 말이 들릴 때마다 피크는 고개를 가로저었다. 그러고는 떳떳이 변명했다. 자신도 할 만큼 해 보았다고. 본인이 선택한 인생이라고.

"자기, 오늘 어때?"

조용히 다가온 피크가 워블의 등 뒷자락에 손을 얹으며 말했다.

"…최악이에요. 오늘같이 두껍고 평평히 층이 진 날은."

워블이 팔을 뒤로 돌려 피크의 손을 잡으며 대답했다. 낡은 손이었다. 트고, 투박하며, 목에 둘린 스카프와는 반대되는 손. 목소리도 그러했다.

"그러면 오늘은 이만 들어가서 쉬는 건 어때. 민트 씨로부터 송이 몇 개를 구해 왔어. 코코넛 숯에 불을 놓아 다진 마늘과 함께 구워 먹으면 맛이 상당할 거야."

"내가 무슨 말을 할지 이미 알고 있잖아요."

워블이 하늘에 놓은 눈을 피크의 눈앞으로 내리며 말했다.

"어제의 대답은 알지. 하지만 오늘의 대답은 모르는 거잖아?"

"미안해요. 오늘도 같은 답이에요. 먼저 들어가 보아요. 나는 구름을 봐야겠어요."

말을 들은 피크는 허탈함 가득한 표정으로 워블의 손을 놓았다. 근 10년 가까이 되는 반복에 피크도 지칠 대로 지친 것은 사실이었다. 그리고 피크 역시 가장이라는 이유로 티를 내지 못할 뿐, 워블과 마찬가지로 누르는 삶을 살고 있다는 점은 다르지 않았다. 시티서부터 만삭이었던 워블을 끌고서 시티를 박차고 나왔던 날, 차마 치울 엄두조차 나지 않는 먼지 바닥에서 아기의 첫 울음소리를 들었던 날, 피를 닦아 줄 천 쪼가리가 없어 입고 있던 속옷을 벗어 물에 적셨던 날, 양손에서 김이 날 정도로 차가운 물이었음에도 일말의 내색 없이 고개를 끄덕이던 워블. 그것이 시작이었다. 자신의 타고난 카리스마를 좋은 쪽으로만 다루던 피크가 독단적인 사람으로 변하게 된 것은.

"그래, 그럼. 혹시나 생각이 바뀌게 되면 내려와 줘."

"알겠어요."

워블이 회갈색 눈동자를 하늘 위로 들어 올리며 힘없이 말했다. 그에 피크는 몸을 돌리며 마지막 말을 남겼다.

"나는 내일도 자기에게 같은 질문을 건넬 거야, 알고 있겠지만."

워블은 대답하지 않았다. 이미 눈이 두꺼운 구름 뒤로 숨은 태양을 향해 있었다. 안으로 들어온 피크는 도마에 포개어 있는 연잎을 손가락으로 한 겹씩 걷어 냈다. 그리고 두꺼운 손 근육으로 송이 모두를 으스러뜨려 통에 버렸다. 미음이 데워질 정도로만 가느다란 장작을 추가로 넣은 다음, 피크는 집 밖으로 나갔다.

"내일은 비가 내리겠군."

난간에 기댄 워블을 지나쳐 하늘을 본 피크가 차가운 어조로 말했다. 피크는 출구 쪽으로 발걸음을 옮겼다. 공손함으로 인사를 건네오는 사람들에게는 가벼운 묵례만으로 대답을 대신했다. 출구는 하나의 벽 같았다. 사이사이 나무를 낀 채로 자연스레 둥글게 조성된 마을은 그 느낌이 덜하였지만, 출구는 달랐다. 차분함 가운데에서 떨리는 하나의 손처럼, 출구는 거칠었다.

"새로 오신 분 이름이 뭐라고 했죠?"

뒷짐을 지고서 소리 없이 계단을 오른 피크가 때마침 같은 곳에 올라 있는 사내를 발견하고는 그에게 물었다. 사내는 키가 크고 무척이나 마른 사람이었다. 검은색 눈망울과 갈색 피부가 해가 약함에도 매력적인 색으로 빛이 났다. 피크를 본 사내는 짝짝이로 짚고 있던 다리를 똑바로 풀며 대답했다.

"어, 피크님. 여긴 어쩐 일이십니까."

분명 사내는 피크의 말소리를 들었을 것이다. 피크는 처음 목소리에서 톤을 한 계단 낮춰 다시 말을 건넸다.

"그제 밤에 마을로 오신 분을 보러 들렀습니다."

"아하, 홈 씨를 만나러 오셨군요? 물 한 컵 들이켜고는 곧장 곯아떨어진 거 같던데, 아직 깨어났는지는 모르겠습니다."

"그렇다면 아직 **디케이** 씨 댁에 머물고 있겠군요. 알겠습니다."

피크는 인사 없이 아래로 걸음을 밟았다. 사내는 길게 말을 나누지 못해 섭섭한 듯 입맛을 다시며 멀어지는 피크의 뒷모습을 끝까지 바라보았다. 디케이는 피크와 같이 마을의 창립 멤버인 동시에 의사였다. 기계만큼이나 차고 넘치는 시티의 반려동물들, 디케이는 그중 주로 유기 동물을 건져 치료해 주고 다시 원래 자리에 풀어 주곤 했었는데, 변할 것 같지 않은 현실과 그에서 오는 자신의 인생에 회의를 품고서 피크 무리에 합류해 시티에서 도망쳐 나왔다. '치료'라는 건 단상에서의 교환 대상이 아니듯, 디케이 역시 지킴이들만큼이나 갑옷 같은 대우를 누리고 있었다. 디케이의 집은 피크가 걸어온 마을의 나머지 반 바퀴가 시작되는 무렵에 자리해 있었다. 말 그대로 출구와 가장 가까운 집 중 하나였다. 디케이의 집 입구에는 석류나무 세 그루와 과즙을 덧대고 덧대어 만든 붉은 십자가 문양이 대문 정면에 큼지막하게 칠해져 있었다.

"디케이, 집에 있나?"

문을 가볍게 두드린 후, 소리가 없자 피크는 말했다. 피크는 한 번 더 문을 두드렸다. 다시 소리가 없었다. 피크는 잠시 가만히 있다, 창가로 걸음을 옮겼다. 흙색의 나무줄기를 촘촘히 가로로 길게 엮은 발 앞에 선 피크는 고민했다. 디케이가 가장 혐오하는 행위가 남으로부터 엿봄을 당하는 것이었기 때문이었다. 피크는 숨을 참은 채로 아주 살짝 발을 들어 올려 시선을 집어넣었다.

"피크!!!"

굵고 우렁찬 목소리. 늘 그렇듯 디케이의 목소리는 방대한 성량에 성대가 따라가지 못하는 듯 소리가 긁혀서 나왔다. 피크는 눈을 질끈 감으며 창에서 떨어졌다. 그리고 작게 중얼거렸다.

"엿 됐군."

발을 올리자, 디케이가 격하게 손짓하고 있었다. 피크는 고개를 끄덕이고는 문으로 걸음을 옮겼다. 문을 채 다 열기도 전에, 허리춤에 손을 올린 디케이가 현관 앞에 도착해 있었다. 피크보다 머리 하나만큼은 키가 컸고, 유한 흰색의 눈썹과는 대조되는, 다소 어두운 미간을 가진 사내였다. 특이한 점이 있다면 마을 내에서 유일하게 안경이란 걸 쓰고 있다는 점. 그는 고도 근시였다.

"아침부터 싸울 상대를 찾고 있는 거야, 응? 내가 상대해 주면 돼? 그래, 어떻게 해 줄까? 어떻게 해 주길 바라?"

디케이가 한 손으로는 안경을, 다른 한 손으로는 피크의 가슴을 누르며 말했다. 피크는 입꼬리를 올리며 대답했다.

"이번엔 여자도 아닌데 뭘 그리 화를 내?"

디케이가 누르던 손을 펼쳐 옷을 붙잡자, 피크는 이를 드러내며 웃음을 보였다. 그리곤 양손으로 디케이를 안으로 밀어 넣으며 말을 이었다.

"이제 들어가도 되지?"

"네놈의 그따위 농담을 마을 여자들이 들어야 하는데 말이야."

대답한 디케이는 밀려난 몸을 다시 앞으로 전진시켰다가, 이내 발을 뒤로 빼며 피크를 향해 들어오라는 고갯짓을 보였다. 디케이의 집은 어두웠다. 또한, 무겁기 그지없었다. 분위기는 물론이거니와, 실제로도 그랬다. 사방의 벽마다 두께가 어마어마한 나무 선반들이 박혀 있었는데, 그 위에는 부리가 좁고 길이가 긴 투명한 유리병들이 줄지어 나열되어 있었다. 하나 같이 매연을 가득 담아 놓은 듯 속이 검었고, 생명력이 없었다.

"홈이란 사람을 만나러 왔는데."

집으로 들어온 피크는 시니컬한 목소리로 말했다. 이제는 익숙할 법한데도 피크는 아직도 주변의 것들에 눈길이 갔다.

"너도 참 별나. 평등으로 일군 마을이랑 네 행동은 괴리가 있다고 너도 알지?"

디케이의 딴지에 피크는 여유롭게 말을 받으며 되물었다.

"그런 말은 섭섭한걸. 순수한 병문안과 아침 인사가 권위적이란 소린가?"

"쳇. 홈이란 놈은 내 침실에 있어."

"고마워."

홈은 담요를 배에 덮은 채로 아기처럼 자고 있었다. 침실로 들어선 피크는 눈빛을 바꾸어 홈의 머리부터 발까지를 유심히 관찰했다. 담요 바깥으로 삐져나온 팔과 다리에 보이는 찰과상 말고는 달리 큰 상처는 없어 보였다. 피크는 침대 옆 등받이가 없는 의자를 한 손으로 끌고 와 몸을 앉혔다. 피크는 등을 빳빳이 세우고서 다리를 꼰 다음, 힘준 눈으로 다시 한번 홈을 훑었다.

"몸은 괜찮군."

그리고 침실 문 쪽에서 디케이의 목소리가 들렸다.

"변태같이 그러고 있지 말고 깨워서 말을 하지 그래."

"곤히 자는 사람에게 그럴 수 있나."

말을 들은 디케이는 어이없다는 듯 콧방귀를 뀌었다. 그리고 발소리를 크게 내며 홈의 얼굴 가까이로 다가가 허리를 숙이고는…

"웍!!!"

짧고, 굵게 고함을 내질렀다. 홈은 발작하듯 담요를 팽개치며 몸을 일으킴과 동시에 그와 비슷한 소리를 내뱉었다. 하마터면 홈의 오른발에 피크의 턱이 차일 뻔했다. 피크와 디케이는 동시에 킥킥대고는 홈을 향해 진정하라는 손동작을 내밀었다.

"뭡니까?"

홈이 속에서 올라온 신물을 삼키듯이 얼굴을 찡그리며 말했다.

"아침 인사."

피크가 말했다.

"라는 군."

디케이가 덧붙였다. 둘의 가벼운 말에도 홈은 놀람을 가라앉히지 못하고선 손을 가슴에 대고서 연신 숨을 헐떡였다.

"이름이 홈, 맞나?"

피크가 말했다.

"…예."

"혼자 도망 나오는 게 쉽지 않았을 텐데."

그 말에 디케이의 눈빛도 좁고 날카롭게 변하였다. 홈은 쫓기듯 눈을 돌리다, 머리맡에 놓인 물을 낚아채 단숨에 들이켜고는 숨을 길게 내뱉었다.

"제가 살던 등급의 구역에 일순 정전이 있었습니다."

"정전?"

"등급?"

피크가 정전을 말했고, 디케이가 구역을 말했다.

"예. 저는 제일 최하위 등급인 F구역에 살던 사람입니다. 주로 실패한 예술가들이 지내는 곳이요. 그런데, 저의 등급은 왜 물으시는 겁니까? 이곳에도 그에 따른 급이 존재하는 건가요?"

홈이 등급이라는 단어에만 반응하여 답을 하며 되물었다.

"그럼 그렇지. 우리도 변했는데 시티라고 변하지 않았을 리가."

말을 한 디케이는 외면하듯 고개를 옆으로 돌린 후, 소리 내 혀를 찼다. 피크는 왼손으로 머리를 짚으며 눈을 감았다. 이마를 가린 검지를 기점으로 퍼지듯 올라간 눈썹이 물결처럼 출렁거렸다.

"그 잘난 시티에 정전이라니, 내 평생에 보지 못해 아쉽군. 봤더라면 실컷 비웃어 줬을 텐데 말이야. 안 그런가, 디케이."

피크가 머리에서 손을 떼며 말했다. 디케이는 거기서 30초가량을 가만히 있다가 입을 열었다.

"물론 시티의 정전도 장관이었겠지만, 피크…"

디케이가 말을 끊고 숨을 깊게 들이쉬자, 그의 호흡에 두 사람은 빨려 들어가듯이 숨죽여 귀를 기울였다.

"드디어 시티에 보다 확고한 계급제가 도입된 거야."

그리고 디케이는 더 깊숙이 홈을 향해 상체를 숙이고는 그에게로 취조하듯 말을 뱉어냈다.

"자네, 올해 나이가 몇인가. 주머니에 라이선스가 없던데, 라이선스는 당연히 살던 곳에 버려두고 왔겠지? 추적기가 달린 라이선스 말이야."

"뭘 갑자기 열을 올리고 그래? 자네답지 않게."

피크는 디케이의 힘이 들어간 어깨 위로 손을 얹으며 말했다.

"확실하게 하고 싶은 것뿐이야."

짧게 대꾸한 디케이는 답을 들을 때까지 물러서지 않겠다는 듯, 피크의 손이 유도하는 대로 몸을 물러 주지 않았다.

"루트는 어떻게 알았지? 딸린 가족은 없는 건가?"

이미 디케이는 홈의 대답 따위를 듣기 위해 물음을 건네는 사람 같지 않았다. 목 주변의 핏줄이 곤두섰고, 목소리도 커짐과 동시에 거칠어져 갔다.

"라이선스는 물론입니다. 루트는…"

홈은 말을 멈췄다. 그리고 떨리는 동공을 쳐들어 두 사람의 눈치를 살피며 입술을 깨물었다. 그에 피크는 능글맞게 말을 건넸다.

"괜찮네. 말해 보게."

말을 들은 홈은 아주 천천히 입을 우물거렸다. 피로를 깨고 갓 일어난 탓에 생기라고는 없던 눈이 그제야 슬슬 빛을 찾아갔다.

"이쯤에서 '민트'라는 말을 뱉으면 목숨을 지킬 수 있다고 하던데, 맞나요?"

피크의 눈이 금방 닦아 낸 스테인리스 쟁반처럼 광이 났다. 그리고 말보다 손이 먼저 나갔다. 피크는 디케이가 선수를 치기 전에 그를 가로막았다.

"이거 인연이군."

피크는 실실 쪼개며 말했다.

"…이런 망할. 피크, 또 지킴이를 독단적으로 이용한 건가?"

디케이가 지쳤다는 목소리로 피크를 향해 말했다.

"아내를 위해 어쩔 수 없었어. 물론 나도 분명한 거래를 나누었고 말이야. 빌어먹을! 이거 정말 인연이지 않나? 그런데 민트 씨는 왜 이 사실을 미리 내게 말해 주지 않은 거지?"

"자네가 아무리 암묵적으로 이 마을의 선봉장이라고는 하지만, 지킴이는 아니야. 그들만큼은 개인이 휘두를 도구가 아니라고."

"민트 씨에게 가 봐야겠어."

피크는 여운이 가시질 않는 듯 쉬지 않고 피식대며 중얼거렸다.

"피크!!!"

디케이가 몸 앞에 서 있는 피크의 팔을 강하게 휘어잡으며 소리쳤다. 힘이 들어가 앞으로 굽어 버린 어깨에 귀까지 빨갛게 달아올라 눈의 흰자위까지 화가 나 보였다.

"그래, 사과하지. 미안하네. 그리고 민트 씨는 이제 지킴이가 아니야. 과거의 사람이지."

피크는 차분한 어조로 말을 건넸지만, 잡힌 팔을 놓아달라고 간청하는 모습은 보이지 않았다.

"피크, 이번 건은 그냥 넘어갈 수 없겠어. 다음 약속의 날에 나는 마을 사람들 모두에게 이 사실을 알릴 거야."

처음 듣는 단어들에 홈의 눈이 반짝였다. 홈의 살아난 눈이 둘 사이를 빠르게 번갈아 오갔다.

"그래, 그럼."

피크는 어깨를 으쓱이며 말했다. 그리고 디케이 쪽으로 몸을 돌려 그의 눈을 똑바로 응시하며 다음 말을 덧붙였다.

"그런데 그게 과연 옳은 선택일까? 우리 둘로 조용히 무마될 수 있는 일을 오히려 키워버리는 행위가 될 수도 있는데?"

"키워서 안 될 것도 없어. 괜한 억지 부리지 마."

디케이가 빼지 않고 응수했다.

"저기, 잠깐만요!"

홈이 배꼽 위에 덮인 담요를 왼손으로 걷어 내며 급히 말을 뱉어냈다. 후두가 위로 들린 상태로 말을 한 나머지, 목소리의 톤이 상당히 얇고 엉성했다. 때문에, 어떻게 들으면 가볍게 새는 웃음을 곁들여 말을 하는 것 같기도 했다.

"마을에 들어서기 전, 민트 씨가 제게 부탁하셨어요. 이번 일을 발설하는 때는 목숨이 걸려 있는 듯 보일 때, 그때 한 번뿐이라고. 그래서…"

"너는 빠져 있어. 신참 따위가 낄 대화가 아니니까."

디케이가 피크를 꼬나보던 눈동자 그대로를 홈에게 옮기며 말했다. 순간 그의 왼 어깨에 아주 작은 미동이 일었는데, 아마 손찌검을 올리려다 급하게 멈춰 세운 반동 탓일 것이다.

"민트 씨가 그랬다는 게 사실이라면, 우리가 낄 대화도 아니지 않나? 디케이."

피크는 입술 양 끝을 승자처럼 추켜올리며 말했다. 미소는 마치 예상이라도 하고 있었다는 것처럼 자연스럽게 얼굴에 배어났다.

"룰대로 하겠네."

디케이가 말했다.

——— 4 지킴이 민트

'탁탁.'

민트는 마을에 땅거미가 지는 게 보이자, 집 앞 각진 바위에 다리를 올려 발을 풀기 시작했다. 마을 누굴 데려와 붙여도 그 사람을 상대로 한 뼘 정도는 가뿐히 상회하는 다리 길이와 군살 하나 없이 부분 마디마디마다 곧 터질 풍선 같은 근육으로 가득한 장신의 미인. 빠지는 것이라곤 젊은 나이에 걸맞지 않게 검은 머리 한 올이 없다는 점이었는데, 그마저도 남자들은 백색의 말과 같아 보인다며 뺨을 붉히며 그녀를 추앙했다. 다만 한 가지, 그녀는 그런 자신을 너무도 잘 알았다. 쉽게 말해, 밥맛이 없었다.

"오늘은 저기까지."

민트가 눈썹 위에 손날을 붙여 누르고는 멀리 있는 불꽃을 응시하며 말했다. 목소리도 탁월했다. 발음이 어눌한 데서 만들어지는 경박함이 조금도 없었고, 미성인 남자의 목소리에서 살짝만 더 여성스러움이 가미되어 있었다. 듣기도 좋고, 말을 섞고픈 목소리였다. 대회가 있었다. 과거에는. 그러니까, 민트가 태어나고 이후 몇 해까지의 이야기다. 민트는 또래의 여자아이들과는 달리 집착적으로 달리는 행위에 매료되었다. 어느 매체건, 사람이든, 사람이 아니든, 민트는 상관하지 않았다. 그저 무엇이, 무언가가, 열과 성을 다하여 순간에 자신이 가진 모두를 토해 내는 그 자체가 아름답게 느껴졌다. 민트가 열두 살이 되던 해, 그녀가 인생 처음으로 대회에 발탁되던 해, 모든 막이 반대로 내려갔다. 사람들은 더 이상 땀과 노력이란 존재에 손뼉을 쳐 주지 않았고, 열광해 주지 않았다. 감각이 변한 것이다. 땀은 흘릴 필요가 없는 것이고, 노력은 필수가 아닌 선택의 영역으로 전락했다. 세상의 고요한 돌풍은 민트에게도 찾아왔다. 민트는 일말의 고민도 하지 않았다. 그녀는 바람을 그대로 받아들였다. 그 길로 시티를 버리고, 가족을 버렸다. 그리고 몸을 지켰다. 마을로 들어온 민트는 키와 마찬가지로 지킴이 자리를 석권한 이후, 단 한 차례도 자리를 내준 적이 없는 인물이었다. 그린 그녀가 지난 대회에서 처음으로 자리를 빼앗겼다. 민트는 축배는 물론이거니와, 승자와의 인사 자리에조차 나서지 않았기에 그 사람의 이름이 페리인 것을 제하고는 아는 사실이 없었다. 민트는 자리를 되찾고 싶었다. 어정쩡한 승리가 아닌, 압도적이고도 철저히 상대를 부서뜨리는 승리로써. 이제 대회가 얼마 남지 않았다. 불꽃의 위치를 확인한 민트는 자세를 낮추어 양손을 바닥에 짚고 엉덩이를 높게 들어 올렸다. 그런 다음, 윗배와 가슴에 순차적으로 숨을 채워 넣었다. 탕- 민트는 일순간 터뜨리듯 단번에 그것을 뱉어냄과 동시에 있는 힘껏 땅을 찼다. 거울과 같이 선명하게 비치는 공간이 있었더라면 그녀도 볼 수 있었을 것이다. 땅을 밟고 달리는 자신의 모습이 얼마나 야성미 넘치고, 맹렬한지를. 민트의 발 구르는 소리가 거리에 번지기 시작하자, 조용한 밤거리에 사람들의 얼굴이 하나둘 솟아났다. 여자의 얼굴도 간간이 보였지만, 대부분은 남자였다. 그들은 민트의 달리기를 하나의 스포츠를 보듯이 진중히 관람했고, 개중 심취한 누군가는 손을 모아 응원 기도를 올리기도 했다. 민트는 항상 둥근 마을의 길을 시계의 역방향으로 내달렸기에 그 같은 감이 더욱 배가됐다. 불꽃의 절반, 딱 그 지점에 이르렀을 때 한참을 달리기만 하던 민트가 숨을 헐떡이며 달리기를 멈추었다. 어느 집 앞이었다.

"후우…, 후우…"

숨을 대여섯 번 골랐을까.

"아!"

민트는 소리쳤다. 뺨 옆에는 팔을 번쩍 든 레드가 서 있었고, 그의 손에는 찻잎 색을 닮은 물잔이 들려 있었다. 도착 바로 직전에 채운 듯 잔의 겉면에 차가운 물기가 몽글몽글 맺혀 있었다.

"영감. 매번 다 좋은데, 인기척은 좀 내고 나타나 주면 안 돼?"

민트는 오른뺨에 붙은 잔을 손으로 낚아채며 말했다. 민트는 레드를 이름 없이 불렀다. 원래도 예의를 차리진 않았지만, 그의 이름이 가짜라는 것을 알게 된 이후로는 더욱 그랬다.

"내 몇 없는 낙인걸."

잔을 건넨 레드는 대답과 동시에 팔을 내려 뒷짐을 졌다.

"낙으로 삼을 것도 없다."

"너도 나이가 들어 보렴. 이 세상에 인간이 끼고 살 만한 게 별로 없다는 걸 알 수 있을 테니."

그에 민트는 손사래 치며 레드를 향해 대꾸했다.

"어우, 설교는 됐네. 나도 시티에 있을 만큼 있었고, 거기서 별의별 경우 다 겪어 봤거든."

"그럼, 내 말뜻을 더 잘 알 텐데?"

레드가 기울인 그 상태에서 턱을 앞으로 내밀며 말했다.

"아이, 그렇다 쳐도, 내 성스러운 육상 행위와 영감의 급수대 놀이하고는 체급이 다르지."

대꾸가 돌아오지 않았다. 말을 들은 레드의 발끝이 자신의 집으로 돌아가 있었다. 감정이 상했거나, 지겨움을 느꼈거나, 둘 중 하나였다. 그러한 레드를 보는 민트는 반대의 모습이었다. 미련투성이었고, 도도한 얼굴 위로 인정하기 싫지만, 그렇다는 표를 너무도 크게 띄워 놓아 있었다. 레드가 문에 가까워졌다. 민트는 움직이지 않았다. 레드가 문에 손을 올렸다. 민트는 이제 움직이지 않을 수 없었다.

"영감!!"

레드는 민트만큼이나 알게 모르게 콧대가 높았다. 일부러 끌어올려 나오는 모습이 아닌 걸 보아, 그의 무의식은 대단한 자존감으로 들어차 있는 것이 분명했다. 레드는 올린 손을 멈추지 않았다. 때문에 민트는 소리로 그를 다시금 불러야 했을 뿐만 아니라, 몸까지 데려가야 했다.

"아, 왜? 잘 것도 아니잖아."

금세 레드의 곁으로 다가선 민트는 팔을 붙들며 잔뜩 빈정대는 목소리로 말했다. 레드는 딱히 얼굴에 변화를 보이지 않았다. 그는 의문을 건넬 때와 거의 같은 표정으로 대답했다.

"그 말을 들으니 졸음에 더욱 가까워진 거 같구나."

"영감 잠 없는 거 마을 사람들이 다 아는 사실이야."

민트는 코 꿰듯 휘감은 팔을 당겨 레드를 슬금슬금 길목으로 이끌었다. 몸 좋은 여자에 끌려가는 깡마른 남자의 모습이 꼭 쓰레기 뭉텅이가 버려지기 위해 거리로 딸려 가는 것 같았다. 그러는 사이, 길이 좀 더 어둑해져 있었다.

"고칠 필요를 느낀 게지?"

길에 선 레드가 구름 안에 숨은 희미한 달을 쳐다보며 말했다.

"몰라."

민트는 고개를 떨구며 대꾸했다.

"시간을 얕보지 말렴."

"얕본 적 없어, 난. 어느 것도."

민트는 고개를 비스듬히 들어 올리며 새침한 목소리로 말했다.

"이 이빨 빠진 노인네를 실험용 삼은 것이 고약하긴 하다만, 기분이 좋으니 그냥 넘어가마. 앞으로도 오늘과 같은 마음가짐을 꺼뜨리지만 않으면 될 게다. 너에겐 그게 약이야."

"영감이 만만해서 이러는 게 아니야."

"퍽이나."

레드의 말을 들은 민트는 한참을 가만히 서 있었다. 그리고 아주 불편한 얼굴을 서서히 띄워 올리며 나지막한 목소리로 말했다.

"…나 알아. 영감이 시티에 있을 때 뭐 하던 사람인지."

"그래? 그거 기쁘구나. 너 같은 미인이 질척거릴 정도로 빼어난 사람이었다는 뜻이니."

레드는 당연하다는 듯이 농담을 대하는 말투로 대답을 돌렸다.

"영감님, 신발 만들었었어."

민트가 말을 채 끝내기도 전에, 레드가 쭈글쭈글한 손을 앞으로 내밀며 진중한 목소리로 말했다.

"그만. 거기까지 하렴. 과거를 기억 못 하는 사람에겐 그런 장난조차 상처가 되니까."

민트는 조용히 숨을 들이마셨다. 그리고 레드에게 둘러놓은 팔을 거둬들임과 동시에 몸을 그에게서 살짝 떼 놓으며 말을 꺼낼 준비를 했다. 레드는 벌써 조금 고조된 숨을 내뱉고 있었다. 주름진 얼굴 아래로 드리운 그늘에 분노로 이어질 그림자가 맺혀 있었다. 방금까지 민트가 꽤 티가 나게 움직였다면, 지금은 떨어진 자리에서 자신도 알아채지 못할 만큼 몸을 떨어뜨렸다.

"시티에 다녀왔어. 거래의 일종으로, 상대가 누군지는 말 못 해. 영감이 조용히 있어 줄 걸 아니까 지금 이렇게 전해 주는 거야."

"……" 레드의 입이 삐걱거렸다. 적당히 메마른 입술이 떨어졌다 붙을 때 들리는 소리 말고는 아무 소리도 내지 않았다. 그 뒤로도 레드에겐 사양한다는 몸짓이 기본적으로 깔려 있었는데, 본능적 방어 기제인 걸로 보였다. 왜냐면, 굳은 몸뚱어리 위의 눈빛이 너무도 심하게 요동치고 있었기 때문이다. 민트는 거리의 좌우로 고개를 돌려 다른 귀가 없는지 살폈다. 갤러리를 청하던 사람들은 이제 한 사람도 남아 있지 않았다.

"동료가 있었나 봐. 과거의 영감한테. 처음엔 나도 잘못 짚은 사람이겠거니 하고 무시하려 했는데, 아니었어. 어느 순간부터 경청하게 된 그의 말이 끝나는 순간, 알겠더라. 그 사람이 진짜라는걸. 영감을 실제로 한 번이라도 만나 보지 않았으면 알 수 없었을 것들을 우수수 쏟아 냈거든, 그 사람."

첫말을 뱉은 민트는 레드를 확인했다. 떨리는 눈은 여전했지만, 그늘이 조금 옅어져 있었다.

"영감, 나무 좋아하지? 마을로 들어오는 원목들에 은연중이라도 눈길이 가지 않았어? 그 사람 말로는 영감이 가죽 공예와 조각하는 일로부터 아이디어 얻기를 제일 즐기었다고 하더라고."

"민트 양."

거리가 느껴지는 이름 부르기였다. 그리고 레드는 얼굴을 들어 올려 민트의 눈을 지그시 바라보며 말을 이었다.

"내게 왜 이러는 건가."

"왜 이러냐니, 나는 단지 영감이 치욕을 씻을 수 있는…"

"나는 과거를 잊었어. 스스로 잊기를 택했거나, 나도 알지 못하는 계기가 있어 강제로 잊힌 걸지도 모르지. 둘 중 뭐가 됐든 레드란 이름을 부여받은 마을의 나는 시티에서의 나를 알고 싶지 않아. 운이 없었더라면 그로부터 나의 '진짜 이름'을 들었을 수도 있었을 테지. 하지만 민트 양. 부탁이니 아무 말도 하지 말게. 나는 어느 것도 알고 싶지 않으니."

원체 깊은 울림에 절절함까지 묻은 목소리는 보통 사람이 무릎을 꿇고 머리를 조아리는 것보다 비굴한 공기를 자아냈다. 말을 한 레드는 민트에게서 천천히 눈을 떼며 자신이 만든 허접한 그늘 속으로 몸뚱어리를 끄집고 들어갔다. 그 옆에 떨어진 민트는 겉으론 마냥 보고 있는 것처럼 보였지만, 그녀는 언제든 간격을 좁혀 레드를 붙잡을 준비가 돼 있었다. 문제는 흐름이었다. 칠흑을 잘라 내어 엉성히 엮어 놓은 듯한 그늘은 의외로 빛을 들이지 않았고, 밝음과 거리가 먼 레드의 외관과 교묘히 어우러져 완벽한 어둠을 조성했다. 문이 닫혔고, 어둠이 내렸다.

힘을 간판으로 마련된 지킴이 자리는 몇 해 전, **매드**라는 이름을 가진 사내가 마을로 들어오기 전까지만 하더라도 쉽사리 정착되질 못했다. 기본적으로 결핍이 깔린 마을에서 힘을 두고 자웅을 겨룬다는 자체가 모순이었다. 시티의 사람들이 골리앗이라면, 마을의 사람들은 다윗이었다. 다시 말해, 힘 지킴이를 선발하는 대회는 시티에서 갓 들어온 건장한 체격을 가진 자들의 소수 싸움일 뿐이었다. 힘 지킴이에 도전하는 그들 대부분은 마을에 적응하는 그 무렵부터 자신의 신체적 우위를 깨닫기 시작했다. 권력이라는 단어, 저 두 음절을 평생 모르고 살았다고 하여도 무방할 정도로 그들은 철저한 방랑자 생활을 겪어 왔기에, 그들에게 대회라는 것은 다른 그 어떤 무엇보다 처절한 반격의 자리로 다가왔을 것이다. 힘 종목의 지킴이 대회는 유일하게 중증의 부상자가 발생하는 종목이었다. 말 그대로 힘 하나만으로 판결을 내리는 것이었으니까. 해서, 그들은 항상 서로를 죽였다. 아니, 죽일 듯 해치웠다.

"볼거리도 좋지, 하지만 올해 첫 장은 쉽게 쉽게 가 보자고"

군이 굵다란 엄지손가락으로 담배를 말며 말했다. 곰 같은 골격과 연갈색의 피부, 갈비뼈까지 내려오는 머리를 땋지 않고 무심히 펼쳐 둔 모습이 그의 몸속에 흐르고 있는 인디언의 인자를 여실히 증명해 주고 있었다. 그리고 또 하나, 특이한 외관이 있었는데, 눈이었다. 오른쪽 눈은 파먹혀 죽은 것처럼 색이 하얬지만, 왼쪽 눈은 검었다. 한쪽의 상실을 상쇄하듯, 혹은 감추듯, 짙은 쪽의 눈이 항상 총기를 뿜어내었다. 그러한 사실을 군 자신도 알고 있는 까닭에, 군은 항상 말을 할 때면 상대에게로 왼쪽 얼굴을 내밀었다. 책임자 자리 하나는 지킴이 세 사람에 미치진 못했지만, 그런대로 무게가 존재했다. 다만, 군은 겉과 속이 다른 사내였다. 꼼수에 능한 잔챙이 같은 사람이었다. 꼬거나 트는 일이 잦았고, 틈만

나면 눈앞의 직선이 아닌 곡선으로 선회했다. 그러한 성격 때문에 사람들, 특히 여자들 사이에서 군은 인기가 좋지 않았다. 군은 지킴이 대회의 총책임자이자, 심판자였다. 그가 심판자의 역할을 갖게 된 이유는 하나였다. 창립 멤버로서 자리를 선점했다는 것.

"이번 달에 마을로 여러 사람이 새로 들어왔습니다."

"그렇습니다. 이번에 특히 괜찮은 사람이 있더군요. 기대하셔도 좋을 듯합니다."

대답은 양쪽에서 차례로 들려왔다. 둘의 목소리가 비슷하여 눈을 감고 듣는다면 왼쪽이 한 말인지, 오른쪽이 한 말인지 분간하기 어려울 정도였다. 둘은 쌍둥이었다. 그리고 동시에 그들은 추녀였다. 쌍둥이 자매는 서로를 더 못났다고 생각했기에, 누군가로부터 닮았다는 이야기를 듣는 때면 말을 꺼낸 당사자 앞에서 길길이 날뛰곤 했다. 굳이 따지자면, 둘의 직위는 부책임자가 될 것이다.

"요즘 기름 구하기가 힘들다고 합니다. 부싯돌도 마찬가지고요."

왼쪽에 앉은 추녀가 담배를 다 말은 군에게 탁자 위의 라이터를 주워 그의 앞으로 내밀며 말했다. 보기에도 오래돼 보이는 라이터 덮개의 경첩이 허공에서 소리 내며 흔들렸다. 그러자 오른쪽 추녀가 말을 얹었다. 그녀가 1분 30초 동생이었다.

"사치십니다."

"야!"

왼쪽 추녀가 언성을 높였다.

"민트 씨가 순종적이어서 그렇지, 그녀도 지킴이이기 이전에 마을 사람입니다. 연이은 심부름은 옳지 않습니다. 하물며, 피크님도 지킴이를 대할 때만큼은…"

"뭐? 피크님?"

다시 왼쪽 추녀였다. 군은 마을 사람의 대화거리에 피크가 나올 때면 그와의 비교 대상으로 종종 소환되곤 했다.

"그만해. 중요한 일도 아니잖아. 뭘 그렇게 언성을 높여? 네 동생 말이 맞아. 너도 꼬았을 뿐이지 같은 말을 하였고, 어떤 의미로 한 말이든 틀리지 않았어."

군이 손가락 사이에 끼워 놓은 담배를 재떨이에 내려놓으며 말했다. 그리고 군은 텁텁하다는 듯이 입맛을 다셨다.

"말이 나온 김에 담뱃잎 텃밭도 싹 밀어 버리시죠. 시티의 향락가와 다를 게 없는 장소예요. 우리는 그런 걸 멀리해야 한다고요."

오른쪽 추녀가 언니의 눈을 똑바로 바라보며 말했다. 어디 한번 이번에도 반박해 보라는 눈빛이었다.

"아니지, 그건 잘못된 말이야."

자매의 고개가 동시에 돌아갔다. 군과 눈을 마주친 건 동생 추녀였다. 그의 검은 눈이 딸려가듯 왼쪽을 탐했다.

"마을의 간소하다 못해 마르다시피 한 유흥을 시티의 향락과 비교해선 아니 될 일이야. 내가 동의할 수 없어. 기본적으로 그들은 폭력적이지. 품위는 말할 것도 없어. 발효로 겨우 끄집어낸 알코올을 술이라며 들이켜는 사람들이야, 얼마를 마신들 취하지도 못하는 구정물 따위로 건배를 하는 사람들이라고. 텃밭을 없애자? 말도 안 되는 소리. 촉수 삐친 것 마냥 생기다 만 꽃 한 송이를 보려고 그 값을 들여 종자를 구한 줄 알아? 의도가 다르다고, 의도가."

대상이 사람이 아니었음에도 그들은 시작되었다. 자매는 동시에 행패를 부렸고, 머리를 쥐어뜯으며 듣기 싫은 괴성을 내질렀다. 소리를 지르는 도중, 서로의 얼굴로 삿대질을 겸하는 것은 덤이었다. 군은 곧장 자신의 실수를 인정했다. 차마 군의 앞에서 화를 내기에는 무안한지 추녀 자매는 평소보다 빨리 히스테리를 사그라뜨렸다. 그리고 찰칵- 하고 라이터의 불이 켜지는 소리가 울렸다. 얼마 남지 않은 부싯돌에 닳고 닳은 롤러가 만나 겨우 스파크를 일으켰다. 담배의 첫 모금을 빨아들인 군이 자매 둘에게로 짙은 눈길을 흘리며 말했다.

"그런 말이 있어. 명성은 위대함을 뜻하기도 하지만, 반대로 조롱의 대상임을 확인시켜 주는 것이라고. 무슨 말인지 알아듣겠나? 우리는 그 같은 명성을 멀리하기만 하면 되는 거야. 위대해지진 못할망정, 누군가의 조롱거리가 되지 않도록 말이지."

군은 자신이 뱉은 말에 만족한다는 듯이 늘어뜨린 어깨를 의자의 팔걸이에 올려놓았다.

"이번에는 안 속아요. 또 군 씨가 만든 말이죠?"

"그래요. 지난번에도 그럴듯한 말로 우릴 매도했었으니까."

자매가 차례로 말했다. 그들은 지금처럼 흐름도 닮아 있었는데, 누군가가 따뜻한 무드로 말을 이끌어 가면, 거기에 맞춰 말이 이어져 나갔다.

"피해자를 자처하는 건 너희들이야. 일전의 경우도 마찬가지였지만, 나는 세상에 퍼져 있는 명언을 재사용한 죄밖에 없어."

군이 어깨를 으쓱이며 말했다.

"자존감 높아 좋으시겠어요."

"그러게. 아주 살맛 나시겠어."

자매의 투정에 군은 깊게 들이쉰 담배 연기를 좌우로 번갈아 내뿜는 걸로 대신했다. 그리고 하던 말을 이었다.

"지킴이라는 거 말이야."

"사실 아무짝 쓸모없는 명패에 불과하단 말이지. 군사도 아니고, 정보원도 아니고, 고작 시티의 치즈를 빼돌릴 도둑 생쥐를 양성하려는 거니까. 목매는 그들이 있다는 것 자체가 코미디야. 우스워."

"또, 또 자기만 안다는 듯. 정말 마음에 들지 않아요, 그 말투."

왼쪽 추녀가 매캐한 연기를 흩치며 말했다. 그녀가 말을 끝내자, 곧바로 오른쪽 추녀가 한목소리로 소리를 냈다.

"하지만, 그들 덕에 우리가 생명 부지를 하고 있다는 점은 명백한 사실이에요. 이런 말 하긴 그렇지만, 그들보다 더한 존재는 우리예요. 우리가 하는 게 뭐가 있어요. 고작 대회를 개최해 줄 뿐이고, 나올 관중을 집 밖으로 나오게 하는 것뿐이죠. 지칭할 생쥐가 필요하다면, 그건 우리 세 사람일 거예요. 그들이 아니고요."

시티를 포함하여 모든 양복쟁이를 줄 세웠을 때, 누구 한 사람의 콧대가 가장 높게 치솟아 있을까. 현재, 지금 당장으로만 따진다면 동생 추녀의 콧대일 것이다. 군과 오래 지낸 사람일수록 그런 경향이 강했다. 바깥으로 도는 형태를 무시코서 안으로만 굽어 들어가는 달팽이의 속살처럼.

"오늘따라 유독 날을 세워 말을 하는걸. 어젯밤 장난을 아직도 마음속에 담아 두고 있는 건가?"

군은 물고 있던 담배를 오른쪽 손으로 집은 다음, 재를 한 차례 털고서 다시 베어 물었다. 당사자인 동생보다 언니의 낯빛이 붉어져 있었다. 그리고 동생 추녀를 바라보는 언니 추녀의 눈이 바늘을 쏟아 낼 듯 날카로웠다.

"…장난이 아니셨을 텐데요."

부끄러움에 바닥으로 내려간 목소리. 추녀 자매의 입에서 좀처럼 듣기 힘든 소리였다. 특히, 동생은 부정으로 똬리 틀린 언니와는 달리 자존감이 있는 여인이었기에 더욱 그러했다.

"장난이었대도."

"두 사람, 무슨 일인데요?"

언니 추녀가 말했다.

"'그 손'을 장난이라고 밀어붙이는 건, 군 씨답지 않은 처사예요. 차라리 깨끗하게 인정하고 실수라고 손을 터는 편이 나았을 거라 생각해요."

"'그 손'이 뭔데요? 왜 그 대화에 저만 끼지를 못하는 거죠?"

언니 추녀가 안간힘을 쓰며 연거푸 말을 밀어 넣었지만, 두 사람은 신경 쓰지 않았다.

"자꾸 그런 쪽으로 몰고 가지 마. 정말 아무 뜻 없이 나온 행동이었으니까. 네가 그럴수록 우리 둘만 멀어지는 거야. 책임자끼리 사소한 일로 다투지 말자고. 대회가 얼마 남지 않았어."

그리고 군은 서두르는 손짓으로 담배를 꺼뜨렸다.

"사과를 듣지 못한 이상, 제가 이번 대회에서 군 씨를 돕는 일은 없을 거예요. 남은 오해는 언니를 데려가 푸세요."

새침한 목소리로 말한 동생 추녀는 군의 집에 드리운 은근한 불편을 스푼으로 젓듯 넌지시 휘저은 다음, 밖으로 나가 버렸다. 쾅, 하는 소리를 기다리고 있었던 것인지, 자리에 앉아 있던 군은 문소리가 나지 않자, 몸을 일으켜 등 뒤의 현관을 확인했다. 동생 추녀는 이미 사라지고 없었다. 그리고 군은 또 다른 그녀와 말하기 위해 자리에서 움직이지 않아도 되었다. 언니 추녀가 벌써 그의 앞에 다가와 있었다. 그녀의 눈가에 살짝만 건드려도 떨어질 듯한 새끼손톱 크기의 눈물이 맺혀 있었다.

"수치스러워요."

군과 눈이 마주친 순간, 언니 추녀가 흰색 머플러에 얼굴을 파묻으며 말했다. 그녀는 특별한 경우가 아니면 옷을 만지지 않았다. 바람에 깃이 삐뚤어져도, 빗물에 옷감이 달라붙어도 그랬다. 그녀가 옷매무새를 다듬는다는 건, 그러지 않고선 버티지 못하는 특별한 상황이라는 의미였다.

"오해야, 포렌."

군이 자리에 서 있는 언니 추녀의 이름을 부르며 말했다.

"오해라는 말은 진실을 들켰을 때 하는 말이라고 배웠어요, 군."

포렌은 뒤로 걸음을 물리며 대꾸했다. 포렌의 그 말에 군은 스스로 헛발질을 일으켰다.

막다른 골목에 처한 인간이 범할 수 있는 가장 손쉬운 추태와 함께.

"대체 나한테 왜 이러는 거야. 왜 우리끼리 내분을 조장하려는 거냐고, 아니면, 지금 설마 약속 때문이야? 내가 지난 분기 두 사람 몫을 적게 줘서 그래? 그런 거라면 언제든 뒤로 언질을 달라고 했잖아. 내게 달린 몫을 떼어 주겠다고 남의 배려를 이런 식으로 갚으면 안 되지. 그리고 당시에도 최대한 알아듣게 설명했지만, 우리는 두 채를 **빼야** 했어. 어쩔 수 없는 상황이었다고. 지난 10년간 민트의 자리를 **빼앗을** 만한 사람이 나타나지 않았으니 말이야!!"

포렌은 대답하지 않았다. 처음부터 말을 듣지 않은 걸지도 모른다. 얼굴이 파묻힌 머플러만이 그녀의 숨에 맞춰 부풀고 줄어들기를 반복했다. 잠시 그를 보던 군은 날쌔게 포렌의 옆을 지나쳐 부엌으로 향했다. 목젖 꿀렁이는 소리와 함께 바닥 위로 물 떨어지는 소리가 들렸다. 그리고 곧이어 불친절한 고함이 이어졌다.

"내 집에서 당장 꺼져! 너희 자매한테도 질렸으니까!!"

새하얀 머플러 위로 포렌의 빨간 눈시울이 떠올랐다. 포렌은 말없이 몸을 이끌었다. 타고난 마음 그릇의 크기가 선천적으로 다른 세 사람이었기에 가능한 상황이었다. 그릇이 작은 사람이 일을 일으키고, 그릇이 없는 사람이 일을 운반, 그릇이 큰 사람이 일을 뒤집어쓰는. 그런 의미에서 포렌의 동생은 항상 일의 중심에 서 있었다. 특히나 일에 감정이 포함된 경우일 때면, 그녀는 무적이었다.

"토슈!!"

길로 나온 포렌이 머플러를 내리고 사람들이 모여 있는 곳으로 소리쳤다. 그녀의 목소리를 들은 마을 사람들이 하나둘 고개를 돌렸지만, 그들은 눈으로 자기네들이 있는 곳은 아니라고 대답했다. 포렌은 고개를 돌렸다. 날은 이미 어둑했고, 시야가 멀리 트이기엔 역부족이었다. 그녀들의 집은 군의 집에서 한참을 돌아가야 나오는 곳이었다. 그리고 마을 중앙 폭포의 암벽과 등을 맞대고 있는 집이기도 했다. 등을 맞댄 탓에 그녀들의 집엔 물안개가 들지 않았다. 포렌과 토슈 자매는 10년 전, 마을의 스물일곱 번째 약속의 날, 그러니까, 퓨티와 포 부녀가 단상에 소개되기 두 달 전 마을로 들어온 여인들이었다. 홈이 마을 사람들과 술판을 벌인 것은 시티의 달력으로 17일 밤. 그의 경우에서 보았듯이 지금은 약속의 날이 아니더라도, 도망자들이 단상에 먼저 오르지 않아도, 마을 사람들과 융화되는 것이 가능하다. 그러나 과거엔 아니었다. 무조건 피크의 선창이 우선이었다. 확성기를 쥔 피크는 가히 절대적인 존재였다. 그랬던 피크가, 마을 사람들이, 그 같은 행위를 흘쳐 버리게 된 것은 하루였다.

　　피크의 아들이 목이 잘린 채로 발견된 하루.

—— 6 폭포를 기준으로

마을 사람들은 자신의 집을 태양보다는 폭포를 기준으로 기억, 인지하고 있었다. 예를 들면, 사형대가 위치한 곳은 9시 방향, 마을의 출입구가 위치한 곳은 3시 방향, 과 같은 방식이었다. 폭포의 물이 떨어지는 곳과 마주한 집, 그 집이 6시였다. 그런 식으로 볼 때, 홈의 집은 7시, 퓨티의 집은 그보다 조금 더 떨어진 5시 30분 정도였다. 각 집은 생김이 똑같다시피 했고, 위치로 인한 장단 역시 크게 차이 나지 않았지만, 추녀 자매가 머무는 12시 방향 인근의 집들처럼 물안개가 끼지 않는다는 명확한 장점이 존재하는 곳도 존재했다. 그리고 공통적으로, 마을 사람들은 사형대에서 멀리 떨어진 집에 살기를 선호했다. 지어진 집들은 한정돼 있었고, 창립의 몇몇 멤버들을 제외한 나머지 사람들은 선택지가 없었다. 무조건 출입구부터 시작되어 안쪽으로 채워졌다. 이제 비어 있는 집이 몇 남지 않았다.

홈은 예상치 못한 질문에 어떻게 할지 고민하다 결국은 자신의 방정맞은 입을 책망하며 책의 결말에 대해 퓨티에게 설명해 줬다. 말을 들은 퓨티는 크게 눈을 동그랗게 떴다가 이내 눈꺼풀로 반쯤 눈동자를 덮어 버렸다. 그리고 떨어지겠다 마음먹은 사람처럼 아래를 응시했고, 사형대의 땅끝까지 발걸음을 옮겼다. 홈은 바라보기만 할 뿐 아무것도 하지 않았다. 만약 한 걸음만 더 내디딜 결심을 했더라면 퓨티는 떨어질 수 있었을 것이다. 그러나 퓨티는 거기서 멈췄고, 다시 원래와 같은 표정으로 돌아와 그곳에서 몸을 돌렸다. 다른 말은 없었다. 홈의 옆을 지나친 퓨티는 사다리의 봉을 붙잡았다. 그때야 홈은 몸을 납작 엎드려, 퓨티의 손 너머 팔목을 움켜잡았다. 그리고 홈은 퓨티가 무사히 땅에 발을 내린 것을 확인한 뒤, 사다리 위로 자신의 발을 올렸다.

"…"

홈이 땅까지 네 줄 정도를 남기고 있을 때 퓨티가 입을 열었다. 얇아진 빗방울보다 작은 소리였지만, 홈은 그 소리가 들렸다. 홈은 두 번째 줄에 양발을 놓았다가 단숨에 땅 위로 뛰어내리며 말했다.

"네? 뭐라고요? 못 들었어요."

"……"

공기밖에 없는 말소리였다. 풀린 얼굴에 달라진 점은 없었다.

"미안해요. 또 듣지 못했어요. 다시 말해 줘요."

홈은 재촉과 사과를 동시에 건넸다. 자책감은 홈이 가장 두려워하는 감정이었다. 자신이 어떻게 되는지는 중요한 게 아니었다. 홈이 그를 깊게 여기는 이유는 본인으로 인해 타인의 불행이 발현될 수도 있다는 가능성에 대한 불안. 그것 때문이었다.

"어서 말해요. 무슨 말을 하든 괜찮아요."

홈은 말하고 나서야 느꼈다. 자신이 지나치게 조급함이 묻어나는 말을 퓨티를 향해 내뱉었다는 것을. 퓨티가 또다시 웅얼거릴 것처럼 입술을 움직이더니, 이번엔 들리는 크기로 말했다.

"…그냥 잠시 생각했어요. 그 책에 나오는 주인공처럼 돼 보는 것은 어떨까, 하고요."

퓨티의 말에 홈은 망자를 취급해 놓은 언덕과 처음 마주했을 때와 마찬가지로 주변이 덜컥 주저앉는 것 같은 감각이 들었다. 그래서 억누르지 못했다. 원래는 안으로 들어가야 했을 말들이 입 밖으로 쏟아져 나와 버렸다.

"그건 단지 소설이에요! 실제로 벌어진 일을 써 놓은 게 아니라! 주인공처럼 죽음을 택하려 했어요? 고작 제 말 한마디 때문에?"

"아뇨. 말했듯이 소설 속 소년의 마음을 상상해 봤을 뿐이에요. 죽긴 왜 죽어요. 그 정도 분별력은 있는 사람이에요, 저."

별일 아니라는 듯이 말하는 퓨티의 태도에 홈은 미간이 찌푸려졌다. 그리고 다소 거친 언행을 쏟아 내리던 차에, 퓨티가 말했다.

"그래서 안 잡은 거 아니었어요?"

말을 한 퓨티는 십 년 전, 단상에 올라서 말했던 소녀와 똑같은 눈을 하고 있었다. 얕은 해변의 물처럼 청록의 찰랑임을 머금음과 동시에 먼 쪽의 깊은 곳을 보여 주며 감히 얕보지 못하게 하는 눈. 퓨티의 눈을 본 홈은 목이 졸린 사람처럼 얼굴이 시뻘게졌다. 홈은 농락당한 기분이 들었다. 죄를 지은 기분이 들었다. 더 이상 시간을 끌었다간 무안과 부끄러움과는 비교도 안 되는 더한 감정에 몸이 휩쓸려 바닥이 보이지 않는 곳으로 떠내려가 버릴 것만 같았다.

"그랬으면 좋겠어요."

홈은 말했다.

"그랬으면 좋겠다고요?"

그에 퓨티가 못 들을 말을 들었다는 듯이 되물었다.

"네."

"무서운 사람이었네요, 홈 씨."

"그게 다예요? 더 묻지 않아요?"

"뭘 더 물어야 하죠?"

퓨티가 사다리에서 내려온 후, 처음으로 표정을 바꾸며 말했다. 순수함 그 자체의 찡그림이었다.

"왜 소망하는 투로 말을 하였는지, 그럼, 본래의 진심은 무엇이었는지, 지금 홀로 성을 내는 이유가 무엇인지, 물을 게 너무도 많은걸요."

문장이 바뀔 때마다 홈은 목소리를 키웠다. 특히 마지막 문장을 내뱉을 땐 성대를 깨물고 말을 하는 것 같은 노쇠한 쇳소리가 튀어나왔다.

"굳이 그럴 필요 있나요. 지금 말을 하는 나 자신도 현재의 내가 떠올린 생각을 말하는 중이 아닌데."

말을 마친 퓨티는 잊고 있던 추위가 생각났다는 듯 살짝궁 양어깨를 떨어 보였다. 그리고 퓨티는 물을 빨아들인 머리와 윗도리를 각각 한 갈래로 모았다. 퓨티가 힘을 주자, 널따란 물줄기가 세차게 떨어져 내렸다. 퓨티가 물을 짜며 생긴 공백 동안 홈은 퓨티의 방금 말에 대한 대답을 떠올리는 한편, 후에 꺼내 볼 만한 말이라는 생각에 문장 전체를 머릿속에 각인시켰다. 그리고 말길을 다시 원래대로 돌려놓으며 말했다.

"사실 그때의 나는 별 감정이 없었는지도 몰라요. 그래서 소망하듯 말해야 했던 겁니다. 어디로든 부디 좋은 쪽으로의 진심이었기를, 라고요. 그리고 짜증은 전적으로 퓨티 씨가 드러낸 행동에서 비롯됐습니다. 퓨티 씨의 말에는 보이지 않는 묘한 차가움이 담겨 있어요. 항상 냉정을 유지하기 위해 끈을 놓지 않는 사람처럼요."

"계속 그렇게 재미없게 굴 거예요?"

퓨티가 보란 듯이 기지개를 켜며 대꾸했다.

"진지한 말은 항상 재미가 없다는 이유만으로 쓰레기 취급을 당해 버리죠."

"쓸데없는 곳에서 진지하니까 그러죠. 혼자 계산하지 마요. 지금 같은 말은 저기서 뛰어내린 내가 한 달 후에나 눈을 떴을 때 하면 되는 거라고요."

말을 마친 퓨티는 이미 몸을 돌려 세 발자국 가량을 앞서 있었다. 사형대에서 돌아오는 길은 비가 내리지 않았다. 회색의 구름도 개어 하늘색 구멍들이 송송 드러나기 시작했다. 그런 하늘과는 반대로 두 사람의 분위기는 퓨티가 사형대의 끝으로 다다를 때까지 걸린 5초, 그 5초의 연속이었다. 홈은 퓨티의 뒤에 붙어 그녀를 뒤따랐다. 퓨티는 갈 때와 마찬가지로 곁은 신경 쓰지 않은 채 조용히 걸음을 옮겨 나갔다. 전날 밤, 제법 말이 잘 통한다고 생각했던 퓨티가 예상외의 극명한 모습을 보인 것에 홈은 실망감이 들었다. 느닷없이 꺼내든 운치 얘기에도 거부감을 표하지 않았던 그녀였기에 그런 감은 더욱 깊었다. 그래서 홈은 다른 쪽으로 생각이 흘러갔다. 혹시 다른 무언가가 그녀를 그토록 억누르고 있게 만드는 것이 아닐까, 라고. 물론 홈은 앞에 있는 퓨티에게로 그를 물어보지 않았다. 적어도 오늘이 끝날 때까지는 홈은 그녀에게 말하지 않을 것이다. 다만, 사람이 혼자 만드는 생각이 늘 그렇듯 홈은 언젠가 타당성을 놓쳐 버리고서 자신의 고집을 이어 나갈지도 모른다.

"고마웠어요."

첫 집의 지붕이 나오자, 홈은 앞서 있는 퓨티를 향해 말했다.

"한 것도 없는 걸요, 뭘."

그에 퓨티는 아쉽지 않다는 듯한 목소리로 대답했다.

"대신에 고마움은 언젠가 갚아요. 시티 사정은 모르겠지만, 이곳 마을에선 어느 것 하나 공짜란 없으니까."

말을 들은 홈은 급하게 입을 벙긋거리며 말했다.

"명심할게요."

두 사람은 거기에서 헤어졌다. 둥글게 조성된 길에 헤어진다는 말이 안 어울리긴 하지만, 둘은 작별 인사를 했고, 금방 닿지 않을 거리에서 각자의 발걸음을 옮겼다. 집 앞에 도착한 홈은 문을 열기 전, 마지막으로 퓨티의 뒷모습을 눈으로 좇았다. 그리고, 집 안으로 들어갔다.

——— 7 고전을 사랑하는 마토

마토는 고전을 여자처럼 사랑했다. 자동보다는 수동, 수동이 불가능하다면 적어도 숙련된 지식을 요하는 것. 그리고 특히 그가 좋아하는 것은 역사가 오래되어 잊히는 중이거나, 원리를 제대로 알지 않고서는 함부로 사용할 수 없는 물건들 따위였다. 종자의 재배법도 그중 하나였다. 홈과 같은 사람이 완성품을 판매하는 장사꾼이었다면, 마토는 그 완성품의 공급처 역할을 했던 셈이다. 한참을 나아간 편의와 의식으로 만들어진 시티. 과거에는 호기심 많은 탐구가로 불릴 수도 있었겠지만, 시티에서 그를 곱게 보는 사람은 손에 꼽혔다. 모두가 그를 하나의 돌연변이 보듯 했다. 하지만 그런 그를 좋은 눈길로 보는 사람도 없지 않았다. 교육을 접하지 못하는 사람을 가엾이 여긴 마토는 자신이 엮은 책을 선물하기도 하였고, 때로는 그네들과 직접 접선하여 공구가 되어 주기도 하였다. 그 같은 시간이 끊이지 않았더라면, 마토는 아마 현재에도 시티에 머무르고 있었을 것이다. 그는 애당초 시티를 떠날 마음이 없는 사람이었으니까. 생김은 결코 평이하다고 말할 수 없었다. 어느 각도로는 꽤 관리 잘한 중년의 신사 같은 얼굴이었고, 또 어느 각도로는 심성 삐뚠 사람의 표본만큼이나 이마 라인부터 턱까지의 길목이 험난하기 짝이 없는 얼굴이었다. 마토는 비교적 일찍이 마을과 어우러진 사람이긴 했지만, 창립 멤버가 아니었다. 해서, 처음 그가 배정받았던 집의 2층, 그것도 1층 주민의 양해도 구하지 않은 채 시티에서 가져온 배양토를 냅다 마당에 뿌렸을 때까지만 해도 사람들은 그가 융통성이라곤 전혀 없고, 괴상한 악취미만 있을 인간으로 취급하며 거리를 뒀다. 하지만 마토는 언변이 강했다. 사람을 설득하고, 편으로 끌어당길 능력이 있는 사람이었다. 당장에, 오늘 화를 내며 돌아간 사람들도 내일이면 머리를 숙이고 들어올 게 분명했다.

"그래도 오늘은 확실히 차도가 있긴 했어. 모두를 싸잡은 건 미안하게 됐지만, 머리 빈 인간들을 깨우치게 하는 데엔 패악질만 한 게 없으니까."

퓨티와 사람들이 돌아간 뒤, 홀로 작업장에 남은 마토가 큰 발로 갈색의 흙을 짓뭉개며 말했다. 그 옆에는 작은 텃밭이 있었다.

"턱없이 부족해. 이 방법만으론 한계가 올 거야. 또 새로운 사람이 들어왔다지? 빌어먹을 민트 녀석만 빠지게 고생하겠군."

마토와 민트는 서로 비슷한 이름을 가졌지만, 가족이거나 한 건 아니었다. 마토, 피크, 군, 포렌, 토슈, 디케이, 지킴이, 그리고 이제는 알게 됐을 페리까지. 그들을 제외한 일반 부류에 속한 사람들은 본인들의 일손 하에 돌아오는 곡식과 먹거리들이 마토가 그어 놓은 토지에서의 경작으로부터 나오는 줄로 알고 있다. 그들의 시야가 좁은 것이 아니었다, 마토와 주변인들이 쌓은 거짓의 울타리가 그만큼 굳건했다. 마토의 등장 이후 현 마을에 가장 변화된 점을 꼽으라면, 줄곧 모순됨을 느끼고 있던 사람들이 마을의 독립성에 믿음을 붙이기 시작했다는 것이다. 다시 말해, 시티에 손을 뻗지 않고도 살 수 있다는 자긍심 비슷한 무언가를 품게 해 주는 일이었다. 하지만 아직도, 그로부터 십수 년이 흐른 지금도, 그들은 시티의 피를 빠는 모기일 뿐, 변한 게 없다는 것이 진실이었다.

그것이 현실이었다.

"조각은 다음으로 미뤄야겠어. 오늘은 전혀 할 기분이 아니야."

마토는 몸을 돌려 계단 위, 손잡이가 드러나 있는 흰색의 자루를 바라보며 말했다. 그리고 이어 마토는 입구가 풀려 있는 자루를 보기 싫다는 듯 완전히 죄인 채 끈을 손에 걸고서 2층으로 걸음을 옮겼다. 마토는 그대로 손을 뻗어 문을 밀었다. 그는 잘 때를 제외하고는 항상 문을 열어 놓았다. 피크 아들의 죽음 이후, 작게는 방울에서 크게는 빗장까지 걸어 놓는 집도 생겨났지만, 마토는 반대였다. 그는 그 시기에 오히려 더욱 아무것도 하려 들지 않았다.

'툭툭.'

마토는 집에 들어서기 전, 신을 세워 바닥에 부딪혔다. 긁힘으로 인해 뜬 곳을 제외하면 상태가 좋은 가죽신이었다. 마토는 벗은 신 옆에 자루를 내려놓았다. 낱개의 쇠붙이들이 자신들의 묵직함을 소리로 표현했다. 마토의 집은 단칸의 공간을 잘게 잘라 놓은 것 같았다. 벽에서 벽으로의 일주가 가능할 정도였다. 마토는 익숙하게 움직였다. 어디에선 무엇을 챙기고, 어디에선 무엇을 놓아야 하는지 따위는 그의 머릿속에 선명했다. 길을 가로막는 건

비단 책으로 형성된 벽뿐이 아니었다. 바닥 역시 마찬가지였다. 열렬한 탐독의 흔적이 묻어 있는 필사의 종이들이 서류철 속에서 허리를 구기고 있었다. 서넛 번쯤 길을 꺾자, 밝은 장소가 나타났다. 그의 집에서 유일하게 생기의 냄새를 풍기는 공간이었다. 마토는 햇살이 깊숙이 떨어지는 길을 따라 자연스레 걸음을 내려놓았다. 창가 길게 양팔에 쏙 담길 정도의 화분들이 일렬로 늘어져 있었다. 화분 앞면에는 각각 네모반듯하게 오린 종이가 가지런히 붙어 있었는데, 개중에는 동일한 이름이 적힌 화분 여럿이 연이어 서 있는 것도 있었다. 싹이 난 화분은 몇 있지 않았다. 대부분 쌓인 흙 보이는 것이 전부이거나, 벌레들이 뚫어 놓은 구멍 보이는 것이 고작이었다.

"흙이 별로인 거야. 그거 말곤 이유가 없어."

마토는 횅한 표면을 머릿결 다듬듯 쓸어내리며 말했다. 양 끝에는 널따란 물웅덩이가 놓여 있었다. 미지근함과 차가움 사이로 적당히 데워진 물에는 작은 기포 하나 떠 있지 않았다. 마토는 피아노를 연주하듯 팔을 벌려 가며 화분들에 손가락을 내렸다.

"그래, 네놈은 조금 말랐군."

왼쪽 새끼로 한 번, 그리고 왼 손가락 전부로 한 번, 정확히 두 번. 그 이상은 흙을 건드리지 않았다. 그리고 마토는 물웅덩이에서 손바닥만큼의 물을 떠, 흙의 중앙으로 천천히 떨어뜨렸다. 흙은 기다렸다는 듯이 물줄기를 쭉 빨아들였다. 흙 위의 물을 가만히 지켜보던 마토는 구멍이 완전히 가라앉자, 손에 남은 물기를 바지에 닦아 냈다. 그리고 그때, 화분 전체를 감쌌던 해가 반대로 조금 넘어갔다. 마토는 허기가 느껴졌지만, 음식을 씹고 싶진 않았다. 이제 금방 바지에 물기 닦은 것을 잊은 듯이 마토는 멍한 얼굴로 화분 옆에 남은 물웅덩이를 들어 올렸다. 눈에 보일 정도의 물방울들이 그의 손 옆을 치고 아래로 떨어졌다. 1층으로 내려간 마토는 초록의 이파리들에서 최대한 멀리 떨어진 곳으로 물을 흘려보냈다. 한없이 맑고 깨끗한 물에, 바닥에 얼룩진 주름이 보였다 말았다 하였다.

"주변 사람에게서 받을 물이 있던가. …아니, 아니야."

마토는 빈 용기의 뒷면을 손으로 탁탁 두드리며 중얼거렸다. 그리고는 한숨을 푹 내쉬며 말을 이었다.

"너무도 같잖아. 말이 좋아 교환이지, 시터의 착취와 다를 게 없어. 그중에서도 제일 같잖은 건 누구도 그를 걸고넘어지지 않는다는 사실이겠지만."

그리고 마토는 연이어 입을 대차게 움직였다.

"전반적으로 다들 바라는 것들이 너무 많아. 아는 것도 없고, 입만 나불거릴 줄 아는 인간들뿐. 애초에 도망자들이 이렇게 안락한 곳에 지낸다는 것 자체가 역설일 테지. 원래라면 이곳 사람들이 하루의 최고의 행복감을 느끼는 때가 잠자리를 맞이하는 순간이어야 할 거야. 바닷물 한가운데에서 허우적대는 꿈을 꾸며 현실의 바짝 마른 입술을 적시고, 시티 한복판의 광장을 종횡하듯 다니며 다시는 누리지 못할 문명을 만끽하고, …그래, 그렇게 말이지."

말을 마친 마토는 빈 용기에 맺힌 물방울들을 내려다보며 마지막 문장을 한 번 더 되풀이했다. 그리고 잎을 관찰할 때보다 조금 더 풀린 눈으로써 물이 흥건한 바닥을 가만히 응시했다. 누군가가 그때 그렇게 있는 마토를 발견하고서 냅다 버려진 물이 아깝다는 말을 뱉었더라면 그는 이렇게 답했을 것이다.

제발, 제발, 이라고

─── 8 포의 욕망

포는 집을 나서는 퓨티에게 인사를 건넨 이후 다시금 잠에 빠져들었다. 연약한 몸의 회복을 위해 택한 잠이라기보단, 깨어 있기가 마냥 귀찮은 늙은이의 게으름이었다. 창가를 등 겨 누운 포의 등으로 떨어지는 햇볕도 그를 아는 듯 그의 곁에 오래 머물렀다. 어느덧 해가 넘어가고, 폭포의 물소리가 무의식 속으로 한 겹씩 들려오려는 무렵, 포는 가장 꿈이 아니길 바라던 한 장면에서 눈을 떴다.

"…"

조용히 몸을 일으킨 포는 나지막이 입을 뻐끔거렸다. 정확지 않을 정도의 짧은 욕이었다. 그런 뒤, 포는 짧은 탄식을 내뱉고서 침대 옆에 놓인 잔을 들어 입술 사이로 조금씩 물을 떨어뜨렸다. 짧아진 혀가 미치지 못하는 잇몸 구석구석으로 수분을 채워 주기 위함이었다. 특히, 위아래의 앞니 뒷부분은 갈라짐이 쉽게 나타나는 자리였기에 물을 흘려 주는 데 있어서 섬세함을 더하여야 했다. 포는 끝으로 볼을 이용해 안쪽을 헹군 뒤, 머금고 있던 물을 창밖에 대고 뱉어냈다. 그 모두를 마치고 나서야, 포는 집의 안으로 눈을 돌릴 수 있었다. 그리고 포는 퓨티가 아직 집으로 돌아오지 않았다는 사실을 그제야 알아차렸다.

"…"

포는 그녀를 부르고 싶었다. 포는 비틀거리며 침대에서 몸을 내렸다. 끼니를 두 번이나 건너뛴 그의 다리가 유독 얇아 보였다. 포의 눈은 식탁에서 멈추었다. 오전에 퓨티가 말한 음식들이 그대로 식탁 위에 자리하고 있었다. 먹음직한 냄새는 진즉에 달아났지만, 그들은 하나같이 마을에서 보기 힘든 귀한 것들이었다. 시간이 흘렀음에도 나무쟁반이 기름기로 번들거렸다. 포는 침을 꿀꺽 삼키며 그곳으로 걸어갔다. 그리고 얇게 썰린 올리브가 얹혀 있는 연갈색의 뭉텅이 하나를 집어 들었다. 포는 그것이 시티에서 빵이라고 불린다는 것을 잘 알고 있었다. 포는 집어 든 빵을 단숨에 입 안 가득 베어 물었다.

"…우으."

씹음과 동시에 안으로 퍼지는 고소한 풍미에 포는 미묘한 콧소리로 그를 반기며 빵을 씹어 나갔다. 그리고 맛에 익숙해지는 가운데, 식도가 밀가루에 막혀 갈 무렵, 포는 불쾌감이 느껴졌다. 퓨티가 수풀로 가득한 마을에서 어떻게 이러한 음식을 구할 수 있었는지서부터, 음흉한 마토의 아래에서 하수인처럼 일하는 그녀의 모습까지가 머릿속으로 그려졌기 때문에. 포는 베어 물었던 빵을 입에서 떼어 내어 자신의 이빨로부터 떨어져 나간 자리를 내려다보았다. 그리고 포는 생각했다. 반듯하지 못하고, 여기저기 보풀이 올라온 것이 꼭 짐승 떼가 밟고 지나간 것 같다고.

"…"

포는 들리지 않는 소리로 중얼거리며 남은 조각을 음식들 사이로 깊숙이 밀어 넣었다. 기분이 꺾인 포는 다시 침대 속으로 파고들고 싶었다. 그러나 포는 잘 알았다. 잠으로 도망칠 시간 또한 인간의 하루에는 제한선이 있다는 걸. 자신은 오늘 그 하루치를 모두 사용했다는 걸. 창밖의 거리는 이제 어둑하여 눈으로 거의 보이지 않을 정도가 되어 있었다. 포는 현관으로 가, 닳도록 닳은 신발에 발을 구겨 넣었다. 그리고 단단히 내려놓은 빗장을 올리고 계단에 첫발을 내밟을 때쯤, 포는 민트와 눈이 마주쳤다. 곧장 거리로 나설 요량이었던 포는 흠칫하며 딱딱한 자세로 한 손을 들어 보였다. 그리고 고개를 살짝 틀어, 민트의 곁에 퓨티가 있는지 살폈다. 퓨티는 없었다. 민트 혼자였다. 민트는 말없이 고개를 꾸벅였다. 10년이 넘도록 그렇게 이어져 온 사이였다. 그간에 오간 둘의 대화를 모두 합하여도 홈이 하룻밤 술자리에서 내뱉은 말을 합한 것보다 적을 것이다. 포는 잠시 머뭇거리다 빠르게 계단을 내려갔다. 그리고 민트 앞에서 손짓과 함께 입을 뻐끔댔다.

"뭐라고요?"

포의 입을 본 민트가 대꾸했다.

"…"

포는 다시 크게 입을 움직이며, 손을 자신의 가슴 자락 정도에 유지한 채 허공을 눌러 퓨티를 묘사했다. 그제야 민트는 얼추 무슨 뜻인지 알아들었다는 눈망울을 띠어 보였는데, 레드를 대하였을 때와는 달리 친절한 감이 확연히 떨어져 있는 모습이었다. 눈빛이 그랬다.

"아, 퓨티요?"

포는 고개를 끄덕였다.

"글쎄요. 오늘은 아침에 잠깐 만난 거 말고는 못 본 거 같은데, 이제 곧 밤이니 알아서 들어오지 않을까요?"

민트가 별일 아니라는 듯 어깨를 으쓱해 보이며 말했다. 그녀의 대답에 포는 다시 한번 똑같이 고개를 끄덕였다.

"들어가 봐도 되죠?"

포의 한 손이 다시금 민트를 향해 다가갔다. 그를 본 민트는 벗어나듯 자신의 집 빗장을 올리고 안으로 들어갔다. 다른 작별 인사는 없었다. 포는 점쟁이는 아니었지만, 왠지 모르게 그 행동의 이유에 짐작이 가 쓸쓸함이 느껴졌다. 그리고 포는 그녀가 집으로 들어가고 나서야 한 가지 물음을 놓쳤다는 사실이 뒤늦게 떠올랐다. 아침의 음식은 무엇의 대가로 준 것이냐는 물음.

"…"

입을 거의 열지 않은 채로 무언가를 웅얼거린 포는 굳이 부딪힐 게 뻔한 좁은 길로 몸을 비집어 넣어 바깥으로 걸어 나갔다. 길은 조용했다. 이맘때에 보이는 마을의 당연한 풍경이었다. 태양은 마을을 비추는 유일한 빛이었고, 빛의 존재는 절대적이었으니까. 포는 거리의 좌우를 살핀 후, 달빛 아래 그림자가 꼬여 있는 곳으로 발길을 내렸다. 그리고 포는 순식간에 그들에게로 가까워졌다. 일순 수선하던 말소리가 잦아들었다. 포의 인기척을 느낀 사람들이 말하기를 멈춘 것이다.

"…"

포는 자신의 그림자를 그 위로 포개며 '안녕하세요.'라고 입 모양을 띄웠다.

"아, 포 씨! 오랜만입니다. 몸은 좀 괜찮으십니까?"

그들 중 포와 나이가 비슷해 보이는 사내가 모자를 벗으며 인사했다. 그의 옆에 나이가 한참 어려 보이는 두 사람이 자리해 있었는데, 그들은 가만히 서 있었다. 포는 구태여 경멸하듯 보는 둘과 각각이 눈을 맞댄 다음, 자신을 맞아 준 사내를 향해 말을 이었다.

"…"

"퓨티? 퓨티를 봤냐고요? 네, 봤죠. 오전에요. 저희가 마토 씨와 다투고 있을 때 그녀가 등장했습니다. 덕분이었어요. 오늘은 정말 싸움으로 번질 뻔한 분위기였거든요."

말을 끝낸 사내가 '안 그래?'와 같은 동의를 써 붙인 얼굴로 두 사람을 돌아봤다.

"예, 뭐."

"그렇죠."

둘은 형제처럼 대답했다. 원래는 시끄러울 것 같이 생긴 얼굴들이었다. 맞춘 건지 아닌 건지 모를 옷의 대비되는 색부터 요란스러웠다. 포는 세 번째 사내가 말을 마치기 이전부터 고개를 숙여 자리를 멀리하고 있었다. 포의 등 뒤로 어느새 커진 두 사람의 목소리가 들렸다. 포는 흥미 가지 않았다. 포는 조금 더 걷기로 했다. 길은 시원함으로 가득했다. 억수 같이 내린 비의 향취가 여전히 거리 곳곳에 남아 있었다. 포는 굳은 땅을 골라 가며 발을 내렸다. 포의 신발 양옆에는 이미 작은 진흙들이 몇몇 기어올라 있었다. 그렇게 걷기를 10분 남짓, 포는 걸음 속의 무의식에서 시티의 냄새가 난다고 생각했다.

'…라벤더, …향수.'

라고 포는 속으로 읊조렸다. 포는 짧게 숨을 끊어 마시며 냄새를 쫓아 시선을 이동시켰다. 후보는 두 곳이었다. 한 곳은 잡사가 가득했고, 다른 한 곳은 모자 하나가 덩그러니 걸려 있는 것이 전부였다. 포는 모자가 걸린 집은 아니라고 확신했다. 어디선가 부스럭거리는 소리가 났다. 그 집이었다. 소리를 들은 포는 그늘로 들어가, 체조하듯 목을 돌리기 시작했다. 그리고 이내 그리로 치우쳐진 자신의 모습이 의도한 바가 아님을 증명하려는 것처럼 발을 파인 땅 위로 내려놓고는 일부러 큰 몸짓으로 휘청거렸다. 그리고 그 반동을 타, 포는 순식간에 집의 벽면에 몸을 밀착시켰다. 포는 재빨리 눈을 돌렸다. 거리에 다른 사람은 없었다. 사람이 없는 것을 확인한 포는 크게 숨을 들이쉬었다. 그리곤 한 틈에 집의 창 속으로 눈을 집어넣었다. 군데군데 터진 실핏줄이 거리에 내린 달빛과 맞물려 아찔하게 빛났다. 집의 거실에 페리의 모습이 보였다. 몸을 씻고 나온 지 얼마 되지 않은 것인지 그녀는 걸쳐 있는 것이 없었다. 반면, 행동에 나선 포는 과감했다. 절제력을 실추한 사람처럼 포의 눈이 돌아갔다. 포는 지저분한 백태가 묻힌 혀를 내밀어 페리의 몸 위아래를 게걸스럽게 핥았다. 숨은 금방 달아올랐고, 쿵쾅대는 심장 소리가 벽을 타고 그대로 이어졌다. 페리는 포의 존재에 대해 전혀 눈치를 못 챈, 상상조차 하지 않은 듯 행동했다. 그녀는 환히 열린 창 쪽으로 몸의 굴곡을 자랑하듯 내밀었고, 물기가 머무를 시간이 지났음에도 뭔가를 주워 입을 기미를 보이지 않았다. 아래에서 손을 흔들고 있던 포는 순식간에 사정했다. 그리고 포가 내린 바지를 올리는 그때, 집에 있던 페리가 작은 병 하나를 들어 흥얼거리며 몸 위로 뿌려댔다.

——— 9 부활의 장, 그리고 페리의 정체

10일. 부활의 장이 열리기까지 10일이 남았다. 개인으로 수놓인 마을이 하나로 응집돼, 긍정적인 활달함을 뿜어내는 유일한 기간. 거리는 분위기부터 전과 달랐다. 달의 생계를 위한 치밀하고 각 잡힌 이웃 간의 머리싸움이 아닌, 공통된 구경거리 하나를 즐기기 위해 모인 사람들. 물론 그 와중에도 근질거림을 참지 못한 사람들은 한구석에서 **지지**라는 다른 존재로 속을 달래곤 했다. 그리고, 지금과 같은 분위기를 진심으로 환영하는 사람은 따로 있었다.

"참가자들의 사인은 확실히 수거했겠지?"

군이 여느 때처럼 진중한 손놀림으로 담배를 말며 양옆에 앉은 쌍둥이 자매를 향해 말했다.

"아마도요."

포렌이 대답했다. 빈정거리는 것과 맥 빠진 감정이 동시에 느껴지는 목소리였다. 그리고 그런 포렌을 비웃듯 토슈가 이어 목소릴 내밀었다.

"아마도라니, 언니. 며칠 남지 않았다고? 전처럼 언니가 아래쪽 집들을 맡는 거 알고는 있는 거지?"

"알고 있어. …그게 변한 적은 없었으니까."

대꾸한 포렌은 토슈의 눈을 힐끔 쳐다본 다음, 군을 대할 때와 마찬가지로 힘없이 시선을 떨어뜨렸다.

"뭐, 모쪼록 정해 놓은 기한 안으로만 맞춰 주면 돼."

군이 모른 척 넘어가 주길 바라는 말투로 말했다.

"이번 코스는 어디예요? 사람들이 무척 달아올라 있어요. 매번 관심이 뜨거웠다지만, 지금 마을엔 뭔가 색다른 긴장감이 돈달까."

"그럴 수밖에 없을 거야. 이번엔 세 곳 모두 피가 튀기니까. 특히나 키는 뒤통수를 얻어맞은 기분일걸. 챙겨 주던 젊은 피가 자신을 꺾겠다고 도전에 나섰으니 말이야."

그리고 그의 이야기가 나오길 기다렸다는 듯이 포렌이 입을 열었다.

"붙임성이 좋은 사람이에요."

"그래, 근래에 들어온 사람치곤 평판이 괜찮더군."

토슈는 그런 군을 아니꼽다는 눈으로 바라봤다.

"…그 사람을 지지할까 해요."

포렌이 조심스러운 목소리로 말했다. 앞서 말했듯 지킴이가 되는 세 사람은 갑옷 같은 대우를 곧장 누릴 수 있게 됐는데, 그때 일반 주민들에게 발현되는 것이 지지였다. 말하자면 일종의 줄서기였다. 마을 사람들은 각 종목에 출전하는 사람 중에 자신이 응원하는 특정인 한 사람을 상대로 호감을 표할 수 있었다. 방법은 정해진 게 없었다. 아니, 애초에 기준 자체가 존재하지 않았다. 지지는 예외의 영역이었다. 본인의 여유에 따라, 배짱에 따라, 0부터 100까지를 그들에게 표출할 수 있었다. 타인의 눈살을 찌푸리게 하는 금단의 선까지도, 지지에는 안 될 것이 없었다.

"그게 무슨 뜻인지 알고 있는 건가, 포렌?"

군이 한쪽 눈을 감은 채로 담배 연기를 들이마시며 말했다.

"…아마도요."

"제아무리 제한이 없다지만, 책임자가 직접 지지에 발을 담그는 건 그 자체만으로도 반향을 일으킬 수 있어. 그 말은 못 들은 걸로 하지."

그리고 군의 말이 끝나자마자 토슈가 세상 가벼운 어조로 포렌을 향해 말을 던졌다.

"언니. 제정신으로 하는 소리야? 지지라니. 우리는 지금도 충분히 마을 사람들에게 가시 같은 존재라고."

"할 거야."

포렌의 단호한 말투에 의자에 편하게 누워 있던 군은 자세를 고쳐 앉았다. 그리고 똑바로 고친 자세와 비슷한 목소리로 물었다.

"왜?"

토슈도 가만있지 않았다.

"반하기라도 한 거야?"

"토슈."

군은 오른쪽 팔로 토슈를 가로막아, 그녀가 포렌과 눈을 마주치지 못하도록 했다.

"알겠어요. 안 하던 짓을 한다니까 그러죠."

"이유를 말해 봐. 납득할 만한 이유를 들려준다면 허락해 주지."

그에 포렌이 군의 왼쪽에 박힌 검은 눈을 바라보며 말했다. 오늘 자리 내도록 꼬꾸라져 있던 목소리가 처음으로 곤두서 있었다.

"허락이 필요한 일인가요?"

"그래, 이유를 알아야겠어."

"말하지 않겠다면요?"

"방해를 받게 되겠지."

의자 등받이로 흰색 머플러가 쓸려 올라갔다. 자리에서 일어난 포렌은 금방이라도 검붉은 피를 쥐어짤 기세로 안쪽 입술을 힘껏 깨물고 있었다. 동생 토슈에게는 일말의 눈길도 건네지 않았다. 포렌은 오로지 군만을 노려보았다. 군 역시 본 성질대로 포렌의 눈을 피하지 않았다. 그리고 그때, 문밖에서 소리가 들려왔다.

"계신가요―"

대치 중인 두 사람은 그 소리를 무시했다. 오히려 즐겁다는 듯 둘의 얼굴을 번갈아 보고 있던 토슈의 입에서 대꾸가 튀어 나갔다.

"아, 네! 들어오시면 돼요!"

토슈는 자기의 목소리에 자기가 놀란 얼굴로 자리에서 몸을 일으켜 현관으로 걸어갔다. 그 뒤로 어느새 따라온 포렌이 몸을 바짝 붙여 문이 열리기를 기다리고 있었다.

"어머, 지킴이님이셨군요?"

문을 연 토슈가 페리의 얼굴을 확인하고는 공손한 목소리로 말했다. 그리고 그와 동시에 문 옆에 생긴 좁은 틈새로 포렌이 몸을 숙여 빠져나갔다. 둘과 연이어 몸이 부딪혔지만, 포렌은 뒤돌아보지 않았다. 두 사람은 계단을 거쳐 길목으로까지 한달음에 내빼는 포렌을 바라볼 수밖에 없었다. 말을 걸거나, 옷깃을 붙잡기에는 그녀의 눈에 서 있는 날이 너무도 날카로웠다.

"싸우셨나 봐요."

페리가 포렌이 치고 지나간 자리를 손으로 툭툭 털며 말했다.

"네. 뭐…, 하지만 금방 풀릴 기예요. 큰일은 아니었으니까요."

토슈의 눈이 먼 곳을 향하고 있었다. 그를 본 페리는 작게 웃음을 내뱉고서 문을 향해 걸음을 내리며 말했다.

"그렇군요. 그럼, 저는 안으로 들어가 봐도 될까요?"

"네, 네, 그럼요. 이쪽으로."

길을 유도하며 토슈가 팔을 옆으로 벌렸는데 동작이 거의 페리의 골반 높이에서 형성됐다. 지난겨울, 그녀의 등장은 민트는 물론이거니와 마을 사람 모두에게 충격을 주었다. 훤칠한 남자의 키를 훨씬 웃도는 2m에 다다르는 키, 거기다 최근까지 시티에 머무르며 마을과 비교가 안 되는 영양분을 구석구석까지 채워 넣어 있던 몸은 실로 압도적이었다. 긴장으로 가득할 출발선에서 히죽대며 서 있는 분위기부터 오묘했다. 지지는 온통 민트에게로만 쏠려 있었기에 관중들이 오히려 긴장한 모습이었다. 하지만, 그것만으로는 페리가 승자가 된다는 데는 이유가 불분명했다. 그러나 결과가 났고, 민트는 입을 다물었다. 관중들은 페리가 멀찍이 앞서 결승점을 통과하는 모습을 보았을 뿐이었다.

"어서 오시게."

군이 달라진 목소리로 손을 모아 예를 표하며 페리를 환영했다. 페리도 그와 똑같은 모습으로 인사를 건넸다. 목소리가 밝았다.

"안녕하세요. 뭔가 오랜만인 거 같아요."

"그럴 만도. 얼굴 보기에는 서로 사는 방향이 반대가 아닌가. 해서, 오늘은 어쩐 일로 오셨는가?"

"아. 대회가 다가오고 짐들이 늘어나서요. 이걸 어떻게 처리해야 할지 갈피가 안 잡혀서."

"짐?"

군이 도통 모르겠다는 얼굴로 뒷머리를 긁적이며, 말하는 페리를 향해 되물었다.

"마주치는 사람마다 지지니 뭐니 하면서 본인들 살림살이를 쥐어 주는데 웃는 얼굴에 영문은 모르겠지, 안 그래도 좁은 집에 물건들은 계속 쌓여 가지, 어떻게 처리해야 할지 알 수가 없어서요. 이게 대체 뭐죠?"

거기서 페리의 말을 들은 군이 다급히 대답하려는 찰나, 옆에서 조용히 그를 듣고 있던 토슈가 독백인지 아닌지 모를 말을 조용히 뱉어냈다.

"배부른 소리를 하시네. 한 사람에게 집의 1, 2층 전체를 쓸 수 있게 해 주는 것만 해도 어마어마한 혜택인데. 겨우 그 정도를 가지고 불편으로 싸잡으시다뇨, 마을 곤란하게."

"아니, 이봐요. 저는 마을에 들어온 지 이제 겨우 넉 달이 지나가는 사람이에요. 지킴이란 존재로 노동을 하는 것도 아직 익숙지 않은데, 주변 환경을 보다 신경 써서 돌봐 주셔야죠. 불편하다니까요?"

언쟁으로 이어지기 일보 직전인 페리의 높은 언변에 군은 일 났다는 듯이 엉덩이를 들썩거렸다. 군은 도움을 청하는 것처럼 길게 내린 자신의 머리를 중지에다 빙빙 감으며 애걸하는 눈빛으로 토슈를 바라봤지만, 그녀의 히스테리는 이미 발동 걸려 있었다.

"잘난 체도 선을 지켜야 아름답게 봐 준다는 걸 모르고 계시나 봐요. 생긴 거랑 다르게 머리는 좋지 못하신가."

"그게 무슨?! 제가 언제 잘난 체를 했다는 건데요? 그냥 물어본 거잖아요. 자기 외모가 마음에 안 든다고 다른 이를 억지로 깎아내리려는 것도 아름다움을 추구한다는 사람이 할 짓은 아닌 거 같은데요?"

"내 얼굴이 뭐가 어때서요!!!"

비어 있는 포렌의 빈자리가 느껴지지 않을 만큼 목소리가 컸다. 토슈의 목청에 페리는 순간 어깨를 들썩였지만, 이후로 승자 비슷한 평온한 표정으로 그녀를 내려다보며 자세를 다잡았다.

"그만."

그리고 군이 반대로 몸을 떨고 있는 당사자를 붙잡아 자신의 몸 뒤로 숨기며 말했다. 토슈는 크게 저항하지 않았다. 도리어 군에게 붙잡힌 그녀는 상황에서 벗어날 수 있어 다행이라는 얼굴을 띠고 있었다.

"미안하네, 페리 양."

페리는 '그래요, 뭐.'라고 답하듯 가볍게 두 번 고개를 끄덕였다.

"괜찮다면 밖으로 나가 이야기를 나눠도 될지 물어보겠네만."

"저는 상관없어요."

"고맙네."

페리가 앞장섰고, 군이 문을 닫았다. 안으로 보이는 공간이 좁아질수록 뜨여 있는 군의 흰색의 눈동자가 아래로 감겨 갔다. 달변가 기질이 있는 한편, 페리는 한없이 잠잠한 사색가의 모습 또한 지니고 있었다. 이를테면 지금처럼. 자주 있는 일은 아니었다. 때문에, 그녀가 언제고 맹렬히 말을 하다 그치는 시간이 찾아올 때면, 사람들은 자신이 무언가 실수를 범한 것은 아닌가, 하고 속으로 생각해야 했다. 그것은 거의 강제되었다. 그리고 또한 페리는 타고난 성격으로 서로 간에 휘감긴 통제 체재와 같은 순간을 은연중에서도 아주 잘 모면하였다. 현재에 보이듯 빌미까지 대령 받은 환경이라면 말할 것도 없었다.

"오늘은 다들 싸우기로 작정한 날인가 보네."

길의 내리막을 따라 걸음을 내리던 군이 페리를 향해 말을 건넸다. 5분이 넘어가던 침묵 속에서의 첫 문장이었다.

"아니면 제가 남들 싸우는 모습을 보는 날일 수도 있고요."

페리가 밝은 목소리로 대답했다. 그리고 밀려나 있던 주제를 자연스레 데려와 말을 엮었다.

"시티에서도 겪어 보지 못한 일이에요."

페리는 자리에 멈춰 섰다. 군도 따라 걸음을 멈췄다.

"그래서 조금 무서웠나 봐요. 처음 마을에 왔을 때는 몰랐지만, 시간이 지난 지금은 알거든요. 그들이 제게 주는 것들이 얼마나 가치 있고, 또 귀중한 물건인지를요."

"그렇네. 지지에는 끝이 없지. 특히 페리 양은 강산처럼 자리를 지키고 있던 민트란 존재를 꺾었으니 그러한 감이 더 강할 걸세."

그리고 군은 천천히 발을 앞으로 내리며 덤덤한 얼굴로 말했다.

"페리 양은 왜 사연을 밝히지 않는 건가?"

"사연이요?"

"사람들의 사연을 많이도 들었을 테지. 그런데 페리 양의 사연은 어디에서도 들리지 않은 것 같더군."

군의 그 한마디에 바로 전까지 이어지던 침묵이 다시 두 사람을 옭아맸다. 마치 어딘가의 어둠에 숨기어 있던 총구를 서로에게 겨눈 것 같았다. 청정한 마을 바람이 몸을 뒤틀며 둘 바로 옆을 지나갔다. 방아쇠를 당기기만 하면 된다고 속삭이면서. 군은 먼저 총을 쏘면 필패하리라는 사실을 안다는 사람처럼 말없이 대답을 기다렸다. 둘에게 밟힌 나뭇가지와 풀이 신음을 참는 듯한 소리를 냈다. 녹엽으로 둘려 있던 분위기는 점점 갈색으로 변해 갔고, 군의 침묵과 맞물려 거세게 페리를 옥죄었다. 페리는 힘들다는 듯 고개를 좌우로 흔들었다. 그리고, 페리는 얼마 버티지 못하고서 말을 토해 냈다.

"저는 시티의 가더였어요."

—— 10 워블의 본모습

집으로 돌아오는 길, 퓨티는 실연을 당한 사람처럼 눈이 퀭했다. 발뒤축이 시티 해안가 낚시꾼들의 바늘에 꿰인 것처럼 뒤로 팽팽히 끌려가 있었다. 퓨티의 머릿속은 온통 순간순간 떠오르는 책의 결말 장면이었다. 눈을 얻어맞은 듯 번쩍하는 느낌과 함께 나타나곤 하는 장면들. 장면은 늘 뒤바뀌었지만, 새 장면에서 바뀌는 것이라곤 구도, 색, 형상 같은 쪼가리들뿐이었다. 다른 건 없었다.

"그래, 맞아. 딱히…"

"이런 기분으로 따라나선 건 아니었어."

퓨티는 제자리서 뒤돌아서며 멀어진 사형대의 꼭대기를 응시했다. 그리고 다시 풀죽은 얼굴로 되돌아와 처량한 자신의 꼬락서니를 거리 곳곳으로 내비쳤다. 퓨티가 집에 도착할 때까지 그 같은 모습으로 마주친 사람은 없었다. 오전에 내린 호우 덕분이었다. 마을에 있어 게릴라성 호우는 그러한 존재였다. 겨울을 물리쳐 준 대가로 더위에 빌붙어 공생하는 삶을 허락받은 악귀와 같은 존재. 비가 오는 날이면 나서는 사람 없이 마을은 조용했다. 그들은 쉬었고, 그들은 숨었다. 내려져 있는 집의 빗장을 올리기 전, 퓨티는 고개를 들어 하늘을 올려다보았다. 이미 속에 많은 감정이 뒤섞여 있었기에 어떤 연유로 그런 행동이 나왔는지는 퓨티 자신조차 알지 못했다. 거무칙칙한 구름들 사이로 옅게 벌어진 작은 틈이 너무도 푸르게 빛나고 있었다. 마을을 뒤덮은 무채색과 맞서는 유일한 샘터였다. 퓨티는 우연으로 발견한 그곳을 재빠른 다른 구름에 가려 한 점의 여백도 남아 있지 않을 때까지 쳐다보았다. 그리고 당연한 수순이라는 듯이 뒤따르는 비참함과 맞닥뜨리려는 그때, 퓨티는 지금의 자신을 쏙 빼닮은 여인이 맞은편 난간에 기대어 있다는 걸 알게 되었다. 원체 푸른 물감에 흰색을 녹인 듯한 연한 색 계열의 원피스, 그리고 그 위에 감긴 베이지색 스카프.

공허한 눈으로 그를 몰래 흘겨본 퓨티는 달라진 한 가지를 속으로 알 수 있었다. 워블을 향한 자신의 오늘 마음가짐엔 평소와는 차이가 있구나, 라고 퓨티는 왠지 집으로 들어가기 싫었다. 퓨티는 빗장 위에 올린 손을 거둬들이고 몸을 돌려 축축한 바닥에 몸을 주저앉혔다. 그리고 퓨티는 워블을 관찰하기 시작했다. 워블은 멀리서 보아도 힘이 없어 보이는 여인이었다. 특히 바람이 워블을 향해 불어, 풍성하던 원피스가 그녀의 몸에 달라붙을 때면 그 같은 면이 더욱 잔혹하게 도드라졌다.

'죄책감인 건가?'

퓨티는 속으로 말했다. 그다음 한 번은 소리 내 중얼거렸다.

"저런다고 떠나간 아이가 돌아오는 것도 아닌데…"

그리고 문득, 위에서 불던 바람이 아래로 내려왔다. 적당히 기분 좋을 정도의 서늘함을 유지하고 있는 바람에 퓨티의 두 눈이 스르르 감겼다. 바람이 지나가고도 뒤이어 전과 같은 것이 불어오진 않을까, 기대하면서 퓨티는 감은 눈을 뜨지 않았다. 더 이상 바람은 찾아오지 않았다. 바람 대신 어디선가 노크하는 듯한 소리가 퓨티의 귓가로 들려왔다. 자연적인 소리이겠거니 퓨티는 무시했다. 그리고, 또 한 번 동일한 소리가 똑같은 간격으로 울려 오자, 퓨티는 눈을 떴다.

'딱, 딱.'

눈을 뜬 퓨티는 소리가 피어난 위치를 단번에 발견했다. 그리고 손을 든 워블과 눈이 마주쳤다.

"뭐야."

퓨티는 작게 속삭였다. 이어서 워블의 따스한 목소리가 들려왔다. 들떠 있는 목소리였다.

"올라올래요?"

그에 퓨티는 손가락을 자신을 향해 가리키며 되뇌듯 말했다.

"올라오라고요?"

"네, 퓨티 양만 괜찮다면요."

퓨티는 홀린 듯 단번에 고개를 끄덕였다. 그를 본 워블은 기쁘다는 얼굴로 난간에서 집 안으로 걸음을 옮겼다. 흔치 않은 경우였다. 해가 지는 무렵까지 워블이 난간에서 내려오는 경우는 미음을 떠먹을 때나, 볼일을 보러 갈 때, 거의 저 둘 중 하나였기 때문에. 피크와 워블 부부가 사는 집의 현관은 단출해 보이기도 했고, 너저분해 보이기도 했다. 작년 이맘때의 마을 사람들이 놓은 안개꽃 줄기들이 시든 형태 그대로 구석 모퉁이에 더미가 돼 있었다. 그 바로 옆에는 돌고래 모양 자수가 담긴 시트와 유모차 한 대가 놓여 있었고, 천장으로는 파도의 단면을 본뜬 듯 보이는 납작한 모빌 여럿이 휘휘 돌아가고 있었다. 퓨티는 흥미에 찬 표정으로 파도 하나를 튕겼다가, 계단으로 발소리가 들리자 손가락을 등 뒤로 감췄다.

"어서 와요."

워블이 손을 내밀어 퓨티의 어깨를 두드리며 말했다. 먼지로 막힌 듯한 목소리는 여전했다. 퓨티는 눈을 어디에 둬야 할지 몰라, 한껏 쭈뼛한 표정으로 입을 움직였다.

"…아, 안녕하세요."

"바지만 털고 들어와 줄래요? 다른 건 괜찮아요."

"네."

"물?"

"아뇨, 괜찮아요."

퓨티의 건조한 대답에 워블은 눈썹을 으쓱해 보이고는 앉을 곳을 안내해 주었다. 두 사람의 집은 분리되어 있었다. 집으로 첫발을 디딘 퓨티는 아래서 올라오는 바스락 소리에 고개를 떨어뜨렸다. 눈을 내린 퓨티는 그제야 워블의 뒤에 숨어 있던 피크의 삶과 마주할 수 있었다. 1층은 그야말로 엉망진창이었다. 어느 한 곳 정돈된 모습을 찾아볼 수 없었다. 그중 가장 큰 비중을 차지하는 건, 급하게 쓴 듯 보이는 편지 봉투들이었다. 공통적으로 도착지는 쓰여 있지 않았다. 모두 보내는 곳 주소만 명기돼 있었다. 퓨티는 발아래에 보이는 봉투 하나를 들어 눈으로 가져갔다. 그리고 속으로 읽었다.

'F-58'

출발지에 적힌 문구였다.

"그냥 아무 데나 던져 버려요."

투명한 유리컵에 물이 반쯤 찰랑였다. 워블은 퓨티에 컵을 내밀며 봉투를 자연스레 자신의 손으로 넘겨받았다. 일차원적인 사고를 하는 아이처럼 단순히 빼앗긴다는 기분이 든 퓨티는 잠시간 워블의 손으로 간 봉투를 말없이 바라봤다.

"시원할 거예요. 저희는 장작을 넣는 지하에 식수를 같이 쟁여놓거든요."

"아, 네. 감사합니다."

대답한 퓨티는 기계적인 몸짓으로 담긴 물을 한 번에 들이켰다. 그리고 다음 지시를 바라는 사람처럼 워블을 바라봤다.

"점심은 먹었어요?"

워블이 빈손으로 잔을 받으며 물었다.

"하루만 일찍 왔으면 좋은 음식을 대접할 수 있었을 텐데."

말하는 워블의 검은 머리 너머로 까맣게 탄 장소가 보였다. 부엌이라고 나뉜 특정한 장소에 국한된 것이 아니었다. 각기 다른 모양을 띠고 있는 그을음들은 크기에 따라 뻗친 모양이 달랐고, 어느 한자리에서 일자로 길게 뻗어 있는 것도 있었다. 그리고 그곳 바로 밑에 크기 별로 포개어 놓은 조리기구 역시 그와 색이 엇비슷했다.

"남편이 참느라 이런 걸 거예요."

워블이 퓨티의 속마음을 읽은 사람처럼 말을 건넸다. 말을 들은 퓨티도 물러서지 않으며 대답했다.

"그냥 난간으로 가요. 저도 지금 딱히 뭘 먹을 기분이 아니라서요."

"그래요."

계단에서 보이는 워블의 집은 상당히 깔끔했다. 나무 사이에 껴 있는 황토 역시 덧댄 기간이 오래 흐르지 않은 듯 천연 그대로의 색감을 유지하고 있었다. 계단을 오르는 내내 퓨티는 워블의 집에서 눈을 떼지 못했다. 창에서 난간으로 이어지는 바닥에는 연갈색의 자그마한 양털 카펫이 덮여 있었다. 워블을 따라 발을 내린 퓨티는 보드랍고도 기분 좋은 촉감에 그 위로 발을 연신 문질렀다.

"오늘은 비가 너무 많이 왔어요."

어느새 난간으로 가, 몸을 기댄 워블이 하늘을 쳐다보며 말했다. 그리고 퓨티가 무심코 내뱉은 대답에 워블이 고개를 떨어뜨렸다.

"지겹지 않으세요?"

짧지 않은 침묵, 혹은 정적. 퓨티는 입 안에 침이 고였지만, 그를 삼키지 못했다. 워블의 고개가 느린 속도로 퓨티를 향해 움직였다.

"…어떻게 지겨울 수가 있겠어요."

"벌써 10년이나 지난 일이잖아요. 잊으실 때도 되셨다고요. 마을 사람들이 워블 씨를 걱정하는 거 알고 계세요?"

그때 워블의 얼굴이 퓨티에게로 완전히 젖혀졌다. 퓨티의 목젖이 꿀렁였다. 어디로 보나 사나운 눈매였다. 그리고 그 아래로 다물려 있던 입술이 벌어지며 말소리가 나왔다.

"퓨티 양, 내가 아직도 하늘 위의 구름이나 껴 맞추는 미친년으로 보여요?"

─── 11 대회 3일 전, 디케이의 부상

대회 3일 전, 거리는 고조된 사람들로 가득했다. 번들거리는 무테안경을 눌러쓴 디케이가 주인공이었다. 흰색 가운을 펄럭이며 사람들 가운데를 뚫고 지나친 디케이는 그대로 길을 질러 단상으로 걸음을 내려놓았다. 달아오른 군중들 사이로 눈동자가 굴러다녔다. 한 명에서 두 명, 두 명에서 네 명…, 그들은 아주 오래전 꿈을 보는 듯한 눈을 하고 있었다. 하지만 너무도 오래된 것이라, 그것이 현실인지 꿈인지 자각할 만한 척도를 잡지 못하고 혼란스러워하는 듯 보였다. 때마침 군중에 섞여 있던 '그'가 소리치지 않았다면 그들은 혼란 속에서 영영 눈을 돌리고 있었을 것이다.

"오늘은 약속의 날이 아닙니다, 디케이 씨! 거기서 내려오세요!"

혀가 풀린 목소리였다. 또, 검은 모자에 덮여 있음에도 취한 얼굴이 외관에 드러났다. 홈의 손에는 술이 담긴 유리병이 들려 있었다. 찰랑이는 율동이 보이지 않는 걸 보건대, 이미 병을 거의 비운 모양이었다. 디케이는 홈, 그리고 그의 옆에 붙어서 자신을 엿보듯 힐끔거리는 사람들 쪽으로 파먹을 듯한 시선을 던진 다음, 헐렁한 가운에 넣어 있는 팔을 좌우로 벌려 몸집을 부풀렸다. 어느 틈이었는지 단상에 있던 확성기가 디케이의 오른손에 쥐어 있었다. 그를 본 홈이 다시 구시렁거렸지만, 이제는 그에게 동조하는 사람은 없었다. 사람들은 디케이의 손을 응시하며 어서 확성기의 전원을 켜라는 무언의 눈길을 보냈다.

"실례하겠습니다."

디케이가 특유의 굵은 목소리를 아래로 깔며 말했다. 그리고 이내 본래의 성량으로 되돌아와, 참았던 감정을 모두 분출하듯이 목을 잔뜩 긁으며 꾸짖음 가득한 목소리로 군중을 향해 소리쳤다.

"여러분은 속고 있습니다!"

"여러분 모두는 눈이 가려진 채 살고 있습니다!"

"저 디케이는 오늘 이 자리에서 모든 걸 밝힐 것입니다! 그간에 행한 서짓과 농락을 여러분들로부터 모조리 뿌리 뽑을 것입니다!"

수선하던 단상 아래로 일순 적막이 찾아왔다. 술에 젖은 홈 역시 찢어진 눈초리로 디케이를 노려보고 있었다. 도망자들은 눈치가 빨랐다. 머물던 어둠으로 자극적인 빛이 들어오는 때면, 그들은 마음으로 느낄 수 있었다. 육체적 신호보다는 정신적 신호가 우선이었다. 언제고 곤두서 있는 이라면 오늘 하루가 시작되면서부터 알았을지도 모른다. 마을의 단상에서 일이 벌어지리라는 것과 그곳에 나갔다간 돌이킬 수 없는 일에 휘말리게 된다는 것을 말이다. 그리고 불행히도 디케이의 아래 서 있는 이들은 모두 그를 알고 나온 사람처럼 보였다.

"말해 보시오"

군중의 제일 좌측, 끝부분에서 핀 목소리였다. 중년 남자의 오른팔에는 고개를 꾸벅이며 졸음을 참는 아이가 매달려 있었다. 시선이 일제히 그곳으로 쏠렸다.

"이야기를 시작하기 위해선 여러분들이 기존에 아는 지킴이라는 틀부터 거짓이라고 부정해야만 합니다. 또한, 제가 지금서부터 하려는 말들은 저만이 알고, 혼자만이 상상하여 꾸며 낸 이야기가 아닌, 진실에서 비롯된 이야기임을 밝힙니다. 이 자리에 나온 여러분들은 진정한 즐거움과 진정한 행복의 차이가 무엇인지 충분히 잘 알고 계시기에, 오늘의 제 말 뜻을 잘 헤아려 주시리라 믿습니다."

디케이의 서두가 끝나자, 졸던 아이의 고개가 완전히 땅으로 곤두박질쳤다.

'털썩.'

말을 꺼낸 남자에게서 난 소리였다. 아이의 아버지는 아이를 앞으로 껴안고서 평지를 골라 몸을 앞혀 있었다. 그 모습을 본 사람들은 조용히 서로의 눈치를 살피기 시작했다. 마을에 머문 기간이 짧은 사람일수록 그런 경향이 짙었다. 그리고 이내 그곳을 기점으로 사람들의 얼굴이 아래로 내려갔다. 뻣뻣했던 사람들이라고는 보이지 않을 만큼 번지는 속도가 빨랐다.

"좋습니다."

단상 아래 마지막 한 사람까지 자리에 주저앉기를 마치자, 디케이가 말했다. 디케이는 손에 쥔 확성기를 입술에 바짝 붙이고서 말을 이었다.

"마을에 변화의 바람이 불기 시작한 건, 마토 씨가 등장하고부터일 겁니다."

"분야는 다르지만, 그가 저만큼 학식이 깊은 사람이라는 사실은 부정할 수 없습니다. 불필요한 부정일 테죠. 애초에 마토 씨는 마을이 발전하는 데 많은 도움을 주신 분입니다. 하지만, 여기에 숨은 가장 큰 오점 한 가지가 있습니다. 그를 포함한 모두가 거짓말쟁이라는 것입니다."

디케이가 남은 숨을 내쉬며 단상 아래를 보는 때는 이미 검고, 낯선 자리로 변한 뒤였다. 한 사람, 한 사람의 얼굴에 그늘이 가득 덮여 있었고, 이미 일그러짐을 예상했다는 사람처럼 눈을 감은 이도 있었다. 제일 앞자리의 한 여인이 디케이를 향해 계속하라는 제스처를 보내왔다. 디케이는 그녀를 향해 짧게 고개를 끄덕였다. 그리고 말을 이어 했다.

"본디 지킴이는 이름 그대로의 일을 도맡는 직책이었습니다. 마을을 지키기 위해 있는 존재. 시티의 창을 막아 세울 지주와 같은 존재. 하지만 시티에서 도망친 우리 모두는 이미 알고 있었을 겁니다. 그들은 우리 마음속 삶의 불씨를 꺼뜨리지 않게 하기 위한 최선의 위안거리에 불과하며, 특수한 힘을 가진 존재는 아니라는 것을요. 그러나 우리는 모른 척했습니다. 그로써 투지라는 감정을 유지하고, 그로써 도망자라는 신분을 외면할 수 있었기 때문입니다."

그때, 한동안 입을 다물고 있던 홈이 찢어진 눈을 디케이를 향해 옮기며 입을 열었다.

"지킴이가 하는 일이 겨우 위안거리라고요? 제가 들었던 사실과 다른데요, 디케이 씨."

"그래, 홈. 지킴이는 네 머릿속의 그런 대단한 존재가 아니야."

디케이는 덤덤한 어조로 대답했다. 디케이의 말을 들은 홈은 앉은자리에서 어쩔 줄 몰라 하다 경련하듯 순간적으로 몸을 일으켜 세우며 소리쳤다. 홈의 손에 들린 유리병이 그를 따라 비틀거렸다.

"그런 거짓말이 어딨습니까?! 저는 마을이 눈에 보인 그 순간부터 지킴이가 되겠다는 목표 하나로 살아왔습니다. 그런데, 지금에 와서 그게 다 헛꿈이었다고요? 그 말을 하는 겁니까? 디케이 씨?"

"그래."

"그럼, 지킴이는 왜 있습니까? 그들을 왜 뽑는 겁니까? 그날 밤 제가 본 불꽃 옆의 키 씨는 무엇이었던 것입니까?"

홈이 말을 마치자, 그의 주변에 앉아 있던 사람들이 하나둘 그에게로 가까이 다가갔다.

홈은 그들이 보이지 않는 듯 눈을 피했고, 폭주하는 감정에 그대로 자신을 실어 올렸다. 꿈을 속은 취한 양의 몸부림은 격하게 나타났다. 솟구치는 괴성과 그 위로 얽히는 목소리, 그 둘의 묻고 묻히는 행위가 반복되었다. 별안간 벌어진 일에 마음이 여려진 양치기들은 쉴 틈 없이 화가 난 양을 달랬지만, 양은 그것이 있음으로부터 훨씬 더 많은 시간이 지나고 나서야 이성을 되찾았다. 홈을 살피러 내려왔던 디케이는 그의 어깨에 얹은 손을 천천히 아래로 내렸다. 다른 사람들의 손도 뒤따라 내려갔다.

"정신이 드나, 홈?"

디케이가 홈의 양쪽 눈을 한 번씩 살피며 말했다. 홈의 눈은 절반쯤 감겨 있었다. 디케이의 말소리에 입을 다물고 있던 사람들도 입을 열기 시작했다. 크게 다른 말도 아니었다. 홈은 귀찮은 듯 한쪽 어깨를 크게 돌려 주변을 뿌리쳤다.

"알겠네, 그만하지."

디케이는 몸을 뒤돌려, 모인 사람들을 향해 조용히 말했다.

"안정이 필요해 보입니다. 물이 있으신 분은 그에게 물을 마시게 하세요. 그리고 필요치 않은 말은 건네지 마시고요."

디케이는 형식을 차리려는 듯 한 번 더 홈의 상태를 확인한 다음, 왼손을 가운에 밀어 넣고 다시 단상으로 올라갔다. 주위는 썰렁했다. 마치 아무 일도 없었다는 것처럼 사람들의 시선이 단상을 향하고 있었다.

"그렇습니다. 당연한 반응일 겁니다. 저 또한 느끼는 바가 그와 다르지 않습니다. 여러분들이 집으로 돌아가지 않는 이유 또한 같은 줄기에서 이어진다는 걸 알고 있습니다. 그러니 이제 이야기의 중심으로 들어가 볼까 합니다. 그간 이어져 내려오던 마을의 근간을 배신하는 행위가 될 수도 있는 이야깁니다."

신중하게 단어를 고른다는 느낌이 표정에 강하게 묻어났다.

"저는 여러분에게 투표의 개최를 제안하고 싶습니다. 내용은 지킴이의 완전 폐지 여부입니다."

그리고 탄성들이 퍼져나갔다. 홈의 근처에 있던 사람들이 더욱 격하게 반응했다.

"지킴이를 없애자고요?"

"그건 말도 안 됩니다!"

"맞습니다! 지킴이는 마을에 필요한 존재들입니다!"

디케이는 말소리가 잦아들 때까지 기다렸다. 모두가 반발을 꺼내 든 것은 아니었기에, 시간이 길게 소요되진 않았다. 그러나 입을 연 사람들의 목소리는 나머지를 더한 것처럼 강경했다. 그리고 디케이를 따라서 때를 기다리고 있던 한 여인이 일순 잠잠해지려는 찰나, 단상으로 말을 던졌다.

"저희 남편은 경작지에서 일하고 있습니다. 디케이 씨, 지금 하신 말씀을 저희 남편의 노동을 부정하는 거라고 이해해도 되겠습니까?"

"전혀 그렇지 않습니다, 부인. 경작지를 유지하는 것은 아주 중요한 사안이며, 마을에 있어서 필수적인 행위입니다. 그리고 저는 부인께서 하시고자 하는 말씀이 무엇인지 잘 이해하고 있습니다."

그리고 디케이는 한 번 숨을 끊었다가 길게 들이쉰 뒤 다음 말을 이었다.

"지킴이는 여전히 시티에 손을 벌리고 있습니다."

한마디였다. 디케이는 연설을 계속할 수 없었다. 단상 바닥이 찍히는 소리와 함께 확성기가 땅에 떨어졌고, 소리 너머의 디케이가 크게 휘청이며 그 옆으로 쓰러졌다. 투명한 유리 파편 하나가 단상이 파인 깊이만큼 박히어 디케이의 이마 옆으로 피를 내리고 있었다. 그리고 검은 모자를 바닥에 내동댕이친 홈의 목소리가 군중을 에워쌌다.

"개자식."

세 사람 정도가 단상으로 뛰어 올라갔다. 그들은 제일 먼저 벗겨진 안경을 챙겼고, 다음으로 쓰러진 디케이를 들어 올려 가까운 집을 향해 서둘러 이동했다. 질서를 유지하던 군중들의 간격도 갈기갈기 찢어졌다. 그리고 단상 주변은 마치 연무처럼 자취가 하나씩 지워져 나갔다. 이 일은 당일을 포함한 다음 날 아침까지도 조용했고, 이틀밖에 남지 않은 4월임에도 쨍한 햇살이 무성히 내리쬐는 오후 무렵이 되어서야 마을 곳곳에서 머리를 들어 올렸다. 자리에 있지 않았던 삼자 중, 가장 먼저 소식을 들은 사람은 피크 내외였다. 아들의 죽음을 전달받았던 그날처럼 피크는 발작을 일으키는 워블을 진정시키고 나서야 집을 나설 수 있었다. 머리가 둘 이상 모인 거리면 변함없이 주절대는 사람들로 북적댔지만, 부활의 장 건에 관하여 말하는 무리는 어디에도 존재하지 않았다. 말 그대로 마을은 경계심으로 가득했다. 떠드는 무리의 부류는 정확히 둘이었다. 그럴 수 있다는 생각을 지닌 자들과 있을 수도 없는 일이 벌어졌다는 생각을 지닌 자들로. 목소리의 크기로만 놓고 봤을 때, 후자가 전자보다 훨씬 더 많았다.

"디케이!"

얼굴에 닿는 발을 신경질적으로 헤치며 머리를 내민 피크가 집이 떠나가도록 소리쳤다. 연한 핏빛이 감도는 붕대를 머리에 감은 디케이가 손을 올려 화답했다. 똑같은 나무 침대였는데, 등받이 구조 자체를 새로이 조립한 듯 상체가 수직에 가깝게 들려 있었다.

"괜찮냐고 물어볼 요량으로 온 건가? 아니면, 죽어 있기를 기도하면서 온 건가?"

"무슨 소리! 의사가 죽기를 바라는 사람이 어디 있다고!"

"크하하하. 그래, 그래야 자네답지."

"상태는 어때?"

"상태?"

디케이는 대꾸와 함께 다친 부위를 손가락으로 툭툭 건드렸다. 그리고 말했다.

"아픈걸."

그에 피크는 못마땅하다는 얼굴을 좌우로 늘어뜨리며 침대 앞에 놓인 의자에 몸을 앉혔다. 무언갈 집요하게 파우칠 듯한 기세였다.

"필요한 걸 말해 봐."

"에탄올과 스킨 스테이플러. 두 가지가 있으면 좋으려나."

"가지고 있는 게 없는 건가?"

"아니지. 그보단 시티의 병원 카운터에 서 있는 간호 로봇이 더 유용하겠어. 이왕이면 여성 모델로 말이야."

그리고 디케이는 홀로 킥킥댔다.

"이봐, 난 진지해."

"피크, 지금 사람들이 내뿜는 분위기를 몰라서 그러나. 이야기를 다 들었을 거 아니야. 어제 내가 단상에서 무슨 말을 떠벌렸는지."

"이미 벌어진 일에 감정을 소모한다는 게 얼마나 병신 같은 행위인지를 경험으로 배웠을 뿐이야."

"자네의 입지도 위험할 텐데?"

순간, 피크의 촘촘한 검은 눈썹이 들썩였다. 그리고는 무언가 말을 하려다 참은 사람 같은 어색함이 낯빛에 드리웠다.

"우리는 지금 같이 있으면 안 될 사이야."

디케이는 말했다. 그에 피크가 고개를 천장으로 젖히며 답했다.

"…어쩌자고 그런 짓을 한 거야."

"오해는 말게, 피크. 내 생에 그런 착한 척을 행할 줄은 나 역시도 몰랐으니까."

"그저 행복하면 되는 사람들 아닌가. 자네가 모두 불행하게 만들었어. 사람들을 불행히 만들어서 좋을 게 뭐가 있다고 말이야."

피크는 여전히 고개를 쳐든 채로 입을 벙긋거렸다. 적잖이 아니꼽다는 자세였다. 말투 또한 매한가지였다.

"그 행복이 거짓에 투영된 것이라도 괜찮단 소리로 들리는데."

디케이는 높이 올라간 피크의 눈을 보며 말했다.

"정말 왜 그래? 디케이. 까놓고 말해, 자네도 이득을 본 건 사실이지 않은가. 설마하니 자네 집의 이 모든 걸 도망칠 때 들고나온 물건들이라고 말할 요량은 아닐 테지?"

"그럴 리가. 그리고 자네의 또 다른 타박을 받기 전 미리 말해 두는데, 나는 내 발언에서 발을 뺄 생각이 조금도 없어. 모두 지고 갈 생각이야. 결과를 미리 맛보기도 했고 말이지."

디케이가 다시금 손을 올려 붕대를 가리켰지만, 피크는 쳐다보지 않았다. 근심이 잔뜩 낀 얼굴이었다.

"가까운 시일 내에 투표 장소가 마련될 걸세."

"그럴 테지. 마토하고는 벌써 얘기가 끝났나?"

"그자는 별로야. 자네처럼 말이 통하는 상대가 아니거든."

디케이의 대꾸를 들은 피크는 몸을 일으킬 준비를 했다. 그리곤 사악해 보이는 미소를 입가에 내걸며 마지막 말을 남겼다.

"그래, 그럼, 이제 우리는 투표 날 마주하면 되는 건가?"

나무 발이 비스듬히 넘어가며 소리를 냈다. 집을 나서는 피크의 뒤로 디케이는 들릴 듯 말 듯 한 목소리로 말했다.

"유감이야, 친구."

——— 12 지킴이, 페리의 정체

적당한 선 즐기기에 능한 유혹이었다. 누구라도 의심하지 않고 넘어갈 만한 둥글둥글한 말. 어조, 몸짓, 표정, 드러난 모든 게 그랬다. 방심도 아니었다. 어디서든 완벽에 가까운 능청스러움을 나타내 보이던 그녀였으니까. 그녀의 잘못이라곤 첫 경험을 할 때와 마찬가지로 상대를 너무 신뢰했다는 점뿐일 것이다. 대화를 마친, 그러니까 페리와 작별 인사를 나눈 뒤의 군은 재빨랐다. 군은 소식을 전할 능력이 있는 사람을 서둘러 불러들였고, 과거의 페리가 가드였었다는 사실을 마을 곳곳으로 내돌렸다. 이유는 글쎄. 군이 저렇게 행동한 데 장황한 이유는 없었을 것이다. 단지 그가 얻을 수 있는 항목에 볼거리가 늘었다는 점과 그로부터 오는 어중간한 포만감. 딱 그 정도가 아니었을까. 집으로 돌아온 페리가 후련한 얼굴로 문을 닫고, 잠시 숨을 돌린 시간과 같은 정도. 그 시간은 채 한 시간이 되지 않았다. 그리고 창밖에서 뜨거운 소리가 들끓었다. 멀리서 들리던 소리는 금세 조여 왔고, 거리가 좁아질수록 더욱 과격해졌다. 과거에 비슷한 사례가 있었다. 소년의 살인범 지목이 확정됐을 때. 2층에서 소리를 들은 페리에게 처음 든 감정은 호기심이었다. 창으로 간 페리는 조금의 준비도 없이 곧장 창밖으로 눈길을 던졌다. 그리고 그녀는 얼어붙었다. 발끝에서 시작된 광활한 떨림이 머리까지 도착하는 건 금방이었다. 하얗게 질린 얼굴에서 유일하게 눈동자가 요동쳤다. 창밖의 그들은 늑대 떼처럼 뭉쳐 있었다. 늑대는 발에 불을 지펴 있었고, 늑대는 없는 허기를 갈구하듯 바닥에 몸을 튕기고 있었다. 그리고 한순간 페리의 오른 어깨 옆으로 뾰족하게 깎인 나무 막대 하나가 지나갔다. 인지할 겨를도 없는 짧은 시간 속에 벌어진 일이었다. 막대가 페리 너머의 바닥에 떨어지자, 관통당한 유리창이 여러 갈래로 갈라져 방 안으로 쏟아졌다. 페리는 본능적으로 뒷걸음질 쳤다.

"더러운 년!"

뚫린 창 안으로 욕설이 날아들었다. 바람 없이 고요히 나부끼던 나뭇잎이 흔들리자, 그때서야 페리는 작금의 순간이 현실임을 조금은 받아들일 수 있었다. 페리는 뒤로 물린 걸음을 다시 앞으로 되돌리며 잘은 파편이 그대로 남아 있는 창으로 걸음을 가져갔다. 그리고 떨리는 목을 앞으로 내밀었다. 사람들은 모두 그대로였다. 페리는 직감으로 알았다. 자신은 마녀이고, 저들은 마녀를 태우러 온 신자들이라는 걸.

"잠시만요, 지금 내려갈게요."

페리는 평소에 잘 입지 않던 연녹색의 블라우스를 주워 입었다. 그리고 서둘러 문을 열고 계단 아래로 걸음을 내밟았다. 그마저도 순탄치 않았다. 자갈 같은 작은 알맹이들이 페리의 얼굴로 끊임없이 날아왔다.

"미리 말씀드리지 않아서 정말 죄송합니다."

사람들 앞에 선 페리는 한쪽 팔을 감싼 채로 허리와 고개를 동시에 숙였다. 그때에도 사람들은 던지는 행위를 멈추지 않았다.

"고위층의 옷을 만졌다는 게 이거였어? 그래, 네가 쌓은 공적으로 몇몇 사람들이 아주 편하게 살았겠네."

"자네 같은 사람 때문에 목숨을 잃은 가족이 몇이나 되는지 알고 있나. 차마 세지도 못할 걸세."

"가더인 걸 알았다면 넌 마을에 들어오지도 못했어!"

아래에 있던 사람들이 기다렸다는 듯이 페리를 향해 말을 던졌다. 비교적 똑똑히 들린 게 저 세 문장이었다. 흥분한 그들의 목소리는 쌍으로 겹쳐서 울리는 경우가 대부분이어서 똑똑히 알아들을 수 있는 게 몇 있지 않았다.

"저도 도망치고 싶었을 뿐이에요."

페리는 말했다.

"도망칠 자격은 있나?"

가족을 잃었다는 노년의 남자가 대꾸했다. 그리고 다음 사람이 그것 그대로 말을 이었다.

"그래, 맞아! 넌 자격도 없는 년이야."

그 말은 크게 울렸다. 페리도 어깨를 들썩였다. 그리고 직후 페리는 숨을 길게 들이마셨다. 겉으로 보이기에 퍽 망설이는 모습이었다. 하려는 말을 해도 될지, 굉장히 두려워하는 모습이었다. 손에 뾰족한 막대를 치켜든 여자가 페리를 향해 그 끝을 겨눴다. 페리는 눈을 하늘로 올렸다. 그리고 안으로 말아 넣은 아랫입술을 바깥으로 튕기며 말을 뱉어내었다.

"그런 여러분들은 무슨 자격을 갖추셨어요?"

말을 한 페리는 호흡을 유지하려 애썼다. 목소리가 흔들리면 끝이라는 생각으로 페리는 굵고 긴 숨을 의식적으로 이어 나갔다. 마을 사람들이 어떤 자존감을 지키고 있기에 한순간에 지지에서 폭력으로 돌아설 수 있는 걸까, 라고 끊임없이 속으로 질문하며.

"우리? 우리는 자격이 있지, 있고말고. 적어도 여기의 우리들은 천박하게 살진 않았으니까. 네년처럼."

여자는 막대의 끝을 다시 한번 위에서 아래로 세게 흔들어 페리의 얼굴 앞을 조준했다. 막대에 가려 티가 나진 않았지만, 그녀의 손이 세차게 떨리고 있었다.

"가더로 일하는 사람은 천박하단 말씀이신가요?"

페리는 그녀에게로 한 걸음 다가가며 말했다. 자의가 아니었다. 페리는 앞으로 내려지는 자신의 발을 공포스럽게 내려다봤다. 여자 역시 보이는 떨림과는 다르게 물러서지 않았다.

"너흰 세뇌된 족속들이잖아. 시티를 벗어나려는 사람을 무자비하게 찌르고, 또 쏴 버려. 끝난 일에 감정을 갖지도 않지. 네가 저지른 행위에 대해 한 번이라도 뒤돌아본 적 있어? 없을 거야."

"그게 문제가 되나요?"

"뭐?!"

"여러분들처럼 저 역시나 노력을 한 것뿐이에요. 자리가 다르긴 했지만. 그게 진정 잘못됐다고 생각하세요?"

"도망자들을 살해한 네년의 행동이 정당하다고 말하는 거야? 진심이니? 정말 아무런 죄책감이 없어? 네가 죽인 사람들의 가족이 꾸린 마을이야. 여기는 그런 곳이라고. 그런데 어떻게 아무 가책도 느끼지 않을 수가 있지?"

"그건 과거의 일이니까요. 지금의 저는 이곳 마을 사람이에요."

"아니. 너는 감정 없는 짐승에 불과해. 짐승? 하, 짐승이란 단어를 너한테 붙이기도 아까워."

페리의 편은 없었다. 사람들은 전적으로 여자의 말에만 수긍하는 고갯짓을 보였다. 그러나, 왠지 모르게 가라앉아 있었다. 맨 처음 그들이 보였던 분위기와는 확실히 달랐다. 흰색의 덩어리 위로 놓인 회색 실과 같이, 보이지 않는 곳에서 무언가가 벌어지고 있었다.

"제가 짐승이면 여러분들은 뭐죠? 가더가 반인륜적인 직업이란 사실에 토를 달 생각은 없어요. 하지만 그들이 홀로코스트를 연상시킬 정도는 전혀 아니죠. 또 알다시피 가더는 시티에서 유일하게 기준선이 없는 직종이에요. 미천한 선에서 두드리든 괜찮은 선에서 두드리든 시험만 통과한다면 동등하게 일할 수 있죠."

페리의 말을 조용히 듣고 있던 여자가 막대를 내리며 대꾸했다.

"지금 우리더러 폭력적이지 못한 스스로를 탓하라는 거야?"

그리고 페리는 자리에서 한 걸음을 더 앞으로 내려놓았다.

"그렇게 들리셨다면, 그 의미가 맞을 거예요. 저도 처음 마을에 들어왔을 때 받았던 과거의 직업에 대한 물음이 그런 뜻으로 다가왔거든요. 하늘에 눈이 있듯이 말 한마디에도 눈이 달렸죠. 그리고 이런 말까지 하고 싶지는 않지만, 적어도 가더는 죄 없는 사람들을 벌주진 않았어요."

페리가 마지막 문장까지를 그치자, 집 주변은 아주 조용해졌다. 당장이고 내려칠 듯 쥐어 있던 무기, 혹은 흉기들이 더 이상 서로 부딪히며 소리를 내지 않았다. 그렇다고 해도 페리는 여전히 떨고 있었다. 내미는 말에 몰두한 나머지, 도망칠 구멍을 찾는 것도 잊어버린 그녀였다. 모두가 멍하니 서 있었다. 거기서 누군가가 나서지 않았더라면, 그들은 오늘 하루의 침묵 이어 가기가 자신 일생의 숨쉬기를 대신 할 대체재인 줄 알았을 것이다.

"…그래서 자넨 몇 사람이나 죽여 본 건가? 그것만 말해 주게."

사방의 비아냥과 욕설 사이에서 동정을 바라던 노년 남자의 목소리였다. 페리는 한쪽 팔을 그에게로 길게 뻗으며 말을 뱉어냈다.

"제가 직접 숨을 끊은 사람은 없어요. 총기류를 휘두를 수 있는 건, 경험과 담력이 쌓인 선배들의 몫이었으니까요. 저는 단지 운반 일을 거들었을 뿐이에요."

그리고 무리의 누군가가 대답했다.

"마을에 발을 담금과 동시에 거짓을 달고 살던 자네의 말을 우리가 어떻게 믿지?"

그에 페리는 우물쭈물하는 틈 없이 맞받아쳤다.

"믿음의 여부는 상대방의 몫이에요. 제가 오늘 이런 상황에 몰리게 된 것도 똑같은 이유겠죠. '믿어선 안 될 상대를 믿었다.' '해서는 안 될 말을 했다.'"

"하지만 또, 막상 닥쳐 보니 그렇게 후회스럽지도 않네요. 타이밍이 엿 같긴 하지만 어차피 언제까지고 숨길 수도 없는 일이었어요. 이제 제가 할 수 있는 일은 없어요. 이제 저는 온전히 여러분들 몫이에요. 선택하세요. 저를 살릴 것인지, 아니면 죽일 것인지. 들어서 아시겠지만, 이제 제가 할 수 있는 일은 없어요."

——— 13   워블의 아들과 마을의 무덤 이야기

워블의 말을 들은 퓨티는 비극을 느꼈다. 그리고 그녀가 내뱉은 말이 마을의 그 무엇과도 충돌하지 않는 온전한 선이라고 속으로 생각했다. 급변하는 것은 없었다. 워블이 말을 하기 전과 같이 시간은 흘러갔다. 난간 구경을 마친 퓨티에게 워블은 미음을 나눠 주었다. 희고 검음이 적절하게 뒤섞인 죽에는 무엇인지 모를 덩어리 몇 개가 부분부분 숨어 있었다. 퓨티는 손대지 않았다. 워블도 딱히 눈치를 준다거나 하지 않았다. 이후로 식어 버린 미음처럼 영양가 없는 말들이 오갔다. 예의를 지킬 정도로만 대꾸를 하던 퓨티는 본능적으로 알 수 있었다. 워블이 본제로 들어가지 않는 것이 보다 차분하고 침착하게 자신을 덮치기 위함이라는 걸. 퓨티는 별일 아니라는 듯이 질문했다.

"…그럼, 언제부터 그만두신 거예요?"

"아이가 죽은 지 3년이 되어 갈 무렵이려나, 정말 눈이 타들어 갈 거 같은 태양과 눈이 마주친 적이 있거든요? 그때 정신이 들었죠. 나는 정말 미련한 부모구나, 라고요."

"근데 지금도 여전히 하늘을 보시잖아요."

"하늘을 보지만, 하늘을 보는 게 아니에요."

워블이 웃으며 말했다.

"그럼요?"

"글쎄…, 퓨티 양은 시티 광장에 서 있을 때가 기억나요?"

"아뇨, 저는 기억이 거의 없어요. 밤이 밝다는 것만 빼고."

그리고 퓨티는 잘못을 저지른 사람 마냥 양손을 포갰다.

"시티의 광장에는 천장마다 땅이 비치는 유리가 있어요. 이러면 또 미친년 같겠지만. 뭐, 습관이 됐나 봐요. 힘이 들 때 하늘에서 땅을 내려다보는 게."

"아직도 힘드세요?"

"그럼요, 퓨티 양. 자식을 떠나보낸 부모니까요. 저는 아마 평생을 힘들어할 거예요. 하지만 이제 구름으로 아들 얼굴이나 짜 맞추진 않죠. 그건 정말 미친 짓이었어요."

퓨티는 순간 흐릿하게 속삭이며 떠오르는 비명의 기억이 있었지만, 침울한 분위기를 이어 가기 싫어 입 밖으로 내지 않았다.

"10년이죠?"

워블이 두 눈을 힘주어 떠올리며 물었다. 자리한 내내 시체처럼 풀려 있던 눈이 처음 보이는 모습이었다. 퓨티는 지금이란 걸 대번에 알아차렸다. 퓨티는 최대한 조용히 자세를 경직되게 고쳐 앉았다. 그리고 그녀의 질문에 대답하려는 찰나, 워블이 불쑥 말했다.

"시티가 그립진 않아요?"

"…네?"

"아니다. 질문이 잘못됐네요. 퓨티 양은 시티의 기억이 거의 없다고 했으니, 반대로 시티가 궁금하지 않냐는 질문이 맞았겠어요."

워블의 말을 들은 퓨티는 안면이 떨리는 것이 느껴졌다. 마을에서의 햇수가 쌓여 이루어진 경험이 경고하고 있었다. 보통의 순간이 아니라고, 말을 잘해야 하는 순간이라고. 퓨티의 그러한 마음이 얼굴 위로 고스란히 드러났다. 급한 상태가 지속될수록 뺨의 홍조가 짙어져 갔다. 퓨티는 이제 속으로 초까지 세기 시작했다. 그러다 중얼거리듯 외마디 말을 뱉어냈다.

"…가 보고 싶어요."

그리고 워블이 한 음절을 빼고서 똑같이 말하였다.

"가고 싶다고요. 그래요, 저는 완전히 이해해요. 아니. 필요하다면 이유까지도 만들어 줄 수 있어요. 같은 심정이니까."

퓨티는 워블의 바뀐 말을 못 듣지 않았다. 단지 그녀의 표현이 더욱 와닿아 반박하지 않은 것뿐이었다.

"피크 씨도 알고 계시는 일인가요?"

"반대예요. 그 사람만은 알면 안 되는 일이죠. 다른 집은 모르겠어요. 이런 말을 어떻게 받아 줄지. 중요한 건 내 가장 가까운 사람은 절대 이해해 주지 않으리란 거예요."

"7년이나 그리워했는데 조금은 눈치채고 있지 않으실까요? 저라면 그랬을 거 같아요."

"이런 나를 처음부터 웃음거리로 만든 사람이 그이예요. 아들을 짜 맞추던 처음 3년간, 마을 사람 모두가 알도록 소문을 낸 것도 그이고요. 자기 딴에는 그게 치료로 이어질 줄 알았나 봐요. 차라리 동정이 나았을 텐데 말이죠."

말을 하는 워블은 그대로였다. 그를 본 퓨티는 워블에게 완전히 넘어가는 게 가능했다. 목소리, 몸짓, 분위기, 어디에나 말을 하기 전 사람과 동일한 모습이 나타났기 때문이었다. 퓨티는 잠시 고민했다. 본인은 어디까지를 드러내 보일 것이며, 또 어디까지를 생각할 수 있는지를. 워블이 대답을 기다리며 눈을 깜빡이고 있었다.

"…그렇죠. 피크 씨는 원체 강경하신 분이니까. 그래도 오래전과 비교하면 많이 부드러워지신 거 같아요."

"음. 그 말은 반만 맞아요. 같이 사는 내겐 보이거든요. 매일 아침 난간으로 나와 있는 저의 뒤로 말을 걸러 올 때마다 얼마나 많은 화를 억누르고 접근하는지가 말이죠. 그래도 뭐, 처음과 비교하면 달라지긴 했어요."

"한번 말해 보는 건 어떠세요?"

퓨티는 부탁하듯 고개를 살짝 비틀며 말했다.

"시티로 돌아가고 싶다고요? 세상에. 퓨티 양. 그럼, 아마 마을이 태어난 이후 처음으로 분가하는 부부를 볼 수 있을 거예요. 그리고 정말 모르고 있는 것 같아 말해 주는데, 우린 돌아갈 수 없어요. 라이선스도 없거니와 반역자로 등록까지 되어 있을 테니까."

친절한 설명 뒤로 퓨티는 빠르게 대꾸를 이어 붙였다.

"라이선스를 위조하면요?"

그리고 퓨티는 워블이 일순 빙긋 미소를 띠어 보이자 황급히 몸을 뒤로 뺐다. 퓨티가 앉은 나무 의자의 다리가 밀리며 식탁 위로 불쾌한 소리를 올려보냈다. 그리고 워블이 말했다.

"존재에 위배돼요. 음…, 그러니까 지킴이들의 존재에요. 이것까지 말해 주는 건 좋지 않을 수도 있겠지만, 오늘은 뭔가 이것저것 말을 잔뜩 하고 싶은 날이네요. 좋아요, 좀 더 말해 줄게요."

퓨티는 말없이 고개를 위아래로 움직였다. 눈이 흥미로 빛났다.

"시대가 좀 변했어요. 막연히 도망치던 우리들 이야기와는 조금 달라요. 그리고 지킴이 이름을 꺼낸 건 그들이 본인들 목숨을 걸고 마을을 지키고 있기 때문이에요. 시티엔 두 부류가 있다고 들었어요. 우리 마을을 인정하는 쪽과 무시하는 쪽, 이렇게요. 퓨티 양은 머리가 좋으니 알고 있었을 거예요. '센터'는 우리 마을에 대해 아무런 관심이 없다는 사실을요. 우리를 봐주는 건 빈곤한 삶을 벗어나지 못한 '사람들'이에요. 참으로 역설적이죠."

말을 끊은 워블은 눈으로 설명하듯이 주변 환경을 둘러봤다. 그리고 뒷말을 마저 이었다.

"크게 다르지 않은 삶일 텐데, 안 그래요?"

퓨티는 대답하는 데 잠시 시간이 걸렸다. 생각이 많은 것도 이유였고, 형식적 대꾸가 하고 싶지 않은 것도 이유였다.

"정말 다르지 않나요?"

말을 들은 워블이 손으로 황급히 입을 가리는 시늉을 보였다.

"어머. 내가 환상 깨는 말을 해 버렸네요. 하지만 그게 진실이에요. 같은 향수를 가진 사람끼리라도 솔직한 게 좋겠죠. 퓨티 양이 느끼는 불편함은 뭐예요? 이 마을에서요."

그리고 워블은 1초도 기다려 주지 않았다. 물음을 건넨 뒤, 당사자 쪽이 오히려 안절부절못했다. 퓨티는 그 즉시 떠오르는 몇 가지가 있었지만, 입술을 쉬이 떼지 못한 것은 툭 하고 말할 수 있는 것보다 부끄럽게 말해야 하는 것의 가짓수가 많았기 때문이었다.

"저는 밤의 불빛이 너무 보고 싶어요. 야경 보며 듣는 클래식을 그렇게 좋아했거든요. 아이의 태교도 거의 그런 식으로 했어요. 시티의 빛은 중심부로 들어갈수록 휘황찬란해지죠. 그래서 외곽에 자리한 우리 집이 마음에 들었어요. 구석진 집에서 보이는 빛은 한정적이지만, 눈 아플 일은 없거든요. 단순해서 더욱 좋죠."

그리고 워블은 무안하다는 얼굴로 말했다.

"아, 퓨티 양 미안해요. 오랜만의 대화라 내가 들떴나 봐요. 혼자 너무 말이 많았죠?"

퓨티는 고개를 좌우로 크게 저으며 대답했다.

"아니요, 전혀요. 너무 재밌는걸요. 까먹었던 동화를 다시 듣는 기분이에요. 그리고 워블 씨와 제가 이렇게 대화하고 있다는 거 자체가 신기하기도 하고요."

"말을 참 예쁘게도 하네요. 나도 덕분이에요. 늘 밝기만 하던 퓨티 양이 집 앞에서 그러고 있는 걸 보니 부르지 않을 수가 없더라고요. 사실은 그 얘기를 하려고 부른 거였어요. 무슨 기분 안 좋은 일이 있나 싶어서요."

퓨티는 순간 눈앞이 아득해짐을 느꼈다. 그리고 또한 모르는 이야기를 듣는 것 같은 기분이 들었다. 흐려져 있던 기억이었다. 불과 몇 시간 전의 이야기임에도 그랬다. 뿔뿔이 흩어졌던 장면들이 신경이 곤두섬과 동시에 다시 일렬로 줄을 서고 나타났다. 그런 한편 퓨티는 속으로 생각했다. 숨길 필요도 없는 일이야.

"아시다시피 오전엔 마을이 비로 덮였었어요."

퓨티는 머리를 헝클이며 말을 뱉어냈다. 워블은 가만히 고개를 끄덕였다.

"마을에 새로 들어온 사람이 있거든요. 홈 씨라고, 이름이 특이하죠?"

"아. 이름은 처음 듣지만, 알고 있어요. 얼마 전이었죠? 그이가 환영식을 해야 한다며 오후 늦게 집을 나서는 걸 봤어요."

"네네, 맞아요. 그 자리였어요. 사람들이 많이 모인 자리였는데, 우연히 홈 씨와 단둘이 이야기를 나누게 됐어요. 저흰 서로 나이가 같은 걸 알게 됐고, 비슷한 관심사를 가지고 있단 걸 알게 되었죠. 워블 씨만큼이나 대화가 잘 되는 사람이었어요."

그에 워블이 짧게 소리 냈다.

"어머."

퓨티는 빙긋 웃었다가 말을 계속 이어 나갔다.

"다른 사람들의 목소리가 컸지만, 저희는 저희대로 대화를 이어 갔어요. 궁금한 게 많았던지라 목소리가 자주 부딪히긴 했지만요."

그리고 퓨티는 다음에 뱉을 말을 머릿속으로 잘 정리했다. 최대한 워블에게 폐가 가지 않게끔 문장을 다듬고, 또 다듬었다.

"저는 시티를 물었고, 홈 씨는 마을을 궁금해했어요. …음, 그러던 중에 나온 이야기였어요."

마지막으로 퓨티는 문장을 내뱉기 전, 워블의 얼굴을 바라봤다. 나 자신도 그랬을까, 라는 감흥을 느낄 정도로 워블의 눈은 빛나고 있었다. 망설이면 그만큼 힘들어질 걸 알았기에, 퓨티는 단숨에 말하였다.

"마을의 무덤 이야기가요."

———— 14 지킴이와 통조림 도둑

모두가 잠든 심야였다. 우람한 진동에 가지 속 숨죽어 있던 동물들이 놀라며 달아났다. 네 개의 커다란 바퀴가 울퉁불퉁한 바위를 타고 덜컹거리며 떨어질 때마다 그 아래로 숨지 못한 나무뿌리들이 아픈 소리를 냈다. 바퀴의 앞을 비추는 양 갈래의 빛이 점점 더 촘촘한, 덤불과도 같은 곳으로 들어갔다. 그리고 안자락에 파묻혀 그 빛이 아주 미약하게 보이는 때에 진동이 그쳐 들었다. 잠잠해진 이후로도 짧지 않은 시간 동안 그 주변은 무섭도록 고요했다. 안쪽에서 사람들의 목소리가 피어난 것은 인공적인 노란빛이 숲의 일부분이 된 것처럼 동화되어 보이는 때였다.

"씨발. 너무 깊게 주차한 거 아니야?"

뒷좌석에 누워 다리를 찢다시피 벌린 매드가 널따란 팔을 운전석을 향해 뻗으며 항의하듯 말했다. 그에 페리는 운전대에서 손을 놓으며 신경질적으로 대꾸했다.

"그럼, 네가 운전하든가?! 내가 아직 길을 잘 모른다고 했지? 피곤하다고 내뺀 건 너야."

강하게 나오는 페리에 매드도 물러서지 않았다. 오히려 더 강하게 보이려는 듯이 자신의 짧게 깎은 머리에 손을 올리며 반박했다.

"쌍년이 말대꾸는. 그럴 힘 아꼈다가 노력에 써. 경험이 부족하면 연습을 하라고. 재수좋게 지킴이가 됐다고 으스대지 말란 말이야. 민트였으면 진즉에 도착하고도 남았어."

그 말에 페리는 왼손을 들어 강하게 핸들을 내리쳤다. 손목뼈가 조금만 옆으로 갔었더라면 클락슨 소리가 사방으로 울렸을 것이다. 조수석에서 둘의 다툼을 가만히 듣고 있던 키가 입을 연 것도 그 장면이었다.

"어이, 어이. 손 조심해."

키가 운전대에 남아 있는 페리의 오른팔을 자신의 앞으로 당기며 말했다. 그에 페리는 곧장 사과했다.

"죄송해요. 실수였어요."

"변명을 하든, 사과를 하든 하나만 하면 덧나나?"

말을 들은 매드가 빈정거렸다. 키가 얼음장 같은 눈으로 자신을 꼬나보자, 그제야 매드는 헛기침을 하며 차 문을 열고 밖으로 나갔다. 차량 위에 손을 올린 매드는 운전석을 쏘아보며, 선 상태 그대로 허리에 힘을 실어 문을 강하게 닫았다. 그의 힘에 차량이 순간 좌우로 뒤흔들렸다. 페리는 감정이 차올라 질끈 눈을 감아 버렸다.

"너무 마음 쓰지 마. 힘쓴다는 놈들 대부분은 저랬으니까."

키는 페리를 바라보며 말했다.

"다음엔 더 잘하리라 믿어. 우리도 이만 내리지."

"네, 죄송합니다."

매드는 트럭 뒤에 덮인 그물을 짐승처럼 걷어 내고 있었다. 트럭은 4인승이었는데, 개량을 하여 아래를 좀 더 파내고, 내려놓은 탓에 보통의 것보다 짐이 조금 더 실리는 형태였다. 여기저기 무언가의 진액이 들러붙어 있었으며, 불쾌한 냄새를 풍겼다. 타이어 또한 그들과 결을 같이 하길 바라듯이 공기가 적당히 충전돼 있음에도 불구하고 어딘가 맥없어 보였다. 내연기관 차는 시티 하층민들의 상징과도 같은 물건이었다. 그들은 따로 존재하는 남루한 전용 도로 위로 차를 올려야 했고, 행여 그 사실을 숨기고서 얼룩 없는 길 한 자리에 기름방울이라도 흘리는 날에는 가더에게 끌려가 환경 보호법 교육 수려와 함께 위법에 따른 벌금형에 처해졌다. 다시 말해, 지킴이들이 절도를 일삼으러 나가는 곳은 시티의 중산층들이 머무는 구역이 아니었다. 하층민들의 구역이었다.

"이봐, 그렇게 서두르지 않아도 돼. 아직은 시간이 있어."

키가 급하게 움직이는 매드를 향해 말했다.

"시계탑의 시간을 봤습니까?"

매드가 물었다.

"그래, 지금 길어 봐야 30분 정도 밀린 정도일 거야. 해가 뜨려면 아직 멀었어."

그에 매드는 옆에 선 페리를 노려보며 대답했다.

"젠장. 30분이면 서둘러야 합니다. 민트 씨와 갔을 때와는 달리, 해가 길어질 시기예요."

"호오, 네가 그렇게 계절에 밝아? 내가 다음에 마토 씨를 소개시켜 줄게. 그 사람도 너처럼 예민하니까 서로 잘 맞을 거야."

어둠에 가려 표정이 잘 보이지 않자, 키는 내릴 때 쥐었던 램프의 불을 켜, 매드의 얼굴 앞으로 내밀었다. 그리곤 아주 능청스럽게 그 앞에서 불에 비친 매드의 얼굴을 기웃거리며 입꼬리를 올리고 내렸다. 매드는 그물의 줄을 연이어 잡는 척하다가 이내 트럭의 반대편으로 가 버렸다. 말 그대로 도망치는 꼴이었다. 매드가 어둠 뒤로 사라지자 키가 페리를 향해 조용히 속삭였다.

"궁지에 몰릴 때면 마토를 들먹여 봐. 아주 유용하니까."

페리는 물었다.

"이유가 있나요?"

"글쎄. 이유보단 양심의 문제일 테지."

그에 페리가 입을 벙긋거리려는 순간, 그물 걷기를 마친 매드가 불빛 속으로 그림자를 띄워 신호했다. 키는 한 손으로 트럭 모서리를 눌러 몸을 띄운 다음, 반대편 손에 있는 램프를 짐칸의 정중앙에다 올려놓았다. 그런 다음, 모서리의 윗면을 두드리며 말했다.

"수레들 내려. 캔 하나라도 흘렸다간 내 손에 죽을 줄 알아."

흙바닥에 내려진 세 사람의 수레는 녹이 슬었다는 것을 제외하면 바닥을 포함한 5면이 촘촘한 철망으로 이루어진 일반적인 형태였다. 키와 매드의 손이 먼저 선두에서 움직이기 시작했고, 뒤따라 페리가 느지막이 그 둘을 흉내 내듯 따라 했다. 짐칸의 주를 이루는 것은 통조림류였다. 캔은 램프의 비스듬한 면과 부닥쳐 각이 많은 아우라를 형성했다. 그곳 주위에 비치는 것만 해도 종류가 상당했다. 대부분의 것들이 조리가 안 된 생것의 곡식류였다. 소형 통조림 아래로 그 같은 몸집 네댓 개를 붙인 듯한 대형 통조림의 머리가 보였다.

"이런, 젠장!"

긴 모서리 맞은편에 있던 키의 그림자가 순식간에 사라졌다. 중앙의 램프가 사라진 순간, 셋의 손은 자연히 멈췄고, 키는 소리를 지른 매드의 옆으로 어느새 건너가 그의 눈길 그대로 고개를 아래로 내려 있었다. 매드의 손에 들린 건 조금 낯선 색, 그뿐이었다.

"호들갑 떨지 마. 건어물 통조림이 뭐 어쨌다고. 묻으면 돼. 중요한 일도 아니야."

매드는 손을 떨고 있었다. 키는 집채만 한 그의 등짝을 소리 나게 내려치며 페리의 귀엔 들리지 않을 정도의 목소리로 한마디를 건넨 뒤, 다시 제자리로 돌아왔다.

"젠장."

매드의 욕설과 함께 다시 트럭 중앙에 거미줄 같은 빛이 드리웠다. 세 사람은 없는 것과도 같은 그 한 줄기 빛에 기대어 작업을 이어 나갔다. 셋 중에서 특히 페리가 가장 힘들어했다. 빛을 보고 날아든 벌레들 때문이었다. 끊임없이 날아드는 벌레들, 특히 나방 종류에 속하는 것들이 말썽을 크게 부렸다. 흥분한 자기들끼리 부딪혀 인분을 날리기도 하고, 세 사람의 팔과 얼굴 주변부에 달라붙어 죽은 척을 하는 놈들도 있었다. 무리가 점점 늘어나자, 키가 손을 멈추고서 둘에게 말했다.

"그냥 고개를 흔들기만 해. 그리고 절대 손으로 눈을 비비지 마. 지금은 독나방이 없는 계절이지만, 그래도 병균을 흘렸을 수도 있으니까."

"병균이요?"

페리가 질색하는 얼굴로 말했다.

"그래, 균. 지금의 시티에선 구경도 못 할 거리인가?"

그리고 키가 말을 하자마자 매드가 빈정거렸다.

"쳇. 그놈의 시티, 시티."

한 방을 바라는 듯한 페리의 눈이 키를 향해 갔지만, 키는 넘어가 줬다. 그리고 키는 시선을 페리에게 옮기며 말했다.

"이쪽도 끝이야. 페리, 너만 남았어."

페리의 수레는 아주 조금 공간이 남아 있었다. 매드가 정중앙의 램프를 페리의 앞으로 밀치며 말했다.

"빨리빨리 좀 해. 아니면, 벌레 무리에 둘러싸여 있는 게 기분이 좋은가 보지?"

"개소리 마. 이제 겨우 다섯 개 남았어. 말할 시간 있으면 좀 돕든가. 힘으로 뽑힌 자리면, 네가 일을 더 해야 하는 거 아니야?"

페리가 마지막 통조림을 줍자, 키가 램프를 챙겨 들며 말했다.

"이제는 가야 돼. 시간이 아슬아슬하겠어."

길은 어둠으로 가득했고, 평지를 알아볼 수 없었다. 발을 내딛는 곳 모두 그랬다. 셋의 걸음은 일렬로 통했다. 앞장선 키가 방패 역할을 했다. 키의 수레가 휘청이면 그다음 차례인 페리는 눈치껏 발아래를 조심했다. 맨 뒤에 선 매드는 문제없었다. 그는 아래가 파이든 말든 개의치 않고, 힘으로써 둘을 뒤따랐다. 한 번, 키가 수레 위에 올려놓은 램프를 옆으로 떨어뜨렸을 때를 제외하고는 셋의 걸음이 멈추는 경우는 없었다. 무엇보다 눈이 밝은 키의 존재가 굳건했다. 세 사람의 시작지는 우측 마을 출입구 영역 중에서도 제일 윗부분, 몰래 차량을 수용하는 게 가능한 한계지점이었다. 마을의 식량창고는 추녀 자매가 머무는 12시 인근에 배치돼 있었다. 그러니까, 지킴이 셋이 움직일 거리는 마을 둘레의 5분의 1쯤 되었다. 10분이 조금 되지 않는 거리였다. 키가 마을의 출입문이 시야에 들어오자, 걸음을 멈추고는 뒤의 두 사람을 향해 말했다.

"어때."

그에 페리는 대꾸했다.

"뭐가요?"

"저기 활짝 열린 문 말이야. 나는 참 오래도록 봤지만, 볼 때마다 뭔갈 훔치러 들어가는 기분이 들거든."

그리고 뒷말을 이어 붙였다.

"도둑질은 이미 하고 왔는데도 말이야."

매드는 대꾸하지 않았고, 페리는 이때의 물음을 등 뒤의 출입구의 문이 소리 나게 닫히는 걸 듣고 나서야 받았다.

"늦게라도 사람이 올라올 수 있지 않나요?"

키는 수레에서 손을 떼지 않고 그에 대답했다.

"별종이 아닌 이상, 수면제 세 알과 맞서려는 놈은 없을 거야."

"수면제? 이곳에도 바륨이 있어요?"

"필요한가? 필요하면 몇 알 구해 주지."

"저는 괜찮아요. 마을에서 약물 이름을 들을 줄은 몰랐거든요."

그리고 페리는 스스로 내뱉은 말 뒤로 가더의 잔상이 느껴졌다.

"아, 의사가 있다고 했나요?"

"그래. 수의사긴 하지만, 인간이나 동물이나 매한가지니까 안 될 것도 없지. 내 장담하건 대, 마을 내에 발정 난 수컷 중에서 가장 괜찮은 놈은 그놈이야. 자빠뜨릴 거면 그놈으로 해, 페리."

"노력해 볼게요. 근데 조금 추악하네요. 분기별로 사람들을 억지로 재우는 거잖아요."

"어쩔 수 없다고 생각해. 지금껏 사람들을 속일 수 있었던 것도 약이 역할을 했기에 가능한 일이었다고 보거든. 실제로 약을 탄지는 잘 모르겠지만 말이야."

그리고 그때, 줄곧 대화에 끼지 않고 뒤에 서 있던 매드가 아주 조용한 목소리로 말을 내뱉었다.

"그 약에 맞서려는 놈이 있는 거 같은데요."

매드의 그 말과 동시에 인기척을 인지한 키는 생각보다는 본능적인 행동을 먼저 내세웠다. 키는 아주 재빨랐다. 자신의 등 뒤로 페리를 밀친 키는 빠르게 앞으로 나아갔다. 그리고 붙든 램프를 높이 들어, 앞으로 내밀었다. 어두운 물체는 가만히 있었다. 램프 앞으로 눈동자 크기의 동그란 빛 조각 두 개가 불을 따라 흔들렸다.

——— 15 마을의 균열

굵다란 비가 내린 뒤의 모습처럼 마을은 온통 얼룩으로 뒤덮여 있었다. 디케이가 단상에 올랐다는 소식은 곧 닥칠 대회 개최에 열광하던 사람들의 태도를 완전히 고쳐 놓는 역행의 발판이 되었다. 난리와도 같던 지지에도 사람들의 발길이 끊겼고, 홈을 포함한 몇몇 도전자들 역시 의욕을 잃은 채 집에 틀어박혀 나오지 않는 경우가 대부분이었다. 현시점에서 가장 중요한 현 지킴이 세 사람은 보이지 않았다. 그들이 사는 집의 길목에는 흥분한 사람들이 우르르 몰려 있었다. 그리고 당사자 없는 공세가 이어졌다. 입을 열었다 닫았다 하는 이들의 표정은 모두 균일했다. 겁에 질려 있거나, 화가 나 있거나, 둘 중 하나였다. 감정보다 이성을 앞세운 쪽이 전자였다. 적어도 그들은 현재와 미래를 동시에 따질 줄 알았다. 침묵으로 이어져 오던 시티와의 관계는 어떻게 되는 것이며, 경작지에서 나오는 구체적인 식량의 양, 마을의 정체성 문제. 그들은 그런 것들을 생각했다. 반면, 화를 내는 이들은 호소가 우선이었다. 욕설은 기본이었고, 진실을 끄집어 올린 디케이와 사실을 함구하고 있던 사람들, 특히 마토 한 사람을 향한 적개심이 상당했다. 부족한 배움을 수치로 품고 있던 사람일수록 그런 감이 더했다. 혼돈처럼 진행되던 마을의 난장판이 진정되기 시작한 건, 피크가 모습을 보였을 때였다. 한창 다툼이 진행되고 있을 무렵, 단상에서 피크의 목소리가 울렸다.

근 10년. 10년 만에 울린 목소리였다.

"이번 대회는 개최되지 않습니다."

처절하리만치 가라앉고, 깊숙이 자리한 인간의 본능적 동정심을 유발하는 목소리였다. 강함이라곤 조금도 보이지 않았다. 더군다나 소리의 크기까지 작았기에, 사람들은 더욱 숨죽여 그를 들었다. 이후로 피크는 별달리 다른 말은 하지 않았다. 모여 있는 군중들에게로 사과를 건넸고, 분노의 방향을 자신에게로 돌려 달라는 말을 덧붙였을 뿐이었다. 그리고 마지막으로, 투표 시행 일을 알렸다. 피크의 태도에 사람들은 관대했다. 그다음 날까지 마을엔 더 이상의 시끄러움이 일지 않았다. 그리고 투표를 앞둔 전날 밤, 일에 책임이 있는 사람들 모두가 군의 집에 모였다. 총 8명이었다. 여덟 사람이 자리에 붙어 앉았다. 가운데만 비우고서 정사각형을 정면, 그리고 사선으로 겹쳐 놓은 것 같은 모양새였다. 사각형의 꼭짓점에 사람들이 자리했다.

"디케이, 이 개새끼야!! 네놈 하나 때문에 망가진 마을 꼬락서니를 봐. 이제 통쾌해? 이게 네가 바라던 결과야? 어?!!"

대화는 군의 고성과 함께 시작되었다. 들어올 사람 수에 맞추어 가구들을 구석에 몰아놓은 탓에 잡을 물건들이 없었지만, 군은 무언갈 던지고 싶다는 듯이 자꾸만 눈을 두리번댔다. 그리고 그 옆의 피크가 말했다.

"침착하지. 흥분한다고 해결될 일도 아니잖나."

"침착? 그래, 난 반대로 물어야겠어, 피크. 너는 왜 그렇게 침착한 거야? 저 개새끼랑 미리 입이라도 맞추었어? 그런 거야?"

"조금도 그렇지 않아."

피크가 군의 눈을 똑바로 바라보며 말하였다. 그리고 군의 맞은편에 앉은 마토가 입을 열었다.

"차라리 잘됐다고 생각합니다."

일곱의 시선이 일제히 그리로 움직였다. 마토는 시간을 끌지 않았다.

"지금껏 들키지 않은 것이 신기하지 않습니까? 적어도 저는 그렇습니다. 한번은 사람들이 멍청해서 그런 것이다, 라는 생각을 품은 적이 있습니다. 하지만 작금의 반응을 보니 그때의 생각이 완전히 잘못됐던 것이더군요. 사람들이 멍청한 게 아니었습니다. 사람들이 선했던 것이었습니다."

그에 그의 오른편에서 말을 듣고 있던 민트가 짧게 되물었다.

"선하다고요?"

"그렇습니다. 뻔히 보이는 아이의 거짓말을 넘어가 주는 부모처럼 말이죠. 지금 마을을 돌아보면 그 사실을 명명백백하게 느낄 수 있습니다. 그들의 입에서 나오는 얘기들이, 행동에서 나오는 몸짓들이 이야기해 줍니다. 애초에 알고 있던 사실이라고, 왜 모른 척하게 내버려두지 않았냐고 반발하면서요."

"그렇게 믿고 싶은 자네만의 착각은 아니고?"

군이 서 있던 몸을 의자에 앉히며 말했다.

"믿고 싶은 건 맞습니다만, 착각은 아닐 겁니다. 적어도 저희가 내민 거짓, 기만보다는 솔직한 반응일 테죠."

"그게 중요한 시점은 지나갔어요. 우린 근간을 고민해야 해요."

민트가 긴 다리를 앞으로 쭉 내밀며 말했다. 그리고 조용히 있던 키가 보태어 말했다.

"그렇습니다. 투표 결과는 일방적일 가능성이 매우 큽니다."

키가 입을 열자, 그의 주변에 앉은 지킴이들의 말소리가 동시에 울렸다. 페리 혼자만 말을 아꼈다.

"폐지겠죠."

"니미."

거친 언변을 내뱉은 매드에 발끈하는 사람은 없었다. 실상 분위기가 그랬다. 시작부터 열을 낸 군을 제외하고는 모두들 비관론자가 된 것처럼 힘이 없었다. 황혼에 영혼을 떼먹힌 것처럼 보이기도 했다. 한동안 집은 적막으로 둘러싸였다. 공허한 웃음소리가 지나가는 듯했다. 시선들이 늘어진 몸뚱이처럼 바닥으로 주저앉혀 있었다. 피크는 언제부턴가 아예 눈을 감고 있었다. 그리고 그것을 디케이가 보고 있었다. 눈을 감고, 뜬 사람이 반대가 된 듯 디케이의 눈이 고요했다.

"피크, 네가 다시 한번 나서 줬으면 해."

디케이가 말했다. 흔들리는 눈꺼풀 아래로 피크의 입술이 움직였다.

"뭘, 어떻게?"

"끝났다고 생각하나?"

디케이의 물음에 피크가 턱을 실룩였다. 그리고 질끈 감은 눈을 떠올려 디케이를 바라보며 말했다.

"그래, 정확히 그렇게 생각하고 있어."

"새로운 시작이 될 수도 있어."

"새로운 시작? 사람들이 더 이상 날 신뢰할 거라 보나? 내일 당장에 길거리에서 발견돼도 이상하지 않을 사람이야, 지금의 나는."

"누구도 자넬 죽이고 싶어 하지 않아. 마을 사람들을 기분 따라 보지 마. 그런 마음으로 저들을 데려온 게 아니잖나."

그리고 디케이가 말을 이으려는 찰나, 피크가 묘한 웃음을 얼굴 위로 지어 보이며 말했다.

"그날 내가 어떤 심정으로 단상에 올라갔는지 넌 절대 모를 거야."

디케이는 고개를 끄덕이며 대답했다.

"그래, 나는 알지 못해."

"…뻔뻔하군."

"사실이니까."

"이번엔 워블을 잃는 게 아닐까 두려워 목소리도 안 나오더군."

피크의 그 말에 조용히 숙여 있던 여섯의 고개 동시에 딸려 갔다. 디케이는 그들보다 반응이 한 박자 느렸다. 그 대신 동작이 곱절로 컸다. 그리고 결여된 감수성을 단번에 끌어모은 것처럼 목소리를 크게 내어 그 말에 반대를 표했다.

"무슨 헛소리야! 피크!! 네가 지금 무슨 말을 했는지나 알아?!"

그에 피크가 구시렁거리는 듯한 목소리로 말했다.

"…내 입으로 내가 한 말이야, 모를 리가 없지."

또 한 사람, 가만히 있지 않았다. 군이었다.

"대단하군, 대단해. 투표용지를 손에 쥔 사람들이 방금 네 그 말을 들었으면 아주 좋아했겠어."

군의 목소리를 이어, 디케이가 참지 못한 듯 언성을 높였다.

"내일!! 그딴 잡소리가 단상 어디서든 울렸다간 내 손에 먼저 죽을 줄 알아, 피크."

디케이의 말이 끝나자 올라간 몸들이 하나둘 아래로 내려왔다. 남자들만이 그랬다. 감정을 공유하는 건지, 감정에 같이 격해진 건지는 분명치 않았다. 페리가 있기 전까지 유일하게 여자 역할을 맡고 있던 민트는 몹시 무던했다. 큰 목소리는 물론이거니와, 과격한 몸짓이 얼굴 앞을 지나가는데도 그녀는 달리 변화를 보이지 않았다. 오늘 자리에 참석해 주지 않겠냐는 말을 들을 때도 민트는 비슷했다. 입막음 혹은 입맞춤. 전 지킴이 중 유일하게 초대받은 사람. 뭐가 됐든 민트는 망설이지 않았다. 어수선해진 틈을 타, 민트의 고개가 마토의 등 뒤로 넘어갔다. 그리고 모임 내도록 말을 꺼내 놓지 않은 페리의 얼굴을 호기심 가득한 눈으로 흘겼다. 민트의 입술이 소리 없이 움직였다. 입꼬리로 보아, 예쁜 말은 아닌 듯했다. 페리는 소동에도 아랑곳없이 처음 모습을 유지하고 있었다. 일전의 때처럼 연녹색의 블라우스 차림이었다. 모두가 자리에 엉덩이를 붙일 때쯤 민트의 목소리가 주위로 퍼졌다.

"가더의 의견은 어때요?"

그리고 그 말은 구석구석 스며들었다. 의자의 덜컥하는 소리가 치밀었고, 누군가는 환청을 들은 듯한 얼굴로 민트를 바라보았다. 그때 처음으로 페리의 표정이 기존의 것에서 달라졌다. 불쾌하다는 얼굴이었다.

"그 명칭을 굳이 꺼내 들 필요가 있으셨을까요?"

페리가 민트의 눈을 쳐다보지 않은 채 고개를 미세하게 틀어 대답했다. 그리고 민트는 페리의 얼굴과 직선이 되도록 응시하며 그 말을 받았다.

"아니, 뭐. 불편하게 들렸다면 미안해요. 하지만 아주 오래된 일도 아니잖아요? 그쪽 의견이 궁금했어요."

말을 들은 페리는 대답에 앞서, 자신에게 쏠려 있는 시선의 무게를 덜려는 듯 좌우에 자리한 피크와 마토를 한 번씩 쳐다보았다. 피크는 별다른 표정을 내비쳐 주지 않았고, 마토가 가벼이 고개를 끄덕거려 주었다. 페리는 크게 숨을 들이마신 뒤, 말을 시작했다.

"결론부터 말하자면, 현재의 시티는 무척이나 변한 것 같습니다. 뭐랄까, 분위기가 느슨해졌어요. 제가 근무하던 작년까지만 하더라도 이정도 모습은 아니었거든요. …해서 짐작해 보건대, 아무래도 시티에 **제대로 된 분리**가 찾아온 게 아닌가 싶습니다. 과거에도 가림막은 분명 존재했죠. 저뿐만 아니라 여러분이 살던 시기의 시티에도요. 물론 현지인들의 모습이 달라졌다는 말은 아닙니다. 그들은 똑같았어요. 지독한 악취, 기울어진 걸음걸이, 미혼모로부터 아이를 사는 노인들, 어두운 물감만이 가득한 화가들의 이젤 평소의 시티였죠."

그리고 페리의 이야기에 방해되지 않기를 바라는 듯 키가 아주 작은 목소리로 중얼거렸다.

"아이는 보이지 않았지만, 그래, 완전히 죽은 곳이었지."

페리는 고개를 연신 위아래로 흔들며 공감을 표하고는 이어 말하였다.

"제가 변화를 느낀 결정적인 부분이 있습니다. 이건 여러분들이 걱정하실까 봐, 굳이 말하고 싶지 않은데…"

말끝을 흐리는 페리에 재촉을 건네는 사람은 없었다. 군과 매드 역시도 그 순간만은 조용한 분위기를 지켰다. 모두들 그만큼 페리의 이야기에 차분하게 빠져 있었고, 소리 없는 떨림을 풍기며 의자에 기대어 있었다.

"키 씨가 주신 위조 라이선스, 그것을 쓸 일이 없었어요. 그리고 통조림을 건네준다던 남자도 자리에 없었고요."

내려앉는 소리는 키에게서만 들린 게 아니었다. 반대로 두 명분의 자리를 차지하고 있는 매드만이 이해 못 한 사람의 얼굴을 짓고 있었다. 정적은 잠시였고, 페리의 앞으로 여러 사람의 목소리가 날아들었다. 하나같이 공격적인 목소리였다. 처음은 그녀의 뒤통수를 친 군의 반말이었다.

"뭐라고? 그럼, 가더는? 아니, 그걸 왜 이제 얘기하는 거야?"

그리고 나머지 사람들이 차례대로 탄식을 이었다.

"…세상에."

"그럴 수가…"

"…"

피크와 디케이는 침묵했다. 페리는 그들 모두의 말을 무시하고서 키의 입술이 벌어질 때까지 그를 지켜봤다. 키는 부정하고 싶다는 얼굴을 띠고 있었다. 그리고 누군가가 말했다.

"길을 잘못 든 거 아니에요? 아니면 운이 좋았을 수도 있고."

그에 페리는 곧장 고개를 들어, 민트의 눈을 바라보며 대답했다.

"그렇지 않아요. 누가 봐도 폐차고인 곳 옆의 하나뿐인 정비소였어요. 가더가 쓰는 숙직실도 죄다 뭉개져 있었고, 그 흔한 흰색 사이렌조차 사라지고 없었어요. 다시 말해, 거길 지키는 사람은 이제 아무도 없다는 거죠."

"뭐야, 그러면 거기서 탈출한 이유가 없잖아?"

매드가 말했다. 그리고 군이 낮게 깐 목소리로 그에 대꾸했다.

"친구, 말조심하길 바라."

그리고 또, 민트가 틀린 말은 아니라는 듯이 말을 이었다.

"꼭 우리 마을이 시티의 연장선이 된 것 같네요."

"그만들 하지! 아직 명확한 건 아무것도 없어. 확증도 없이 선불리 판단만 해서 득 될 게 뭐가 있냔 말이야!"

조용히 말하기를 포기한 디케이의 우렁찬 소리가 집을 가득 메웠다. 화는 곧 진실이었다. 발끈하는 사람이 생기자, 딘식이 이어지던 분위기에 한층 더 서린 기운이 맺히었다. 페리는 이미 시선을 땅 깊숙한 곳으로 곤두박아 있었다. 다들 다음으로 말하기를 꺼렸다. 그 대신, 속으로는 분주해 보였다. 겉으로 풍기는 그들의 감정 대부분은 불안이었다. 다수가 손톱을 물어뜯거나, 팔다리를 흔들었고, 머리가 긴 사람들은 그것을 괴롭혔다.

"결국 마을도 시티와 다를 게 없는 곳이었군요"

힘없는 한편, 또렷이 울린 목소리였다. 소리는 디케이의 뒤에서 피어났다. 정면에 있던 피크는 알고 있었다는 것처럼 이미 시선을 그쪽에 두고 있었다. 언제 풀린지 모를 걸쇠와 문이 바깥쪽으로 서서히 젖혀졌고, 그 너머의 어둠으로 스스로를 덮어씌운 피사체 하나가 모습을 드러냈다. 밖이 몹시도 어두웠지만, 하나만큼은 그에게서 알 수 있었다. 눈이 몹시 붉은 상태라는 것.

16 퓨티가 건넨 케이크

지대한 섬찟함과 함께 퓨티는 워블로부터 끝이 보이지 않는 절규를 들었다. 메아리는 길고도 두터웠으며, 이대로 헤어나오지 못하는 건 아닐까 하는 의구심을 느끼게 할 만큼 힘이 강했다. 만약 그녀가 실제로 소리를 냈다면, 퓨티는 정신을 잃고 쓰러졌을 것이다. 그녀의 대답까지는 퓨티의 말이 있고부터 2초가 채 못 됐다.

"그래요? 그가 사형대를 보고파 하던가요? 신기한 사람이네요."

그리고 워블은 나무 숟가락을 늘어 자신의 앞쪽에 놓인 미음을 저었다. 수저를 잡는 쌃은 순간, 아주 격렬하게 그녀의 손이 떨렸다. 퓨티는 그를 보지 못했다.

"네, 정말 특이하죠? 저도 처음엔 말 그대로였어요. 이상한 사람이라는 확신에서 오는 거리감을 느낄 정도였으니까요."

"그래서요? 그다음은 어떻게 됐어요?"

워블이 미음을 계속 저으며 말했다.

"홈 씨가 먼저였을 거예요. 지독한 냄새에 코를 틀어막더라고요. 저 역시나 마찬가지였고요. 그 뒤로는 욕을 퍼부었죠. 누가 먼저랄 것도 없었어요. 말뚝 아래의 바닥 짓뭉개는 일은 두말할 것도 없고요. 아마 신발 밑창이 물 묻은 흙으로 잔뜩 범벅될 때까지 멈추지 않았을걸요. 하하하."

말을 마친 퓨티는 자신도 모르게 손을 뻗어 그릇을 만졌다. 어설픔이 여기저기 떨어졌다. 워블은 퓨티의 첫 문장을 듣자마자 한숨을 조용히 내쉬었다. 그리고 퓨티가 웃음을 그치자, 목을 가다듬고는 태연한 목소리로 말을 시작했다.

"퓨티 양의 목소리는 참 듣기가 좋아요. 꼭 과일 토핑이 가득한 케이크를 보는 것 같아."

"케이크요?"

"네. 시티의 빵집에서 쉽게 볼 수 있는 음식이에요. 대신, 먹는 날이 1년에 한 번뿐이라 아주 귀한 대접을 받죠."

퓨티는 빵의 일종이구나, 라고 속으로 되뇐 다음, 다시금 물음을 건네기 전에 행복한 미소가 걸려 있는 워블의 얼굴을 바라봤다. 그리고 그녀의 미소를 흉내 내며 워블을 향해 말했다.

"값이 많이 나가는 빵인가 봐요."

"그래, 맞아요. 케이크를 먹는 사람의 하루는 값을 이루 말할 수 없죠. 역시 퓨티 양이네요. 아주 똑똑해요. 하지만, 나 역시도 그렇게 무딘 사람은 아니랍니다."

"네?"

"퓨티 양. 난 오늘 케이크를 먹는 날이 아니에요. 부탁이니 내게 달콤함을 떠먹이는 일을 그만둬 줬으면 좋겠어요."

그 말과 함께 워블의 얼굴 위 미소가 구름 개듯 사라졌다. 그리고 검은색 구체 비슷한 것이 나타났다. 검은 물체는 새처럼 워블의 얼굴에 앉았다가, 진물처럼 녹아 없어졌다. 퓨티는 이제 의심하지 않았다. 보이는 대로 받아들였다. 그리고 그게 워블에게서 나와 있던 감정의 일종이라는 것을 알아차린 뒤, 말을 이었다. 퓨티는 자세를 낮췄다. 퓨티의 하얗고 도톰한 팔뚝이 식탁 위로 드러났다.

"죄송해요."

앞선 것과는 달리, 한층 맑은 목소리로 퓨티는 말했다.

"뭐가요?"

이제 워블은 거의 속삭였다. 선율처럼 깔리는 목소리가 옅으면서도 짙어, 얼굴이 제법 떨어져 있음에도 붙어 있는 상황처럼 소리가 울렸다.

"제가 거짓말을 했어요."

"좀 더 솔직해져 봐요."

"…집요하시네요."

"거짓말한 대가라고 생각하고."

퓨티는 팔뚝을 X자로 꼬아, 한 손으로 다른 쪽 팔꿈치를 주물렀다. 그리고 주무르던 팔꿈치가 그만하라는 듯이 부끄러운 선홍색으로 변하자 손을 떼고서 말을 뱉었다.

"나쁜 사람이 되기 싫었어요. 워블 씨한테요. 아마 대단한 영악함을 지닌 저는 상황이 이렇게 되길 바랐는지도 몰라요. 자주 하곤 하거든요. 불리한 상황을 상대에게 떠넘기는 일을요."

"그런 스스로를 칭찬하도록 해요. 결과적으로 나는 마음의 준비를 할 시간을 벌었고, 퓨티 양도 무뎌진 나와 마주할 일만 남기게 되었으니 서로가 잘되었잖아요?"

그리고 워블은 내내 움츠려 있던 가슴을 활짝 펴며 팔을 양옆으로 쭉 뻗고서 웃었다. 그 웃음만으로 본다면, 구름을 껴 맞추는 광녀의 이미지나 광활한 향수병을 맞은 위태로운 여인이 잊힐 정도였다. 그만큼 워블의 미소는 아름다운 값어치가 있었다. 미소를 본 퓨티도 그를 느꼈기에 앞쪽으로 몸을 기울였다.

"워블 씨의 미움을 살지도 몰라요. 만약 제가 이 말을…"

"퓨티 양."

"네?"

"그럴 일은 없을 테니 편하게 말하도록 해요. 벌써 내가 이만큼의 부담을 안기고 있잖아요? 나에게도 책임이 있어요."

"진흙을 짓밟지 않았었어도요?"

퓨티는 손을 꼼지락거리며 워블의 눈치를 살폈다. 그리고 워블이 대답했다.

"그럼요."

퓨티는 한 번 더 확인의 물음을 건넸다.

"사형대의 사다리를 올라갔었어도요?"

"당연하죠."

거기서 퓨티의 머릿속은 펑 하고 터졌다. 그 뒤로의 행동은 자동화가 입력된 기계 같았다. 어른으로부터 안심을 건네받은 아이처럼 퓨티는 칭얼거리기 시작했다.

"…저희는 정말이지 미련한 인간들이었어요. 오전의 그 많은 비를 맞으며 홈 씨의 집으로 향한 저부터가 발단이었을 거예요. 제가 가지 않았더라면 홈 씨는 길도 몰랐을 테니까. 하지만 정신을 차려 보니 이미 그의 집 앞이었어요. 온몸이 젖어 몸이 무겁다는 사실도 그에게 인사를 건네고 난 뒤에야 알게 되었죠. 돌이켜보니 마냥 좋아했던 것 같아요. 친구가 생겼음에, …그리고 아버지가 아닌 다른 대화 상대가 생겼음에 특히 말이죠. 아버지와 하는 말은 늘 반복적이었거든요. 전날 잠은 잘 잤는지, 꿈은 잘 꿨는지, 오늘은 뭘 하러 나갈 것인지, 하루를 마치고 집에 들어설 때도 아침과 전혀 다르지 않았어요. …그래서, 조금 나쁜 표현이지만 아버지가 지겨웠어요. 하지만 제겐 또 제 나름의 그럴듯한 이유가 존재해요. 어린 기억 속의 아버지는 저런 사람이 아니거든요. 제 기억에, 시티에서의 아버지는 누구보다 명랑했어요. 힘이 없더라도 절대 남 앞에서 무기력한 자신을 드러내지 않는 사람이었죠."

그리고 퓨티는 중얼거렸다.

"죄송해요. 이런 걸 말하려던 게 아니었는데."

워블은 말 대신 고개를 끄덕여 보였다. 이해와 포용이 절묘하게 버무려진 표정과 함께였다.

"그래서요?"

"그래서, 조금 아쉬워요. 아마도 그로부터 나온 호기심일 테죠."

"후회하고 있군요, 퓨티 양은. 그게 아니면 과한 기대를 한 자신을 돌아보게 한 계기가 있거나."

그 말에 퓨티는 맥빠진 웃음을 지어 보였다. 그리고 말했다.

"어떻게 그렇게 잘 아세요?"

"나이가 들면 뭐든 보이는 게 많아지죠. 그게 도움이 되는 때는 극히 드물지만."

"……, 사실은 둘 다예요. 홈 씨를 만나면서 그 둘 다를 느낀 것 같아요. 첫 번째보단 두 번째 감정이 먼저 왔어요. 이제 들어서 아시겠지만, 저는 갈망하는 마음을 늘 품고 있었거든요. 그런데, 오늘 혼자 간직하고 있던 그 환상이 깨졌나 봐요."

퓨티의 얼굴은 다시 처음처럼 우울히 변하였다. 그에 워블이 금방이라도 손을 내밀어 쓰다듬을 듯한 눈빛으로 말했다.

"대체 무슨 이야기를 들은 거예요? 꽃집 사장이 할 수 있을 만한 말이 그리 많지는 않을 것 같은데."

여기서 퓨티는 자신이 홈과의 대화에서 말하지 않은 부분을 워블이 알고 있다는 사실을 알아차리지 못했다. 퓨티는 그저 가라앉은 채로 그녀의 말에 대답했다.

"별 얘기도 아니었어요. 단지, 어느 소설 이야기였어요. …제가."

그때 워블이 몸을 앞쪽으로 당기며 퓨티의 말을 끊었다.

"소설? 종이책을 말하는 거예요?"

퓨티는 고개를 끄덕였다. 그리고 워블이 손바닥 정중앙으로 입을 모조리 가리고서는 소리 냈다.

"어머, 세상에나."

다음으론 워블 스스로도 감정이 앞섰다는 걸 자각한 듯 떨리는 어조로 말을 뱉었다. 붉게 북받쳐 오른 목소리는 그대로였다. 입을 가린 손 역시 자리에서 벗어나지 않았다.

"미안해요, 퓨티 양. …하지만, 하지만 왜요? 그가 얘기한 소설이 이상한 내용의 글이었어요? 그게 아니면 꾸며 낸 이야기를 듣는 것이 처음이라 감정이 뒤틀렸던 건가요?"

그리고 워블은 곧장 사과했다.

"뒤틀렸다는 표현은 과했네요. 사과할게요."

퓨티는 아주 조금 기분이 나빴지만, 크게 신경 쓰지 않았다. 다만, 앞으로 워블이 자기의 이야기를 입을 가리기 전과 같은 자세로 들어 주지 않을 거란 데에서 오는 상실감은 고스란히 간직했다.

"홈 씨가 처음 그 이야기를 꺼낸 건 저희가 막 사형대의 사다리를 밟고 올라 마을 구경에 빠져 있을 때였어요. 저 역시도 그곳까지 밟아 본 건 오늘이 처음이었기에, 단숨에 넋을 잃었죠. 그럴 만했어요. 하늘도 흐리고, 빗줄기가 굵음에도, 제가 태어나 본 것 중에서 가장 아름다운 것이었거든요. 오늘 홈 씨와 본 정경이요."

그리고 워블이 말했다.

"음, 어째 갈수록 다음 이야기 듣기가 불안해지는데요. 지금까진 누가 들어도 로맨틱한 상황이잖아요. 태어나 처음 생긴 이성 친구에, 말까지 잘 통한 탓에 둘이서 데이트까지 해 버렸고요."

이성이라는 말에 퓨티는 몸에 전율이 흐르는 걸 느꼈다. 그리고 속으로 생각했다. 이러한 감촉 역시 처음 느껴 보는 것이라며.

"빼먹은 게 있어요."

"편하게 말해요."

워블이 대답했다.

"…그러니까, 말뚝에 대한 얘기예요. 제가 만약 눈치가 좋은 사람이었더라면, 거기서부터 감정이 뒤틀릴 거라는 걸 예상했을지도 모르죠."

워블은 자신이 앞서 사용했던 표현이 나오자, 눈을 살짝 찡그렸다. 그리곤 말을 붙였다.

"그가 말뚝을 보고 뭐라 하던가요?"

퓨티는 곧장 답하기 싫었다. 조금이라도 시간을 벌고 싶었다. 작지 않은 숨소리가 한곳에 뭉쳤고, 빨려 들어간 숨이 무게에 이끌려 워블의 앞으로 떨어졌다. 쿵, 하는 소리가 들린 것처럼 둘이 맞대 앉은 식탁 주변이 들썩였다. 그리고 직후에 퓨티의 말소리가 이어졌다.

"뭐라고 말했다기보다는, …**감탄**을 했죠."

워블이 입을 가렸다고는 하지만, 퓨티는 거의 확신에 차 있었다. 워블은 분명 인색한 얼굴을 내비칠 것이고, 그때의 자신은 어떠한 표정과 목소리로써 그녀를 달래야 할 것이라고. 그리고 그 확신은 우습게도 빗나갔다. 워블의 한마디였다.

"죽음을 들었나 보군요."

"네?"

"정확히는 죽은 이의 장례 절차를 들은 거고요."

워블이 말을 이어 나갔다. 퓨티는 사이마다 들리는 그녀의 간극이 비웃음처럼 들려 전보다 좀 더 기분이 나빠졌다. 그러고는 이내 전혀 다른 감정이 같이 들어옴을 느꼈다. 늙음을 부러워하는 감정.

"맞아요. …아, 당연히 알고 계시겠구나. 저만 모르는 거였어요."

"퓨티 양, 지금 설마 자책하는 거예요?"

워블이 놀란 얼굴로 말했다.

"…남들이 다 아는 걸 홀로 모른다는 건 부끄러운 일이니까요."

그리고 고고하다면 고고한 자세로 등을 기대어 있던 워블은 불쑥 앞쪽으로 나와 퓨티의 팔을 잡았다. 퓨티는 하마터면 잡힌 손을 뿌리칠 뻔했다. 예전에 마토가 자신의 손을 강제로 잡았던 때가 떠올랐기 때문이었다.

"우리도 다르지 않아요."

워블이 퓨티의 손을 붙든 채로 말했다.

"시티가 시티이기 이전부터 있던 게 장례랍니다. 마을의 말뚝처럼 지저분한 무덤도 있는 반면, 사람들의 존경과 아름다운 꽃다발이 가득한 무덤도 있지요."

그리고 워블은 한숨을 뱉으며 몹시 어렵게 다음 말을 뱉어냈다.

"우리 애는 누리지 못하였지만."

투표가 열리는 날. 개최 장소는 단상 앞 평지서부터 시작되었다. 부활의 장은 끝내 열리지 못했다. 전주까지만 하더라도 부흥의 기류를 타고 신이 난 채 대회 준비를 하던 군과 포렌, 토슈, 세 사람은 하루아침에 평범한 일손으로 전락했다. 물론 그들 셋은 고운 얼굴로 그를 받아들이지 않았다. 다만, 성난 군중을 보며 조용히 물러날 뿐이었다. 투표는 피크의 지시하에, 종이와 펜으로써 진행되는 걸로 결정이 났다. 종이는 마을에 있어 귀한 축에 속하는 물건임이 분명했다. 하지만, 사용처가 애매하다는 것 또한 사실이었다. 말하자면 소금도 후추도 아닌, 설탕과 사카린의 경계 정도, 물론, 고전을 아끼고 사랑하는 마토에게는 예외였다. 다시 말해, 군이 담배 마는 종이를 내놓아야 했던 이유는 그가 글쟁이가 아니었기 때문이라는 뜻이다.

"경우는 딱 두 가지입니다."

단상 앞에 아슬아슬하게 발을 걸친 디케이가 말했다. 일전의 사고로 확성기가 부서졌기에, 증폭을 위한 장치는 들려 있지 않았다. 사람들은 멸망의 날이라도 온 듯한 침울한 표정으로 그 모습을 바라보았다. 마을 사람 모두가 모인 규모는 네모 넓적한 단상 두 개를 나란히 붙여 놓은 것과 크기가 흡사했다. 평소와 가장 다른 것은 제일 앞쪽 열에 자리한 얼굴들이었다. 그간에 있어 불문율과 같은 일이었다. 지킴이를 포함한 자기 영역이 확고한 사람들, 그들이 무조건 앞줄에 섰다. 하지만 오늘은 달랐다. 첫째로 눈에 띄는 것은 맨 뒷줄에 자리한 피크 내외였다. 오랜만에 집에서 내려온 워블을 향해 끊임없이 뻗어가는 사람들의 눈길은 덤이었다.

"잉크 없는 펜과 종이입니다."

디케이가 펜과 종이를 각각 사람들 앞으로 내밀며 말했다.

"지킴이 철폐에 동의하시면 구멍을. 철폐에 동의하지 않으시면 종이를 그대로 두시면 되겠습니다."

디케이의 눈빛은 말을 해 나갈수록 무섭도록 비장하게 변했다. 크게 목소리를 키워 감에 따라, 긁히어 나오는 목소리도 그랬다.

"종이는 마을 사람 수에 맞게 준비하였습니다. 무효표의 시비가 나오지 않게 괜한 서명을 바라지는 않겠습니다. 구멍, 원본. 둘 중 하나면 됩니다."

그리고 디케이는 몸을 돌려, 단상 뒤쪽의 그림자를 향해 말했다.

"투표는 저곳에서 진행될 것입니다. 보시다시피 천막으로 하늘과 동시에 사방을 둘러싸 놓았습니다. 누출로 인한 피해는 절대 일어나지 않으리라는 걸, 저 디케이가 약속하겠습니다."

사람 중 몇몇이 말없이 고개를 끄덕였다. 그들은 누가 봐도 구멍을 뚫을 사람이었다. 정확히 그들 사이였다. 누구도 관심 가지지 않았고, 인기척조차 풍기지 않던 곳. 낮은 곳에서의 목소리였지만, 정말이지 장소를 울리는 소리였다.

"지킴이가 사라진 뒤에는 어떻게 할 셈인가?"

레드였다. 그가 벌린 입을 닫고, 말을 그칠 때면 늘 뒤따르던 코웃음 치는 소리. 오늘 이 자리에서는 그 누구의 입에서도 새어 나오지 않았다. 벽처럼 서 있던 사람들이 레드를 중심으로 벌어졌다. 길을 여는 사람들의 눈빛은 강렬했다. 그들 중 젊은 몇몇은 디케이와 레드를 번갈아 보며 잔뜩 경직된 몸놀림을 보이는 이들도 존재했다. 그리고 디케이의 대답 소리가 울렸다.

"'어떻게 할 것인가.'라는 질문에 대한 해답을 여기에 계신 분들 모두는 이미 알고 계실 겁니다. 어려운 말을 꺼내 주신 레드 씨를 포함해서 말이죠."

잠깐 말을 끊은 디케이는 매우 격하게 머리를 긁적였다. 그리곤 끝내 스스로의 분에 못 이긴 듯, 떼어 낸 손으로써 허망하게 허공을 휘저었다.

"초창기의 마을의 형태로 돌아갈 것입니다. 자유 하나만을 갈구하며 다른 무엇에도 눈을 두지 않던 우리들 본연의 시절로 말입니다. 그리고 그 시절은 당연하게도, 배가 고플 것입니다. 감정적으로 쫓기게 될 것입니다. 하지만 우리가 지내 왔듯이 시간은 흘러가기 마련입니다."

거기서 레드는 반문했다.

"자네는 확신할 수 있나? 여기 있는 모두는 도피를 꾀한 자들이야. 꿈으로의 도피도 아니지. 당장 마주한 현실이 싫어 무의 땅으로 뿌리를 옮겨 온 이들이라네."

"무슨 말을 하고 싶은 겁니까, 레드 씨."

디케이가 싸늘하게 말하자, 레드를 보는 사람들의 얼굴엔 걱정스러움까지 깃들기 시작했다. 그에 레드는 웃으며 대답했다.

"말을 하고 싶은 게 아니라, 듣고 싶은 걸세. 자네 역시도 말을 듣고 싶은 게 아닌가."

어디선가 수군거리는 소리가 일었고, 퓨티의 목소리가 다음으로 그 목소리를 덮었다. 대충, 레드에 대한 경탄과 동조였다. 그런 자리는 사람들이 모인 곳 군데군데로 번져 나갔다.

"상황은 비슷하지만, 그때와는 다를 겁니다. 우리에겐 경작지가 생겼으니까요. 기존에 드시던 양에서 절반가량을 줄이면 되는 수치입니다."

그에 레드가 말했다.

"절반 가까이. 그래, 여기 있는 우리는 자네 덕에 그 광경을 보았지. 그간 지킴이들이 마음고생을 해 왔단 사실도 함께 말이야."

"그 포상으로 그들은 지금껏 무한한 편의를 누려 왔습니다."

디케이가 또 한 번 차가운 어조로 말했다. 그리고 레드가 그와 전혀 반대되는 목소리로 말을 건넸다.

"디케이 자네는 지킴이들에게 받은 편의가 없나? 의사인 자네에게 그들의 존재는 누구보다 쏠쏠하였을 것 같은데."

"…해서, 지금 바로잡으려는 것이 아니겠습니다. 참회를 하면서 말이죠."

이를 악물며 나오는 말에도 레드는 조금의 주춤하는 모습 없이 말을 이었다. 사람들은 신기함의 연속이란 듯이 그를 바라보았다.

"참회라, 그런 참회라면 혼자 해도 되지 않았을까. 아, 물론 내 개인적인 생각이지만 말일세."

그리고 그 말을 들은 디케이의 입에서 직설적인 말이 나왔다.

"레드 씨, 지금 하는 행동들이 정말 독단적인 것이 맞습니까?"

레드의 주변은 이제 작대기로 원을 그을 수 있을 만큼이나 공간이 넓혀져 있었다. 그 주변, 집중한 사람들의 눈꺼풀이 마치 보이지 않는 힘에 떠밀린 듯 레드의 입술에 맞추어 움직였다.

"그 말은 조금 불쾌하군. 디케이, 자네는 방금 마을 사람 전부를 의심한 걸세. 그리고 이쯤에서 모두가 묻고 싶을 테니, 입을 떼 놓은 내가 마저 말을 하겠네."

"자네야말로 모두를 배신한 이유가 무엇인가?"

"배신이라고요? 지금 그걸 말이라고 하는 겁니까?"

디케이가 눈을 부릅뜨며 대꾸했다.

"진실을 선두에 앞세웠다고 하더라도, 누군가로부터 등을 돌린 그 시점은 배신이 맞지. 투표를 마치고 얼마의 사람이 자네에게 갈지는 모르겠네만, 현재를 놓고 본다면 자네는 틀림없는 배신자야."

단상 아래로 이어지는 세 칸의 계단이 끊어질 듯 소리를 냈다. 길은 앞쪽 열부터였다. 사람들 사이로 길이 열릴 때마다 흰색의 헐렁한 가운이 펄럭였다. 디케이는 금방 레드의 코앞으로 다가와 섰다. 자리에 선 디케이는 몸을 움츠린 주변인들과 다르게 눈만 아래로 내리깔며 레드를 노려봤다. 그리고 다른 한쪽에서 그와 비슷한 속도로 또 하나의 길이 열리고 있었다.

"그만들 하세요!"

고개를 보인 것은 퓨티였다. 인파에서 나온 퓨티는 곧장 레드의 옆구리로 손을 넣어 팔을 휘감으며 소리쳤다. 둘 다를 향한 말 같았지만, 퓨티의 시선은 오로지 디케이를 향해 있었다. 레드는 손으로 퓨티의 머리를 토닥였다. 거기서 사람들은 한 번 더 경탄을 보였다.

"당신이 이 자리를 흔드는 것은 아무런 상관이 없습니다. 물론 제가 마을 사람들에게 배신자 소리를 듣는 것도 괜찮을 따름입니다. 단지 하나, 여러분들이 알아주셨으면 합니다. 우리가 알던 독립은 철저히 실패했고, 우리가 앞으로 지향해야 할 방향은 전과는 달라야 한다는 사실을요."

거기서 사람들은 다시 한번 갈라졌다. 명료하게 이등분이 됐다거나 하는 것은 아니었다. 차라리 격앙된 말소리가 양쪽에서 높게 솟구쳤더라면, 사람들은 침묵 속의 불편함을 감내하지 않아도 되었을지 모른다. 하지만 사람들은 너무도 조용히 있었으며, 작은 수신호를 통해서만 적과 아군을 구분 지었다. 머리가 좋은 디케이도 그를 감지한 듯, 투표 진행을 재촉하는 말은 단 한마디도 내뱉지 않았다. 레드 또한 마찬가지였다. 레드는 퓨티가 곁으로 옴과 동시에 홀연히 입을 다물었다. 디케이는 단상으로 돌아가지 않았다. 디케이는 피크가 있는 뒤쪽 줄을 향해 발걸음을 옮겼다. 그리고 디케이가 뒤로 멀어져 갈수록 인파 사이로 벌어져 있던 공간들이 원래대로 메꿔져 갔다.

"멋있으셨어요."

퓨티가 작은 목소리로 레드를 향해 말했다.

"그러니."

레드가 다시금 퓨티의 머리를 토닥이며 대답했다.

"어느 누구도 예상 못 했을 거예요. 다름 아닌 할아버지께서 나서실 줄은요."

"나도 몰랐단다, 퓨티야."

"정말 보기 좋았어요. 진작 이렇게 목소리를 내셨으면 어땠을까 하는 생각이 들던걸요. 물론 저야 할아버지께서 원래 말을 잘하는 사람이라는 걸 알고 있었지만요."

"그렇게 말해 주니 기분이 좋구나. 나는 단지…"

흐리게 남긴 말끝과 더불어 레드의 시선이 뒤쪽으로 넘어갔다. 낮은 키임에도 단번에 그녀가 있는 곳을 찾아낸 것을 보아, 사람이 모이는 순간부터 그곳을 바라고 있었음이 분명했다. 그리고 레드를 따라 시선을 돌린 퓨티도 확신하는 미소와 함께 단번에 민트가 보이는 곳에서 눈을 멈춰 세웠다. 민트는 피크와 디케이 사이에서 대화를 주고받고 있었다.

"아름다우시죠, 민트 씨."

퓨티가 레드를 대신해 얼굴을 붉히며 말했다.

"마을에 몇 없는 좋은 사람이지."

"맞아요. 사실을 알고 나니 더욱 그래해 보여요. 몇 번인가 저희 집에 좋은 음식을 나눠 주신 적이 있거든요. 저는 단순하게 생각했어요. 지킴이기 때문에 여유가 있는 거라고요. 하지만 아니었어요. 민트 씨는 목숨을 거셨던 거예요."

퓨티의 말을 들은 레드는 무언갈 전하려는 듯이 희미하고도 아련한 눈빛으로써 이제는 몸을 돌린 민트의 옆모습을 향하여 재차 눈을 깜빡였다. 그리고 이제, 줄은 떠들썩하지 않았다. 투표를 앞둔 사람들은 철저히 개인이 되어 있었다. 또한, 나아가, 듣는 일만을 당연하게 여기던 사람들은 달리 말이 없었다. 하는 법을 모르는 듯 보일 정도였다. 반대로 디케이가 있는 곳은 너무도 시끄러웠다.

"내가 강압적이라고? 오, 피크, 적어도 자네한테는 그런 말을 할 자격이 없어."

"고작 내 자격 따지자고 모인 자리가 아니잖나, 디케이. 지금 네가 보인 행동은 사람들로 하여금 혼란을 야기하고 있어. 자중해."

"자중? 이게 지금 자중할 사안으로 보여??"

디케이가 피크의 코앞으로 뻗친 팔을 맹렬히 뒤흔들며 말을 뱉어냈다. 얼굴에 거의 닿을 거리였다. 피크 바로 옆의 위블은 가만히 있었다. 그 누구도 그의 행동을 말리고 나서지 않았다.

"인간은 분위기에 휩쓸리는 동물이야. 이 분위기가 계속되면 네가 바라는 결과대로 되지 않을 수도 있어."

그에 디케이는 순탄한 항해 길을 점지해 둔 선장처럼 여유 있는 미소를 머금으며 대답했다. 아주 깊고도 묵직한 목소리였다.

"비겁하게 이제 와 발뺌하지 마. 이 사람들은 자네의 공포 정치 아래에서 자란 인간들이니까."

"인정하지."

피크가 말했다. 그리고 곧바로 뒷말을 붙였다.

"그러니 이만하고 자네 자리로 돌아가 보도록 해. 오늘 내로 결과를 봐야 할 것 아닌가."

"…그래. 그렇게 하지. …피크, 자넨 방금 나를 말릴 마지막 기회를 스스로 차 버린 거야. 이제는 돌이킬 수 없어. 투표는 압도적일 거고, 우리 역시 대가를 치르게 될 거야."

디케이는 걸음을 돌렸다. 막혀 있던 길 위의 사람들이 소리 없이 길을 텄다. 단상에 오른 디케이는 우선 중간 열을 시작으로 세 칸의 계단 앞까지 붙어 있는 사람들의 길을 정리했다. 달리 저항하는 분위기도 아니었고, 다들 마음을 굳힌 듯이 디케이의 지시대로 가만히 자리를 이동했다. 그리고 어느덧 한 마리의 지렁이처럼 생긴 줄이 단상 아래로 형성되었다. 디케이가 지체치 않고 소리쳤다.

"투표를 시행하겠습니다!!"

첫 번째 사람이 계단을 올랐다. 디케이는 이미 그 뒤의 사람에게로 눈짓을 보내고 있었다. 단상에 오른 첫 번째 사람은 모든 게 낯설고, 또 두렵다는 듯이 시선을 한곳에 두지 못하고 있었다.

"저리로 들어가면 되는 건가요?"

누가 봐도 입구가 하나뿐인 천막을 바라보며 남자가 말했다.

"네. 종이와 펜은 안쪽에 비치되어 있습니다. 투표를 마친 뒤엔 들어갔던 곳으로 다시

나오시면 됩니다."

설명을 들은 남자는 제자리서 우물거렸다. 디케이를 비롯한 뒤에 서 있는 사람들의 시선이 그를 향해 모여들기 시작했다. 그리고 끝내 걸음을 떼지 못한 남자가 입을 열었다.

"…하지만."

"무슨 문제 있습니까?"

디케이가 물었다.

"제가 투표한 결과는 다음 사람이 무조건 알게 되지 않습니까."

남자가 대답했다.

"예?"

그리고 디케이의 반응을 본 남자는 같은 말을 처음보다 조금 더 부풀려 토하였다.

"제 투표 결과는 모두가 알게 될 거라고요."

디케이의 눈이 질끈 감겼다. 그리고 디케이는 눈앞의 상황을 부정하듯이 고개를 좌우로 뒤흔들었다. 꾹 눌린 목소리가 남자를 향해 갔다.

"그렇지 않습니다. 안쪽에 결과물을 은폐할 수 있는 상자를 마련해 두었습니다. 걱정하지 않으셔도 됩니다."

"제 다음 사람이 그곳을 들추어 본다면요? 다음 사람 역시 회피하고 싶을 겁니다. 더욱이 두 번째 사람은 첫 번째인 저와 의견이 반대되는 경우가 반반일 뿐이기에, 제 결과가 궁금할 수밖에 없을 테죠. 본인의 해명을 위해서도 필요로 할 테고요."

남자의 입에서 나온 해명이라는 단어. 거기에서 남자를 마냥 귀찮게 바라보던 사람들의 눈빛이 뒤바뀌었다. 굽이굽이 휘어져 있던 열의 마디가 양쪽에서 압박을 받은 듯 불룩하게 튀어나오더니 누군가가 퉁, 하고 밀려 나왔다. 오늘따라 검은 모자에 가린 얼굴 면적이 넓어 보였다. 열에서 벗어난 그를 잡으려는 사람들의 손들이 가녀린 가시처럼 길게 뻗쳤지만, 거침과 날쌤 앞에서 모두 허공을 저었다. 홈은 곧장 디케이와 남자가 대치하고 있는 자리 옆으로 내달렸고, 계단을 훌쩍 뛰어넘어 단상 중앙으로 몸을 내던졌다. 단상에 쓰러진 홈의 몰골이 꼭 대회 하나를 끝마친 참가자의 모습 같았다. 몸을 일으킨 홈은 붉은 눈으로 디케이를 바라봤다.

"제가 하겠습니다. 첫 번째."

홈이 말했다.

——— 18 매드가 놓친 친절의 끈

짤막하게 이어진 대화는 어떠한 자취도 남기지 않았다. 두 사람의 그림자 끝단이 사라지는 무렵에는 없었던 일이 있었던 것이라고 말하는 것처럼 음영조차 겹치지 않았다. 그들이 가는 길목 방향으로 램프를 들고 서 있던 키는 몸을 돌려 매드가 남긴 수레를 비추었다. 페리의 눈빛이 따라 움직였다. 디케이가 등장함과 동시에 줄곧 입을 닫고 있던 페리는 여전히 말할 의지가 없는 얼굴을 띠고 있었다. 키 역시도 달리 말을 꺼내고 싶지 않은 듯이 그녀의 침묵을 그대로 둔 채 시간이 흐르길 기다렸다.

"지난번보다 많은 사람이 깨어 있습니까?"

검정에 가까운 길에서 매드의 목소리가 울렸다. 그리고 그보다 세 걸음 정도 앞선 곳에서 디케이의 바쁜 발소리가 일고 있었다.

"그래. 아마 마을 역사상 가장 많은 사람이 깨어 있을 거야."

그리고, 매드는 대꾸를 하지 못했다. 멀리서 서성이는 불빛이 벌써 수많은 대답을 안겨주고 있었기 때문이었다. 매드는 앞의 디케이를 밀치고서 불빛 속으로 내달렸다. 이미 그의 걸음에서 반쯤 이성을 잃은 더미들이 아래로 떨어지고 있었다. 횃불을 든 사람이 어림잡아 일곱은 넘어 보였다. 그리고 그 뒤의 그늘로 속삭이는 소리가 들렸다.

"…뭡니까?"

매드가 이를 꽉 깨문 상태로 말했다. 그늘에 압도당한 그는, 디케이를 두고 앞서 왔다는 사실조차 잊은 듯했다. 그리고 멀리서 걸음을 내려놓고 있던 디케이가 전과 같은 발소리로 매드의 앞에 멈춰 섰다.

"우선은 사과부터 받게, 매드."

말과 동시에 디케이는 매드를 향해 허리를 숙였다. 그리고 허리를 내려 있는 그 상태로 말을 이어 나갔다.

"자네를 설득하는 게, 오늘 내게 있어 가장 큰 목표여서 말이야. 모든 일의 정황을 말해 줄 터이니, 오늘 하루만 분노를 억눌러 줄 수 있겠나?"

"이게 도대체 무슨 상황입니까?"

"이야기가 길어. 굳이 설명하자면, 진실이 끌어올려진 상황이라고 표현할 수 있겠지."

"진실요? 무슨 진실요?"

"마을의 지킴이가 도둑 신분이라는 사실."

일순 디케이의 안경에 커다란 불꽃이 흔들렸다. 그를 본 매드는 흠칫하며 놀란 얼굴로 뒤를 돌아봤다. 그리고 말했다.

"키 씨의 햇불까지 훔쳐 온 걸 보니, 진심이시군요. 하지만, 이제 와서요? 지금 진실을 밝힌다고 달라질 게 있습니까? 오히려 사람들에게 마을에 대한 불신만 키워 놓는 꼴이 되지 않을까요? 디케이 씨가 똑똑한 사람인 건 잘 알고 있습니다만, 현재의 저로서는 잘 이해가 되지 않는데요."

그리고 매드는 불현듯 생각이 떠오른 듯 말을 덧붙였다.

"이 상황을 키 씨는 알고 있습니까?"

"아니. 알 수가 없지. 자네들 셋이 시티로 나가 있는 사이에 내가 벌인 일이니까."

디케이는 불빛의 각도를 이용하여 자신의 이마를 매드의 앞으로 내밀며 손가락으로 툭툭 쳐 보였다. 디케이의 상처를 본 매드는 덩치에 어울리지 않는 한숨을 푹 내쉬어 보였다. 그리고는 이내 입을 다물고는 침묵을 가졌는데, 디케이는 그런 매드의 속내를 알아차린 듯 가만히 보고만 있지 않았다. 그를 몰아붙였다. 매드가 한시라도 어긋나지 않게, 디케이는 계속해서 말을 건넸다.

"일이 이대로 순리를 따라 흘러가게 된다면, 마을은 과거의 모습으로 돌아가게 될 거야. 물론, 맨 처음 흙바닥에서 생활하던 때보다는 풍족하겠지. 매드 자넨 모르겠지만, 우리 대부분은 쌀이 없던 당시에도 살아갔다네. 그게 핵심이야. 현재 이 마을은 전보다 진보했다는 거니까. 게다가 지금 우리에겐 마토라는 존재까지 있어. 시간이 갈수록 경작지의 범위도 점점 늘어날 거라고."

"우리가 추구하는 게 뭔가? 차별주의의 원천 봉쇄와 완전한 독립 아닌가. 내가 볼 땐 지금이 적기야. 이만한 시기가 없어. 게다가 당장의 대회도 코앞이니…"

"대충 이해했습니다."

매드가 디케이의 말을 자르며 말했다. 그리곤 달리 반항할 마음은 없다는 걸 보여 주겠다는 듯이 힘이 들어간 어깨를 털어 냈다.

"한 가지만 물어봐도 되겠습니까?"

"얼마든지."

"이번 일을 벌인 것이 다른 데 이유가 있어서가 아님을 맹세할 수 있으십니까?"

힘만 센 과거 시티인의 입에서 나올 말이 아니었다. 완전히 아랫것으로 상대를 취급하고 있던 사람이 정곡을 찔렸을 때 나오는 표정, 딱 그것이었다. 디케이는 특히 처음 그 순간에 티가 많이 났다. 그 말을 들은 직후, 못 들을 말이라도 들었다는 듯이 얼굴이 꿈틀거렸다. 특하나 말미에 보인 경련에 가까운 떨림은 대답을 해야 한다는 자각과, 예상치를 벗어난 행동을 마주했다는 데에서 온 괴리를 제대로 표현하고 있었다. 매드는 평소 성격과는 다르게 꽤 긴 시간을 기다려 주었다. 상대가 디케이이기 때문이었을 것이다. 그리고, 정적은 대략 11초간 둘의 사이를 떨어뜨려 놓았다.

"솔직히 당황했네, 매드."

디케이가 매드의 눈을 바라보며 대답했다. 매드는 디케이의 눈에서 시선을 떼지 않고 말을 들었다.

"그런 오해를 사는 일은 전혀 뜻밖이었달까. 마을 앞에선 제법 설득력 있겠어. 하지만, 아니야. 이번 일에 내 개인의 감정이 들어갈 틈이 어딨다고. 이 사건의 끝에서 내가 얻을 것도 없고 말이야. 안 그런가, 매드."

"맹세의 말로 받아들이라는 뜻으로 알겠습니다."

"맹세하지."

말을 나눈 둘의 고개가 교차로 한 번씩 움직였다. 매드는 뒤이어 뭔가를 결심한 듯 그러한 고갯짓을 몇 번 더 반복했다. 그리고 횃불이 있는 쪽을 돌아보며 매드가 말했다.

"모두가 모인 건가요?"

"아니. 전부는 아니야."

말을 들은 매드가 꺼질 듯한 한숨을 크게 내뱉으며 말했다.

"후…, 맞아 죽을 일은 없겠죠?"

"매는 내가 미리 맞아 놓았으니, 괜찮을 거야. 매드 자네는 단순히 증인 역할만 해 주면 돼. 나를 믿지 못해 나온 이들이니까."

"알겠습니다. 저는 디케이 씨만 믿고 가겠습니다."

"믿어 줘서 고맙네. 다만 한 가지."

"말씀하십시오."

"최대한 부드럽게 말을 하길 부탁하지."

두 사람은 횃불을 향해 서서히 발걸음을 옮겼다. 디케이가 먼저 걸음을 내렸고, 매드가 뒤를 따랐다. 횃불에 가까워질수록 매드의 얼굴이 붉게 타들어 갔다. 몸짓 또한 다르지 않았다. 어딘가 불편하고, 게으르게 변한 것 같기도 했다. 때로는 병자의 흉내를 내는 듯 보였다. 걸음은 이어졌고, 시간은 흘러갔다. 넓게 퍼져 있던 횃불들이 점을 찍은 듯 한곳으로 모여들기 시작했다. 그리고 디케이가 그 모두를 안으려는 듯이 중앙으로 발을 들였다.

"매드 씨를 모셨습니다."

타들어 가는 불꽃 너머에선 대답이 없었다. 다들 하나같이 불이 꺼지길 바라는 것처럼 보였다. 디케이가 말을 이어 했다.

"비난을 던지시려거든, 모든 원망을 제게로 쏘아 주십시오. 과거든, 현재든, 지킴이들에겐 아무런 잘못이 없습니다. 그들이 해 온 모두는 마을의 여러분을 위한 것일 뿐입니다. 개인의 탐욕도, 편협한 사치도, 그들 모두는 참아 왔습니다. 진실이 밝혀진 지금, 저희에게 필요한 감정은 용서, 그 하나뿐일 것입니다."

그리고 디케이의 말이 끝나자, 여러 개의 횃불 중 가장 왼쪽에 있던 불꽃이 움직였다. 처음부터 불꽃의 높이가 가장 낮은 쪽이었다. 암흑과 빛이 뒤섞여 일렁이는 한편, 얼굴 사이사이로 불규칙적으로 나 있는 굴곡들이 넘실거렸다.

"그러니까 이 일이, 지킴이가 생기고부터 계속된 역사라는 말씀이십니까? 그간 우리가 씹고, 삼켰던 곡물들이 시티서부터 떨어져 나온 부산물인 거고요? 제 이해가 맞습니까?"

"비극적이게도 그렇습니다."

디케이가 부산물이라는 단어에도 토 달지 않고 대답했다. 그리고 말을 들은 그 사람은 전보다 심한 굴곡을 얼굴에 덧씌우며 몸에 불을 붙일 기세로 횃불을 마구 휘둘렀다. 디케이는 고개를 떨궜다. 그리고 매드가 선 곳에서 소리가 들렸다. 매드는 아주 천천히 발을 내렸다. 100은 쉽게 웃돌 몸무게임에도 절반이 된 양 소리를 냈다. 디케이의 바로 뒤까지 몸을 붙인 매드는 늘 가던 길가의 어느 한 길목으로 눈을 돌리는 것처럼 헛기침을 옅게 한

다음, 추레하게 변한 자신의 발끝을 사람들 앞으로 내밀었다. 매드는 원래 그런 인간이었다. 흐름을 거스르지 않으며, 반기를 내밀 줄도 모르는 나약한 사람. 때문인지, 매드는 제법 얼어 있었다. 그 큰 덩치로도 압도할 시도조차 하지 못하는 게 우습게 보이긴 했지만, 그는 정말 어찌할 도리를 알지 못하는 사람의 꼴을 하고 있었다. 짧은 시간에 많은 시선이 디케이의 뒤를 향해 날아가 꽂혔다. 만약 디케이가 그를 알아차렸다면, 아마도 사람들의 불그스레한 낯빛보다 침묵의 냄새 때문일 것이다. 타닥타닥하는 소리가 울리는 데서 나는 냄새는 굳이 온몸의 신경을 곤두세우지 않아도 맡을 수가 있었다. 불을 든 사람들, 그리고 그 뒤에 숨어 지금까지를 보고 있던 사람들, 그들이 내쉬는 숨은 진즉에 축축했고, 또 고약했다. 고약하다는 건 최소한 서 있는 그들끼리는 알 것이다. 그 뻣뻣하던 디케이가 숙이고 있으니 말이다. 단지, 어둠 속의 그들은 펼쳐질 미래의 일보다 짧게 잇고 말 눈앞의 현실에 흥미를 느끼고 있는지도 모른다. 모두가 그런 것은 아닐 테지만. 일단은 그랬다.

"하, 어떻게 말을 시작해야 할지…"

디케이 옆으로 온 매드가 한참을 망설이다 입을 열었다. 그리고 또다시 그가 말을 하기 이전의 고약한 침묵이 장소를 뒤덮었다. 현명한 사람이 되기라도 작정한 듯 그 누구도 먼저 대답하고 나서지 않았다. 디케이와 매드 둘 중 한 사람은 속으로 생각했을지도 모른다. 차라리 불을 몸에 붙이고 그를 흔들어 달라고

"디케이 씨께 들으셨겠지만, 개인적인 사설을 늘어놓자면, 저희 역시 편한 마음으로만 일을 하진 않았습니다. 아니요, 할 수 없었습니다. 그건 확실합니다. 마을서 시티로의 길은 회상을 불러일으키니까요. 분명 위험한 상황임에도 그런 생각이 들곤 합니다. 그것이 가장 괴로웠습니다."

디케이는 말하는 매드를 최소한의 곁눈질로 계속 응시했다. 언제고 돌변하여 거친 언행을 내뱉을지 모르는 그를 감시하는 듯이.

"그간의 호사는 어떻게 생각하죠?"

"맞아요. 당신들의 거짓은 도를 넘었어요. 게다가, 지킴이를 마을의 수호신으로 여겼던 **대회**, 대회는 어떻게 변명할 겁니까?"

말들은 연이어 횃불 뒤에서 튀어져 나왔고, 한 번 물꼬를 튼 그들은 모두 이기적인 인간상으로 변해 있었다. 그리고 대담한 표현들로 뒤섞인 목소리에는 역설적이게도 두려움으로 가득했다. 마치 눈앞의 상대에게 오롯한 잘못의 족쇄가 채워져 있다는 듯이. 미지근한 바람

과도 같이 지나간 말소리는 디케이와 매드가 선 곳을 늪으로 뒤바꾸었다. 두 사람은 같은 감정을 느끼는 듯했다. 디케이는 숨을 크게 들이쉬며 고개를 돌렸고, 매드는 이제 횃불 없이도 얼굴이 붉었다. 늪은 발을 들인 두 사람을 점점 더 깊이 데려갔다. 무엇도 존재하지 않고, 어떠한 것과도 소통할 수 없는, 철저히 고립된 장소. 입은 꿰이고 귀는 부풀어 오른 곳으로. 늪 아래에는 위에서와 마찬가지로 미지근한 바람이 불었다. 바람엔 어떠한 냄새도 깃들어 있지 않으며, 오로지 애매한 온기만이 스며 있었다. 그에 먼저 정신을 놓은 건 매드였다. 디케이는 머리를 굴려 발버둥을 최대한 자제한 채 상반신 남겨 놓기를 성공하였다면, 매드는 그렇지 못했다. 그는 이질적인 감각과 분위기를 쉽사리 받아들이지 못했고, 속에서 끓어오르는 뜨거운 무엇에 자신을 그대로 올려놓았다. 그래서 매드의 발버둥은 억셌고, 눅진한 늪의 더욱 깊은 곳으로 잠기기에 충분했다.

아마 매드는 그 때문에 잡고 있던 친절의 끈을 놓쳤을 것이다.

"이런, 개씨발."

──── 19 포의 녹음기

운이 좋았다. 퓨티가 집에 온 건, 포가 마을을 돌고도 한참이 지나서였다. 포는 침대에서 퓨티를 맞았다. 퓨티의 얼굴에서 포는 그녀가 무언가 달라졌다는 걸 느꼈지만, 딱히 평소와는 다른 제스처를 내밀거나 하진 않았다. 본인의 눈썰미를 의심했다기보다는 방금 치르고 들어온 범행의 꼬리가 손짓에 드러날까 하는 두려움 때문이었다. 퓨티는 포에게 인사를 하고, 아침 무렵 침대 아래에 정갈히 정돈해 둔 담요 속으로 몸을 파고들었다. 퓨티는 금방 잠이 들었다. 새근새근한 그녀의 숨소리가 마을의 폭포 소리와 함께 집 안을 평온히 채웠다. 포는 조금도 잠이 오지 않았다. 오히려 차분해진 공기에 묘한 흥분감이 느껴졌다. 포는 침대 등받이에 기대어 조금 전을 회상했다. 비가 왔음에도 걷기에 적당한 습도였었지, 검은색 모자가 걸려 있는 집은 깨나 인상적이었어. 부러운걸. 그런 고급진 여자 앞에 집이 배정되었다는 게. 뭐, 향수 쓰는 여자를 다루는 게 쉬운 일은 아니지만. 그리고 포는 등을 기댄 채로 팔을 길게 뻗어 닫혀 있는 창을 열어젖혔다. 창은 오래 열어 놓지 못한다. 불이 없다 한들, 사람의 피를 멀리서도 맡아 내는 벌레들이 천지니까. 포는 고개를 비스듬히 기울여 나무에 가려진 별을 쳐다보았다. 마을의 별은 셀 수 없다는 표현조차 아까울 정도였다. 시티가 고도로 발달된 기구를 통해서만 별이란 존재를 향유할 수 있다는 점을 감안한다면, 이곳은 비용에 막혀 별을 접하지 못했던 사람에게 그야말로 천국인 셈이다. 실제로 별은 마을에 갓 입성한 풋내기들이 가장 먼저 마음을 트는 대상이기도 했다. 십이면 십, 백이면 백, 모두가 그랬다. 그리고 그들은 별의 힘을 빌려 차츰 불면과도 같은 독백과 사색에 익숙해져 갔다. 포는 고개를 내려 퓨티가 잠든 것을 다시금 확인한 다음, 사색을 택했다. 사색이란 단어를 붙이기엔 거창하긴 했다. 그가 지금부터 할 거라곤 바를 떠올리는 일이었으니까. 포는 별빛을 정중앙에 담은 채로 눈을 감았다. 휘어 있는 체리 빛깔 네온사인이 단출하게 걸려 있는 곳이다. 성공적으로 바의 입구에 다다른 포는 마른침을 꿀꺽 삼켰다. 포는 조경이 흐트러지지 않게 최대한 호흡을 늦추며, 전시회장을 따라 한 듯한 둥근 계단 위로 발을 내렸다. 초입에서는 조금도 들리지 않던 재즈풍의 음악이 계단 아래서부터 분위기를 돋우고 있었다. 계단을 절반 정도 내려온 포는 뒷주머니에서 지갑을 꺼냈다. 지화로 정확히 두 장. 그리고 문을 열자마자 좌우로 보초처럼 서 있는 두 명의 사내를 향해 각각 그를 건넸다. 두 사람은 상대가 움직임을 알아차릴 만큼만 고개를 숙여 고마움을 표시했다. 엉덩이를 떼고 있는 사람은 없었다. 좌석에 알맞은 머릿수만큼이 가게에 들어차 있었다. 포는 빈자리의 유무보다 먼저인 게 있었다. 치파오…, 치파오…, 포는 되뇄다. 치파오를 입고 있는 사람이 딱 한 사람 보였다. 포는 금방 그녀를 찾아내었다. 여자의 머리에 구멍이 송송 뚫린 장식이 보였다. 여자는 거기에 매달린 끈으로 머리를 묶고 있었다. 키는 160 전후, 눈썹이 조금 올라간 편이었는데, 초롱초롱한 눈망울 덕분에 앙칼진 인상은 못되었다. 포는 문득 걸음이 느려지는 것을 느꼈다. 주변 배경도 더디게 보였다. 그녀는 술이 진열된 틀을 수건으로 닦고 있었다. 아주 정성스러운 손놀림이었는데, 언뜻 보면 자신이 가게의 사장이라도 된 듯한, 최면 혹은 과시를 내뿜는 것 같기도 했다. 포는 언제나 그랬듯 쭈뼛쭈뼛하게 변한 자신의 걸음걸이를 원망하면서 그녀의 곁으로 걸음을 옮겼다.

"안녕하세요."

포는 적당한 크기의 목소리로 인사했다. 그리고 정전기와 같은 따끔함을 몸 깊숙한 곳에서 느꼈다.

"아, 안녕하세요."

그녀도 따라 수줍게 인사했다. 인사를 받은 여자는 착하게도 기다려 주었다. 포 역시도 자신이 해야 한다는 사실을 인지하고 있었다. 인사 뒤로 붙일 말들, 그래야만 이어질 대화들. 씻었음에도 크게 티가 안 나는 푸짐한 머리와 청바지 위로 빼꼼히 튀어나온 살들이 날 것에 가까운 그의 인상과 버무려져 참으로 애처로운 분위기를 이어 갔다. 사실 둘 사이는 눈에 보이는 것보다 가까웠다. 기념일 따위를 챙겨 주거나, 서로에게 관심이 많다는 점, 모자란 사정이 본인들이 안 되는 이유인 걸 안다는 것 또한 역시. 둘은 서로에게 그런 존재였다.

"오늘은 손님이 많네요."

"그렇죠? 아까는 어찌나 바빴던지, 자리 치우는 것까지 깜빡했다니까요!"

여자가 잇몸이 전부 드러날 정도로 방긋 웃으며 대답했다. 종업원임을 감안해도 밝고 명랑한 목소리였다. 또한 여자는 트인 입을 가리지 않았다. 때문에 포는 그녀가 입을 벌릴 때면 늘 눈으로 그녀의 가지런한 치열을 훔쳐봤다.

"그렇군요."

"늘 앉으시던 자리에 사람이 있어서 어떡하죠?"

"어쩔 수 없죠, 뭐. 카운터 옆 기둥에 기대어서라도 마셔야지."

"음…"

여자가 그건 곤란하다는 듯 양손을 가슴 위에 얹으며 주변을 둘러보았다.

"괜찮아요. 늘 하던 방식 반대로 해 보는 것도 나쁘지 않죠."

"음…, 알겠어요. 그럼, 오늘은 주종도 한번 바꿔 보실래요?"

"그것만은 안 돼요."

포는 단호히 대답했다.

"취향 하나는 확고하시네요."

고집을 꺾지 못해 아쉽다는 듯 여자는 입술을 뾰족이 실룩대고는 점선이 난 주문서에서 종이를 뜯어 포에게 건넸다. 포는 양손으로 그를 받고는 반을 접어 카디건의 주머니에 집어넣었다. 그리고 포는 느려졌던 시간이 다시 빨리 움직이기 시작했다는 걸 깨달았다. 포는 눈을 내려 손목시계를 확인했다. 세계의 초침 속도는 달라지지 않아, 조급한 건 현재의 나 하나뿐이야. 무엇 때문에 이렇게 시간이 빠르게 가는 듯이 느껴지는 거지? 완벽하기 그지없는 밤이야. 심지어 센터에 납부할 세금도 예정보다 나흘이나 일찍 송금했어. 그리고 센터를 떠올린 포는 그 순간 자신이 얼마나 멍청한 실수를 저지른 것인지, 달리 계산해 보지 않아도 알 수 있었다. 포는 멍청하게 생긴 손바닥을 이마에 얹어 힘 있게 머리를 털어 냈다. 그리고 흘러나오는 재즈에 억지로라도 녹아들려고 노력했다. 바에 구비된 음향기기는 라이브만큼의 낭만은 없었지만, 그런대로 음질이 들어 줄 만했다. 코너의 꺾이는 마디마다 매립된 남청색의 조명과 세 곳으로 분리된 천장에서 강아지풀처럼 흔들리는 연보라색의 LED가 사람들이 든 술잔의 표면과 어우러져 매혹이 강한 색을 내리고 있었다. 포는 금방 센터를 잊었다. 비록 광이 나는 구두는 아니어도, 뒷굽이 달린 신발에 리듬을 실어 떼고 붙이기에는 충분했다. 포의 불룩이 나온 배가 위아래로 흔들렸다. 점점 더 깊이, 점점 더 아득히. 그와 동시에 포의 시간은 훨씬 더 빠르게 흘러갔고, 포는 한층 더 인지력을 잃어 갔다. 언제부턴지 바의 무드를 바라보던 그의 눈이 감겨 있었다. 포는 이제 더 이상 춤을 추고 있지 않았다. 바의 온기만큼이나 끈적하게 흘러나오던 음악조차 사라지고 없었다. 포는 울컥하고 차오르는 감정을 애써 누른 채 아랫입술을 지그시 깨물었다. 조심스럽게 리듬을 타던 발가락 위로 익숙한 거친 감촉이 느껴졌다. 그리고 포는 눈을 떴다. 별이 처음 자리에서 같은 빛을 내고 있었다.

"…"

포는 입을 뻐끔거렸다. 이불에 있던 손으로 목을 쓰다듬자 정전기 소리가 피어났다. 그 뒤로도 포는 한참을 별을 바라봤다. 바가 사라지고, 남은 것은 없는 것과도 같은 달빛뿐이었다. 더불어 오랫동안 숨을 참은 탓에 한 차례 사레까지 찾아왔지만, 포는 잠든 퓨티를 깨우지 않기 위해 목에 힘을 주어 억지로 그를 잠재웠다. 그리고 열린 창을 조용히 닫았다. 창이 닫혀도 폭포의 물소리는 안으로 밀려 들어왔다. 자연이 내뿜는 무한에 가까운 소리. 포는 언젠가 시티에 사는 누군가는 불안을 잠재우기 위하여 저 같은 소리를 녹음해 머리맡에 놓고 잔다는 것을 들은 적이 있었다. 그리고 포는 그 논제가 떠오를 때마다 반대로 그것을 향해 질문을 건넸다.

마을로 온 나는 무엇을 녹음하여야 하는가, 라고

20 조작된 투표

결말이 이렇게 되리라는 걸, 자리의 모두는 알았을지 모른다. 처음으로 나선 홈은 천막으로 들어가 금세 밖으로 빠져나왔다. 당장에 보아도 굳은 얼굴에 검은 모자의 그늘까지 더해져, 단상 반대에 난 허름한 골짜기로 걸음을 옮기는 그를 잡고자 하는 사람은 없었다. 하지만 처음을 청한 홈이 어떤 선택을 했는가에 있어서는 그의 뒷모습을 보았던 이라면 모두가 알 수 있었다. 마치 들으라는 듯한 소리였으니까. 디케이도 그 소리가 들린 순간만큼은 뒷사람 보채기에서 한걸음 물러섰다. 그리고 첫 번째가 되지 않은 앞줄 사람들, 특히 디케이와 실랑이를 벌이던 그 남자의 입이 특히 가벼웠다. 앞을 향해 있던 이들의 고개가 연달아 뒤로 넘어갈 때면 굽은 마디가 실로 살아 있는 어떠한 생명체처럼 크게 꿀렁거렸다. 디케이는 줄의 중간쯤까지 그런 상태가 이어지는 걸 보고 있다가 급하게 뛰어내려 막 고개를 뒤로 젖히려는 사람의 어깨를 움켜잡았다. 말은 하지 않았다. 가까이로 온 디케이를 본 그는 저항하지 않고 고개를 앞으로 되돌려 놓았다. 그리고 디케이는 흘러내린 안경을 콧잔등에 도로 얹은 다음, 터벅터벅 단상 쪽으로 걸었다. 굽은 마디가 또 한 번 꿀렁거렸다. 디케이가 천막으로 팔을 뻗으며 남자에게 말했다.

"들어가시죠"

두 번째, 세 번째, 네 번째, 다섯 번째, 여섯 번째…, 두 자리의 숫자가 되기 이전의 사람들은 하나 같이 꽤 많은 시간을 소모했다. 그리고 투표를 마치고 나온 사람들은 천막에서 멀지 않은 자리에 터를 잡아 이야기를 나눴다. 대개 둥그스름한 주동자가 있었고, 거기로 보통의 인간이 몰려와 꽂히는 꼴이었다. 터무니없이 작은 목소리를 내는 그들 사이에서 간혹 누군가가 직접적인 말을 내뱉기도 했지만, 대부분은 다수의 침묵에 의해 묵살됐다. 그리고 한 번 제지를 당한 사람은 슬그머니 그 자리에서 빠져나왔다. 아마도 눈치를 챈 것이다. 이쪽 무리에서 다른 선택을 한 사람이 자신 하나뿐이라는 것을. 투표가 거듭되고, 줄이 짧아질수록 그러한 떼들이 많아졌다. 또한, 자리를 피하는 사람들도 늘어났다. 팔짱과 짝다리, 원로와도 같은 자세로 대화를 나누던 그들은 처음 한두 번은 나가는 이에게 관심이 없었다. 하지만 점점 그 수가 많아지고, 무리에서 빠져나간 그들이 어느덧 자신들이 서 있는 둥지 하나만큼의 크기를 조성하였을 때가 되어서야, 시선들이 움직였다.

"내가 먼저 들어갈게요."

그녀의 목소리는 예외였다.

"괜찮겠어?"

피크가 워블의 어깨에 손을 올리며 말했다.

"괜찮고 말고 할 게 뭐가 있어요?"

"…그, 그렇지."

확실히 워블은 퓨티를 만난 이후로 변해 있었다. 그리고 그러한 워블의 대답을 들은 사람들은 10년 치에 걸맞은 표정을 드러냈다. 피크 역시 마찬가지였다. 평소 듣지 못한 목소리를 들은 탓인지 그의 얼굴에 적잖은 당황이 묻어 있었다. 단상 앞에 선 워블은 발아래의 계단을 신기하다는 듯한 눈빛으로 내려다보고는 다리를 들어 조심스레 그 위로 올려놓았다. 디케이가 무도회장 사내라도 된 듯이 펼친 손을 워블에게로 내밀었다. 손을 잡고서 계단을 오른 워블은 잘게 말린 스카프를 머리 밖으로 빼낸 다음, 천막 안으로 모습을 감췄다. 남은 사람은 이제 몇 되지 않았다. 손으로 셀 수 있을 정도였다. 뒷줄은 거의 다 마을 내 유명인들이었다. 리더, 책임, 관리, 특권과 같은 단어로써 엮을 수 있는 사람들. 앞선 사람들과 다를 건 없었다. 외관이 우중충하고, 조금 더 복잡해 보일 뿐이었다. 그리고 그들 사이 어딘가에 퓨티가 서 있었다. 포도 함께였다.

"아버지, 곧 저희 차례예요. 준비하세요."

퓨티는 말하기 전, 앞뒤로 남은 사람이 얼마나 있는지 확인했다. 포가 이내 입을 뻐끔거려 보였지만, 퓨티에게 전해지지 않았다. 받는 사람이 없는 대답이었다. 그 순간 이후로 포는 더욱 희멀건 송충이 같았다. 아래로 처진 입이, 손수 펴낼 수 있는 의지라고는 얇게 퍼진 팔다리를 움직이는 일밖에 없다고 말하는 것 같았다.

"아버지는 어떻게 투표하실 거예요?"

포는 입술을 길게 늘이고는 한 번 고개를 좌우로 저었다. 퓨티는 또 다른 곳에 눈이 가 있었다.

"저는 잘 모르겠어요. 너무 하루아침에 벌어진 일이라, 아직 마음 정리가 덜 되어서요. 완전한 독립을 위한 절차라고들 말하지만, 그게 단순히 선택으로 결정할 수 있는 일인지 하는 의문이 들어요. 물론 많은 말들이 오갔을 테죠. 하지만 저는…, 제가 그 자리에 없었다는 알량한 감정 때문일지도 모르겠지만, 잘 모르겠어요."

퓨티가 말한 '그 자리', 그러니까 어젯밤 군의 집에서 열린 토론회 이야기다. 그들이 모였다는 소문은 다음 날의 모두가 알고 있을 정도로 빠르게 번져 나갔는데, 정작 자리에 있었던 장본인 여덟 사람은 몸을 사렸던 탓에 누구에 의해 처음으로 말이 시작되었는지는 누구도 알지 못했다. 퓨티 역시 시작이 아닌, 흐르는 말소리를 어디선가 들었을 뿐이었다.

"어제는 밤을 꼬박 새웠어요. 생각이 많아 도저히 잠들 수가 없었거든요. 아마 최근에 겪은 일들 때문일 거예요. 표정이건, 말이건, 계획에 없던 일들을 제법 겪었거든요. 나중에 기회가 되면 말씀드릴게요. 아버지도 꽤 흥미롭게 들으실 수 있을 거예요."

퓨티가 말을 끝내며 포를 올려다보았다. 포는 그제야 퓨티와 눈을 맞댈 수 있었다. 포는 그 나름으로 그녀가 최대한 오래도록 머무를 수 있게 온화한 표정을 보이려 노력했다. 실상은 세로줄로 허옇게 튼 입술이 더욱 강조될 뿐이었지만.

"봐요. 디케이 씨가 코앞이에요. 아버지부터 들어가실래요?"

포는 고개를 가로저었다. 그리고 그와 비슷한 무렵에 투표를 마친 워블이 천막에서 모습을 보였다. 사람들의 고개가 달콤함을 발견한 꿀벌 무리처럼 그리로 딸려 갔다. 도도한 걸음을 내려놓는 워블은 어느 것하고도 눈을 마주치지 않았다. 양손은 철저히 스카프 끄트머리 두 가닥에 얹은 채 오로지 하체만을 이용한 걸음이었다. 가는 방향으로 미루어 짐작하건대, 그녀는 곧장 집으로 향할 요량인 듯 보였다. 워블은 나가는 길의 끝 무렵에 이르러서도 줄의 중간에 서 있는 피크에게 눈길 한 번을 주지 않았다. 그리고 그녀가 단상 근처에서 어느 정도 멀어지자, 탄식과도 같은 소리가 둥지들 사이에서 샘솟았다. 마치 한숨 소리처럼도 들리는 그것들은 틀에서 벗어나지 않은 뉘앙스의 말이었지만, 어제까지는 들리는 게 불가능했던 수위가 아슬아슬한 말들도 여럿 섞여 있었다. 한 명, 그리고 또 한 명. 줄이 짧아질수록 천막으로 들어간 이들이 투표에 할애하는 시간이 줄어들었다. 포와 비슷한 연령의 누군가는 거의 발을 들임과 동시에 천막을 걷어차고 밖으로 뛰쳐나왔다.

"퓨티, 올라오렴."

디케이가 사람 한 명 들어가기 무섭게, 고개를 돌리며 말했다.

"아직이요. 저분은 금방 나오지 않으실 거예요."

퓨티는 앞서 들어간 사람의 성격을 잘 안다는 듯이, 다리의 어느 쪽도 계단 위로 올려놓지 않으며 대답했다. 그리고 퓨티가 말한 대로 천막 안의 사람은 시간을 천천히 소모했다. 전에 들어간 사람의 두세 배 정도였다. 선택을 마치고 나와 보이는 모습마저도 그런 편이었다. 아마 깊게 생각하기를 포기한 사람이거나, 초조한 내색 보이기를 싫어하는 사람인 것 같았다.

"퓨티."

디케이가 계단 아래 머물러 있는 퓨티의 신발을 내려다보며 말했다.

"알겠어요."

대답한 퓨티는 포에게로 몸을 돌려 그와 눈을 마주친 다음, 디케이의 옆을 지나쳐 천막으로 걸음을 내밟았다. 퓨티의 눈이 천막에 닿을 정도가 되었음에도 디케이는 기다리는 포에게 아무런 말도 건네지 않았다. 천막 안으로 들어온 퓨티는 투표용지를 확인하기에 앞서, 내부에 관심을 기울였다. 천막 안은 밝다기보다는 컴컴한 편에 가까웠고, 그늘진 공간 뒤쪽으로 상자와 볼펜이 놓여 있었다. 상자는 뒤쪽으로 기울어진 정사각형 모양에 사람 손 하나가 들어갈 크기의 홈이 패여 있었다. 그리고 그 위로 때 묻은 종이들이 너저분히 쌓여 있는 것이 보였다. 퓨티는 쌓인 종이를 유심히 보는 시늉을 하다가 이내 칸막이의 틈 사이로 천막의 색과 뒤섞여 초록빛을 띠는 가느다란 빛줄기를 따라 종이와 펜에 각각 손을 올렸다. 왼손으로 종이를 쥔 퓨티는 엄지와 검지, 그리고 중지를 이용해 조심스럽게 문질렀다. 그와 동시에 속으로 생각했다.

'보슬보슬하다, 조금만 세게 누르면 가루가 될 것 같아.'

다음으로는 시간을 끌지 않았다. 퓨티는 곧바로 종이를 반 접어 상자 안쪽으로 밀어 넣었다. 그리고 퓨티는 뒤돌아 천막에 손을 올렸다가, 다시 내리고는 눈대중으로 남은 종이의 두께를 확인했다. 깔끔히 포개어 있지 않고, 흐트러져 있는 탓에 낱장의 모서리가 세기 좋게 삐져나와 있었다. 퓨티는 눈썹까지 휘어져 내려오는 구부정한 앞머리를 정돈하듯 종이들을 하나의 것으로 보이게끔 매만진 다음, 뒤로 닫힌 천막을 열었다.

"들어가시죠."

디케이의 목소리가 들렸다. 소리를 들은 퓨티는 한 번 포를 힐끔 바라보고는 멈추지 않고 걸음을 옮겼다. 퓨티의 몸이 단상에서 내려오자, 무리를 유지하고 있던 몇몇이 손짓하며 그녀를 유혹했지만, 퓨티는 조금의 흥미도 없다는 얼굴로 그들을 지나쳐서는 워블이 빠져 나갔던 길 그대로 유유히 단상을 떠났다.

"…"

포가 입을 뻐끔거리며 퓨티의 뒤로 팔을 뻗었다.

"어서 끝내시고 뒤를 따라가세요."

디케이가 어정쩡하게 친절한 말투로 포를 향해 말했다. 그래, 그러지. 포는 속으로 대꾸한 뒤, 계단을 올랐다. 누군가가 단상에 오를 때면 찰나라도 그 뒷모습을 흘기던 사람들이었다. 하지만 포의 뒤, 단상에 오른 포의 뒷모습은 남은 사람 가운데 어느 한 사람도 쳐다보는 이가 없었다. 아예 존재조차 부정하는 얼굴들이었다. 가는 팔로 몸이 들어갈 정도로만 막을 젖힌 포는 목덜미를 타고 내려오는 곳을 손으로 살짝 당겨 입구의 왼쪽으로 쏠리게 했다. 줄에 있을 때부터 포의 눈은 그곳을 향해 있었다. 정중앙에서 살짝 벗어나 내부가 미세하게 보이는 끝자락. 안으로 들어온 포는 강박과도 같은 정밀함을 가진 세공사처럼 빛이 들어오는 나머지 틈을 손끝으로 짚어 가며 빠르게 눈을 돌렸다. 처음은 큰 곳, 다음은 중간, 그리고 손톱처럼 아주 작은 틈까지도 포는 놓치지 않았다. 그리고, 마치 처음부터 그곳에 있음을 알았다는 것처럼 포는 상자를 향해 몸을 날렸다. 퓨티가 만져 놓은 종이들이 우스꽝스러운 무늬가 박힌 포의 셔츠 하단과 부닥쳐 휩쓸리다시피 쓰러졌다. 포는 팔을 상자에 집어넣어 중요한 지점을 찾아 나가듯 섬세하게 손가락을 휘둘렀다. 살 끝에 달라붙는 건 거의 대다수가 부드러운 면적이었다. 간혹 도톰하고도 까끌까끌한 것이 닿기도 했지만, 수가 아주 적었다. 포는 얼굴을 찌푸린 채 휘젓기를 계속하였다. 방향은 왼쪽, 한 방향으로만 저었다. 그리고, 맨살에 엉기듯 손에 붙은 종이들을 상자의 벽면으로 밀어 그대로 들어올렸다. 몇몇 품에서 벗어난 종이들이 아래로 흘러내렸다. 포의 손 반대편에는 이미 볼펜이 쥐어져 있었다. 포는 속으로 초를 세기 시작했다. 빠르게 나오던 사람들, 느리게 나오던 사람들, 그들 중간 지점을 정확하게 계산했다. 열일곱 정도가 최선이라고 포는 생각했다. 그리고 펜을 들어 맨들맨들한 종이의 정중앙에 그대로 찔러 넣었다. 그 뒤로는 멈춤 없이 척척 진행되었다. 왼손의 감각이 살아날수록 행동에 가속이 붙었다. 세 장에 구멍을 뚫은 포는 약지와 새끼에 그를 끼고서 통 안에 떨어뜨렸다. 포는 무지하지 않았다. 투표가 끝난 뒤, 눈이 시뻘걸 사람들의 얼굴을 떠올리며 구멍의 위치를 각각 다르게 찍어 냈다. 어떤 것은 굵게, 어떤 것은 가늘게, 포는 차분하게 한 장 한 장에 차이를 두었다. 찍어 낸 세 장의 종이를 통에 넣기를 네 차례, 포는 손안에 남은 종이 다섯을 본 순간 목덜미 뒤로 찌릿함이 올라오는 것이 느껴졌다. 주어진 시간을 모두 소모했음이 주는 신호라고 포는 생각했다.

"…"

포는 입을 뻐끔거리며 급하게 자리를 정돈하기 시작했다. 왼손에 쥔 다섯 장의 종이는 구겨짐 없이 나풀거리도록 상자의 옆에 떨어뜨렸다. 처음 있던 자리 그대로 볼펜을 내려놓는 것도 잊지 않았다. 귓가에 들릴 정도의 거센 심장 소리. 포는 지난밤 바의 조경을 떠올리며 몸에 들어간 힘을 조율했다. 그리고 등 뒤로 덮여 있는 천막을 힘없이 움켜쥐었다. 바깥의 빛이 천막 안에서 있었던 일과 별다를 것 없다는 듯이 포의 얼굴을 내리쬐었다. 마을의 모두가 투표를 끝마쳤다는 소식은 마지막으로 천막에 들어간 디케이가 가득 찬 투표함을 들고나오는 모습을 보임과 동시에 번져 나갔다. 천막에서 나오자마자 퓨티를 찾아 나선 포는 얼마 가지 않아 그녀를 발견했다. 퓨티는 워블과 만나야 한다며 포에게 말했지만, 포는 완강히 손을 낚아채어 퓨티의 걸음을 단상으로 이끌었다. 그리고 피크는 워블을 찾으러 가지 않았다. 포와 함께 단상으로 돌아와 피크의 그 같은 모습을 본 퓨티는 자신의 아내를 여전히 알지 못하는 피크에 화가 난 듯 포의 팔을 연신 뿌리치려 했다. 단상 아래를 이루고 있던 무리 여럿은 그대로였다. 그러다 디케이가 투표함을 단상의 정중앙에 대뜸 내려놓자, 다들 길고양이라도 된 것처럼 놀란 얼굴로 어깨를 가슴 안으로 집어넣었다. 그리고 디케이는 자신과 가까운 거리에 있는 남자에게 다가오라는 손짓을 보낸 뒤, 투표함 옆에 멈춰 섰다. 남자는 고개를 저었다. 투표함을 보면서도 그랬고, 디케이의 손가락을 보면서도 그랬다. 디케이는 차분한 눈빛을 유지하며 가까이 있는 모든 사람과 눈을 맞췄다. 그리고 디케이와 눈이 맞은 사람들 모두가 처음 남자가 그랬듯 고개를 흔들었다. 그 뒤로도 디케이는 손을 뻣뻣이 쳐들고서 무리의 한 명 한 명에게 요청의 눈길을 보냈지만, 군집해 있는 사람들은 이미 굳어 있었고, 홀로 돋보이는 대상이 되기를 승낙하는 사람은 어디에도 없었다.

"혼자서는 개표하기가 힘이 듭니다. 한 분만 단상에 올라와 도움을 주시면 감사하겠습니다."

디케이가 멀리 나무 그늘에 있는 사람들에게까지 닿을 듯한 목소리로 말했다. 거기에, 무리에 섞이지 못한 이들이 모여 있었다. 나무 아래의 그들은 모두 개인이었다. 서로를 바라보는 행위조차 쉬이 취하지 않았고, 대부분 목석처럼 단상을 향해 눈을 고정해 있었다.

"아무도 없으십니까?"

디케이가 한 번 더 나무 아래를 보며 말했다. 그늘에는 조건이 있었다. 첫째로, 종이에 구멍을 낸 자들이어야 했고, 둘째로, 수다스럽지 않아야 했다. 그리고 마지막, 자리는 투표를 마치고 온 순서대로 머무를 것. 따라서 그곳 맨 안쪽에 서 있는 사람은 홈이었다. 홈의 얼굴은 모자에 가려 보이지 않았다.

"내가 돕지."

말소리는 디케이가 처음 도움을 청한 군중들 사이에서 피었다.

"피크"

다급히 고개를 돌린 디케이가 그의 얼굴을 확인하고는 말했다.

"내가 하는 게 맞아. 굳이 도움을 필요로 한다면 말이야. 그래도 반대에 있는 사람 중 한 명인 내가 자네와 합을 이뤄야 그림이 맞지 않겠나."

그리고 피크는 디케이가 서 있는 단상 정중앙으로 올라섰다. 옆으로 온 피크에 디케이는 그의 어깨를 두드리며 고마움을 표했다. 피크는 디케이 손에 들린 상자를 힐끔 쳐다보고는 단상 아래로 눈길을 돌려 사람들을 향해 말했다.

"어찌 됐건 투표는 끝이 났습니다. 모두 고생하셨습니다. 그리고 갑작스럽게 닥친 상황을 너그러이 수용해 주셔서 감사합니다. 이제 돌이킬 방법은 없습니다. 결과에 따라 마을은 유지되거나, 변화할 것입니다. 저는 지킴이 폐지에 반대표를 던졌습니다. 그렇기에 여기 있는 우리의 동료, 디케이와 개표를 함께한다고 해도 형평성에 어긋나는 행위가 되진 않을 거라 사료됩니다."

말을 마친 피크는 반응을 살피듯이 사람들이 모여 있는 자리마다 눈을 던졌다. 그리고 별다른 대꾸를 내미는 이가 없자, 눈길을 거두고서 디케이를 바라보았다.

"개표를 시작하겠습니다!!"

디케이의 목소리와 함께 개표가 시작되었다. 상자는 피크가 들었다. 디케이는 상자에 손을 넣어 휘적이지 않고, 간결한 동작으로 종이를 꺼냈다.

"첫 번째 장! 백지입니다! 반대표 하나!"

디케이는 첫, 그리고, 반대. 두 단어에 힘을 주며 소리쳤다. 그리고 처음으로 상자에서 빼내든 종이를 왼손에 쥔 채 다시 상자 속으로 손을 집어넣었다.

"두 번째 장! 백지입니다! 반대표 둘!"

디케이는 둘, 그리고, 반대. 두 단어에 힘을 주며 소리쳤다. 그리고 디케이는 자신의 왼손이 종이로 두툼해질 때까지, 똑같은 말과 똑같은 표현을 이어 했다. 디케이는 어떠한 내색도 비추지 않았다. 상자를 양손으로 받치고 있는 피크 역시 부동을 유지했다. 반듯한 종이가 나오기를 열두 장째. 디케이는 똑같은 자세로 상자에 손을 집어넣었다. 그리고 그때, 손끝서부터 시작된 움찔거림이 디케이의 머리끝까지 크게 튀어 올랐다. 그를 본 눈치 빠른 사람 몇몇이 옆 사람과 쑥덕거렸다. 동시에, 들어간 디케이의 오른손이 상자에 한동안 머물렀다. 시간이 지체되자, 그 모습을 보던 피크가 몸을 숙여 나지막이 말했다.

"하던 대로 해. 자네가 그러면 보는 사람도 따라서 불안해져."

피크의 목소리를 들은 디케이는 침을 꿀꺽 삼키며 고개를 끄덕였다. 그리고 아주 천천히 상자에서 손을 꺼냈다. 구멍은 왼쪽 아래 모서리에 자리하고 있었다. 디케이는 종이 가운데에 있는 두 손가락을 오른쪽으로 옮기며, 담겨져 있던 숨을 단번에 내뿜었다.

"열세 번째 장! 찬성입니다! 찬성표 하나!"

그리고 디케이는 사선으로 손을 쳐들어 구멍 너머로 보이는 작은 풍경을 흡족한 눈으로 바라본 다음, 흰색 가운의 주머니에 종이를 집어넣었다. 불쑥 등장한 한 장의 찬성표 그때까지만 해도 분위기는 시큰둥했다. 무리 지은 사람들의 목소리가 갈라지고, 그들이 서로 간의 거리를 벌리기 시작한 것은 디케이의 오른 주머니가 두툼히 부풀어 오른 듯 보이는, 바로 그 무렵이었다.

"거짓이야!!"

그리고 누군가가 큰 목소리로 말했다. 모두의 고개가 그를 향해 넘어갔다. 디케이는 상자에서 이미 반쯤 종이를 들어 올린 상태였기에 그를 무시코서 행동을 이으려 했지만, 피크가 상자를 올려 손을 가렸다.

"무슨 문제 있습니까?"

디케이가 상자 속에서 손을 꺼내며 말했다. 얼굴은 말을 뱉기도 전부터 구겨져 있었다. 그러자, 군중 속에 묻혀 있던 사람이 옆쪽으로 빠져나와 모습을 드러냈다. 여자는 이제 금방 씻고 나온 사람 마냥 머리가 젖어 있었다. 입고 있는 옷의 상태도 그와 마찬가지였다. 굵다랗고 짤막한 다리가 두드러지는 레깅스와 배꼽을 기점으로 말려 올라간 윗옷이 유독 뭔가 급해 보였다.

"머릿수! 머릿수가 달라요!!"

여자는 디케이를 향해 대답하는 대신 자신을 보는 모든 이들에게로 목소리를 내밀었다.

"머릿수라고 하셨습니까?"

디케이는 여자의 얼굴에서 눈을 떼지 않으려 노력하며 말했다. 그러나 여자는 처음부터 디케이와의 대화를 위해 입을 연 것이 아니라는 듯이 조금의 눈길도 주지 않고서 혼자만의 이야기를 이어 나갔다.

"우리 마을의 거주민 수는 총 45명입니다. 그리고 현재까지 결과가 난 표는 32장이고요. 아무리 봐도 결과가 이상합니다! 조작이 아니고서야 나올 수 없는 수치라고요!"

"그런 일은 없습니다."

모두가 조용한 가운데, 디케이가 말했다. 그리고 옆에 있던 피크도 가만히 있지 않고 말을 얹었다.

"준비에는 아무런 문제가 없었습니다. 천막이 설치된 이후, 제가 따로 확인까지 하였으니까요."

"그럼, 이 결과를 어떻게 설명할 거죠?"

여자가 단상 쪽으로 삿대질하며 되물었다.

"지금 본인의 행동이 모순적이라 생각되지 않으십니까?"

말을 들은 디케이는 곧장 반박했다. 그리고 디케이는 그것으론 성에 차지 않는다는 얼굴로 안경을 툭 치며 뒷말을 덧붙였다.

"자그마치 열두 장이었습니다. 개표 초반 연속으로 나온 반대표의 숫자는요."

그에 여자가 대꾸했다.

"그게 어떻단 거죠?"

"14대18. 현재까지의 집계 상황입니다. 지금 부인은 그 뒤로 추가된 6표까지 의심하고 계시는 겁니다. 의도의 본질은 교차로 쌓여 나간 찬성표의 입장들을 깔보시는 거겠지만요."

"충분히 나올 수 있는 상황이에요. 열두 번의 연속쯤은."

여자의 대답에 디케이는 입꼬리를 올리며 말했다.

"그럼요. 그렇고말고요. 낮은 확률이지만, 충분히 나오는 게 가능하죠. 그런데 부인은 왜 그보다 낮은 확률에만 이의를 제기하시는 겁니까?"

"계산해 봤거든요."

여자가 말했다. 그리고 그녀는 자신의 다리 길이만큼 무리에서 몸을 더 떨어뜨린 다음, 딱 그만큼의 목소리로 말했다.

"정말 그게 조작된 결과가 아니라면, 여기 서 있는 사람 대부분이 서로에게 거짓말을 하고 있다는 게 돼요."

여자의 말이 있고, 사람들은 더욱 침묵했다. 그리고 그들은 누가 먼저랄 것 없이 단상의 두 사람을 흘겨봤다. 어서 빨리 어느 한쪽의 결과를 보이라는 것처럼.

—— 21 시티란 어떤 곳인가

붉은색 철근이 내뱉는 덜컹거림은 골목 샅샅이 뿌리내린 찝찝한 안개 사이에서 들리는 유일한 소리였다. 밝은색이 있었더라면, 아니, 세상 말로 표현 못 할 아름다운 색이 있었더라도 이곳은 우울하게 보였을 것이다. 사람의 인기척은 드문드문 존재했다. 하지만, 거리가 죄다 시커멓고 희뿌연 탓에 그들의 구체적인 모습들을 하나하나 식별한다는 것은 불가능에 가까웠다. 길이 끊어지는 마디마다 생명이 다한 것을 골라 비추는 듯한 허연 가로등이 서 있었는데, 열에 아홉은 당장이라도 곧 꺼질 녀석과도 같은 몸부림을 쳐대는 중이었다. 그런 가로등이 입구서부터 손을 흔들고 있으니, 그야말로 초장부터 구역의 밑천이 드러나고 있는 셈이었다. 거리의 대부분은 무언가를 파는 가게로 채워져 있었다. 가게 간의 흥미로운 공통점은 모두 다 내부가 훤히 보일 정도로 외벽의 유리를 깨끗하게 청소해 두었다는 점. 예외는 없었다. 불이 꺼진 가게조차 다른 가게의 빛을 받아 투영하게 반짝대고 있었으니까. 가게는 보통 조명의 색으로써 제품군을 분간할 수 있게끔 되어 있었다. 옷이나 장신구, 식료품과 같이 스스럼없이 구매할 수 있는 제품을 판매하는 곳은 밝은색을. 담배나 술, 혹은 약물처럼 구매에 약간의 처세술이 요구되는 곳은 어두운색을. 거리가 이렇게 **느슨히** 자리 잡힌 것은 이제 한 달 남짓. 그러니까, 암흑에 가까운 드높은 장벽에서 시종일관 감시의 눈초리를 떨어뜨리던 가더들이 종적을 감춘 날부터였다. 그들이 소리도 없이 사라진 첫날, 그 하루의 거리는 그야말로 아수라장이었다. 그간의 눈치를 벗어던지고서 거리를 활보하는 데만 스스로를 내맡긴 사람들. 길은 지독한 철창에 갇혀 있던 개들이 풀려난 것처럼 금세 발자국과 표시들로 얼룩졌다. 그것도 단 몇 시간. 축제 중인 사람들에게로 한 가지 말이 번져가기 전까지만. 그것은 축배 들기에 동참하지 않은 몇몇 간잽이들의 입에서 시작된 말이었다. '숫자는 허물어지지 않았다.'

"안개가 오래도 가는군."

딘은 시가를 닮은 얇은 담배에 불을 붙이며 말했다. 생긴 것만큼이나 격조 있는 목소리였다. 짧게 친 머리에 그마저도 바람에 흩날리는 것이 싫어 왁스를 잔뜩 묻힌 앞머리는 특히나 남성적 향취가 물씬했다.

"그러게나 말이에요."

옆에 있는 **소년**이 대답했다. 담배에 맺힌 불씨를 탐스럽게 쳐다보는 것과는 별개로 몹시 앳된 얼굴을 지닌 소년이었다. 딘의 배꼽 높이 정도에 키가 닿는 소년은 체구는 작았지만, 눈이 몹시 총명했고, 영특한 분위기를 내뿜고 있었다. 소년이 담배의 불씨에서 딘의 꺼뭇꺼뭇한 인중 근처로 눈길을 옮기며 말을 이었다.

"어디로 갈 거예요?"

"일단 이 빌어먹을 공사 소리가 들리지 않는 데까지 나가자. 그래야 비로소 생각이란 걸 할 수 있을 것 같으니."

"정해졌네요, 그럼. 1번지의 술집으로."

소년의 말이 끝나기 무섭게 딘은 코트의 주머니에 한 손을 꽂고서 도로로 나가 택시를 세웠다. 그리고 뒤이어 사방 가득 너저분한 래커칠로 뒤덮인 차 한 대가 딘의 앞에 다가와 섰다. 멀쩡한 부분은 회사 로고가 박힌 모자 쪽밖에 없었다. 딘이 조수석 문의 손잡이를 움켜쥐자, 소년은 뒤로 가, 문을 열고 자신의 작은 몸을 밀어 넣었다.

"목적지."

얼굴에 주름이 가득한 기사는 말이 짧았다. 딘은 조금도 불쾌하지 않다는 표정으로 대답을 건넸다.

"시티의 끝으로 갑시다."

선글라스를 낀 기사가 알을 살짝 내리며 고개를 돌려 딘을 바라봤다. 그러고는 본인만의 견적 내기를 끝마쳤다는 입 모양을 걸어 올리며 말했다.

"거긴 뭐 하려고?"

"가지 않으시겠다면 내리겠습니다."

단호히 말한 딘은 금방이라도 내릴 자세를 취했다. 그러자 기사가 한발 물러서는 목소리로 말했다.

"가는 길이야 수십 갈래도 알지. 그놈들이 사라졌다고 해서 길이 변하는 건 아니니 말이야. 그렇지만, 이유가 궁금하달까."

"이유는 딱히 없습니다. 단지 공사 소리로 가득한 이 추악한 동네를 벗어나고 싶은 것뿐이에요."

그리고 그때, 뒷좌석에 가만히 앉아 있던 소년이 입을 거들었다.

"제가 가고 싶다고 했어요! 오늘은 모처럼 가게 문을 닫기로 한 날이거든요!"

"가게?"

'가게?'

기사와 딘이 각각 겉과 속으로 되물었다.

"네! 저희 집은 옷가게를 하는데, 손님이 끊겼거든요. 그래서 시장조사를 위해 멀리 나가 보려는 거예요!"

옷을 판다는 소년의 말에 기사가 선글라스 너머의 눈으로 소년과 딘의 옷차림을 살폈다. 그리고, 그를 들은 딘은 하마터면 실소를 터뜨릴 뻔했다. 어금니를 세게 베어 물며 창밖 먼 곳으로 눈길을 던지는 딘의 옆으로 소년은 들으라는 듯이 말을 계속 뱉어냈다.

"원래는 장사가 아주 잘되는 집이었어요! E구역에서 옷을 지으러 올 정도였으니까요. 그런데 그놈들이 물러난 그때부터 손님들이 점점 발을 들이지 않았어요. 저희 가게는 옷감에 돈을 아끼는 편이 아니었거든요. 그래서…"

"그래서 지금 살 궁리를 찾기 위해 떠나는 길인 겁니다."

딘은 백미러를 보며 말했다. 소년이 먼저 깜찍하게 한쪽 눈을 감았다. 딘은 이번만큼은 참지 못했다. 입꼬리가 먼저 올라갔고, 입을 가리는 손이 그다음이었다. 운전대를 잡음과 동시에 고개를 앞으로 되돌린 기사는 그를 보지 못했다. 그리고, 되려 흥미롭다는 듯이 말을 뱉어 놓았다.

"그래, 장사꾼들이었나. 알고 있겠지만, 최근 들어 장사라는 이름에 먹칠을 하고 나서겠다는 놈들이 부쩍 늘어났어. 정확히는 가지고 있는 것을 팔겠다는 놈들이지. 다들 모아둔 돈이 바닥을 보이기 시작했기 때문일 거야. 조폐마저 끊겼으니 더더욱 불을 만난 기분이겠지. 이해는 가. 하지만 나는 모든 직업이 고귀하게 남았으면 좋겠거든."

"조폐가 끊겨요?"

딘은 태어나 그러한 말을 처음 듣는 사람인 것처럼 불균형한 음정으로 목소리를 내었다. 자칫 오버하는 행위가 될 수도 있음을 잘 알고 있었지만, 찰나의 기억이 평생의 인상을 결정하듯, 딘은 지금이 도착지까지의 기사의 경계를 허물 수 있는 적기라고 확신했다.

"날 떠볼 이유는 없을 테고, 진심이로군?"

"떠보다니, 그럴 리가요. 정말입니다. 정말 지금 처음 들었어요. 저희는 외곽에서도 꽤 깊숙한 위치에 자리를 채우고 있거든요. 그래서 소식 닿는 것이 늦습니다."

"번지수가 어떻게 되길래?"

"58입니다."

숫자를 들은 기사가 납득한 얼굴을 띠며 고개를 위아래로 흔들었다. 그리고 말했다.

"58이라고? 젊은 사람이 멀리에도 떠밀려 사는군. 처음부터 그곳으로 배정받았나?"

"네, 처음부터."

그리고 얼마간 기사는 조용했다. 할 말이 떨어졌다기보다는, 앞으로 할 말에 대해 생각하는 듯한 얼굴이었다. 창문 바깥으로 줄줄이 이어지는 공사 현장의 모습이 새들처럼 지나갔다. 그리고 안개 자욱한 층 안에서 작은 형체로 색이 바랜 노란색 안전모들이 그곳에 터를 잡은 유령처럼 떠다니고 있었다. 딘은 다시금 백미러를 흘겨보았다. 소년은 창 쪽으로 고개를 꺾어 놓은 채 잠이 들어 있었다. 딘의 입꼬리가 다시 살짝 올라갔다. 그리고 딘은 그때가 돼서야 새벽부터 긴장하고 있던 몸이 풀렸음을 알 수 있었다. 그가 자신의 상태를 확인하는 방법은 단순했다. 머릿속으로 자신이 원하는 이미지를 흔들림 없이 3초간 유지할 수 있는 상태. 딘은 그쪽 방면에 있어 탁월한 능력을 지닌 사람이었다. 대상에 제한이 있다거나 하는 것도 아니었다. 현실에서 본 것이든, 꿈속에서 본 것이든, 한 번 눈에 각인한 사물은 언제든 뚜렷하게 그릴 수 있었다. 딘은 백미러를 주시하고 있던 눈을 거두어 기사의 오른뺨을 슬쩍 바라보았다. 기사는 옆자리를 의식하지 않고 있었다는 결백을 주장하듯이 눈가 밑으로 일말의 미동도 보이지 않았다. 쳐다보면 고개를 돌리려고 했는데, 라고 딘은 마음속으로 중얼거렸다. 그리고서 딘은 아예 대놓고 기사의 외관을 뜯어보기 시작했다.

…오십, 아니, 육십. 턱에 여유로운 살집이 없고, 얼굴 앞면이 특히 햇볕에 그을린 걸 보니, 평생 운전대 하나만을 잡고 살아온 건가. 모니터 하나 올려놓지 않은 거로 봐서는 기계를 싫어하는 부류일 테고, 그리고 또 하나. 이 노인, 실은 엄청난 말재간의 소유자일 거야. 딘은 거기까지를 생각했다.

"택시가 꽤 멋들어지게 생겼던데요?"

그러자 기사가 침묵을 깨는 후덥지근한 웃음소리를 내며 화답했다. 크지 않은 크기였다.

"허허허, 아들이 깰 텐데?"

"아들이요?"

"아들이 아니었나?"

기사가 오른 어깨를 돌리듯 뒤로 밀어 보내며 말했다.

"아, 동생입니다. 나이 차이가 꽤 나죠."

그 뒤로 딘은 한마디를 덧붙였다.

"웬만해선 깨지 않을 겁니다. 어제 새벽을 꼴딱 지새웠거든요."

"왜, 공사 소리 때문에?"

"네. 근래에 들어서는 거의 밤낮 할 거 없이 일을 해대니까."

"불안해서 그러는 걸 테지."

"누가 말입니까?"

딘의 한결같은 되물음에 기사가 처음으로 조수석을 향해 고개를 돌려 왔다. 진심 어린 안타까운 눈빛을 보이고 싶었거나, 대화 내도록 말귀 어두운 멍청이를 자처하는 딘에게 싫증이 났거나. 일단, 딘에겐 다행스럽게도 후자는 아니었다.

"다. 전부가 불안해하는 중이지. 자네만 해도 그렇지 않나? 동생 말대로 이 해 뜰 무렵부터 시장조사에 나섰잖아. 그놈들 빈자리는 생각보다 기쁜 일이 아닐지도 몰라. 언제고 다시 마음을 바꿔 먹고 우리를 불태우러 올지도 모르는 일이지."

"그런 것치고는 분위기가 너무 조용하지 않습니까?"

"조용하다고? 아니, 나는 반대로 생각하네. 너무도 밝아. 그렇기에 다들 본인도 모르는 사이에 불안에 잡아먹힌 게 아니겠는가."

기사의 말을 들은 딘은 창을 절반가량 내린 뒤, 기사가 앉은 쪽으로 다리를 꼬았다. 그리곤 조용히 코트 안쪽의 담뱃갑을 흔들어 가장 길게 삐져나온 개비를 뽑아 입에 물었다. 불을 붙이기 전, 딘은 기사에게 말했다.

"다른 뜻은 아닙니다만, 통찰력이 좋으시군요."

그에 기사가 좀 전에 지나간 물음의 대답을 뱉어 놓았다.

"그날 아침, 더럽혀진 택시 꼬락서니를 보니 알겠더군. 내가 사는 곳이 얼마나 추잡하고, 얼빵한 녀석들이 모여 있는 데인가를."

"회사에선 뭐라고 하던가요?"

딘은 물었다.

"좋아했다고 하면 믿을 텐가?"

기사가 대답했다.

"이제는 가능할지도요."

딘은 불을 붙였다. 그리고 연기를 깊게 들이마셨다.

—— 22 시티의 화가, 카리브

켜켜이 잠가 놓은 실내는 며칠은 묵은 듯한 어둠으로 가득했다. 굉장히 너저분하고, 굉장히 질서 없는 방이었다. 그리고 그 속에서 **카리브**는 눈을 떴다. 그녀의 베개로 빠진 것인지 굽이진 것인지 모를 여러 갈래의 머리카락들이 엉켜 있었다. 카리브는 자는 새에 위아래가 뒤집힌 이불을 실눈으로 보며 신경질적으로 몸을 일으켰다. 그리고 언제나처럼 양쪽을 두고 고민했다. 물감을 마시고 죽어 버릴까, 밖으로 나가 작업실로 걸음을 내려놓을까. 카리브가 지금과 같은 폐인으로 전락한 것은 오래전부터 조짐을 보였던 것이 아닌, 하루아침 사이에 벌어진 일이었다. 해가 질락말락 하는 늦은 오후, 타투이스트인 그녀의 일과는 그때부터가 시작이었다. 이제 막 술을 몇 모금 삼킨 사람들이 지하에서 기어 나와 어슬렁거리는 곳, 그녀의 작업실은 그 바로 건너편에 자리하고 있었다. 따지자면, 카리브는 딱히 타투에 흥미를 두고 있던 편이 아니었다. 그녀가 생업 삼아 하던 것이 그림 그리는 일이었다는 게 유일한 공통분모였다. 물감을 푼 물과 붓, 카리브의 전문이었다. 저 세 가지만 있으면 그녀는 세상 모든 것을 그릴 수 있었다. F구역에서만 놓고 본다면, 카리브는 최고의 화가였다. 그리고 그녀가 가진 능력에 대한 소문은 위로도 퍼져나가 있었다. 특히나 태평스러운 가더들, 그들에게 말이다. 구역에 배치되어, 하는 것이라곤 도망자들을 색출하고, 포획하는 것뿐인 말단의 공무원들. 카리브에게 접촉해 처음 제안을 건네온 것도 그들 중 한 명이었다.

"네 그 솜씨로 내 등을 마구 휘저어 줬으면 하는데, 어때. 나를 위해 도안을 그려 주지 않겠나. 보수는 네 하루 벌이의 석 달 치를 쳐주도록 하지."

"도안이요? 제가 그림을 그리긴 하지만, 그쪽과는 분야가 달라서요. 제안은 감사합니다만, 저 말고 다른 전문인을 찾아가시는 게 훨씬 나은 선택이실 거예요."

"아니. 네 그림은 뭐랄까…, 말로 못 할 생동감이 있어. 먹지에 찍혀 나오는 계산적인 것들과는 비교도 할 수 없을 만큼. 한 자릿수에 거주하는 병신들보다 백 배는 나을 거야."

낯선 대우와 처음 듣는 칭찬. 그 말을 들은 카리브는 얼굴을 붉혔었다. 그리고 그때의 얼굴을 몹시 빼닮은 색 한 점이 지금 침대의 창문 옆, 블라인드를 투과하여 물감이 담긴 병과 만나 마치 꽃잎처럼 바닥에 떨어져 있었다. 빌어먹을 마라카투라. 바닥을 본 카리브는 속으로 생각했다. 새로이 날을 맞이하는 순간이면 여지없이 찾아와 눈앞을 가로막는 형상이었다. 그것은 일종의 회상처럼 작용했다. 연회색 가지에 옹기종기 매달려 있는 초록색과 붉은색 열매. 마라카투라는 카리브의 손을 거쳐 간 마지막 작품이었다. 카리브의 본격적인 개시 이후에 단지 숨소리에서마저도 거칢과 고지식한 면모가 드러나는 인간들이 발길을 이었다. 그들이 의뢰로 들고 온 문양들도 하나같이 호전적인 것들이 주였다. 한때, 강함의 역사였던 투사의 투구나, 날붙이, 방패, 피칠갑 된 깃발에 이르기까지. 그와 같은 것을 그린다는 행위는 카리브에게 어려운 일이 아니었다. 단순히 그림을 그리는 것이었으니까. 다만, 벌이와는 별개로 카리브는 나날이 굽어 갔다. 작업을 마치고 불을 끄는 때면 자신을 닮은 누군가가 힘없이 속삭였다.

'이제 그만 도망쳐. 다시 원래의 네 붓을 들어.'

그러면 카리브는 이불 속으로 도망쳤다. 알고 있는 목소리, 알고 있는 말뜻, 참에 가까운 모든 사실이 자신을 옥죄는 시간을 도저히 견딜 수가 없었기에. 똑같은 밤을 지새운 날, 카리브가 눈을 뜬 그날은 다를 것 없는 평일 수요일 오후 무렵이었다. 그리고 카리브는 그날, 그녀를 처음 발견했다. 그녀는 줄의 중간쯤에 서 있었다. 자신의 얼굴 길이를 살짝 웃도는 은색의 단발머리에 너무나도 평온한 눈빛을 가지고 있는 여인. 그녀는 그간의 여자 가더들과 비교하여도 훨씬 왜소한 편에 속하는 여인이었다. 카리브는 홀린 듯이 발걸음을 옮겼었다. 무엇 하나 눈에 담지 않으려야 않을 수 없는 사람, 끔찍한 수요일 오후를 토요일처럼 느끼게 해 준 그녀를 향해.

"여기에 있는 거 맞아요?"

카리브는 물었다.

"네."

여자가 대꾸했다. 겨우 한 음절짜리 대답이었지만, 떨림이 있었다. 가까이서 그를 들은 카리브는 속으로 생각했다. 이 사람, 정말로 보이는 것만큼이나 작은 사람이구나.

"원하는 도안이 있나요?"

카리브는 다시 여자를 천천히 훑으며 확인했다.

"…아."

여자는 이번에도 비슷한 길이의 목소리로 대답했다. 그리고 여자는 매우 느린 움직임으로 가슴 옆쪽에 자리한 포켓을 열어 손수건처럼 접혀 있는 종이 하나를 카리브에게 내밀었다. 작은 종이는 검은색 단일 잉크가 번져 뒷면까지 물이 들어 있었다.

"이게 뭐예요?"

카리브는 건네받은 종이를 유심히 바라보며 물었다.

"…마라카투라."

여자가 대답했다.

"발음이 어렵네요. 그게 이 열매의 이름인가요?"

"네. 커피콩 중 하나예요. 그들 가운데에서는 가장 덩치가 크죠. 그래서 좋아하는 녀석이에요."

"단지 크기가 커서요?"

이어지는 카리브와 여자의 대화에, 줄의 틈을 좁히고 있던 몸집 굵은 남자들의 시선이 퉁명스럽게 날아왔다가 튕겨 나갔다. 그마저도 반사적이었을 뿐, 애초에 진정으로 관심 있는 눈초리는 한 가닥도 존재하지 않았다. 카리브는 시선을 느꼈다. 그리고, 시선을 느낀 카리브는 오히려 통쾌한 기분이 들었다. 여자도 싫지만은 않은 듯이 말을 내뱉었다.

"그런 것도 있고, 제가 커피를 워낙 좋아하거든요. 그리고 열매 생긴 게 제 취향이기도 해서…"

카리브는 고개를 끄덕였다.

"그래요, 그럼. 이걸 참고해서 그쪽 체형에 맞게 선을 그려 볼게요."

카리브는 손의 종이를 앞치마의 주머니에 밀어 넣었다.

"아, 감사합니다."

카리브의 화답에 여자가 얼굴을 붉히며 말했다. 그 순간 여자의 입가로 미소 비슷한 것이 떠올랐는데, 그 모습이 너무나도 어색해 마치 날 때부터 웃는 것을 금기시 당한 사람 같았다. 그리고 사내들 사이에서 작게 빈정대는 소리가 들리기 시작한 것도 그 무렵부터였다. 그들 중 처음으로 운을 뗀 남자가 정확히 이렇게 말했다.

"오호, 여자끼리 정을 나누는 건 시티 법 위반인데."

가더 특유의 빳빳한 복장 규정을 제멋대로 훼손하고 있는 것부터 자신이 꽤 경력에 찬 인물이라는 사실을 과시하고 있는 남자였다. 카리브는 그로부터 받은 것과 똑같은 말투로 대꾸를 건넸다.

"성희롱도 명백한 시티 법 위반이라는 사실은 모르나 봐요?"

"어이쿠, 미안. 내 사과하지. 사전 차단이 일인 걸 어떡하겠나."

"근데 조심하는 게 좋을 거야. 여기 있는 우리들은 신고 정신이 너무도 투철하거든."

남자가 마치 동료들을 소개하듯, 어깨까지 쳐든 양손을 앞과 뒷사람의 좌우로 흔들며 말했다.

"그럴 일 없네요."

딱 잘라 대답한 카리브는 홀로 굳어 서 있는 여자의 팔목을 세차게 낚아채며 줄에서 한 걸음 물러나, 남자의 근방에 있는 모두를 향해 카랑카랑한 목소리로 말했다. 여자는 하얗게 질려 있었다.

"저분의 말 한마디로 인해 오늘 여러분의 귀중한 순번이 더럽혀졌습니다. 거기에다 또 한 가지, 여러분은 동료의 실언에도 불구하고 어느 한 사람 나서서 만류하려는 이가 없었 죠. 돈을 쥐고 있는 사람은 여러분일지 몰라도, 거래에 응하는 사람은 접니다. 제가 못하겠 다면 그걸로 그만인 거죠."

카리브의 도박과도 같은 엄포는 의외로 꽤 먹혀들었다. 말속에 특정인을 넣은 것이 적중 했다. 잡음이 일던 줄은 순식간에 조용해졌고, 모두의 신중한 눈길이 둘에게로 집중돼 있었 다. 카리브는 숨을 고르며 그들을 타이르듯 고개를 위아래로 끄덕거렸다. 조용해진 순간, 카리브는 승기를 예상했다.

"그런 의미로, 줄에 서 계신 동료 여러분들께서 저분을 대신해 양보를 해 주셔야겠습니 다. 이 여성분을 오늘의 첫 손님으로 데려가도 불만 없으시겠지요?"

보통 카리브가 한 사람과의 거래에 소모하는 시간은 40분 내외였다. 몸의 부위를 정하 는 것부터 시작해서 구도와 색, 상호 간의 의견 절충, 그리고 마지막 스케치까지를 모두 포 함한 시간이었다. 줄이 형성되기 시작하는 것은 해가 지는 무렵부터였고, 그날의 마지막 의 뢰인을 정하고 줄을 자르는 것은 그녀 작업실 건너편에 자리한 술집에 손님이 나타나기 시 작하는 무렵이었다. 많아야 하루에 일곱 사람. 지금 시비를 건 남자가 있는 위치는 앞에서 여섯 번째였다. 그러니까, 그 때문에 오늘을 날릴지도 모르는 인물만 근방에 여럿인 셈이다.

"좋은 생각이 아닌 것 같은데."

남자가 두 사람에게로 거리를 좁히며 말했다. 여자는 움찔거렸지만, 카리브는 아니었다.

"저를 협박하기보다는 같이 계신 분들에게 사과부터 하는 게 우선 아닐까요?"

"내가? 내가 왜 사과를 해야 하지? 내가 질서를 흩뜨렸나?"

남자가 주변을 조금도 돌아보지 않고서 말했다.

"질서는 다수가 무너뜨리는 게 아니에요. 언제나 소수죠."

말을 뱉은 카리브는 조금의 틈도 두지 않았다. 행여 그들이 자세를 바꿔 동조의 시간을 가지는 일이 없도록 재빨리 움직였다. 몸들이 붙어 있었고, 시선들이 모여 있었기에 카리브는 생각한 것보다 반 박자 빠르게 말을 내뱉었다. 그 누구일지언정 멀쩡한 논리를 걸고 늘어질 수 없게.

"상황이 꼬였다고 해서 근무에 연장은 없습니다. 오늘도 원래와 비슷한 시각에 작업을 마감할 것입니다. 그리고 언제나 그랬듯이, 내일의 줄은 별개 사항입니다."

대개는 허탈에 가까운 탄식이었다. 그리고 표정 구기는 게 극명히 두드러지는 사람이 딱 두 사람 있었다. 그 말을 면전에서 들은 남자와 남자 바로 뒤에 있던 사람이었다. 특히나 뒷사람은 기분이 상했다는 티를 행동으로 여가 없이 나타내 보였다. 카리브가 몸을 돌릴 때부터 품에 넣은 손을 꼼지락거리던 그는 카리브가 뒤돈 순간, 쥐고 있던 종이를 뭉쳐 그녀의 등 뒤로 집어 던졌다. 카리브는 무언가가 자신에게 날아와 부딪혔다는 것을 인지했지만, 이미 끝난 싸움에 일말의 흥미도 없었다. 그리고 내도록 조용히 다물고 있던 여자는 카리브가 잠긴 작업실의 문을 열자마자 입을 열었다.

"어쩌려고 그러셨어요?"

실내인 탓도 있었겠지만, 밖에서의 목소리와는 분명 결이 달랐다. 보다 얇고, 보다 가냘팠다.

"이제 와 따지기에는 늦지 않았어요?"

카리브는 어이없다는 얼굴로 대답했다.

"…하지만."

"의외인데요. 내가 너무 겉모습만 봤나 봐요."

"상대가 가더인걸요."

그 말에 카리브는 여자의 배꼽 아래에 있는 버클을 손가락으로 튕기며 말했다.

"그쪽은 가더 아니에요? 똑같은 가더 감싼 건데 뭐가 문제예요. 저들은 오래됐고, 당신은 탱탱해서?"

"…그런 문제가 아니라는 걸 아시잖아요."

카리브는 알아들었다는 듯 고개를 끄덕이며 능청스러운 걸음걸이로 입구에 선 여자를 작업실 안으로 밀고 들어갔다. 너무 뜸을 들이지도, 너무 재촉하지도 않는 걸음이, 살포시 등에 얹은 손처럼 보여 떠미는 모양새였지만, 퍽 유순한 태가 돌았다. 그리고 어느덧 여자의 몸이 기다란 책상 앞 의자에 닿는 때가 되자, 카리브는 미끄러지듯 맞은편 의자에 다리를 꼬고 앉으며 말했다.

"이렇게 새로운 의뢰인과 마주할 때면 늘 하던 말이 있는데 그쪽도 한번 들어 볼래요?"

"왜 저에게는 선택권을 주시는 건가요?"

여자가 물었다.

"음— 좋은 질문이에요. 라고 말해 주고 싶지만, 딱히 특출난 이유는 없어요. 매번 거기서 거기인 대답들만 들어서 그런 걸지도요. 하지만 굳이 꼽자면, 그쪽이 가져온 도안이 제일 정상적이었다고나 할까."

——— 23 택시기사와 시티의 장벽

한동안의 실랑이였다. 발단은 택시가 목적지에 멈추고부터였다. 모퉁이에 차를 세운 기사가 돈 받기를 거부하고 나선 것이다. 이유를 묻는 딘에게 기사는 이렇게 대답했다.

"멍청한 회사는 아직 모르는 눈치지만, 나는 알아. 돈의 존재가 앞으로 어떤 대접을 받게 될지 말이야. 그렇기에 나란 사람은 이것까지도 알고 있지. 차에 탄 옷가게 사장 놈이 실은 장사와는 아무런 연관성도 없다는 사실."

"언제부터 눈치채셨습니까?"

딘은 억지웃음을 지으며 물었다. 그리고 막 잠에서 깨어, 비몽사몽 한 얼굴로 딘의 옆에 쪼르르 붙은 소년이 그를 보고는 따라 웃었다.

"이곳으로 오자고 할 때부터."

"하하. 겉에 칠이 된 택시는 앞으로 조심해서 타야겠군요."

"근데 하나는 아직도 모르겠어."

"무엇입니까? 기왕 들통 난 김에 말해 드리죠."

"둘이 형제라고?"

물음을 건넨 기사는 애초에 대답을 듣기 위한 말이 아니었다는 듯이 곧장 차를 돌려 들어온 길 반대편으로 빠져나갔다. 그리고 멀어지는 후미등을 향해 딘은 한 방 먹었다는 표정으로 고개를 가로저었다.

"조폐를 모른 척한 데서 눈치를 챈 거 같지?"

딘은 자신과 똑같은 얼굴을 띠고 있는 소년을 향해 말했다.

"아니요. 그건 아닐 거예요."

소년이 대답했다.

"그럼?"

"말한 대로일지도 모르죠. 눈을 감고 사는 사람이 아닌 이상, 시간이 지난 지금은 주변이 조금씩 보이기 시작했을 테니까요."

"…그래, 뭐. 어쨌든 저 영감이 회사에 이르지 않기를 빌자고."

딘은 힘이 잔뜩 들어간 하관으로 담배를 깨물었다. 그리고 라이터를 쥔 손을 주머니에서 꺼내지 않은 채 천천히 고개를 들어 올려 구역의 끝. 그 끝을 바라보았다. 장벽은 작열하는 태양을 순식간에 얼려 놓은 것처럼 서늘한 한기를 내뿜으며 지면서부터 솟아올라 있었다. 언뜻 판단한다면 아득해 보이는 벽이었지만, 실상 그렇게 높은 것은 아니었다. 실제로 구역에서 가장 높은 건물의 옥상에 올라 뜀박질을 하면 너머에 있는 경관이 보일 정도였으니까. 정확히 그만큼이 되도록 설계된 높이였다. 재량껏 볼 수 있을 정도의, 재량껏 희망을 품을 수 있을 정도의. 그리고 그날 밤엔 본 사람이 아무도 없었다. 저 장벽을 넘어가는, 혹은 통과하는 가더의 뒷모습을 본 사람이 말이다. 그래서 혹자들 가운데 누군가는 처참한 의견을 내기도 했다. 저 벽은 넘으라고 지은 것이 아니라 저들의 감상을 위해 존재했던 거야, 라고.

"곧장 가실 거예요?"

소년이 물었다.

"글쎄. 사실 확신하진 못하겠어. 약속을 잊었다고 말한대도 무색할 만큼 긴 시간이 흘렀으니까 말이야."

"그래도 문은 열어 봐야죠?"

"…그래야지."

딘은 대답과 동시에 고개를 내려 담배에 불을 붙였다. 또 한 번, 앳됨과 어울리지 않는 소년의 탐스러운 눈빛이 그곳을 스쳐 지나갔다. 굽는 부분 없이 일직선으로 이어지는 벽과 구역의 끄트머리 사이에는 일정한 너비의 폭이 존재했다. 멀리서 보면 벽의 오랜 부스럼이 땅 위로 떨어져 쌓인 것처럼 보이기도 했다. 검고, 지저분한 것이 전부인 곳이었다. 둘은 거기서 떨어져 벽과 평행한 방향으로 걷기 시작했다. 외곽의 안개는 진즉에 사라지고 없었지만, 분위기는 별반 다르지 않았다. 불을 켠 집은 꼽을 정도였고, 색 있는 간판이 달린 가게마저 모조리 불이 꺼져 있었다. 딘은 물론이거니와, 소년 역시도 어느새 분위기에 사로잡힌 사람들처럼 조용히 다리를 내려놓고만 있었다. 아무런 대화 없이 걷기만을 한 시간가량.

마침내 도착한 그곳은 앞서 불이 꺼져 있던 동네보다 좀 더 깊숙한 내곽 지역이었다. 다른 건 없었다. 주변이 온통 침침했고, 기존에 있던 공사판의 투박한 소리가 들리지 않을 뿐이었다.

"다행이다."

소년이 하늘 아래를 찌를 기세로 뻗어 오른 무성한 나뭇가지를 보며 말했다.

"물론이고말고, 설마 걱정한 거야?"

딘은 소년의 시선을 따라가며 말했다.

"네."

소년의 답에 딘은 슬쩍 미소를 띠었다가 숨기고는 말을 이었다.

"걱정하지 마. 제아무리 잘난 놈 놀이를 한다고 해도 자연을 함부로 대할 용기가 있는 건 아주 소수의 인간뿐이니까."

딘의 말에 소년은 잠시 숨죽인 채 뜸을 들이다 물었다.

"A구역의 왕은 소수에 속하는 사람이겠죠?"

소년이 딘의 얼굴로 시선을 옮기며 물었다.

"응, 아마 그럴 거야. 이 모두를 통제하고도 숨을 쉴 수 있다는 건, 그만한 배포가 그 사람 안에 내재되어 있다는 걸 테니."

"그럼, 그만큼 나쁜 사람인 걸까요?"

"몰라. 우리라고 절대적인 신이 되는 것도 아니잖아. 그러니 그걸 굳이 판단하려고 들지 말자. 인간은 그저 순리대로 흘러가는 걸 내버려두기 싫어하는 욕망덩어리, 그뿐이야."

"뭐 어쨌거나, 나무가 살아 있어서 저는 그걸로 됐어요."

딘은 소년이 뭘 말하는지 알았기에, 더 이상 말을 덧붙이지 않았다. 그리고 두 사람은 조금 더 걸음을 내밟았다. 단층의 건물 하나가 시야에 들어올 때까지. 건물의 외관은 간결했다. 가로로의 폭이 길었고, 정면 바로 위에 펍이라는 알파벳 세 자가 적당한 간격으로 붙어 있는 게 고작이었다. 내부에서 새어 나오는 빛은 양이 적었지만, 굵은 검은색 테두리 속에 흰색으로 불을 채운 정면의 조명은 꽤나 밝게 빛을 내고 있었다.

"이럴 줄 알았지."

안으로 문을 밀친 딘은 평소에서 한 단계 쳐올린 목소리로 말했다. 소년은 딘이 문을 잡아 놓은 사이에 가게의 안으로 몸을 잽싸게 통과시켰다.

"이게 누구야."

이미 몇 차례의 잔을 비우고, 그 속에 담겨 있던 얼음까지 집어삼킨 듯한 채구를 가진 사내가 의자에서 몸을 돌리며 말했다. 그리고 뒤이어 그를 사이에 두고 양옆으로 자리를 차지한 남녀 한 쌍이 차례로 고개를 꾸벅였다. 두 사람은 서로 맞춘 듯이 양복을 입고 있었다. 딘은 능글맞게 세운 상체 아래에 손을 건 뒤, 기름칠이 된 나무 바닥을 소리 나게 찧으며 그곳으로 다가갔다. 그를 본 사내도 타이밍을 재더니 휘청이며 의자에서 내려와 몸을 세웠다. 남자의 몸이 먼저 기울어졌고, 딘이 자연스레 그를 받는 모습으로 둘은 상대의 품에 끌어안겼다. 오가는 말 없이 두 사람은 그저 서로가 서로에게 건네는 살갗의 온기로써 한참을 대화했다. 그리고 딘이 먼저 힘주어 두른 팔을 거둬들이며 환희에 찬 목소리로 말했다.

"함께 해 줘서 정말 고마워. **쟝.**"

그리고 그 눈길을 의자에 앉은 둘에게도 고스란히 이어 넘겼다.

"두 분도요. **제리 씨, 페퍼 씨.**"

둘은 대칭이 되도록 합을 맞춘 것처럼 시크하게 잔을 들어 보였다. 생긴 것에 어울리는 반응들이었다. 자신이 훤칠하고, 어여쁘다는 사실을 스스로 잘 알고 있는 부류의 사람들.

"저리로 가 앉지."

쟝이 자신이 앉았던 자리를 가리키며 말했다.

"그래."

딘은 대답과 동시에 소년에게 손짓을 보냈다. 그리고 내내 멀뚱히 있던 소년이 몸을 움직였다. 가운데 의자를 딘이, 제리 옆자리를 쟝이, 그리고 마지막으로 페퍼의 옆에 소년이 얼굴을 파묻으며 걸터앉았다. 총 다섯 사람. 나머지 의자들은 전부 공석이었다. 의자에 앉은 딘은 곧장 상체를 앞으로 기울여 중심을 잡았다. 그리고 또, 가까워진 두 사람에게로 다시 한번 고개를 떨궈 예의를 차리는 것도 빼먹지 않았다.

"이곳 바텐더도 사라진 건가?"

딘은 출렁이는 쟝의 술잔을 내려다보며 말했다.

"엄밀히 말하면 사라진 건 아니긴 하지만, 그 부분이 비상이긴 비상이야. 헛똑똑이들처럼 돈 버는 행위의 불필요성을 깨달은 거면 좋겠다만, 우리가 사는 사회에는 꼭 만에 하나라는 게 있으니까."

"괜찮을 거예요. 그날 이후의 행적도 확인됐고, 그 말인즉, 아직 이 구역에서 벗어나지 못했다는 뜻이 되니까요. 애초에 사라진 건 가더들뿐이잖아요?"

쟝의 대답에 페퍼가 이어 말했다. 그리고 제리가 그 틈을 타, 딘 앞에 있는 잔을 쟝의 앞으로 옮겨 주었다.

"그거면 됐습니다. 너무 걱정 안 해도 되겠군요."

딘은 움직이는 잔을 보며 말했다.

"그래도 확실히 해 둘 필요는 있었죠."

딘의 말에 제리가 얼굴을 돌리며 말했다. 피부 전반적으로 털이 많은 사람이었다. 특히, 아래쪽으로 발달한 하관의 옆을 타고서 저돌적으로 내려오는 양털과도 같은 수염은 반나절이라도 손보지 않는다면 잔뜩 헝클어질 것처럼 보였다. 깔끔하게 손질해 놓은 지금은 그런 티가 조금도 나지 않았지만.

"사람 바텐더가 일하던 유일한 곳이었으니까."

제리가 큰 팔뚝 위로 당겨 놓은 셔츠 자락을 두툼한 손으로 쓰다듬으며 말했다.

"또 하나."

그리고 제리는 말을 이었다.

"그날, 바깥 구역 인간들이 다녀갔다고 합니다."

"도둑놈들 말입니까? 어떻게?"

그에 쟝이 처음 듣는다는 목소리로 대꾸했다. 제리 옆 세 사람의 시선도 그를 향해 나란히 집중되었다. 딘 역시도 전혀 알지 못하는 내용의 이야기였기에 흥미 돋친 눈으로 제리의 입을 쫓았다.

"글쎄요, 아마도 우연이겠죠. 그렇지 않아도 올 때가 됐다고 짐작하던 차이긴 하였으니까요. 다만 문제는 그들의 이번 등장이 우리에게 난제를 끼얹었다는 점입니다."

"난제?"

쟝이 물었다.

"그렇습니다. 한 달 전, 구역을 비추던 흰색 사이렌이 꺼지고 그들의 자취가 모조리 사라진 시각. 구역의 광장이 미어터지고, 발을 디딜 자리조차 찾기 어렵던 그때, 그 사람들이 다녀간 거니까요."

제리가 말을 계속해 나갔다.

"제가 그들을 방관한 의도는 아주 단순한 이유였습니다. 기름 가득한 바다의 뒷배에 불씨 하나를 심어 놓듯이 말이죠."

"여차할 때 놓을 맞불을 생각하신 거군요."

쟝이 말하자, 제리가 대답했다.

"그렇습니다."

"그래서 뭐가 난제라는 거예요?"

페퍼가 딘을 건너뛸 만큼 몸을 앞으로 내밀며 말했다.

"그러니까, 정확히 세 부분입니다. 첫째, 그들이 다녀간 식료품 창고 옆에는 가더의 숙직실이 붙어 있다. 둘째, 그들이 다녀간 그날, 숙직실의 자리가 비워졌다. 셋째, 비어 있는 숙직실을 처음으로 발견한 사람이 우리들이 아닐 수도 있다."

제리가 말을 마치자, 딘은 감정을 확인하는 여느 때처럼 눈을 감았다. 귓가에 들리는 세 사람의 목소리가 서서히 작아질 때까지 딘은 눈을 뜨지 않았다. 그리고 천천히, 조심스럽게 한 달 전의 이미지를 머릿속으로 줄 세우기 시작했다. 더도 말고 정확하게 5초, 그 이상은 유지할 수 없었기에, 딘은 차례가 꼬이지 않는 데에 초점을 맞추어 이미지를 배열시켰다. 맨 처음으로 떠오른 이미지는 그날의 평범하기 그지없는 저녁 풍경이었다. 해가 있거나 없거나 관계없이 우울한 길거리, 죄다 위축된 눈초리를 하고 길을 걷는 사람들. 하나를 완성한 딘은 그를 놓아준 다음, 다음 것을 떠올렸다. 그때의 나는 어디에 있었지. 아, 불 꺼진 카페. 그날도 나는 카페의 외야에서 사람들을 관찰하고 있었구나. 카페에 있을 때였나? 속으로 중얼거린 딘은 몸의 힘을 조금씩 빼내며 어두워진 눈앞으로 신경을 끌어모았다. 카페 테라스 옆으로 지나가는 고양이까지를 떠올린 딘은 다시 완성한 이미지를 놓아주었다. 그리고 그다음, 저 멀리 도로 건너편으로 지나가는 사람들의 행렬을 떠올린 순간, 소리가 들려왔다. 행렬의 소리는 무척이나 난잡했다. 듣기 싫은 갖가지 음들이 갓 오른 신예들처럼 앞다투어 서로를 밀어내는 것 같았다. 그들의 모습이 보이는 곳으로 걸음을 옮기는 부분에서 또렷하던 시야가 날뛰기 시작했지만, 딘은 끊지 않고 떠올린 이미지를 계속 밀고 나갔다. 그리고 그 뒤로 작은 전쟁이 이어졌다. 빈손으로 있는 사람은 거의 보이지 않았다. 대부분이 손에 무언가 흔들 수 있는 물건을 쥐고 있었다. 밟는 사람이 절반, 밟히는 사람이 절반. 그들의 전진은 퍽 폭력적이었다. 선두에는 스피커를 어깨에 진 청년 무리가 일렬로 걸음을 내리고 있었는데, 외설적인 가사 뒤로 어울리지 않는 현악기 소리가 흐르고 있어서 얼핏 들으면 어느 찬송가를 광적으로 편곡한 느낌도 들었다. 이제는 정말 앞서의 이미지가 하나도 남아 있지 않았다. 하지만 딘은 멈추지 않았다. 선명함을 위한 5초는 이미 포기한 지 오래였다. 아무것도 모르고 있던 거리의 사람들은 동경의 대상이라도 발견한 듯 자연스레 그리로 스며들었다. 그리고 어디선가 떨어져 나온 뭉텅이 같던 행렬은 군주가 되어 온 거리를 잡아먹었다. 전진, 전진, 전진. 행렬은 다음 날, 그다음 날까지도 거리를 서성였다.

"또 혼자 눈 감고 있다."

소년이 엎드린 자세 그대로 입술을 실룩이며 말했다. 그러자, 누군가의 입에서 그 말이 나오길 기다렸다는 듯이 쟝이 거들었다.

"보나 마나 그 잘난 놈의 기억력 타령이겠지."

"타령까진 한 적 없어."

딘은 눈을 뜨며 말했다.

"그래서 얼마나 유지할 수 있다고?"

쟝이 상체를 우측으로 틀며 물었다.

"길면 5초 정도."

"언제의 어떤 상황이든 상관없이?"

"무슨 말을 하고 싶은지 알고 있으니까 그만하도록 해."

"난 별말 하지 않았어. 엉큼한 자식."

조롱이 한가득 섞인 쟝의 목소리가 한 곳에서 삐끗하며 튀어 올랐다. 그때야 느긋하게 상황을 지켜보고 있던 제리도 킥킥하고 웃음을 터뜨렸다. 그러다 이내 웃음소리를 줄이며 말했다.

"어디까지 거닐다 오셨습니까?"

"우선은 그날 밤 광장의 사람들을 보고 왔습니다."

딘은 왼손으로 미간을 꼬집으며 대답했다.

"하하, 그렇군요. 하지만, 그날은 정말 광장에 나가지 않고는 못 배길 하루였으니까요."

그 말을 들은 딘은 장단을 맞춰 주었다.

"중요한 얘기 중에 흐름을 끊어 죄송합니다."

제리는 미소와 함께 신사적인 얼굴을 지어 보였다. 그리고, 놓쳤던 스포트라이트를 완전히 본인의 것으로 챙겨 갔다.

"무슨 말씀을. 별로 재밌는 이야기도 아니었는걸요. 평소에 하던 지루한 의혹 제기죠. 결국 제가 하려던 말은 다시 세 가지입니다. 바깥 구역 인간들이 시티의 가더가 사라진 것을 알아차렸다. 바깥 구역 인간들이 비어 있는 가더의 숙직실을 먼저 발견했다. 마지막, 바깥 구역 인간들이 온 그날에 맞추어 가더가 물러났다."

이번엔 눈을 감을 새도 없이 긴밀한 대화들이 오고 갔다. 먼저 목소리를 낸 사람은 페퍼였다.

"세 개나 되면 좀 위험한 거 아닌가. 보통 때도 저렇게 해서 맞아떨어진 게 50%는 넘을 텐데."

그리고 쟝이 말했다.

"자리 비우는 사람 따로 있고, 머리 써야 하는 사람 따로 있군."

"결국은 바깥에 있는 사람들을 의심하시는 거군요."

딘의 말에 쟝이 반문했다.

"바깥 놈들? 그놈들을 왜."

"제리 씨가 말한 세 가지 의혹에 빠지지 않는 것이 가더뿐만이 아니야. 모두 그곳 사람들이 등장한다고."

"그놈들은 그럴 능력이 못 돼. 지금도 겨우 도둑질로써 배를 채우고 있는 족속들이니까."

그때 말을 듣고 있던 제리가 쟝의 어깨에 손을 올리며 말했다.

"놀랍게도 딘 씨의 말이 제가 하고 있는 생각과 일치합니다."

제리는 손을 올린 그대로 말을 이었다.

"비록 평범한 의혹이지만, 그들을 제시하는 데엔 이유가 있습니다. 말씀하신 대로 도둑이라는 점. 그 점이 가장 크게 작용합니다. 그들이 탈출을 꾀한 게 벌써 10년이 넘었죠. 그리고 작금의 시간까지 알게 모르게 그곳으로 빠져나간 사람들을 합치면 수십이 훌쩍 넘을 겁니다. 꽤 많은 숫자이지요."

그리고 제리는 양복의 안주머니에 손을 넣어 은으로 된 담배 케이스를 꺼냈다. 담배의 끝이 불붙기 바로 직전, 제리는 멈칫하더니 입에 문 담배를 다시 손으로 빼내며 텁텁한 목소리로 말했다.

"무기를 들 시기가 지나도 한참이 지났다는 뜻이지요."

제리의 말이 있고 얼마 지나지 않아, 주인 없는 술집의 술은 금방 동이 났다. 마지막 모금을 넘긴 제리가 못내 아쉬운 얼굴로 입맛을 다셨다. 그리고 줄곧 아무것도 마시지 못한 소년이 그의 축축한 수염 근방을 탐스러운 눈빛으로 쳐다봤다. 제리는 본인이 뱉은 말의 무게가 얼마나 무거운 것이었는지를 모른다는 사람처럼 침묵을 이어 갔다. 반대로 페퍼는 단념했다는 듯이 혀를 입 밖으로 내밀고 있었다. 쟝도 마찬가지. 딘 홀로 제리를 따라 진지했다. 딘은 소년이 있는 오른쪽으로 고개를 돌리는 시늉을 하다가 곧장 반대로 고개를 틀어 제리를 향해 말했다.

"그들이 무기를 가져갔다고 한들, 할 수 있는 일이 있을까요?"

제리는 잔에 묻은 물기를 화장품처럼 손바닥 전체에 골고루 펴 바르다 대답했다.

"글쎄요, 어쩌면 아무 일도 일어나지 않을지도 모르죠. 하지만, 우리와는 다른 사람들이라는 건 자명한 사실 아니겠습니까."

"단순히 시티에 살지 않아서요?"

딘은 말이 끝나길 기다렸다는 사람처럼 말했다.

"단순하다고 표현할 문제는 아닌 것 같습니다만."

제리는 굳은 표정으로 말했고, 딘과 눈을 마주한 뒤에도 그 얼굴을 거두어들이지 않았다. 딘은 한 발 앞에 마찰이 기다리고 있음을 본능적으로 느꼈다. 그리고 멈출 수 없다는 것 또한 알 수 있었다. 자존심, 혹은 취기. 확실한 건 없었지만, 딘은 둘 중 무엇이든 상관없다는 생각이 들었다.

"애초에 단순한 무리라고 생각지 않고 있었군요?"

딘은 제리의 눈을 똑바로 응시하며 말했다. 제리는 언제든 붉게 뒤바뀌는 것이 가능한 눈을 하고 있었다.

"반역입니다, 딘. 단순한 사람은 반역자가 될 꿈도 꾸지 못하죠. 두려워서요."

제리가 답하자, 그저 지나갈 헤프닝 정도로 둘을 바라보던 양옆 두 사람의 눈동자가 심각하게 변해 가기 시작했다.

"반역이요? 그들이 우리에게까지 반역자입니까? 한때는 구역을 공유하고 살던 동료들입니다."

그리고 딘이 말을 끝내는 그때, 쟝이 달아오른 분위기를 꺼뜨리려는 몸짓으로 제리의 어깨에 팔을 두르며 말했다.

"이래서 술이 필요한 건데."

쟝은 딘을 향해 멈추라는 눈짓을 보냈다. 딘은 그를 봤지만, 못 본 척하였다. 그리고 딘은 제리의 차례를 가로채며 말을 덧댔다.

"도둑질을 방관한 건요?"

"이봐! 딘!!"

쟝이 소리쳤다.

"오래전 이야기를 꺼내시는군요."

반대로 제리는 평온하게 목소리를 냈다. 그리고 제리는 아무런 타격도 입지 않은 듯한 모습으로 말을 계속했다.

"가더가 물러난 지금에 와서 할 말은 아니지만, 제가 그곳에 있을 당시엔 언젠가 분명 쓸 데가 있다고 생각했습니다. 게다가 도둑맞은 물건들이 겨우 통조림이었지요. 따지고 봐도 손해 볼 투자는 아니었습니다."

그 말을 들은 딘은 이미지를 떠올려 볼 필요도 없이 확실히 깨달았다. 지금 피어난 자신의 투기는 술이나 분위기에 휩쓸려 돋아난 것이 아닌, 아주 오래전부터 이입된 존중심 때문이라는걸. 참기를 멈춘 사람들을 향한 존중, 탈출을 감행한 사람들을 향한 존중, 새 삶을 얻은 사람들을 향한 존중. 존중이라는 사실을 속으로 확인하고 나자, 딘은 제리가 뱉은 말에서 단어 하나가 거슬렸다.

"겨우 통조림이라고요?"

그리고 제리가 눈치챈 목소리로 대답했다.

"그렇게 틀린 표현도 아닙니다. 말 그대로 통조림은 어디까지나 비상식량일 뿐이니까요. 부유하지 않은 우리로서도 통조림을 식사의 주된 재료로 사용한 적은 없습니다."

그에 딘은 말했다. 대화로 느껴지기에는 아슬아슬한 목소리였다.

"그들을 조롱하지 마십시오. 최소한 여기 있는 사람들의 배 이상의 용기가 있는 사람들입니다."

"이제는 반역을 용기라고까지 말하는군요, 딘."

그리고 그 말이 끝남과 동시에 제리의 얼굴에서 딘은 멀어졌다. 정확히는 두 사람이 동시에 떨어졌다. 쟝이 제리를, 페퍼가 딘을, 소년도 페퍼가 딘을 붙잡은 틈에 의자에서 몸을 내렸다. 그리고 소년은 벌어진 두 사람 사이로 들어가 우뚝 섰다. 나이 어린 사람의 참가는 나이 든 이에게 수치스러운 시간을 떠안겨 주었다. 젊음이 넘치는 인간 앞에서 딘을 포함한 네 사람은 대화 이전의 시간으로 돌아간 듯 말이 없었다. 그리고 순식간에 무리의 가운데를 점령한 소년은 평소와 다를 것 없이 밝고도 순조롭게 첫 단추를 끼웠다.

"싸우지 마세요. 우리가 이런다고 변하는 건 아무것도 없잖아요. 떠난 사람들이 돌아오는 것도 아니고, 사라진 가더들이 나타나 영문을 들려주지도 않을 거예요. 여기, 우리의 상대는 시야에서 벗어난 수수께끼 같은 존재가 아니잖아요. 당장에 문을 열고 나가면 보이는, 언제고 우리를 내려다보고 있는 차가운 눈이 달린 벽. 장벽 하나뿐이에요."

—— 24   카리브의 작업실, 그리고 마라카투라

작업실에는 맥없이 끌려다니는 노인의 지팡이처럼 불규칙적으로 울리는 소리가 둘 존재
했다. 하나는 프린터에서, 다른 하나는 창문 위에 달린 제습기에서. 벽지 본래의 무늬가 보
이는 면은 네 면 어느 곳에서도 찾아보기 힘들었다. 가장 많은 것은 화이트보드, 특히 새하
얀 보드 위에 덧칠된 유성 잉크의 양이 실로 어마어마했다. 당장에 확인 가능한 분류도 체
계적인 수준이었다. 큰 분야의 주제부터 시작해서 작은 사물에 이르기까지. 모두가 수작업
이었고, 어느 것 하나 대충 필기하여 내버려둔 것이 없었다. 여자가 입을 열겠단 다짐을 시
작한 것도 그녀의 시야가 존경스럽기 짝이 없는 카리브의 작업실 내부를 담으면서부터일
것이다. 카리브는 그러했다. 남들의 시선, 가까이로는 동료들의 시선, 그것이 두 번째였다.
다리를 건너가면 가더로부터 죽임을 당한 사람이 나올지언정 카리브는 그것이 두 번째였
다. 그 결과로 카리브는 좋은 집을 구했으며, 질 좋은 음식을 매일 섭취할 수 있게 되었다.
카리브는 그 대가가 이전의 자신으로 돌아가는 길을 반납하는 것임을 잘 알았다. 돌아가고
싶어도 가지 못하는 곳. 이제는 꿈에서만이 닿을 수 있는 곳.

"이거 한번 봐 볼래요?"

카리브는 완성한 스케치를 여자의 앞으로 건네며 말했다.

"음…, 열매 수를 좀 더 늘릴 수는 없을까요? 여기랑 여기."

여자가 자신이 가져왔던 도안을 찾는 눈빛으로 종이의 부분 부분을 집으며 말했다. 처음
의 테가 10이었다면 지금은 그의 절반가량이 줄어든 얼굴이었다. 하지만 머리에 물든 은색
은 여전히 돋보였고, 긴장도 조금은 풀린 듯이 겉으로 붉은 기가 흐르고 있었다.

"어디에 새긴다고 했죠?"

카리브는 스케치를 다시 자신의 품으로 회수하며 물었다.

"어깨에요."

여자가 손으로 부위를 움켜쥐며 대답했다.

"본인 어깨가 그렇게 굵은 것 같아요?"

카리브는 금방이라도 놓을 듯한 활시위처럼 중지를 엄지로 바짝 당기고서 남은 손가락으로 어깨를 가리키며 말했다.

"하지만 열매가 많아야 그림이 풍성해지잖아요."

여자가 그에 뒷걸음치지 않고 대답했다. 그리고 앞으로도 그럴 요량이라는 걸 알리려는 듯이 계속해서 어깨를 주물렀다.

"풍성해서 뭐 하려고요. 누구 나눠 줄 것도 아닌데."

"제가 원하는 건 주렁주렁한 마라카투라예요."

"고집 세네요."

카리브는 한쪽 다리를 틀어 그쪽으로 몸을 기울였다. 그리고 책상 위의 필통에서 새 연필 하나를 꺼내, 뒷부분을 종이에 두드리며 목을 쳐들어 천장을 바라봤다.

"답답하세요?"

여자가 물었다.

"조금."

그리고 카리브는 천장의 어느 한 부분에 시선을 고정해 놓은 채로 말을 이었다.

"그래도 못할 정도는 아니에요."

"왜요?"

물음을 건넨 여자는 카리브와 마찬가지로 고개를 들어 올렸다. 천장은 작업실의 번잡스러운 네 면과는 달리 색이 새하앴다. 정말이지 하얀색뿐인 공간이어서, 가만히 보고 있다가는 자신이 바라는 그림을 떠올리기는커녕 순수한 벽 속으로 끌려가는 게 먼저일 것 같았다.

"당신은 그쪽에 종사하는 사람치고는 착해서."

"보통은 어떤데요?"

여자의 물음에 카리브는 눈을 내려 우스꽝스러운 표정으로 대답했다. 여자의 고개도 그와 동시에 떨어졌고, 둘은 눈이 마주쳤다. 여자의 눈이 동그랗게 뜨여졌다.

"보통은 주머니의 돈부터 집어 던지죠."

카리브는 손바닥 위로 바람을 불며 말했다. 카리브의 말에 여자가 몸에 달라붙는 하늘색 재킷 아래를 손으로 더듬으며 수줍은 목소리로 말했다.

"저도 주머니에 돈을 가지고 있어요."

"그걸 말하는 게 아니잖아요."

"그런가요."

여자가 순수한 목소리로 대답했다. 카리브는 이마 짚는 시늉을 보이며 고개를 절레절레 뒤흔들었다. 그러고는 속으로 할 말과 입 밖으로 뱉을 말을 구분 짓는 법을 잊은 사람처럼 멍하게 벌린 입으로 말을 흘려보냈다.

"복장은 가더인데, 행동은 어린애네."

"그러는 타투 선생님도 저랑 비슷한 나이 아니신가요?"

여자가 분하다는 말투로 대꾸했다.

"선생님? 내가 왜 선생님이에요?"

"아, 죄송해요. 호칭 부르기가 애매해서요. 뭐라고 불러 드릴까요? 따로 듣고 싶은 이름이 있으세요?"

"그쪽이 계속 선생님 호칭을 쓰고 싶어서 그러는 건 아니고요?"

카리브는 연필을 잡고서 말했다.

"누명이에요. 저는 오래 볼 사람과는 확실한 거리를 정해 놓는 편을 선호하는걸요."

그에 카리브는 비웃는 듯한 얼굴을 여자의 앞으로 내걸며 말했다.

"오래 볼 사람?"

"네. 오래 볼 사람. 저희 지금도 벌써 한 시간이나 넘게 서로를 보고 있어요."

한 시간? 카리브는 속으로 되물은 뒤, 슬그머니 눈동자를 움직여 시계를 쳐다봤다. 줄줄이 놓인 화이트보드 사이 한 구역, 시계는 카메라의 화면처럼 네모로 트여 있는 공간에 매달려 있었다. 시간을 확인한 카리브는 헛기침과 함께 여자를 향해 말을 뱉어냈다.

"음…, 꽤 흘렀네요."

그에 여자가 말했다.

"저도 사실 방금 보고 말씀드린 거예요. 전혀 몰랐어요."

"그래요. 나도 몰랐어요. 이렇게 길게 끌 생각은 없었는데."

카리브는 다시 한번 시계를 빤히 쳐다봤다. 그리고 여자의 눈으로 시선을 옮기며 말했다.

"미안해요. 나 때문에 안 들어도 될 소리가 하나 더 늘겠네요."

"신경 안 써요. 그런 사람이 한둘 있는 것도 아니고."

여자는 숫자를 강조해 말하며 일어날 생각이 없다는 듯이 책상 안쪽으로 몸을 더 말아 넣었다. 그리고 자신에게 눈을 둔 카리브와 시선을 나란히 하며 말을 이었다.

"리미트가 있나요?"

"리미트요? 당연히 아무런 리미트도 없죠, 내가 사장인데. 미안해요. 괜한 소리를 했어요. 차라리 다른 얘기를 할걸."

말을 하는 카리브의 아랫입술이 가지런한 윗니를 살포시 떠받치며 부드러운 미소를 머금었다. 여자도 따라 웃었다. 둘 사이에 핀 첫 웃음이었다. 내내 들이는 힘없이 때에 맞게 때우던 자리로 드리운 카리브의 미소는 한껏 아름다웠다. 카리브의 봉긋하게 뜬 앞머리가 위아래로 찰랑거렸고, 그 한 번을 따라 귓등 뒤로 넘긴 머리까지도 바람을 맞은 것처럼 예쁘게 움직거렸다. 그리고 둘은 짧게 찾아온 침묵을 조금의 불쾌함도 없이 받아들였다. 또다시 작업실은 한적한 지팡이 소리가 들리는 공간으로 뒤바뀌었다. 카리브는 여자의 웃는 얼굴을 보며 먼저 미소를 거둬들였다. 카리브의 미소는 사그라지는 시간이 너무도 빨랐지만, 여자는 그보다 좀 더 오래 미소 띤 얼굴을 유지했다.

"그래서 어떡할래요?"

카리브는 여자의 얼굴에서 눈을 돌리며 말했다.

"선생님이 정해 주시는 대로 할게요."

여자가 대답했다.

"음. 오늘은 일단 돌아가고, 내일 다시 와요. 가는 김에 정리도 좀 해 오고요. 마음에 드는 도안을 발견하면 새로 가져와도 돼요."

말을 마친 카리브는 종이 위에 도안을 소리 나게 펼쳐 놓았다.

"버리신 줄 알았어요."

여자가 카리브의 손 틈으로 보이는 빨간 열매를 보며 말했다.

"말이 되는 소릴. 여기가 복잡하긴 해도, 쓰레기장은 아니에요. 아무튼 오늘 이 도안은 **그쪽…**"

그대로 말을 끝맺었으면 될걸, 라고 생각한 순간, 카리브는 멈칫거렸다. 그리고 여자는 행동이 빨랐다.

"안 돼요. 이름은 말씀드릴 수 없어요. 규정이에요."

여자의 말 다음으로는 카리브 자신도 늦었다는 걸 안다는 얼굴이 이어졌다. 카리브는 자책하듯 재빨리 목소리를 냈다.

"오늘 미안할 짓을 많이 하네요, 그쪽한테."

그에 여자가 말했다.

"별일들도 아니었는걸요. 다음에 새 도안을 가져다드릴게요."

"오늘 들고 온 것도 나쁘지 않았어요. 열매가 좀 컸을 뿐이지."

카리브는 덮고 있던 손을 옆으로 치워 손톱으로 도안을 두드리며 말했다. 여자는 해맑은 표정으로 웃었다. 그리고 의자에서 몸을 일으키며 인사했다.

"안녕히 계세요."

카리브는 앉은자리에서 눈을 들어 올리고서 고개를 끄덕거렸다. 그리고 한마디 없이 줄곧 여자를 바라보다가, 그녀가 문에 가까워지자 비로소 입술을 떼었다.

"가능한 한 일찍 줄을 서도록 해요."

최선의 표현이었다고 카리브는 생각했다. 또, 여자가 금방 알아들었다는 듯 고갯짓을 했기에, 그럴 것이라고 카리브는 생각했다. 여자의 모습이 사라지자, 금방 새로운 누군가가 문을 박차고 안으로 들어왔다. 그녀와 똑같은 차림에서 아래위의 면적만을 잔뜩 늘려 놓은 듯한 몸을 가진 남자였다. 그는 의자에 앉아 있는 카리브를 발견하자마자 도안과 돈을 집어 던졌다. 카리브는 덧없는 눈으로 떨어지는 도안을 쫓았다. 처음엔 닥친 상황만을 눈에 담아 혼란스러워했다면, 지금의 카리브에겐 그 둘을 잘 구분할 수 있는 능력이 있었다. 거듭된 횟수에 요령이 생긴 것이다. 카리브는 의자에서 몸을 내려 바닥에 떨어진 무리 중에 반듯한 모습을 유지하고 있는 종이를 찾았다. 구김 없이 평평하게 바닥과 붙어 있는 것이 딱 하나 보였다. 카리브는 그 순간 한숨을 내쉴 뻔했지만, 턱에 힘을 주어 그를 가까스로 틀어막았다. 그리고 비슷한 무렵에 남자가 의자에 몸을 싣는 소리가 났다. 그를 들은 카리브는 덤덤히 마음을 다잡았다. 절대 먼저 말을 건네지 않으리라, 절대 상대보다 많은 말을 하지 않으리라. 그리고 카리브는 양쪽 볼을 이로 콱 깨물어 얼굴 구석구석에 잡혀 있을 성난 근육들을 풀어냈다. 남자의 목소리는 소음과 같았다. 음정에 조금의 질서가 없었고, 늘어놓는 말에도 두서가 없었다. 아주 길고도 꽉 찬 말이었지만, 결국은 아랫사람에게 부탁의 예절을 갖출 줄 모르는 흔한 어른에 불과해 보였다. 카리브는 언젠가부터 고개로 대답을 대신하고 있었다. 종반에 이르러서는 남자조차 자신이 무슨 말을 잇고 있는지 모른다는 눈치였다. 카리브는 40분이 넘어가는 무렵에 스케치를 완성하였다. 그로부터 도출되는 결말은 모두 엇비슷했다. 카리브로부터 건네받은 스케치를 숨길 수 없는 표정으로 바라보는 것. 그리고 모두에게 해당하는 사항은 아니었지만, 스케치를 들고 나갈 때는 들어올 때 없던 동작 하나가 추가되었다. 인사였다. 소음을 내뱉던 남자 역시 그런 유형이었다. 본인이 던진 돈을 본인이 밟으며 허리를 굽히는. 카리브는 당황하지 않았다. 수없이 목격한 장면이었다. 카리브는 속으로 속삭였다. 더, 더, 조금만 더. 바닥으로 내려가던 남자는 1초를 채 채우지 않고 허리를 들어 올렸다. 굽혔던 남자가 눈을 맞춰 오자 카리브는 웃음으로 화답하는 한편, 홀로 아쉬워했다. 저 무렵에서 일 센티만 더 떨어졌으면 신기록인데, 라고 그 뒤로 세 사람이 추가로 카리브의 작업실에 들어왔다 나갔다. 셋 모두 별 특성도, 개성도 없는 사람들이었다. 도안이라고 가져온 것들조차 주인과 마찬가지로 별 볼 일 없었다. 차라리 돈을 던졌던 남자의 경우가 나았다. 적당히 교감신경을 증폭시키고, 확실한 거리를 형성하여 끝에 이르러서는 널브러진 돈과 괜찮은 스케치밖에 남는 것이 없는. 마지막 의뢰인과 함께 일어나 작업실을 닫은 카리브는 문에 달린 잠금장치를 모조리 걸어 잠갔다. 그리고 카리브는 조심히 얼굴을 문에 대고 들리는 소리에 귀를 기울였다. 예상 그대로였다. 줄의 여섯 번째에 서 있던 남자의 목소리가 꽤 가까운 거리에서 번지고 있었다. 그는 금방 작업실을 나선 사람에게 무어라고 딴지를 거는 중인 듯했다. 카리브는 남자의 말에 집중하며 작업실을 빠져나갔던 여자를 떠올렸다. 은색의 머릿결 아래로 숨은 주먹만 한 머리, 여우를 닮은 듯한 말투, 어떻게 봐도 어울리지 않는 유니폼.

'잘 돌아갔겠지.'

속으로 생각한 카리브는 구태여 입을 다문 남자들 사이로 걸어 나가는 여자의 뒷모습까지를 상상했다. 목부터 어깨, 등, 허리, 골반, 제대로 보지도 못한 것들이 차곡차곡 쌓여 갔고, 어느새 제법 그럴듯한 곡선이 만들어졌다. 그리고 카리브는 자신이 만든 반쪽짜리 인간을 감상하며 어정쩡하게 기댄 몸을 똑바로 돌려놓았다. 분이 가라앉지 않은 듯한 남자의 목소리가 여전히 문밖을 떠돌고 있었지만, 카리브는 이제 그에는 조금도 관심이 가지 않았다. 카리브는 눈을 감고서 앞치마에 손을 넣어 리모컨을 움켜쥐었다. 그리고 작업실의 숨을 하나둘 꺼뜨렸다.

25 딘과 시티의 환락가

펍에서 나온 딘은 달아오른 열을 다스리듯 손으로 가슴을 쓸어내린 후, 주머니에서 담배를 꺼내 베어 물었다. 그리고 아마도 뒤에 있을 소년의 시선을 애써 무시하며 라이터의 부싯돌을 돌렸다. 길에는 완연한 어둠이 깔려 있었다. 딘은 펍 위에 매달린 이름 석 자가 내려 주는 흰색의 빛을 따라 걸음을 내렸다. 빛은 앞서 초저녁에 보였던 것보다 훨씬 더 색이 은은하고 길이가 길었다. 불빛이 끝나는 지점까지 다다른 딘은 멈춘 자리를 확인하고서 가지가 무성한 왼편으로 고개를 돌려 그곳으로 몇 걸음을 내디뎠다. 겹겹이 뭉친 잎사귀가 하늘의 한 면을 차지하고 있는 듯 보이는 그곳에서, 딘은 컴컴한 장벽의 윗부분을 찾아내었다.

"더럽게 높군."

딘은 그와 동시에 생각을 이어 나갔다. 저 높은 곳을 오르려면 비범한 능력이 필요할 거야. 제일 손쉬운 건 하늘을 나는 능력이겠지. 아주 속 편한 능력이야. 나뿐만 아니라, 함께하는 사람 모두를 실어다 넘길 수 있으니까. 그게 과분하다면, 계단을 만드는 능력도 괜찮겠어. 그 한 주간 몸은 아프겠지만, 적어도 안전한 길 하나를 건사해 놓은 셈이니까. 그리고 딘은 생각에서 빠져나오며 누군가에게 말하듯 혼잣말을 뱉어냈다.

"그래요…, 그러니까, 결국 지금 저희에게는 확언을 할 만한 것들이 아무것도 없는 셈이 되는 겁니다. 하늘을 가로지를 길도, 마음 편히 다리를 올려놓을 발판도, 그 어느 것도요."

그 뒤로도 딘은 얼마간 장벽을 보며 푸념했다. 벽을 오르는 자신을 상상하면서, 벽에서 떨어지는 자신을 상상하면서. 그리고 입술 바로 앞까지 담뱃재가 타들어 오자, 딘은 그것을 마쳤다. 다음으로 소년과 함께 택시에서 내렸던 곳까지 단숨에 걸음을 옮긴 딘은 그 자리에서 얼마 떨어지지 않은 환락가로 방향을 돌렸다. 환락가는 멀지 않았다. 설령 거리가 있다고 하더라도 조밀하게 붙어 있는 조명들이 매혹적인 여성의 눈처럼 모여 있었기 때문에, 충분히 걸을 수 있는 거리라는 신뢰를 사람들에게 안겨 주고 있었다. 그렇게 어둠 속에서 걷기를 10여 분. 입구 바로 앞쪽까지 내밟은 딘은 코트 소매를 걷어 시간을 확인했다. 새벽 3시 09분. 딘은 걷었던 소매를 다시 손목까지 내리며 고개를 들어 올렸다. 농밀한 색의 등불 아래에 세 명의 여성이 수증기와 같은 연기를 뿜어내고 있었다. 그녀들 중 한 사람이 딘을 쳐다보고는 허공을 응시하며 말했다.

"조심하세요."

딘은 셋 중 누가 자신에게 말을 건 것인지 정확하게 가려낼 수 있었다. 딘은 왼쪽 첫 번째에 서 있는 여자에게 다가서며 말했다.

"무엇을 조심해야 합니까?"

딘이 가까이 오자, 옆의 둘은 소리 없이 사라졌다. 그리고 여자가 대답했다.

"여자, 특히 타투 있는 여자."

딘은 코웃음 치며 대꾸했다.

"초면인 사람에게 비밀을 말해 주는 사람보다는 위험할 것 같지 않은데요."

딘의 말에 여자는 증기를 들이마시고는 그를 입 안에 머금은 채 말했다.

"조금 전 나와 잔 남자는 내 말을 귀담아듣지 않길래 당신은 어떨지 궁금했어요."

"그래요, 어떤 대답을 해 드릴까요."

"그저 알겠다고만 해 줘요."

여자는 딘과 눈을 맞추며 말했다. 몹시도 슬프고, 몹시도 촉촉한 눈이었다. 딘은 한참 동안 여자와 눈을 맞추다가 알겠다는 듯 고개를 끄덕이며 그녀의 옆으로 발걸음을 내렸다. 그리고 여자의 몸이 자신의 뒤편으로 넘어갈 때 딘은 말했다.

"조심해야 할 건 그것뿐입니까?"

여자는 짧게 네, 라고 답했다. 그리고 그녀는 딘이 걸어왔던 길을 그대로 따라 걸으며 입구서 천천히 멀어졌다. 딘은 여자가 떠난 자리에 조금 더 서 있다가, 안쪽으로 걸음을 내딛기 시작했다. 거리는 온통 붉은색투성이였다. 입구 바로 앞은 당연했고, 저기 멀리 높게 치솟은 건물들은 말할 것도 없었다. 환락가의 사람들 대부분은 건물 밖으로 나와 있었다. 그리고 남녀 나눌 것 없이 모두가 황폐했다. 얼굴, 옷차림, 전부가 말이다. 딘은 코트의 깃을 세운 채 길의 중앙을 천천히 걸었다. 그리고 딘은 귀가 가려진 행색을 적극적으로 활용해 향해 오는 시선은 가리고, 자신은 사각을 철저히 지킨 절묘한 각도로 그들을 관찰했다. 경험에서 고안된 요령이었다. 그렇기에, 무엇 하나 길게 유지되는 것이 없는 이곳 환락가는 딘에게 있어 먹잇감 될 것이 넘치는 그런 장소였다. 딘의 유흥은 간단했다. 장면을 시야에 집어넣고, 그 순간을 기억하겠다고 마음을 먹으면 그것이 슬라이드 필름처럼 연결되어 머릿속에 저장됐다. 딘은 가던 걸음을 멈추고 어느 가게 앞에 멈춰 섰다. 가면이 매달려 있는 가게였다. 머물러 있는 사람은 없었고, 가게 앞 자그마한 의자에서 나이 든 여주인이 홀로 꾸벅꾸벅 고개 떨구기를 반복하고 있었다. 딘은 숨을 깊게 들이쉬고서 눈을 세게 감았다가 떴다. 딘은 그 상태를 10초가량 유지했다. 그리고 딘은 여주인의 앞으로 소리를 내며 걸음을 옮겼다. 진열대까지 드리운 딘의 그림자에도 여주인은 여전히 자신의 졸음에 빠져 있었다. 딘은 허리를 굽혀 조심스레 그녀의 어깨를 두드리며 말했다.

"주인장."

그리고 딘은 잠시 시간을 두었다가, 모자에서 흘러내린 솔방울 장식을 그녀의 어깨 앞으로 가지런히 돌려놓으며 다시금 말했다.

"주인장."

그제야 그녀는 눈을 반쯤 떠올렸다. 그러고도 그녀는 한동안 말이 없었다. 반이 감긴 눈으로 보이는 사람 형체가 꿈속의 것인지, 현실의 것인지를 파악하고 있는 것 같았다. 딘은 모종의 최면에 걸린 것처럼 그녀가 하는 대로 따라 눈을 깜빡이다가 가까이에 있는 가면 하나를 집어 들며 말했다.

"아직도 이런 걸 내놓으니 손님이 없을 수밖에."

그때, 여주인이 가슴팍까지 들려 있는 딘의 손목을 덥석 붙잡으며 말했다.

"그따위로 말하지 마. 네겐 이런 것들이라도 내겐 인생의 전부이니까."

매콤한 그녀의 말투에 딘은 놀란 얼굴로 몸을 뒤로 내뺐다. 그리고 그 모습 그대로 딘은 대꾸했다.

"깨어 있으셨군요."

그에 여주인이 딘에게 뻗었던 손을 자신의 앞치마에 닦으며 대답했다.

"깨어 있고말고, 이 고귀한 작품들을 몰래 훔쳐 가려는 애송이들이 얼마나 많은데."

그 말에 딘은 대답했다.

"방금은 지나가는 말이었습니다."

"당연히 그래야지. 내 면전에다 그렇게 말을 했으면 넌 죽었어."

여주인의 눈은 이제 완전히 뜨여 있었다. 딘은 쉬고 있던 가면을 제자리에 내려놓으며 말했다.

"주제가 참 다양하네요. 색감들도 훌륭하고요. 특히 가게의 파라솔과 전부 잘 어울립니다."

그리고 여주인이 대답했다.

"꼴같잖은 지적질이나 할 바에 거기 윗주머니에 들어 있는 담배나 하나 줘 봐."

"피시려고요?"

"그래. 다들 썩어 가는 냄새를 풍기니 나도 뭔가를 물고 있어야 진정이 되겠어."

그리고 불꽃이 피어올랐다. 그때 딘은 여주인의 얼굴을 꼼꼼히 들여다보았다. 케케묵은 눈가의 검버섯과 힘없이 파인 볼때기까지 모두 다. 딘은 은색의 라이터를 만지작거리다가, 주머니 속으로 밀어 넣었다.

"가면을 사러 온 손님인 줄 알았더니만."

여주인이 말했다.

"섭섭해 마세요. 오늘의 저는 애초에 뭘 사기 위해 온 사람이 아니니까요."

그리고 딘은 조금 더 구경을 하고 가겠다는 말 대신에 다른 가면 하나를 집어 들었다.

"이건 무엇을 본뜬 겁니까?"

딘의 물음에 여주인은 실실 웃었다. 그리고 입에 문 담배를 절반 가까이 빨아들인 뒤에야 그에 답했다.

"여자 가더의 얼굴 가죽."

그리고 여주인은 자연스럽게 딘의 손에 들린 가면을 자신의 품으로 돌려받아 갔다.

"여자 가더요? 이젠 이런 물건에까지 수요층이 생겼나 보군요."

"소문을 모르나?"

여주인이 놀랍다는 듯이 두 눈을 크게 뜨며 말했다.

"…무슨?"

"자네, 안쪽 사람이 아니었군?"

딘은 코로 나오는 헛웃음을 짧게 내쉬며 대답했다.

"오늘로 두 번째 되십니다. 같은 구역 내에도 장벽이 처져 있다는 사실을 일깨워 주신

분으로서는."

여주인은 저와 같은 개인적인 대꾸에는 크게 반응하지 않았다.

"아무튼. 아주 재밌는 사랑싸움이 하나 있었더랬지. 무려 두 가지 금기를 모조리 어긴 커플이야. 가더와 민간인, 여자와 여자."

"가더와 민간인이 사귀었다는 말입니까?"

"그래, 그렇대도. 이제 그 두 사람은 기약 없는 이별을 한 거야. 그것도 이곳 F구역에서."

끝으로 여주인은 들릴 정도의 큰 소리로 혀를 찼다. 딘은 말없이 고개 끄덕이기를 반복했다. 적어도 표면만은 그랬다. 속으로는 이미 가정을 시작한 상태였다. 구역에 남은 여자는 어떤 여자이고, 그녀의 직업은 무엇이며, 가더가 철수하기 전에 있었을 마지막 만남에서는 둘 사이로 어떠한 대화가 오고 갔는지. 그러는 중에 여주인이 손을 무릎 위에 놓고 셈을 하듯 차례로 펼치고 있었다. 딘은 물끄러미 그것을 바라봤다.

"열 손가락으로도 모자라. 앞으로 몇 년일 거 같나?"

"손가락으로 셀 수 있는 기간이었으면 저희가 여기에 묶여 사는 일도 없었겠죠."

그리고 딘은 이어 말했다.

"그 여자, 어디를 가야 볼 수 있습니까?"

"왜, 만나려고? 어림없어. 아무도 못 만나. 찾아가 봐야 헛걸음일 거야. 분명해."

딘은 여주인이 장소를 모른다는 말은 끝내 하지 않았다는 것이 무슨 뜻인지 잘 알았다. 딘은 이해했다는 표정을 띰과 동시에 고개를 살짝 기울인 뒤, 팔을 올려 손끝으로 진열대를 훑었다. 그러다 이내 그럴 필요가 없다는 걸 깨닫고서 여주인 쪽으로 고개를 돌렸다. 그리고 위로 쳐든 팔을 그대로 아래를 향해 내리며 말했다.

"그 가면을 사겠습니다."

그 말에 여주인이 웃음과 함께 말했다.

"광장에 있는 사람들은 여기와는 달라서 누굴 희롱하는 가면을 고운 시선으로 봐주지 않을 텐데?"

말을 들은 딘은 가면의 양쪽 볼에 걸려 있는 끈을 코트의 허리띠에 묶으며 재차 고개를 끄덕거렸다. 그리고 마지막으로 한 겹의 매듭을 허리에 덧댄 다음, 여주인에게 말했다.

"고맙습니다."

—— 26 하이든, 그리고 30번

그로부터 한참의 시간이 더 흐른 뒤에야 카리브는 이불을 박찰 수 있었다. 베개 옆으로 드러난 그녀의 귀 한쪽에는 피어싱이 한가득 자리해 있었다. 그날을 기점으로 시작된 것들이었다. 이불의 끝을 놓지 않은 채로 침대에 걸터앉은 카리브는 약하게 떨리는 눈으로 방을 바라봤다. 오늘 역시 조금도 개운하지 못하고, 조금도 덜어내지 못한 낯빛이었다. 카리브는 창가의 블라인드 안쪽에 비치돼 있는 물감 병을 역순으로 읊었다. 그리고 32개의 병 중에 마지막, 심홍색 병에서 눈을 멈췄다. 눈을 멈춘 카리브는 말 뱉는 것을 잊지 않았다.

"빌어먹을 마라카투라."

"빌어먹을 가더."

"빌어먹을 시티."

마치 일종의 선언문을 낭독하듯 카리브는 한 문장을 읽고, 끊어 내고, 읽고, 끊어 냈다. 차이 없는 발악과 반복에서 카리브는 이제 위화감을 느끼지 않았다. 그저 하는 것이었고, 하지 않으면 허전할 뿐이었다. 거기서 얼마간 멍하니 있던 카리브는 한 달 전 어느 날의 자신과 마찬가지로, 제일 먼저 라디오가 놓인 자그마한 나무 탁자로 걸음을 옮겼다. 흰색의 탁자에는 세 개의 수납공간이 세로로 떨어져 있었는데, 셋 모두 카세트테이프가 정갈히 채워져 있었다. 카리브는 두 번째 서랍에서 테이프 하나를 빼내 들었다. 테이프의 전면부에 작은 크기의 필기체로 알렐루야라는 글귀가 쓰어 있었다. 카리브는 하이든, 그의 곡 중 30번을 가장 좋아했다. 본격적인 변주가 가미되기 전의 마지막 곡이라는 점이 그 이유였다. 카세트테이프 필름의 균형이 한쪽으로 쏠려 있었다. 그리고 라디오에서 곡이 흘러나오기 시작했다. 곡이 시작되자 카리브는 숨을 깊게 들이마셨다. 그런 뒤에 눈을 감고서 들려오는 관현악기 소리에 자신의 숨소리를 얹었다. 한숨이 곡에 잊히고, 잊힌 자리 위로 새로이 아름다운 음률이 들어왔다. 카리브는 라디오에 삼켜진 테이프에서 덜컥하고 걸리는 소리가 피어날 때까지 그 행위를 반복했다. 바닥에 떨어져 있던 색은 사라지고 없었다. 그리고 그 옆의 갈색 카펫으로 돈들이 한가득 널브러져 있었다. 지폐가 대부분이었고, 작은 동전들이 그들 사이에 간간이 뒤섞여 있었다. 탁자에서 걸음을 물리던 카리브는 발끝으로 지폐의 얄실한 감촉이 느껴지자 아래를 보며 말했다.

"퍽이나."

그리고 카리브는 발가락 사이로 파고든 동전들을 발길질로 뿌리쳐 냈다. 그녀의 발에서 튕겨 나간 동전들이 고통을 아는 생명처럼 큰소리를 내며 벽으로 가 부딪혀 떨어졌다. 그리고 기어코 자신의 앞으로 되돌아오는 동전 한 닢을 향해 카리브는 말했다.

"있으라고 부탁할 땐 없던 것들이 이젠 발에 치이는 신세라니, 웃겨."

카리브는 제자리에서 회전하는 동전을 발바닥으로 지그시 누른 뒤, 부엌으로 몸을 이끌었다. 부엌이라고 구분 지어져 있는 공간은 가볍은커녕, 침대가 놓여 있던 안방의 공간면적에 절반도 채 미치지 못했다. 부엌에는 정확히 있어야 할 것만 두 가지 자리해 있었다. 오른 벽면에 붙박인 싱크대와 1구짜리 가스레인지, 그리고, 구석진 모퉁이에 서 있는 이끼의 색을 닮은 냉장고 한 대. 카리브는 먼저 싱크대 수도꼭지 입구에 손가락을 넣어, 고여 있는 물로써 눈을 씻었다. 그녀의 가늘고 길게 치솟은 속눈썹 아래로 물기를 머금은 퀭한 눈이 억지처럼 희미하게 빛나다 금세 사라졌다. 그리고 옆으로 빠져나간 한 개의 자그마한 물방울이 눈동자의 끝을 타고 카리브의 뺨 아래쪽으로 흘러내렸다. 카리브는 가만히 기다렸다가 물방울이 더 이상 흐를 힘없이 제자리에 머물러 있자, 손등으로 그를 닦아 냈다. 부엌에서의 일은 거기까지였다. 카리브는 들었던 발걸음을 돌려 다시 침실로 향했다. 바닥에 쌓인 돈, 창가의 물감 병, 라디오와 나무 탁자, 1인용 침대. 그것들을 제외하면 나머지 모두는 그녀의 옷가지였다. 카리브는 사방 온 곳에 아무렇게나 고꾸라진 옷들을 둘러보다, 자신에게서 가장 가까이에 있는 남색 셔츠를 주워 들었다. 그리고 언제나처럼 잠그는 게 가능한 단추란 단추는 모조리 채워 목 근처까지를 가렸다. 그녀의 하의는 늘 단벌이었다. 살에 딱 달라붙는 어두운색의 청바지. 바지를 올린 카리브는 엄지를 제외한 나머지 손가락을 허리에 놓고 반 바퀴를 빙 돌려, 배꼽 아래로 넘어오는 셔츠를 바지의 안쪽으로 집어넣었다. 그리고 현관 옆에 모여 있는 실내등 스위치들을 하나하나 켜 둔 상태로 설정해 놓은 뒤, 문의 잠금을 차례로 풀어 나갔다. 복도에는 어떠한 기척도 없이 조용했다. 총 5개의 층으로 이루어져 있는 빌라, 카리브는 그중 꼭대기 층에 거주했다. 카리브가 층을 하나씩 내려갈 때마다 색이 다른 센서 조명들이 그녀를 비춰 왔다. 그리고 다다른 1층, 1층에는 그전 층들과 달리 조명이 매립되어 있지 않았다. 대신, 그보다 훨씬 폭이 넓고, 밝기가 강렬한 무엇이 존재했다. 출구의 자동문이 열리고, 밖으로 나온 카리브는 본능에 따라 고개를 올려 눈이 부신 빛을 쳐다봤다. 시계였다. 디지털 형식의 시계. 좌우의 너비가 길고, 빌라 겉면적의 반을 차지하다시피 매달린 시계는 마치 밤을 날려 버릴 시한폭탄의 모습으로 시간을 나타내고 있었다. 초를 나타내는 숫자 옆에 붙어 빠르게 올라가는 소수점 두 자리가 특히 그런 면을 더했다. 시계 아래에 선 카리브는 치솟는 숫자들을 잠시 감상한 뒤, 화단에서 삐져나온 작은 나무가 가리키는 길을 따라 걷기 시작했다. 날은 거의 저물어 화단의 사이마다 조명이 켜져 있었다. 카리브는 벤치 하나를 붙잡아 몸을 앉힌 뒤, 양팔을 걸치고 다리를 꼬았다. 그리고 가까운 데서 들려오는 거리의 팡파르 연주에 귀를 기울였다.

"축제, 축제, 축제."

"여전한 분위기구나."

카리브는 비아냥 섞인 목소리로 말했다.

그리고 카리브는 고개를 가로저으며 말을 이었다.

"내가 저기에 끼지 못하는 이유는 간단해. 일단 내가 저들과 섞이고 싶지 않다는 게 첫째, 둘째는 내가 돈을 너무 많이 벌어서."

"그래, 돈이 문제야. 원래라면 한 자릿수 번지에 배정될 수 있을 정도의 액수이니까. 그래서 내가 저기에 끼지 못하는 거야."

"이 모든 게 꿈은 아니겠지? 아니야, 사실은 꿈속인 게 아닐까? 현실의 나는 여전히 푼돈에 그림을 그려 주는 생계형 화가이고, 떨어진 물감을 사지 못해 허덕이며, 먹고 싶은 음식보다 먹을 수 있는 음식을 고르는 추한…, 됐어. 그만. 겨우 얼마 전까지의 일들인데 까마득한 기억을 더듬는 기분이야. …아무튼, 이 재미없는 이야기의 결론은, 현재의 나는 어느 누구 부럽지 않게 잘되었다는 거."

그리고 카리브는 때가 된 걸 알았기에, 고개를 들어 멀리서 다가오고 있는 사람들을 바라봤다. 검은 형체로만 보면, 대충 예닐곱 명은 넘어 보였다. 그리고 그들 모두는 팔목에 무언가를 길게 두르고 있었다. 해를 등지고 있는 탓에 정확한 색을 유추하기는 어려웠지만, 대충 붉그스름한 띠였다. 그리고 그들 중앙에 유독 그림자가 짧은 것이 하나 있었다. 짧은 그림자는 다른 이들보다 걸음을 재촉하는 느낌이 있었다. 그러다 문득, 짧은 그림자가 걸음을 멈춰 세웠다. 짧은 그림자는 한쪽 팔을 위로 번쩍 들어 올렸다. 그러자 양옆에 있던 다른 그림자들이 짧은 그림자 하나를 따라 일제히 팔을 들어 올렸다. 그리고 모여 있던 모두의 팔이 하늘을 향하자, 중앙에서부터 큰 목소리가 울려 퍼지기 시작했다.

"배신자 카리브는 물러나라!!!"

── 27 푸른 달과 토끼의 집

이렇다 할 화해 없이 문을 차고 나간 딘의 뒤로 남겨진 이들의 분위기는 의외로 아무렇지 않았다. 분위기가 그렇게 될 수 있었던 건 전적으로 쟝의 역할이 컸다. 특유의 서글서글한 입담으로 순식간에 사람들을 한데 묶었고, 제리와 페퍼 또한 쟝의 말에 맞춰 큰소리로 웃음을 내뱉어 주었다. 그리고 그들은 아무 일도 없었다는 것처럼 불이 켜진 펍을 빠져나와 쟝의 자동차에 몸을 실었다. 도로를 달리는 도중에도 수다는 끊이지 않았다.

"그러니까, 지금 창밖에 보이는 모든 것들이 결국 문을 닫고 말 거라는 이야기겠죠"

그리고 쟝은 백미러에서 소년과 눈이 마주치자, 늘그막에 가까운 얼굴을 익살스럽게 지어 보였다. 소년은 앞니 두 개를 드러내며 빙긋 웃었다가, 옆자리에 있는 페퍼의 어깨에 머리를 기대었다.

"우리의 운전사 씨가 그렇대."

페퍼가 소년의 머리를 쓰다듬으며 말했다. 그리고 덧붙였다.

"너는 그날이 오면 제일 먼저 하고 싶은 게 뭐야?"

그에 소년이 기댄 머리를 옆으로 돌리며 대답했다.

"저는 우선 왕의 침실을 마음껏 돌아다녀 보고 싶어요. 아! 물론 조금도 씻지 않은 상태 그대로요!"

"왕? 왕이 누군데?"

페퍼의 물음에 쟝이 핸들에서 한 손을 놓으며 말했다.

"한 명밖에 더 있습니까. 시티 내 최고구역을 총괄하는 지도자, 그 사람이 왕이지요. 저도 딘 녀석에게 귀가 닳도록 들은 터라 지금은 그러려니 하고서 입 밖으로 내곤 합니다. 조금도 마음에 드는 구석이 없는 표현이기는 하지만요."

"뭐야, 그게. 이봐, 꼬마. 앞으로 왕이라는 단어는 금지야."

페퍼가 소년의 귀를 힘껏 잡아당기며 말했다. 소년은 페퍼에게 끌려가면서도 입을 앙다문 채로 또박또박 말을 뱉어냈다.

"왜요? 너무 정확한 표현이라서요?"

그리고 무척이나 호탕한 웃음소리가 짧고 굵게 차 안을 울렸다. 웃음을 터뜨린 쟝은 백미러로 소년을 한 번 쳐다본 다음, 조수석에 앉은 제리의 표정을 요령껏 확인했다. 제리는 조용한 얼굴로 정면을 바라보고 있었다.

"아니. 좋고 안 좋고의 문제가 아니야. 너무 거북스러워."

"거북스럽다는 건 사적인 감정이에요. 저는 왕이라는 단어를 씀에 있어, 그 정도는 극복한 사내라고요."

"뭐라는 거야, 요 땅딸막한 게."

페퍼는 이번에는 소년의 팔을 붙잡고 그의 팔목 위로 자신의 손바닥을 강하게 내리쳤다. 소년은 자신이 매를 맞는 상황에 놓여 있다라는 것에 확신하지 못한 표정으로 벌겋게 변해가는 자신의 팔목과 페퍼의 손바닥을 말없이 바라보았다. 쩍쩍 달라붙는 살 소리가 그친 건, 줄곧 등받이에 기대어 앞 유리만을 보고 있던 제리가 입을 열었을 때였다. 제리는 말을 꺼내기 전, 조수석 창문을 최대한으로 내렸다.

"딘 씨는 어디로 갔을까요."

뒤의 두 사람은 대꾸하지 않았다. 쟝 역시도 두 사람만큼은 아니었지만, 곧장 그에 대한 답을 내놓지 못했다. 애초에 제리의 행동과 말이 오묘했다. 정말로 딘의 행선지가 궁금한 것인지, 소년을 맡기듯 내버려두고 갈 만큼 성을 보인 딘의 상태가 궁금한 것인지.

"아 제리 씨, 우선은 말이죠. 그러니까, 두 분 사이에 아무래도 불협화음이 일었던 건 사실입니다만, 딘 그 친구가 그렇게까지 생각이 없는 사람은 아니기 때문에, 단단히 정해놓았던 길을 함부로 벗어난다거나, 소리 없이 자취를 감춰 버린다거나 하는 일은 없을 겁니다. 친구의 입장으로서가 아니라, 사람을 보는 객관적인 눈으로써요. 객관적인 눈."

"그렇습니까. 그렇다면 다행입니다. 아까는 딘 씨에게 너무했었지요. 실상 자리에 가만히 있던 건 그이고, 일을 만들어 먼지를 일으킨 건 저인데 말입니다."

그리고 제리는 먼 곳을 바라보는 듯한 얼굴로 반듯하게 접혀 있는 셔츠 소매를 손목 쪽으로 끌어당기며 말을 이었다.

"오늘의 달은 무척이나 아름답군요. 딘 씨가 동승해 있었더라면, 그에게 저 달을 눈에 담으라고 권하였을 것 같습니다."

제리의 말을 들은 쟝은 목을 운전대 앞으로 비스듬히 내밀어 슬며시 하늘을 올려다보았다. 달은 검정뿐인 하늘에 홀로 떠 있었다. 별은 없었다. 어두운 밤하늘에 잡아먹히지 않고 떠 있는 건 둥글고 푸르른 달 하나가 전부였다.

"먼 옛날의 사람들은 달을 토끼의 집으로 생각했다고 합니다."

제리가 멀찍이 놓은 시선을 그대로 둔 채로 말했다.

"토끼요?"

쟝이 모르는 말투로 되묻자, 뒷좌석에 있던 페퍼가 입을 열었다.

"어, 저 그 얘기를 들은 적이 있어요. 오늘처럼 달이 크게 떠오르는 날이면 축제를 벌이기도 했다고."

"그렇습니다. 축제를 벌였다고도 하죠. …우리의 조상들은 퍽 낭만의 시대에 살았었나 봅니다. 지금의 시티에는 달을 보며 감상에 젖을 사람이 단 한 명도 남아 있지 않으니까요."

"아무래도 그럴 수밖에요. 순수한 감상에 젖어 있기에는 너무도 멀리 와 버린 시대입니다, 제리 씨."

그리고 쟝은 고개를 정면으로 되돌리며 계속해 말했다.

"그렇기에 우리의 목표가 더욱 또렷해지는 거 아니겠습니까. 장벽을 오르는 것. 그리고 너머의 풍경을 보며 마음껏 흐느끼는 것."

"흐느낀다…, 흐느낀다는 행위를 쟝 씨의 입을 통해 들으니, 단어의 무게가 실로 사실적으로 느껴지는군요. 정말이지 깊게 와닿는 표현입니다. 그때의 저는 어떤 얼굴을 하고 있을까요. 환희, 슬픔, 보람, 절망, 희망, 좌절…, 골백번을 상상한대도 감히 알 수 없겠지요. 그 순간을 실제로 닥쳐 보지 않고서는."

"그거 아십니까, 이제 금방 제리 씨가 줄을 세운 감정의 종류가 좋고 나쁨을 반복하며 나열되었다는 거."

쟝의 말에 제리는 이가 드러나 보일 정도로 소리 내 웃었다. 근엄한 자태와는 반대되는, 꿈꾸는 청년과도 같은 웃음이었다.

"하하하. 그랬습니까. 어느 쪽이 됐든 하나의 감정만으로는 오래 지내지 못할 모양이군요. 결국 양쪽 모두를 느껴야 한다면, 모쪼록 좋은 쪽에 머무는 시간이 길어야 할 텐데 말입니다."

"동감입니다."

그리고 소년이 어른 둘의 대화에 틈이 생기길 기다리고 있었다는 듯이 쟝의 말이 끝나자마자 쏜살같이 말을 뱉어내었다.

"그럼, 그날을 성공적으로 지새고 나면, 문을 닫은 가게에 남은 물건들을 제가 다 가져 버려도 되나요?"

그에 페퍼가 소년의 볼을 잡아당기며 말했다.

"뭐라고? 요 녀석이. 안 돼."

그리고, 운전대가 내리쳐지는 여러 번의 시끄러운 소리와 함께 쟝의 목소리가 크게 울렸다.

"그래! 물론이지. 물론이고말고 모두 다 가져. 거기 있는 모두를 네 것으로 만들어 버리라 이 말이야."

"쟝! 그건 반인륜적인 일이에요, 애를 범죄자로 만들 셈이에요?"

"안 될 거 있습니까. 머지않아 무법지대가 될 곳입니다. 질서도, 법도, 양보도 없는 곳에서 젊은 사람이 할 수 있는 건 싸움이에요. 힘이란 말입니다. 그 누구도 남을 지키려 들지 않을 것이고요. 혹시 압니까? 저 친구가 훗날 시티의 제일가는 대도가 되어 있을지."

"아니요, 꿈에서라도 그건 절대 안 되는 일이에요. 지금 같은 평화가 영원토록 이어질지도 모르잖아요?"

"페퍼 씨, 그건 제 사지를 걸고 단언합니다만, 절대, 절대, 이어지지 않을 겁니다. 지금의 F구역은 꺼지기 직전의 성냥이에요. 불이 꺼지면 다들 괴물이 되어 있을 겁니다."

그리고 제리가 굵다란 시가를 품에서 꺼내 들며 말했다.

"제 팔다리도 걸지요."

"제리! 당신까지!! 아이 앞이란 걸 잊었어요?!"

"쟝 씨의 말에 공감하기에 그렇습니다. 지금부터라도 아이는 강해져야 해요. 앞으로 있을 세상을 버티려면 그 방법밖에 없을 테니까요."

말을 들은 페퍼는 꼬집고 있던 소년을 옆으로 밀치며 양 좌석의 가운데로 몸을 집어넣었다. 무서울 정도로 달아오른 그녀의 얼굴이 주황색 조명과 만나 고주망태가 된 술집 여인의 낯빛을 뿜어냈다. 그리고 양쪽 좌석 등받이 위로 손을 올린 페퍼가 고개를 들이밀며 팽팽하게 늘어진 목소리로 말했다.

"이봐요들! 우리가 뜻을 모은 건 장벽을 오르려는 청렴한 이상주의 때문이에요. 고향이 망하기를 바라고, 그런 고향을 등지고 떠나려는 파렴치한이 되기 위함이 아니라."

"그거야 당연한 말씀이지요, 페퍼 씨. 오해를 하실까 말을 덧붙입니다만, 저는 어린애 마냥, 편 가름 놀이를 하려는 것이 아닙니다. 페퍼 씨가 떠올리고 있는 상상도를 부정하는 것 뿐이에요."

그리고 제리는 가까이 다가온 페퍼의 얼굴에서 떨어지며 조수석 서랍 위에 놓인 라이터를 쥐어 들었다. 새파란 불꽃이 일순 강렬한 소리를 내며 솟아올랐다. 제리는 불이 붙은 시가를 눈을 감은 채로 천천히 들이마신 뒤, 연기를 넓게 퍼뜨려 창밖으로 내뿜고는 다시 고개를 앞으로 돌려놓으며 말했다.

"말씀대로 저희는 이상주의자입니다. 하지만 수식어를 붙여야겠죠. **겁쟁이** 이상주의자, 라고요. 부정하지 못하실 겁니다. 장장 1년에 걸친 시간, 내각 어느 곳에서 파견되었는지도 모를 사람들이 땅을 파고, 차곡차곡 벽을 쌓아 나가는 걸 보고만 있던 것이 우리의 민낯이었으니까요. 누구 하나 그들을 향해 적개심을 표출하지 않았습니다. 과거의 사건이 되어 버린 지금, 당시의 상황 속에서 분노를 삼키고 있던 사람이 과연 몇이나 되었을까 하는 의문이 들기도 합니다. 그렇기에 페퍼 씨, 우리가 사는 구역에는, 이곳 F구역에는 평화란 단어가 안착될 수 없습니다. 영원히."

28 F구역 58번지와 여자 가더의 가면

코트의 허리띠에 묶여 있는 가면이 딘의 걸음을 따라 흔들거렸다. 동이 트기 시작하자, 환락가의 불이 하나씩 꺼져 갔다. 그리고 그와 동시에, 거리의 복판을 차지하고 있던 무수한 사람들이 환영처럼 하나둘 사라지기 시작했다. 딘은 해산을 목전에 둔 듯 보이는 패거리의 앞에 멈추어 서고서 팩에 남은 마지막 담배를 꺼내 입에 문 뒤, 지금까지 입수한 정보를 머릿속으로 되짚어가기 시작했다.

'여자의 이름은 카리브, 벽이 지어지기 이전서부터 회화 영역으로 정평이 나 있던 인물. 한결같이 그림만을 고집했던 사람. 그런 그녀가 돌연 뒤바뀐 시점은 벽이 지어지고 난 이후. 가더와의 친밀도가 오르고부터. 가더와 가까워진 그녀는 일반 주민을 제외한 나머지, 즉, 가더만을 자신의 의뢰인으로 취급. 가더의 철수 이전까지 막대한 현금을 축적하였을 것으로 예상. 그리고, 현재…'

딘은 현재라는 단어 이후로 문장이 떠오르지 않았다. 애초에 지금까지의 축약 역시나 확실한 것이 못되었다. 비상등이 켜진 자동차 앞에서 돌리던 스패너를 칠 듯이 휘두르는 사람이나, 취한 몸을 소화전에 기대어 있는 사람이나, 입에 담긴 음식물을 평생토록 가져갈 듯한 사람이나, 말을 섞은 것은 그런 사람들뿐이었기에. 현재라는 단어를 놓고 할 수 있는 것은 상상이 모든 것이었다. 머릿속으로 잇던 문장이 끊기자, 딘은 눈을 떴다. 패거리는 이미 떠나고 없었다. 그들이 머물던 곳을 보며 딘은 말했다.

"사랑이든 아니든, 보이던 누군가가 사라지는 건 슬픈 일이지."

딘은 잎이 타고 재만이 기다랗게 남은 담배를 빈 거리 위로 뱉으며 자리에서 몸을 돌렸다. 그리고 돌아선 방향으로 보이는 넓은 길에 시선을 두고서 작은 목소리로 중얼거렸다.

"타투 있는 여자를 조심하라고 했던 건, 카리브 한 사람만을 두고 한 말은 아닐 거야.

그녀는 그저 돈을 벌기 위해 직업을 전향했을 뿐인 일개 타투이스트에 불과하니까."

그럼, 대체 왜. 딘은 계속해서 생각했다. 생각하고 또 생각했다. 수평을 이루던 저울과도 같은 사고는 이미 한쪽으로 치우치는 중이었다. 현실에서 맞닿았던 입구의 여자는 서서히 잊혀 갔고, 얼굴도 알지 못하는 카리브라는 여자의 형체는 어느새 딘의 머릿속에 깊숙이 각인됐다. 딘은 스스로 생각해 낸 가상의 카리브를 고스란히 떠올려 놓은 채로 넓게 트여 있는 도로를 향해 걸음을 옮겼다. 거의 환락가의 종착 무렵이었다. 거기에는 삼각형 모양의 표지판이 높게 솟아 있었다. 노란색 바탕에 검은색 글귀였다. 'F-1'.

딘은 치솟은 표지판을 우두커니 쳐다보며 말했다.

"광장까지 도착할 수 있겠지."

동이 튼 무렵이었음에도 도로는 적막했다. 한 줄의 흰색 차선이 도로를 정확히 절반으로 쪼개 놓고 있었다. 멀어지는 방향, 가까워지는 방향, 양쪽 모두 굽이 없는 완벽한 직선이었다. 그를 본 딘은 왠지 모를 아찔함이 느껴져 표지판 아래의 봉에 몸을 기댄 채 주위를 둘러보았다. 도로의 양옆으로는 닿는 것만으로도 거칠게 쓸릴 듯한 모래와 말라비틀어진 식물들, 그리고 사이사이 웅크리고 있는 바윗덩어리가 보였다. 날씨는 조용했다. 바람이 있었지만, 세기와 온도가 적당하여 부는 것 같지 않았다. 코트의 단추를 잠그든 풀든 아무런 상관이 없는 온도였다. 딘은 조심스럽게 첫걸음을 내려놓았다. 딘의 발아래에서 환락가 바닥과는 전혀 다른 소리가 피어올랐다. 술 취한 쓰레기의 부스럭거림이 아닌, 자연 그대로의 소리. 딘은 숨을 들이마신 다음, 다시 한 걸음을 앞으로 내려놓았다. 그리고 한 걸음, 또 한 걸음. 딘은 처음 보는 동물을 대하듯 서서히 자신의 걸음을 길들였다. 그리고, 오롯이 걷는다는 행위에만 온 신경을 집중할 수 있는 순간이 되자, 딘은 목을 앞으로 내밀고 앞뒤로 흔들던 양팔을 코트의 주머니에 집어넣었다. 그 상황 그대로 세 시간이 흘렀다. 그 사이에도 딘의 옆으로 지나간 차량은 없었다. 말 그대로 오늘의 도로를 소유하고 있는 것은 오직 딘 한 명뿐이었다.

"…그래, 이제 좀 정리가 됐어."

딘은 자리에 양발을 가지런히 놓으며 말했다. 그때가 도로에 내디딘 딘의 다리가 처음으로 멈춰 서는 순간이었다. 딘의 뒤를 받치고 있던 장벽은 이제 높게 치솟은 건축물이 아닌, 땅과 평행한 하나의 직선이 되어 있었다. 딘은 주머니에서 새 담뱃갑을 꺼내, 떠는 손으로 비닐을 잡아 뜯었다. 걷는 내내 얼마나 그를 주무른 것인지 알 수 있을 정도로 갑의 형태가 찌그러져 있었다. 담배를 입에 문 딘은 말을 이었다.

"망할 놈의 이미지가 계속해서 끊겼던 건 만난 경험이 없기 때문이야. 내가, 그 사람과."

"그러니까, 어떻게 해서든 직접 대면해 봐야만 해. 그녀를 만나면 모든 걸 정리할 수 있을 거야. 내가 무엇 때문에 이 고생길에 올랐는지 나조차도 의문인 상황이니까 말이야."

말을 마친 딘은 다시 걸음을 내리기 시작했다. 그리고 혼잣말을 계속했다. 딘의 혼잣말 가운데, 도로 주변 풍경이 차츰 변해 갔다. 특히 눈에 띄는 그곳은 마치 물과 기름과도 같은 경계였다. 경계가 있음으로써 차이는 더욱 적나라하게 두드러졌다. 지금껏 이어져 오던 모든 것에 저주가 스며들었다는 표현이 정확할 것이다. 보석처럼 빛나던 모래는 깡마른 해저에 처박힌 듯 회색빛이 돌았고, 중앙을 지키고 있던 흰색의 차선 또한 여기저기 긁히고 뜯긴 양 추레하고 볼품없었다. 그리고 저기, 멀지 않은 자리에 전과 같은 모양의 표지판이 또 하나 서 있었다. 그에 딘은 발걸음에 속도를 더했다. 그리고, 표지판과 자신의 거리가 약 열 걸음 안쪽으로 좁혀지자, 속으로 말했다.

'구역 내의 모든 번지가 이와 같은 간격으로 벌어져 있었더라면, 현재의 시티는 곧 터질 듯한 기다란 뱀의 형태를 띠고 있었겠지.'

딘은 씁쓸한 표정을 지으며 표지판 앞으로 가까이 다가섰다. 그리곤 녹이 잔뜩 끼어 있는 더러운 봉에 손을 갖다 댈 엄두는 차마 내지 못한 채로 반대쪽으로 몸을 넘기어 삼각형 뒤에 있는 글귀를 올려다보았다. 'F-10'. 그리고 그곳에는 아까의 표지판처럼 단순히 알파벳 하나와 10이라는 숫자만 쓰여 있지 않았다. 표지판 속에는 붉은색 라카로 쓴 단어들이 각기 다른 글씨체로 덮여 있었다. 모두가 극단적인 뜻을 지닌 단어였다.

멸망, 죽음, 환멸, 치욕, 고통, 붕괴.

"겨우 1과 10이지. 똑같이 숫자 하나만큼의 차이일 뿐이야. 다른 점이라곤 한 자릿수와 두 자릿수라는 것밖에 없어."

딘은 불쾌한 기분에 휩싸이지 않게 내면에 집중하며 말했다.

"정말 그것밖에 없지. 그것밖에 없는데, 왜 우리는 한 자릿수에 올라 살기를 집착했던 걸까."

그리고 딘은 침에 젖어 필터가 물렁해진 담배를 껌처럼 질겅질겅 씹으며 표지판에 있는 눈길을 거둬들였다. 도로와 맞닿아 있는 F-10의 입구는 이전의 풍경과는 분위기가 사뭇 달랐다. 환락가와 비슷한가, 그것도 아니었다. 환락가는 무엇엔가 취한 사람들이 흘리거나 떨어뜨린 것들이 모여 쓰레기가 되어 있었다면, 이곳은 보이는 것 자체로 쓰레기 더미를 연상시켰다. 길가에 줄지어 있는 나무들부터 그러했다. 그들의 가지에는 잎이 없었나. 도리어 길게 늘어뜨려진 폭죽의 잔해들이 많았다. 아마도 한 달 전의 소동에 쓰인 물건인 듯했다. 그리고 표지판에서 떨어진 지 얼마 안 되는 곳에서 직선으로만 이어지던 길이 갈라졌다. 길은 동서남북, 정확히 네 방향을 가리켰다. 광장이었다. 그곳이 광장이라는 것은 고개를 들면 알 수 있었다. 하늘이 온통 거울투성이였으니까. 공중의 길처럼 촘촘하게 이어져 있는 거울은 양옆 폭이 넓고, 무척이나 반질거렸다. 딘은 고개를 들어 거울 속 자신과 얼굴을 마주했다. 그리고 근처의 행인 몇몇을 향하여도 그와 비슷한 눈빛을 보내었다. 딘은 마지막으로 보라색 블라우스와 색을 맞춘 우산을 쥔 여인을 쳐다본 다음, 나지막이 말을 꺼냈다.

"그 택시 기사는 저 거울 속 세상을 두고 밝다 표현했던 건가."

그리고 딘은 허리띠에 손을 가져가 가면이 단단히 묶여 있는지를 확인했다. 또한 환락가에서부터 올리고 있던 깃을 반듯하게 펼쳐 아래로 내리는 것 역시 빼먹지 않았다. 구역의 중심부답게 광장은 사람들로 북적였다. 그들의 분위기도 먼젓번의 1번지와는 달랐다. 얼굴에 여유가 있었다. 딘은 앞으로 굽은 어깨를 가볍게 털어 다시 힘을 넣은 다음, 자연스레 걸어가 그들 사이로 몸을 집어넣었다. 그리고, 일부러 보이게끔 매단 가면이 관심 있는 사람의 눈에 띌 수 있도록 이리저리 요란스럽게 발자국을 찍어댔다. 소식이 온 건, 허기가 느껴져 그도 모르게 음식점으로 몸이 이끌리는 순간이었다. 딘은 첫 느낌을 음험함이라 생각했다. 음험함은 그의 등 뒤에서 시작됐다. 딘은 보다 확실한 신호를 기다리고 싶었지만, 스타카토처럼 정확하게 끊어져 전달되어 오는 촉감에 몸을 돌리지 않을 수 없었다. 딘과 눈을 똑바로 마주칠 수 있을 정도로 키가 큰 여성이었다. 인상적인 것은 키 하나만이 아니었다. 오른쪽 눈가에서 사선으로 꺾이는 곳에 있는 점 하나, 콧등에서 사선으로 꺾이는 곳에 있는 점 하나. 흔히 매력점이라고 불리는 점을 두 곳 모두에 지니고 있었다. 그리고, 눈이 매우 컸다.

"이봐요."

여자가 바람에 날린 치마를 옆으로 감아 한 손에 쥐며 말했다.

"네?"

딘은 남자가 아니란 사실에 놀랐지만, 티를 내지 않으며 답했다.

"꼴을 보니 한 자릿수 구역에서 온 사람 같은데, 그쪽이 이전에 얼마나 잘난 사람이었는지 몰라도, 지금은 상황이 달라졌어요. 구역을 담당하고 있던 가더들이 몽땅 철수했다고요."

"저는 단지 사람을 찾고 있을 뿐인걸요."

"찾는다고요? 카리브를? 그년을 왜 찾죠?"

"카리브, 그 사람이 이 가면과 관련 있는 게 맞습니까?"

"맞냐니, 그게 무슨 말이에요? 그년 때문에 한동안 광장이 난리가 났었는데. 아 그렇구나. 당신, 한 자릿수 구역에 거주하는 사람이 아니죠?"

그게 또 얘기가 그렇게 되나, 딘은 입술에 침을 바르며 생각했다. 그러는 와중에 여자가 말을 계속했다.

"이젠 눈앞에 보이는 옷으로도 분간할 수 없는 세상이 돼 버렸네요. 그래요, 정말이지 깜빡 속을 뻔했어요."

"무엇을 말입니까?"

딘은 물었다.

"사람요! 당신 같은 사람! 복장만 멀쩡하지, 실상은 하위 번지에 배정되어 살고 있던 사람!"

여자는 말을 끝낼 때까지 딘의 인중 높이로 치켜든 손가락을 거둬들이지 않았다. 딘은 삿대질을 치우라는 말도, 당신이 세 번째라는 말도 하지 않았다. 단지, 그녀의 성미로 인해 흐트러진 앞머리를 조용히 손으로 빗어 넘길 뿐이었다.

"어디로 가야 그녀를 만날 수 있습니까?"

딘은 잔잔한 목소리로 물었다.

"아니요, 알려 주지 않을 거예요."

여자가 단호히 말했다.

"오해가 있으신가 본데, 저는 이름 없는 당신에게 볼일이 있는 것이 아닙니다. 카리브라는 재능 있는 사람을 만나러 온 것이지."

"뭐라고요?!"

"처음으로 제게 말을 걸어 주신 분이라는 데에 있어서는 각별한 고마움을 표합니다. 그러니 감사의 표시로 재밌는 예언 하나를 건네 드리죠. 이제 곧 세뇌가 풀릴 겁니다. F구역

전체에 퍼져 있는 암세포 같은 세뇌가요."

딘의 말에 여자는 당황한 듯 잠시 얼었다가 입을 열었다.

"…당신, 정체가 뭐죠?"

그에 딘은 주저 없이 대답했다.

"58번지, 이 구역의 끝에 사는 사람."

—— 29 편협한 열망가들

　작업실 문을 닫은 카리브는 떨리는 손으로 잠금장치들을 하나씩 잠가 나갔다. 빌라서부터 목소리를 내던 그들은 작업실까지 따라오지 않았다. 그들은 그랬다. 카리브가 집에서 나오는 시간에 맞추어 모습을 드러냈고, 작업실이 있는 광장에 가까워지면 사람을 마주친 길고양이처럼 골목으로 모습을 감추었다. 광장 가까이에 살고 있는 사람들은 그들을 이렇게 불렀다. '편협한 열망가'. 편협하다는 것은 좁은 마음을 비꼬는 것이었고, 열망가라는 호칭은 노력 없이 취하려고만 하는 게으름을 비꼬는 것이었다. 한마디로, 광장을 채우고 있는 예술가들 대부분은 가더와 관계를 맺었던 카리브를 너그러이 이해해 줬다. 카리브는 자신의 세상을 둘러싸고 있는 대부분의 사람이 그렇게 생각하고 있다라는 것을 잘 알고 있었지만, 매일 같이 찾아오는 무리와 마주하는 순간이 오는 때면 그 사실에 대한 확신이 흔들리곤 했다. 오늘도 마찬가지. 카리브는 작업실의 문을 열었다.

　"…그럭저럭."

　카리브는 문 옆에 걸린 앞치마를 목에 걸며 말했다.

　"오늘도 그럭저럭 고비는 넘긴 것 같아."

　"적어도 침대에서 일어나 머리맡에 있는 물감을 씹어 삼키진 않았으니까. 이렇게 작업실에 나온 것만으로도 나를 칭찬해 줘야지."

　그리고 카리브는 스위치를 올려 작업실의 불을 켰다. 카리브의 작업실은 쓸쓸하리만큼 정갈했다. 바삐 작업하던 한창때와는 전혀 다른 풍경이었다. 뜻 모를 난해한 그림들이 벽에 덕지덕지 박혀 있지도 않았고, 손때 묻은 얼룩진 동전들이 책상 밑으로 숨어 들어가 있지도 않았다. 지금은 정확히 세 개의 이젤, 그리고 새하얀 화이트보드, 그것이 전부였다. 캔버스는 모두 새것이었지만, 화이트보드 모퉁이에는 자그맣게 뭔가가 그려져 있었다. 그녀가 보았더라면 좋아했을 주렁주렁함, 피부가 붉게 솟아 있을 일주일 동안 기쁨에 겨워 보냈을 게 분명한 열매, 마라카투라. 그러했다. 결국 만남은 그날 한 번이었다. 카리브가 토요일 오후로 느꼈던 수요일의 만남. 가더들은 그다음 날인 목요일, 모조리 사라졌다.

"그리지 못하더라도 괜찮아. 잡자."

카리브는 이젤 아래의 흰색 수건 위에 가지런히 정렬되어 있는 붓을 보며 말했다. 그리고 그들 중 네모난 모양을 가진 붓을 물에 살짝 빠뜨린 뒤, 마른 캔버스 위로 가져가 좌우로 쓱쓱 움직였다. 좋은 소리였다. 소리는 새끼 짐승이 나무에 발톱을 깎는 것 같기도 했고, 바람 부는 넓은 평원에 길게 자란 풀들이 나부끼는 것 같기도 했다. 카리브는 캔버스의 아래에서 위로 다시 한번 꼼꼼히 붓을 문질렀다. 그리곤 아주 자연스럽게 밑으로 손을 옮겨 작은 붓과 팔레트 두 물건을 가슴 왼편에 자리시켰다.

'쿵.'

카리브는 흥분을 예고하는 심장이 보내오는 첫소리에 왼손에 쥔 붓을 꽉 움켜쥐었다. 그리고 천천히, 아주 천천히 초록 물감과 빨간 물감을 나이프로 떼 내어 둘을 포갰다. 덧대기를 반복하자, 둘은 곧 윤이 나는 갈색으로 변했다. 카리브는 나이프를 세워 갈색 물감을 날에 묻혔다. 그리고 다림질을 하듯 캔버스의 중앙에 대고 날을 꾹 눌렀다. 두껍게 가로로 한 번, 가늘게 세로로 세 번. 중간에 끊어진 자리는 날을 비스듬히 눕혀 톡톡 두드려 메웠다.

"오늘은 그나마 열매 줄기 같네."

카리브는 캔버스에서 얼굴을 멀리하며 말했다.

"…정말 이게 뭐라고, 보통의 갈색 선이잖아. 뭐 대단한 기술이 들어가는 것도 아니고"

카리브는 붓을 쥐려다 멈추고는 나이프를 물통에 넣어 헹구고서 수건에 닦아 그 위에 내려놓았다. 그리고 등받이가 없는 의자에서 몸을 빙글 돌려 시계를 바라봤다. 오후 7시의 초침이 8시가 되기까지에 마지막 한 바퀴를 남겨 놓고 있었다. 카리브는 다리를 까딱거리며 작업실 창문 밖으로 눈길을 던졌다. 그리고 조용한 목소리로 말했다.

"커피 열매 하나 그리기 참 힘들다. 아니. 이젠 마냥 열매 탓을 할 시기도 지난 것 같아. 그림 하나를 온전히 끝내 본 게 언제의 일인지도 모르겠고"

"변절자의 말로는 퇴물이라더니, 내가 꼭 그 말의 주인공이 된 것 같네."

말끝을 흐리게 소리 낸 카리브는 일정한 리듬에 맞춰 눈을 깜빡거렸다. 창문 밖에는 카리브의 리듬과 엇비슷한 간판이 있었다. 총 네 개의 휘어진 유리관으로 이뤄진 간판은 채리 모양의 네온사인이었는데, 꼭지와 열매 모두 수명이 얼마 남지 않은 듯, 멀쩡한 체리가 만들어지는 순간은 드물었다. 골목의 간판에 불이 켜질 만큼 날이 저물었다는 건, 이제 곧 카리브의 작업실 맞은편에 있는 술집으로 사람들이 모여들기 시작할 거라는 전조를 뜻하기도 했다. 카리브는 몸을 일으켜 창가로 다가갔다. 술집 문은 아직이었다. 골목으로 들어선 사람도 보이지 않았다. 어제 이맘때만 해도 북적이던 골목에 사람이 없었다. 골목이 비었다는 것을 눈치챈 카리브는 창을 열어 목을 길게 빼고서 골목을 살폈다. 작업실 안에서 보이는 대로였다. 술에 취하러 온 사람도, 그림을 의뢰하러 온 사람도, 아무도 없었다. 뭔가 상황이 이상하게 돌아가고 있다는 걸 계산이 빠른 카리브는 모를 수가 없었다. 카리브는 서둘러 허리에 묶인 앞치마의 끈을 풀었다. 그리고 급한 발걸음으로 작업실의 문을 열고 밖으로 나갔다. 카리브는 흰색의 캔버스 앞에 섰을 때처럼 심장이 두근거리는 게 느껴졌다. 그리고 곧 아슬아슬한 불안감이 함께 오고 있음을 알아차렸다. 이것만은 안 돼, 카리브는 속으로 말한 뒤, 골목이 시작되는 곳으로 빠르게 뛰어갔다. 차오른 숨을 헐떡거리며 카리브는 제발 누구라도 있기를 간청했다. 액자만 한 크기의 네모난 시야가 격하게 요동쳤고, 카리브는 출구에 가까워질수록 더욱더 불안이 커지는 것을 느꼈다. 그리고 거리에 첫발을 내딛는 그때, 카리브는 불쑥 나타난 검은 물체와 부딪혀 옆으로 나뒹굴었다. 뒤로는 물이 고여 있었고, 카리브는 그곳에 엎어졌다.

"카리브 씨 되십니까?"

물에 젖은 카리브에게로 검은 물체가 다가와 말했다. 사과는 없었다.

"카리브 씨가 맞으시지요?"

또 한 번 검은 물체가 말했다. 그리고 마지막으로 그가 말했다.

"이거 실례했습니다. 저는 딘이라고 합니다. 당신과 대화를 하고 싶습니다."

── 30 제리의 차고

"아─ 이거지. 이 냄새. 제리 씨, 저는 이 냄새가 왜 이렇게 좋은지 모르겠습니다."

쟝이 불이 켜지자 가슴을 펴고 숨을 크게 들이마시며 말했다.

"동의합니다. 좋은 냄새이지요."

대답한 제리는 차고의 문을 마저 한쪽으로 확 열어젖혔다. 그리고 열쇠가 꽂힌 자물쇠를 그대로 양복바지 주머니에 집어넣었다.

"도대체가 두 사람을 이해할 수가 없네요. 폐타이어 삶는 듯한 냄새가 매번 뭐가 좋다는 건지."

뒤이어 들어온 페퍼가 말했다. 페퍼의 손 옆에 딱 붙은 소년도 같은 마음이라는 듯이 고개를 끄덕였다.

"페퍼 씨. 이 황홀함 가득한 냄새는 말이죠. 마치 뭐랄까요, 먼 옛날, 고향 집으로 내려가는 길에 마주친 세탁소의 온기 같다고나 할까. 그 왜 있잖습니까. 스팀기에서 뿜어져 나오는 새하얀 증기."

쟝은 말을 마치고도 자신의 상상에 심취한 듯 허공으로 손을 이리저리 휘저었다.

"됐네요. 고향이라는 표현을 들으니 더 싫어졌어요."

그리고 페퍼는 소년의 머리를 감싼 채, 안쪽으로 들어간 제리의 뒤를 따라갔다. 직업이 자동차 딜러인 것치고는 제리의 차고에 있는 차종은 다양한 편이 아니었다. 대부분이 대형 차량이었다. 그런 탓에 넓은 부지가 좁게 보이는 면이 없지 않았다. 카고크레인이 있는 쪽이 특히나 그랬고, 톤이 넘는 트럭이 있는 곳은 충고부터 다른 곳과 달랐다.

"다들 이쪽으로 올라와 주시겠습니까."

제리의 목소리가 위에서 내려왔다. 높이가 3층 정도 되는 철제 다리였는데, 높이도 높이였지만 엄지발가락만 한 구멍이 송송 뚫려 있었다. 페퍼는 이미 도전하기를 포기한 것 같았다. 대신에 제리의 옆에 소년이 와 있었다.

"우와! 이거 정말 부서지지 않아요?"

소년이 자신의 키만큼 떠올랐다가 착지하며 제리에게 물었다.

"네 몸무게로는 끄떡없어. 아저씨라면 모를까."

"그럼, 아저씨가 한번 뛰어 보면 안 돼요?"

순수한 얼굴로 말하는 소년에 제리는 입꼬리를 올리며 몇 차례 하는 시늉을 보였다. 그리고 그와 동시에 다시 두 어른을 향해 말했다.

"잠시면 됩니다. 이곳에서 드릴 말씀이 있어서 그렇습니다."

그에 페퍼가 말했다.

"나는 빼 줘요. 위험해 보이는 곳은 딱 질색이라."

쟝은 군말 없이 제리와 소년이 있는 곳으로 걸음을 옮겼다. 쟝이 다리에 도착하자, 제리가 그의 얼굴을 한 번 바라보고는 페퍼에게도 들릴 정도의 목소리로 말했다.

"지금 저희가 선 높이가 아마 장벽의 절반쯤 되는 높이일 겁니다. 이곳이 3층쯤 되는 곳이니, 장벽의 높이는 대략 7층 정도로 보면 되겠죠."

"그리고 저기."

제리는 트럭에 실린 붉은색 쇳덩어리를 가리켰다. 긴 쇠막대가 사선으로 높게 쳐들려 있었고, 그 끝에 닻처럼 생긴 갈고리가 바닥을 향해 늘어져 있었다.

"우선 저희가 첫 번째로 생각해 볼 수 있는 방법은 저것입니다. 딘 씨가 보셨더라면 반대를 표하셨겠지만, 저의 생각으로는 저것이 최선의 수단으로 보입니다."

"저 갈고리 달린 트럭 말씀이십니까?"

쟝이 물었다.

"그렇습니다. 저 기종이 뽑는 길이가 가장 길어요. 온 트럭을 조사해 보았지만, 저것만큼 길이를 뽑는 종이 없더군요. 아니면 리프트가 있는데, 리프트는 길이가 짧아서 힘이 들 겁니다."

그리고 가만히 듣고 있던 페퍼가 입을 열었다.

"그래서요? 저걸 갖다가 뭘 어쩌겠다는 건데요?"

"그물을 매달 겁니다."

제리의 대답에 페퍼는 눈을 크게 뜨고서 다리의 입구까지 발을 올렸다.

"그물이라고요? 제리, 농담하지 말아요."

그리고 놀란 페퍼에 이어 쟝이 말했다.

"그물이라…, 물고기가 되는 거군요. 그런데, 사람을 낚을 만큼 튼튼한 그물이 있습니까?"

"그 부분에 있어서는 저도 고민 중입니다. 그물을 빌릴 만한 마땅한 주변인이 떠오르질 않아서요. 아무래도 가장 근접한 직업군은 도축업자 정도가 될 듯한데, 욕심 많은 그들이 무상으로 제공해 줄지도 의문이지요. 상황이 정 여의치 않으면 저희가 직접 그물을 제작하면 되니, 그리 큰 문제는 아닙니다. 가장 큰 문제는, 과연 제 얄팍한 상상력이 현실화 가능성이 있느냐는 거겠죠."

말을 마친 제리는 얌전히 들어준 것에 고맙다는 듯 소년의 머리를 쓰다듬었다.

"우선은 딘 녀석이 돌아올 때까지 기다려 봅시다. 상상을 구체화하는 데에는 도가 튼 녀석이니까요. 애초에 그 녀석이 아니었더라면 우리가 여기 모여 장벽을 어떻게 오를까, 따위의 생각은 시작하지도 않았을 테니. 안 그렇습니까, 하하."

"그래요. 일단은 그렇게 하도록 합시다."

그리고 그렇게 끝나려는 대화에 페퍼가 끼어들었다.

"아니, 잠깐만요. 그래서 결국 그물에 들어가 장벽을 오르겠다는 의견은 이렇게 통과가 된 거예요?"

"아니요, 페퍼 씨. 단지 그런 방향도 있다라는 것을 제리 씨께서 말씀하신 거니까요. 앞으로 더 나은 다른 방법이 발견되면 그쪽으로 가면 될 뿐입니다. 저는 머리가 좋지 않아 딱히 다른 길이 보이지 않는군요. 페퍼 씨께서는 의견이 있으십니까?"

"전혀 없어요. 저는 그저 **안전**을 0순위로 생각하고 싶을 뿐이에요."

페퍼의 말에 제리는 슬쩍 소년의 시야와 귀를 가로막았다. 그런 뒤, 쟝에게 부탁이 담긴 고갯짓을 보냈다. 쟝은 눈빛으로 알겠다고 대답했다. 쟝은 다리의 양쪽 손잡이를 손으로 쓸며 한 걸음 한 걸음 페퍼를 향해 걸어갔다. 그리고 다리 입구의 계단에서 짝다리를 진 채 서 있는 페퍼의 앞에 멈춰 섰다.

"…아이가 있지 않습니까."

"알고 있어요."

"평소의 페퍼 씨답지 않으셨습니다."

"미안해요. 시일이 다가온다고 생각하니 예민해졌나 봐요. 사실 조금. 아니, 많이 긴장이 되네요. 요즘은 잠도 잘 못 자고 있어요. 근데 다들 괜찮은 얼굴을 띠고 있으니까. 저만 그런 티를 낼 수는 없는 노릇 아니겠어요. …나만 약한 사람처럼 보이긴 싫으니까."

그에 쟝이 페퍼의 발 옆으로 몸을 앉히며 말했다.

"저도 평소 복용하던 수면제에 두 알을 추가로 복용하고 있습니다. 안정제와 항불안제를요. 페퍼 씨. 제리 씨와 딘, 그들이라고 다를 것 같습니까. 결국 모두 다 같은 인간일 뿐입니다. 과거를 회상하고, 현재를 구상하고, 미래를 걱정하는. 더군다나 저희는 이상에 목숨을 건 사람들이잖습니까."

쟝의 서글서글한 목소리에 페퍼는 다리를 풀며 그의 옆에 걸터앉았다. 그리곤 자신의 손금을 가만히 문질렀다.

"우리가 하려는 일이 과연 옳은 걸까요?"

페퍼가 말했다.

"음. 글쎄요. 아마도 그날 많은 사람이 우리를 지켜보겠죠. 자기들끼리 수군거리기도 할 테고요. 저 인간들이 지금 뭘 하는 거지? 설마하니 저 장벽을 넘으려고 저러는 건가? 미쳤어, 완전히 미친놈들이야, 라고요. 그렇다면 우리는 그들의 눈에 어떻게 보여야 할까요. F구역에 남을 사람들을 향해 어떤 얼굴을 비쳐야 좋겠습니까."

쟝이 말을 끝내며 눈을 맞춰 오자, 페퍼는 가슴으로 시선을 내리며 대답했다.

"까짓거 알몸이라도 보여 줘 버릴까요?"

"크하하하. 그거 아주 좋은 생각이군요. 그날 페퍼 씨 옆자리는 제가 차지하는 걸로 하겠습니다."

그리고 쟝은 미소를 머금는 페퍼의 얼굴을 확인하고는 최대한의 작은 목소리로 그녀에게 말했다.

"아주 잠시 동안만 저곳으로 가 보시면 어떠실까요."

그를 들은 페퍼는 짧게 웃음소리를 내었다. 그리고 엉덩이 아래에 깔린 옷을 빼내며 말했다.

"가요."

페퍼가 일어나자 소년이 기다렸다는 듯이 순진무구한 얼굴로 그녀를 향해 손을 흔들어왔다. 자리에서 일어난 페퍼는 쟝의 어깨를 손으로 눌렀다. 그리고 그의 어깨를 가볍게 주무르며 말했다.

"근데 그거 알아요? 저이는 밑에서 운전만 한다는 거."

31 투표 결과

마을 인구 총 45명.

찬성표 - 25 / 반대표 - 20

"가더의 품을 잊지 못한 찌꺼기들."

"거지 동냥과도 같은 제도."

디케이가 마지막 표를 펼침과 동시에 홈이 사람들을 향해 내뱉은 말이다. 반대표를 던진 사람들은 입술을 꽉 깨물었지만, 단상에 있는 피크가 아무런 행동을 취하지 않았기에 조용히 화를 삼켰다. 그렇게 그날은 별다른 소동 없이 모두가 집으로 돌아갔다. 그리고 그날 밤은 마을 전체가 환히 빛났다. 막대와 기름은 키가 직접 모든 집을 순방하며 나눠 줬다. 간혹, 받기를 거부하거나 손찌검부터 앞세우는 이들도 있었다. 그럴 때마다 키는 고개를 숙였다. 고개를 숙이는 것으로 부족하면 머리를 조아렸다. 지킴이의 대표와도 같은 키의 발품으로써 이루어진 밤이었다. 하지만 그 밤은 길지 못했다.

"일어납시다!!!"

마을 입구에서 가장 가까운 집에서 울린 목소리였다. 소리를 낸 사람은 마토였다. 마토는 밤새 한숨도 눈을 붙이지 않은 듯 전날의 기름기가 얼굴 위에 고스란히 묻어 있었다. 그리고 마토는 그을음만 남은 나무막대를 집 앞 바닥에 내팽개치며 목소리를 이었다.

"오늘입니다! 단상도! 부활의 장도! 대회도! 모두 사라져 해방이 찾아온 날! 모든 걸 새로이 바로잡을 수 있는 우리 마을의 황금꽃 같은 첫날! 쇄신합시다! 그리고 나아갑시다!"

바람에 날리는 부스러기처럼 마토의 외침은 거리를 타고 먼 곳까지 울려 나갔다. 하지만 돌아오는 반응이 없었다. 아무것도 없이 우뚝 길에 서 있는 마토는 마치 한겨울을 향해 온기를 내놓으라는 식의 폭도처럼 보였다. 그 뒤로도 마토는 여러 차례 같은 말을 되풀이했지만, 창과 대문이 열리는 집은 없었다. 다들 숨을 참은 저격수처럼 상황을 관조했다. 고개를 낮추고 창가에 귀를 댄 그들은 분명 생각하고 있을 것이다. 어제의 결과에 그만한 중대함이 들어 있었는가, 하루아침에 결정 난 상황이 과연 믿음직스러운가.

"무작정 미룬다고 해답이 나오지 않습니다! 스스로 판단하고, 스스로 움직여야 합니다! 지킴이의 도둑질이 끝난 지금, 우리는 언제고 닥쳐올지 모르는 식량난을 걱정해야만 합니다! 그렇지 않으면 모두…"

"그렇게 질러대기만 하면 아무도 나오지 않을걸요."

언제부터 보고 있었던 것인지, 검은 모자를 푹 눌러쓴 홈이 마토의 뒤로부터 발소리를 내며 등장했다. 홈의 행색도 마토와 비슷했다. 설친 잠 때문에 생긴 듯한 옷의 주름과 머리 눌림. 그리고, 불안으로 떨리고 있는 눈동자까지. 홈은 마토를 지나 몇 걸음을 더 내려놓은 뒤, 모자챙을 양손으로 조이며 말했다.

"시티에서 꽃 장사를 하며 깨달은 게 하나 있습니다. 사람을 모으는 데 가장 중요한 것은 팔고자 하는 물건의 질이 아니라, 장사꾼의 외모나 말솜씨라는 것을요."

"하고 싶은 말이 뭡니까."

마토가 퉁명한 말투로 대꾸했다.

"마토 씨에겐 둘 모두가 없죠. 그렇기에 허울뿐인 고함을 내지를 것이 아니라, 그와 반대로 씨가 가득 들어찬 해바라기 같은 계획표를 준비해야 한다는 뜻입니다."

"계획? 지금 상황에 그럴 시간이 있다고 보십니까? 아니. 애초에 당신에게 계획이라는 단어는 어울리지 않죠. 전 그날 봤습니다. 당신이 개인적인 분노에 못 이겨 아무런 잘못도 없는 디케이 씨에게 술병을 내던지는 것을. 그런 패악을 저지른 당신의 입에서 계획이라니 당치도 않군요. 됐습니다."

그리고 마토는 앞을 가로막은 홈을 지나쳐 그대로 길을 지나가려는 듯 몸을 움직였다. 홈은 마토가 있던 곳에 여전히 시선을 둔 채로 그가 자신을 지나가기를 기다렸다. 그리고 마토의 어깨가 스치려는 찰나, 말을 꺼냈다.

"피크 씨가 아니면 소용없습니다."

그리고 그 말은 마토에게 적중했다.

"뭐요?!"

마토가 시뻘겋게 충혈된 눈으로 말했다.

"뭐고 자시고, 당신 혼자로는 아무것도 해낼 수 없다는 뜻입니다. 제가 지켜본 바에 의하면 마토, 당신의 평판은 항상 최저점에 머물러 있었으니까요."

"당신이 뭘 안다고, 또 무슨 자격이 있어서 그런 말을 합니까? 조금 쓸모 있는 말재주를 가졌기에 망정이지, 원래였더라면 당신의 그날 행동은 퇴출감이었습니다."

"아무렴. 예, 그렇겠죠. 자칫 살인으로 이어질 수도 있었던 폭력이었으니까요. 그런데 제가 지금 마을 밖으로 쫓겨났나요? 아니죠. 저는 여전히 마을에 잘살고 있습니다. 그것도 아무런 눈총을 받지 않으면서 말이에요. 저에 대한 심판이 있었나요? 아니면 하다못해 저 하나를 향한 처벌이 있었습니까? 과연 그 이유가 나이에만 있을까요? 저는 저와 같은 사람이 많아서라고 생각합니다만."

그리고 홈은 웃으며 말을 매듭지었다.

"어때요. 사람들은 누구보다 거짓을 좋아합니다."

"…"

홈의 웃음에 마토는 죽은 듯이 입을 다물었다. 홈과 눈을 마주하는 것 정도가 그의 최선이었다.

"이제 아시겠습니까. 마토 씨 혼자로는 불가능한 일이라는걸."

"아. 노파심에 하는 말입니다만, 그날 당신들의 회의 자리를 엿들은 일을 생색내려 이러는 것은 아닙니다. 그렇지만 그 건은 제게 조금 감사해야 하는 부분이 아닌가 싶네요. 투표가 끝날 때까지 누구에게도 발설하지 않았는데."

그에 마토가 이를 꽉 깨물며 말했다.

"…그건 당연히 그랬어야 하는 일입니다."

"당연히? 당연히요? 세상살이에 당연한 일이 어디 있습니까?"

"아니, 최소한의 사고가 있는 사람이라면…"

"생각, 계산, 사고. 이런 것들은 시티에서나 통하는 것들이잖습니까. 누구보다 잘 아시는 분께서 그런 재미없는 말을 하시네요."

마토의 말을 끊은 홈은 슬며시 고개를 젖혀 거리의 집을 쳐다본 다음, 이어 말했다.

"보세요, 마토 씨. 제가 추가되니 저들의 창문이 열렸습니다."

말을 들은 마토는 몸을 부들부들 떨었다. 그리곤 차마 자존심이 허락하지 않는다는 듯이 돌아가려는 목을 연신 붙잡아 세웠다.

"어떻습니까. 저와 손을 잡으시는 게. 일이 훨씬 수월히 돌아갈 겁니다. 약속만 해 주신 다면 저도 물심양면으로 마토 씨를 돕죠."

홈의 말에 마토가 대답했다.

"목적이 뭡니까. 저로부터는 빼먹을 게 많지 않을 텐데요. 숨겨 놓은 진짜 목적, 그걸 말해 준다면 잡겠습니다. 당신의 그 손."

대답을 들은 그 짧은 시간, 홈은 속으로 골백번 생각했다. 내가 이 사람을 선택한 것이 과연 옳은 선택이 맞을까. 홈은 마토에 대해 아는 것이 별로 없었다. 오로지 피크 한 사람을 기준으로 골랐을 뿐이었다. 어젯밤부터 오늘 새벽까지 홈이 추린 후보는 총 셋이었다. 디케이, 군, 마토. 홈은 자기애와 포악스러움을 동시에 갖춘 군을 제일 먼저 배제했다. 그리고 그다음은 디케이. 디케이가 가장 안전하고, 현명한 선택지라는 것을 홈은 잘 알았지만, 어쩔 수 없었다. 술병을 던진 그날 이후로 그를 찾아가기는커녕 제대로 된 말 한마디 섞어 보지 못했으니까.

"제게 다른 목적이 있다고요?"

홈은 똑같은 표정을 유지하며 말했다.

"없다고 말하는 겁니까?"

마토가 얼굴을 비스듬히 틀어 홈의 한쪽 눈을 보며 말했다.

"아니요. 마토 씨를 믿어도 되나, 생각 중이었습니다."

"말해 보세요. 적어도 군, 그 인간처럼 하루아침에 마을 사람 모두가 알게끔 하진 않을 테니."

"믿어도 됩니까?"

"그건 제 영역이 아닙니다."

"그럼, 우선 해바라기 같은 계획부터 들으시는 건 어떠실까요?"

"돌리지 말고 그냥 말하세요. 저는 고전 이외엔 큰 관심이 없는 사람입니다. 무슨 소리를 들어도 그러려니 반응할 게 뻔해요."

마토의 말에 홈은 고개를 끄덕였다. 그리고 존대를 하기 전까지 빈정대며 말한 것을 사과하고픈 마음에 줄곧 건방지게 서 있던 자세를 바르게 고쳐 잡았다. 큰 심호흡을 한 차례. 홈은 마토가 자신의 말을 한 번에 알아듣길 바라면서 한 글자씩 또박또박 뱉어냈다.

"저는 마을을 떠날 겁니다. 그리고 시티로 돌아갈 거예요."

다행히 마토는 한 번에 홈의 말을 알아들었다.

"시티로 간다?"

마토가 되물었다.

"네. 시티로 갈 겁니다."

"방금 당신이 한 말이 무슨 뜻인지 알고는 있는 겁니까?"

"물론입니다. 배신을 두 번 저지르겠다는 거죠."

말을 들은 마토는 손으로 수염을 문질렀다. 그리고 얼마간 그와 같은 자세로 제자리에서 발을 동동 굴렀다. 홈은 가만히 기다렸다. 홈은 마토의 입에서 무슨 말이 나오든 받아칠 자신이 있었다. 둘의 시간이 길어질수록 근처의 집에서 머리를 내미는 사람이 늘어났다.

"계획부터. 그래야 계산이 맞을 것 같군요."

마토가 말했다.

—— 32 마을로 온 시티의 편지

한참 뒤에 집으로 돌아와 퓨티와 워블이 함께 있는 것을 본 피크는 퓨티를 향해 딱딱하게 인사를 건네고는 워블에게 2층에서 자도 되겠냐고 물어보았다. 워블은 그렇게 하라고 대답하고는 퓨티에게 잠시만 기다려달라고 말했다. 2층으로 올라간 두 사람을 기다리는 동안 퓨티는 1층을 정리하기로 했다. 지저분한 공간을 치우고 싶다는 마음이 드는 것도 있었고, 오늘은 워블과 함께 밤새 이야기를 하며 잠들고 싶었기에, 적어도 자신이 누울 공간 정도는 스스로 마련해 두어야겠다는 마음이기도 했다. 퓨티는 우선 집 입구에 쌓여 있는 편지들부터 치우기로 했다. 그리고 하나둘 편지를 손안에 모으며 퓨티는 깨달았다. 전에 본 출발지가 F로 시작하는 편지들은 모두 시티에서 건너온 것이며, 뒤에 붙은 숫자만 다를 뿐이지 알파벳은 전부 F라는 사실을.

"이것도, 이것도, 이것도, 이것도, 전부 F야."

퓨티는 두툼하게 모은 편지 중 몇 개를 떼어 봉투에 적힌 문구를 읽으며 말했다. 그리고 그들을 다시 하나의 뭉치로 합쳐 적당히 벌어져 있는 신발장의 틈 사이로 밀어 넣었다. 그리고 그때, 계단을 내려오는 발소리가 들려왔다. 퓨티는 조금도 놀라거나 하지 않았다. 다른 마음이 있던 것이 아니었기 때문에. 퓨티는 오히려 문이 열릴 때까지 기다렸다. 선의든 아니든, 정돈을 했다는 데에 대한 칭찬을 듣고 싶었다. 그렇게 현관에 쭈그려 있는 상태로 퓨티는 워블과 눈이 마주쳤다. 워블은 옷이 바뀌어 있었다. 목에 둘려 있던 스카프는 없었고, 하늘색의 얇은 옷을 입고 있었다. 문을 연 워블은 천천히 눈을 굴리며 상황을 파악해 나갔다. 그러다 그녀는 빙긋 웃으며 말했다.

"기다리기 심심했나 봐요."

"아. 딱히 그런 건 아니었는데, 깔끔한 게 좋을 것 같아서요."

"고맙네요. 그렇지 않아도 치워야지, 치워야지, 하면서 차일피일 미루고 있던 참이었는데."

그리고 워블은 쭈그린 퓨티의 옆으로 다리를 넣어 안으로 들어왔다.

"편지들은 읽어 봤어요?"

워블이 물었다. 그에 퓨티는 솔직히 대답했다.

"사실 그렇게 할까 생각도 했었는데요. 뜯긴 게 하나도 없어서 들킬까 봐 읽지 못하였어요."

"읽어 봐요. 그중 제일 궁금한 편지 하나만."

"정말요? 그래도 돼요?"

워블은 말없이 웃었다. 퓨티는 하나 점찍어 둔 것이 있었다. 지난번 워블의 집에 처음 방문했을 때 보았던 편지. 장난치듯 써 내려간 필체가 인상적이었음을 퓨티는 똑똑히 기억하고 있었다. 딱딱하게만 보이는 다른 편지들과는 달리, 조숙하지 못한 필체로 쓰인 글씨. 퓨티는 신발장에서 편지의 끄트머리를 조심스럽게 빼냈다.

"이거예요."

퓨티는 워블이 볼 수 있도록 그녀와 자신의 무릎 사이에 봉투를 놓으며 말했다. 워블은 탁월한 선택이라는 표정으로 말을 이었다.

"역시 아이들만 한 게 없죠? 어른의 글은 정제되고, 꾸밈 또한 배로 앞서 있지만요."

"어떻게 아셨어요? 이게 꼭 아이가 쓴 것 같아서 고른 건데."

"그것 말고는 달리 특별할 게 없으니까?"

퓨티는 워블의 대답에 소리 내 웃었다. 그리고, 무엇인지 알지도 못하는 편지를 초롱초롱한 눈으로 내려다보며 풀칠이 된 봉투를 끝부분부터 살살 긁어냈다. 삼 분의 일 정도가 뜯기자, 입을 꾹 다물고 있던 봉투는 반대편 끝부분까지 힘없이 툭 하고 벌어졌다. 퓨티는 워블을 바라봤다. 그리고 퓨티가 말하기 전에, 워블이 말하였다.

"눈치 보지 말고."

"아, 네."

퓨티는 손끝으로 잡은 봉투의 입구를 검지로 들어 올렸다. 안으로 새하얀 종이가 보이기 시작했다. 그리고 그때부터 퓨티는 심장이 쿵쾅거리는 것이 느껴졌다. 마을이 아닌 밖으로부터 온 이야기, 어쩌면 어렸을 적 시티의 기억을 되찾아 줄지도 모른다는 기대감. 퓨티는 다시 한번 워블의 얼굴을 쳐다본 다음, 부엌의 칼집에서 칼을 빼내듯 순식간에 봉투에서 편지지를 꺼내 들었다. 워블은 놀란 얼굴로 퓨티의 행동에 맞장구쳐 줬다. 퓨티는 높이 쳐든 종이를 마치 밤하늘의 별을 붙잡은 것처럼, 아주 소중한 물건을 대하듯이 서서히 아래로 내렸다.

"어라? 아이의 글씨가 아닌데요?"

글은 종이의 긴 쪽으로, 아래를 향해 뒤집혀 쓰여 있었다. 그를 한 번에 보지 못한 퓨티는 손을 돌려 다시금 종이에 초점을 맞추며 미간을 찌푸렸다. 그리고 그 모습을 워블이 가만히 바라보았다.

"너희들의 삶을 두고 독립이라고 할 수 있나?"

퓨티는 편지지에 쓰인 글귀를 읽고서 워블에게 물었다.

"이게 무슨 소리죠?"

그에 워블은 마치 알고 있었다는 듯이 대답했다.

"운이 없었네요."

워블이 퓨티의 손에서 편지지를 슬그머니 가져가며 말했다. 그리고 그 말을 들은 퓨티는 급히 뛰어나가려던 심장이 삽시간 제자리에 멈춰 버리면 머리끝부터 발끝까지 힘이 빠진다는 사실을 처음 알게 되었다.

"이걸 보낸 사람은 저희가 이렇게 기쁜 마음으로 읽으려 들리라는 걸 조금도 생각하지 않은 거겠죠?"

퓨티는 축 처진 팔을 무릎에 얹으며 말했다.

"설사 그렇다고 해도 저는 할 말이 없네요. 저 또한 민트 씨로부터 전달받은 편지들을 하나도 뜯지 않고 그냥 내버려두었으니."

"…그렇구나. 역시나 민트 씨였군요. 편지를 운반한 사람은."

"그래요. 눈치 빠른 퓨티 양은 알고 있겠지만, 민트 씨는 마음씨가 참 곱죠. 저도 그녀에게 많은 도움을 받았어요. 눈을 뜨고 일어나 구름을 보고 있을 때면 늘 먼저 다가와 인사를 걸어 줬거든요."

그리고 그 말을 들은 퓨티는 말했다.

"제가 처음이 아니었네요?"

퓨티의 물음에 워블이 놀리는 표정으로 대답했다.

"네? 처음? 처음이라고 한 적은 없는데, 퓨티 양이 착각했네요."

"뭐예요. 저는 워블 씨의 마음을 연 사람이 제가 처음인 줄 알았어요. 그래서 더욱 기뻐했었고요. 그런데…"

"어쨌든 기뻐했으면 된 일 아니에요?"

"물론 기쁘죠. 기쁜데."

그에 워블이 또다시 퓨티의 말을 가로채며 말했다.

"질투가 난다는 거네요. 처음이 아니라는 사실에."

"맞아요. 그런 것 같아요."

그리고 퓨티는 얼굴을 뾰로통하게 부풀어 올렸다. 워블의 반응은 전과 같았다. 살과 살을 맞댐으로써 서로의 차분함과 고조됨을 공평히 나누어 가지는 것. 워블은 퓨티의 팔을 가볍게 잡고서 말했다.

"퓨티 양에게 진심으로 고마워하고 있어요. 그러니 나 같은 사람한테 아까운 감정을 낭비하지 말아요."

퓨티는 달리 할 말이 떠오르지 않아, 대답하지 않았다. 그저 가만히 팔을 두었고, 워블의 왜소한 손에 깃든 차가움을 마음속으로 느꼈다.

"그나저나 그 뒤로는 어떻게 됐어요?"

"네?"

"투표요. 오늘 단상에서 투표를 했었잖아요. 역시 지킴이를 없애자는 쪽으로 의견이 모였던가요?"

"네, 일단은요. 근데 아직은 확실하지 않은 것 같아요. 무엇보다 찬성과 반대의 표 차이가 얼마 나지 않았어요. 제 기억이 확실하진 않지만, 다섯 표 정도였던 것 같아요. 그리고 마을 사람들 대부분의 표정이 결과에 만족하지 않는다는 듯 보였어요. 아마도 투표에 불만이…"

말을 끊은 것은 워블이 아니었다. 워블은 아주 조용히 말을 듣고 있었다. 차근차근 상황을 설명해 나가던 퓨티 스스로부터 말이 끊겼다. 개표가 끝나고 난 이후에 들린 목소리. 잔혹하면서도 서늘하기까지 했던 말. 퓨티는 그 많은 사람 중 자신에게 눈을 맞추며 말을 하는 홈의 얼굴이 떠올랐다. 오해는 아닐 거라고 퓨티는 생각했다. 퓨티는 홈이 충분히 그럴 위인이라고 생각했다. 사형대에서도 비슷한 감정을 느낀 경험이 있었기에, 퓨티는 그렇게 생각했다.

"우리더러 찌꺼기라고 했어요, 그 사람."

퓨티는 워블의 눈을 보며 말했다.

"그 사람?"

"네. 지난번에 말씀드린 그 사람이요."

그에 워블은 기억한다는 표정으로 대답했다.

"아, 그래요. 사형대 위에서 소설 이야기를 꺼낸 청년을 말하는 거죠?"

"네, 맞아요."

"그와 무슨 문제가 있었어요?"

"아무래도 제가 사람을 잘못 본 것 같아요. 디케이 씨가 그 사람이 던진 술병에 맞았다는 소식을 들었을 때, 저는 그럴 만했다고 생각했었거든요. 하루아침에 꿈을 도둑맞은 신세였으니까. 그런데 오늘 보니 제가 만든 허상에 불과했나 봐요. 한마디로 깜빡 속았다는 이야기죠."

그리고 퓨티가 말을 마칠 때까지 기다리던 워블이 말했다.

"그날처럼 또 다른 이유가 있어서 그런 게 아니었을까요? 찌꺼기라는 표현은 심하긴 했지만."

워블의 말에 퓨티는 완강하게 고개를 저었다.

"아니에요, 워블 씨. 개인의 사정 하나로 사람을 다치게 한 사람이 이번에도 같은 짓을 저질렀어요. 제가 볼 때 그건 버릇이에요."

"흐음."

워블은 콧소리를 내며 퓨티의 표정을 살폈다. 워블 특유의 우아하고도 슬퍼 보이는 눈이 나무 대문 틈 사이로 들어오는 해 질 녘의 주황빛과 만나 더욱 고혹적으로 비쳤다.

"퓨티 양은 어느 쪽에 투표했어요?"

워블이 말했다.

"저요? 저야 당연히 유지하자는 쪽에…"

그리고 워블이 다시 비슷한 목소리로 말했다.

"퓨티 양."

"네?"

"저희 투표장이 열려 있던가요?"

"아뇨."

"그럼, 저희는 타인의 선택을 알 수가 있을까요, 없을까요?"

그 말에 퓨티는 홀랑 벗겨진 기분이 들어, 워블에게 용서를 구하듯 몸을 바짝 밀착시키며 말했다.

"그러지 마세요. 누구였더라도 방금 워블 씨의 분위기에는 넘어가지 않을 수가 없었을 거예요."

"그거야말로 허상이네요. 퓨티 양, 그러지 말고 그 사람을 만나 이야기를 나눠 봐요. 그 전까지는 아무런 단정도 짓지 말고요."

"제가 왜 그래야 하죠?"

퓨티는 자신의 목소리가 듣기 싫게 올라갔다는 것을 말을 마치고서야 깨달았다. 그리고 다음으로 이어진 워블의 말에 입을 벌린 채로 얼어붙었다.

"좋아하고 있잖아요. 홈 씨를."

── 33 피크와 디케이의 싸움

"이제는 말할 수 있잖나, 디케이."

피크가 타오르는 불꽃 옆으로 몸을 가까이하며 말했다. 표정은 더할 나위 없이 차분했고, 눈빛은 불꽃이 없어도 될 만큼이나 온화했다. 10년 전, 확성기를 내려놓았을 때와 같은 모습이었다.

"대체 무슨 말을 듣고 싶은 거야."

그리고 횃불 옆, 피크와 마찬가지로 정면을 응시하고 있던 디케이가 안경을 올리며 대답했다.

"근 10년을 참아 온 네가, 마을을 이 지경으로 만든 이유."

"그런 건 이미 전부 말했어. 이유를 모르는 사람들에게도, 이유를 아는 너에게도."

그에 피크는 불이 들은 양철통을 발로 거세게 걷어차며 말했다.

"헛소리."

양철통은 출구의 아래쪽으로 거의 엎어질 뻔하였지만, 끝내 넘어지진 않았다. 대신에 수많은 불씨가 두 사람 사이로 떨어졌다.

"틀림없는 사실이야. 그러는 너야말로 진정으로 그것에 집착하는 이유가 뭔데. 복수에 참고하려고?"

"그럴지도 모르지. 네 진짜 이유가 내가 생각하는 그것과 일치한다면 말이야."

"억지 명분을 만들려고는 마. 난 네가 지금 당장 나에게 사형대로 가 목을 매라고 해도 그 명령을 따를 테니까."

그리고 그 말을 들은 피크는 소리 내어 웃기 시작했다. 고요한 밤하늘에 더러운 침방울이 날렸다. 웃음소리는 호쾌하면서도 고독하였으며, 고독하면서도 슬프게 울렸다. 그렇게 피크는 누구 하나 의식하지 않으며 한참을 웃었다. 그러다, 끝내 화를 냈다.

"제발 한 번만이라도 솔직해질 수는 없나!!!"

"자네가 일을 벌이겠다고 한 날을 곰곰이 되짚어 봤어. 결국 한 사람이 남더군. 민트"

"그래서?"

"그녀 때문인가? 정말 그녀 한 사람 때문에 진실을 까발린 거냔 말이야."

그에 디케이는 무뚝뚝하게 대답했다.

"난 마을의 기둥인 지킴이가 피크 자네 손에 놀아나는 게 보기 싫었을 뿐이야."

"기둥? 기둥이라고? 언제부터. 대체 언제부터 지킴이가 마을의 기둥이었는데? 그들은 봉사자야. 마을의 존립을 위해 자신을 희생하는 봉사자라고."

그리고 피크는 치솟는 불을 넘어, 디케이의 뒤에 서며 말했다.

"민트 씨를 마음에 품고 있다고 진작 내게 귀띔해 줄 수도 있었잖아? 그럼, 일이 이렇게 꼬이지도 않았을 거야. 내가 눈치껏 다른 사람을 올빼미로 이용했을 거라고."

"방금 네 입으로 이용이라고 했어. 넌 자기 자신을 속이면서까지 그들을 네 노리개 삼아야만 직성이 풀리는 사람인 거야."

그 말을 들은 피크는 그대로 디케이의 목덜미를 잡아 돌바닥에 내리찍었다. 디케이는 나뭇가지 꺾이듯 앞으로 고꾸라졌고, 심지어 쓰고 있던 안경마저 튕겨 나가 마을 밖으로 떨어졌다. 순식간에 벌어진 일이었다. 디케이의 코와 입에서 피가 새어 나왔다. 디케이는 앞으로 찍힌 얼굴을 옆으로 돌리려 버둥댔다. 힘과 신장을 따진다면 디케이는 거기서 충분히 반격할 수 있었을 것이다. 하지만 디케이는 딱 그 정도를 유지하는 데에만 힘을 썼고, 안경이 벗겨진 지금, 아마도 보이지 않을 눈앞을 바라보기만 했다. 피크는 왼쪽 발을 디케이의 뒤통수 옆에 있는 바위 위에 올려놓으며 말했다.

"이대로 널 마을 밖으로 던져 버릴 수도 있어."

"…좋을 대로."

"내 성격 알잖아."

"…알지."

"그럼 어서 말을 해. 지금 속도론 나도 어디까지 갈 줄 모르겠다고. 정말로 널 여기서 떠밀어 버릴지도 몰라."

"자신을 너무 과대평가하는군. 착각 마. 나 스스로 떨어지겠다는 의지를 자발적으로 갖지 않는 이상, 내가 여기서 떨어지는 일은 없을 테니까. 그리고, 피크, 넌 진작에 이런 모습으로 돌아왔어야 했어. 만약 그랬다면 마을이 좀 더 진보했을지도 몰라."

"나 때문이라고?"

"나뿐만이 아니야. 마을 사람 모두가 그럴 거야. 리더라는 놈이 자기 자식새끼 한 명 죽었다고 반병신이 돼 버렸으니까."

"입 닥쳐."

피크는 목을 쥔 손에 힘을 넣으며 말했다.

"…자네 때문에, 우린 10년을 잃은 거야. …자그마치 10년을."

그리고 디케이는 줄다리기하듯 대립하고 있던 목에서 힘을 풀어 버렸다.

"내가 없었으면 그 10년은 있지도 못했어! 다들 시티에서 하류 인생을 이어 가고 있었을 거야!"

피크가 지지 않고 소리쳤다. 그러다 디케이가 힘을 뺀 걸 느꼈는지 손의 힘을 빼내었다.

"똑같은 이야기야. 자네가 아닌 다른 사람이 이 마을을 건립했었더라면. 자네가 아닌 다른 사람의 자식이 살해당했었더라면. 하지만 말이야, 피크. 아직 늦지 않았어. 다시 전으로 돌릴 수 있을 거야. 마토를 잘 활용해 봐."

디케이가 말을 끝낸 동시에 피크는 손을 거뒀다. 그리고 디케이는 서서히 몸을 일으켰다. 디케이는 양손으로 한 차례씩 얼굴의 피를 닦아 냈다. 그를 바라보는 피크의 얼굴에 미안함은 없었다. 그보다는 책망하는 말을 들은 데에 대한 감정이 묻어 있었다.

"이제 어떻게 할 셈이야."

피크가 말했다.

"달라질 건 없어. 너는 너대로, 나는 나대로일 뿐."

"두루뭉술한 표현 말고, 나는 구체적인 해답을 원해."

그 말에 디케이는 어깨를 으쓱거렸다.

"……그래."

피크가 알았다는 듯이 대답했다.

"안경은 어떻게 하지."

"내일 아침까지 자네가 찾아 놔."

"그러지. 사과는 그걸로 하면 되겠나?"

"안경의 상태에 따라서."

"알겠네."

"말뚝은?"

"말뚝? 무슨 말뚝?"

"이대로 끝나는 건가, 해서."

디케이가 피 묻은 흰색 가운을 툭툭 털며 말했다.

"마토와 상의해 보지."

그리고 둘의 대화는 거기서 끝났다. 디케이가 먼저 자리를 떠났다. 디케이가 떠나고, 피크는 자리에서 돌아서서 마을을 내려다보았다. 마을 안에서부터 적당히 서늘한 바람이 불어왔다. 본래의 밤이었다면, 무의 공간처럼 아무것도 보이지 않는 바깥의 경치와 피크가 서 있는 입구만이 대조되어 타오를 것이지만, 이제는 그렇지 않았다. 어두울 곳도 붉게 타오르고 있었다. 다만, 햇불이 켜져 있는 집은 듬성듬성했다. 다들 기쁜 마음은 아닌 것이다. 피크는 자신의 집을 먼저 살폈다. 그리고 워블이 해 놓은 결과물에 피식 웃었다. 1층은 어두웠고, 2층만 불이 붙어 있었다. 마치 사람들에게 보여졌음 좋겠다는 듯이. 그리고 피크는 한밤의 달을 태양 보듯 쳐다보며 말했다.

"결국은 이렇게 되는군. 더러운 정치꾼, 마을의 몰락."

—— 34 벽을 세운 가더들, 그리고 그들의 마지막

이후로 장장 30분가량 홈은 자신의 계획에 대해 털어놓았다. 홈이 말을 끝낼 때까지 조금의 지친 기색 없이 마토는 그의 말에 귀를 기울였고, 그 사이에 관중의 수는 좀 더 늘어나 있었다. 결국은 현실을 무기로 삼자는 것이 홈의 계획이었다.

'마을의 이름 있는 모두는 시간이 흘러 쌓인 명성이며 이름값이고, 마토 당신만이 유일하게 쓸모가 있는 사람이다.'라는 것이 마토를 자신의 편으로 돌린 데 홈이 결정타로 날린 말이었다. 그리고 홈은 마토에게 설명해 주었다. 당신의 부족한 점은 역시나 흡입력이다. 무지한 사람이 혐오스럽더라도 억지로 친절을 베풀어라, 그리고 무엇보다 중요한 것, 웃어라.

"그럼 어떻게 하는 것이 좋겠습니까?"

마토가 물었다.

"급할수록 돌아가야죠. 우선은 상황을 살피는 게 좋을 것 같습니다. 투표를 막 마치기도 했고, 사람들이 많이 흥분해 있을 거예요. 그러니 흥분이 가라앉기까지 사나흘 정도는 평소의 모습, 그러니까 투표 이전의 마토 씨로 관망해 보세요. 그러면 적어도 한 명은 찾아올 겁니다. 그 한 명이 마토 씨에게 다가오는 순간, 게임은 끝났다고 보시면 됩니다. 다들 기계가 아니니까요. 아까 소리치셨듯이 식량을 걱정하는 사람이 반드시 나오게 되어 있습니다."

"이렇게 말이 잘 통할 줄은 몰랐습니다."

"하하. 이게 제 능력인걸요."

"마을을 떠날 방법은 제가 따로 알아봐 드리죠."

그에 홈은 손가락을 들어 흡족하다는 듯이 찌르는 시늉을 했다.

"아주 좋습니다."

그리고 홈은 시선을 마토의 뒤로 넘기며 이어 말했다.

"뒤를 한번 돌아보시겠습니까? 저희를 보는 사람이 이젠 꽤 많습니다."

그에 마토는 손바닥을 앞으로 내밀며 말했다.

"아니요. 저들은 홈 씨가 있기에 온 사람들이니 사양하겠습니다. 이다음에, 저들을 제 편으로 만들고 나서 보는 것으로 하죠."

"탁월한 선택이십니다."

그리고 마토는 홈을 향해 꾸벅 인사를 하고는 고개를 떨어뜨린 채로 집으로 들어갔다. 마토가 집으로 들어가는 모습을 본 홈은 잠시 제자리에 서 있다가 집에서 걸어온 길을 따라 그대로 내밟았다. 그리고, 홈은 퓨티를 발견했다. 퓨티는 이제 막 문을 열고 있었다. 문 옆, 유모차의 모빌이 그와 동시에 한쪽으로 돌아갔다. 홈은 망설이지 않고 퓨티를 향해 나아갔다. 걸음 소리를 들은 퓨티가 흠칫 놀라며 홈을 향해 고개를 돌렸다.

"안녕하세요, 퓨티 씨."

홈은 손을 들어 인사했다.

"그날 이후로는 오랜만에 얼굴을 보네요."

그에 퓨티는 억지가 깃든 웃음과 함께 대답했다.

"그러네요."

"아침부터 불려 나오신 거예요?"

"네? 아니요."

"음? 아니라고요? 저는 당연히 피크 씨께 심부름을 오신 줄 알고 괜히 넘겨짚었네요. 사람 무안하게."

"괜찮아요. 요즘 잠은 좀 어떠세요? 어제는 잘 주무셨어요?"

홈은 최대한 그렇지 못하다는 표정을 지어 보였다.

"아뇨, 마을로 들어오고부터는 통 잠을 자기가 힘드네요. 특히나 어제는 그런 일도 있고 해서. 퓨티 씨는 어떠셨어요?"

퓨티 역시 홈과 비슷한 표정을 띠었다. 그리고 퓨티는 홈의 눈가를 살짝 엿봤다.

"저도 그랬어요. 아, 어제는 집에서 잠을 자지 않았거든요. 워블 씨와 함께 잠을 자서…"

그 말을 들은 홈은 머리가 휙휙 돌아가는 것을 느꼈다. 그리고 속으로 결론지었다. 퓨티와 워블은 종이에 구멍을 뚫지 않은 사람들이구나.

"아 그러셨군요. 그래서 지금 저기서 나오신 거구나. 피크 씨도 만나셨어요? 뭔가 피크 씨의 얼얼한 표정이 떠오르는데요."

"딱히 그렇진 않았어요. 오히려 괜찮아 보이셨달까. 달리 말씀은 없으셨지만, 결과를 수용하신 표정이셨어요. 워블 씨가 중간에 잠시 옷을 갈아입으러 위층에 올라가셨는데, 그때도 큰 소리가 들리지 않았고요. 아무래도 친구였던 디케이 씨가 벌인 일이기에 그런 자세를 취할 수 있는 게 아닌가 싶어요."

"친구라서 이해를 한다?"

"그런 셈이죠."

그 무렵에서 홈은 한 걸음 물러서며 말했다.

"시간 좀 낼 수 있어요?"

그에 퓨티가 답했다.

"사형대 데이트만 아니라면요."

"하하! 물론이죠. 그럼, 오늘은 반대쪽으로 갑시다."

"좋아요."

그리고 두 사람은 가벼운 이야기를 나누며 나란히 걸음을 내딛기 시작했다. 이른 아침이 조금 지난 시간, 길 위의 사람은 둘뿐이었다. 홈과 마토가 붙어 있을 때 보이던 창가 사람들의 모습도 모두 사라지고 없었다. 서먹하지 않은 분위기. 둘은 기본적으로 눈을 맞추며 대화했다.

"그때는 미안했어요."

홈은 말했다.

"언제요?"

"비가 억수 같이 쏟아지던 날."

"저도 잘한 건 없었잖아요. 서로 한 번씩 실수했다고 쳐요."

"그렇게 말해 주시니 고맙네요. 하하. 사실 잠을 설칠 때마다 그때를 떠올리곤 했거든요. 퓨티 씨 입장에서는 단지 이야기에 몰입을 하였을 뿐인데, 멍청한 제가 과민하게 굴어 버렸으니까요. 소설일 뿐이라느니, 정말 그를 따라 하려 했냐느니. 안 그래요?"

홈의 말에 퓨티가 창피를 주듯 그의 눈을 바라보며 말했다.

"하나를 빠뜨리고 말씀하시네요?"

"어떤 거요?"

"남자의 이야기에 몰입한 여자를 그대로 내버려둔 건이요. 그날의 변명이 참 웃겼었는데. 기억하세요?"

홈은 기억했지만, 고개를 가로저었다.

"너무하네. 정말 딱 한 걸음이었다고요? 제가 얼마나 뒤쪽을 의식했는지 알아요? 몰입도 몰입 나름이지, 아찔함을 느끼는 일은 별개예요."

그에 홈은 짧게 말했다.

"아, 그거."

"그거? 그거라고 했어요? 지금?"

"어어- 화내지 마요. 바로 정정할게요. 그 일. 그 일은 괜찮죠?"

퓨티는 마음에 들지 않는 듯 눈썹을 올렸다.

"장난이에요. 사실 그때 제 행동 때문에 저 스스로한테 얼마나 크게 실망했는지 몰라요. 그래서 일부러 먼저 말을 꺼내지 않은 거고요."

"어떤 부분에서 실망했는데요?"

"오늘 아주 날을 잡으셨군요."

"아니요. 언젠가 한 번은 들어야겠다고 생각하고 있었어요."

홈은 한숨을 내뱉었다.

"하아-"

그에 퓨티가 자리에 우뚝 서며 말했다.

"귀찮다는 소리가 들리네요?"

그리고 퓨티를 지나, 앞서간 홈은 양팔을 위로 들며 말했다.

"그래요. 내가 졌어요. 어디 뜯고 싶은 대로 뜯어 봐요."

"좋아요. 말 안 돌리고 바로 물어볼게요. 그때 절 잡지 않은 이유가 뭐였어요, 대체?"

홈은 그 단락에서 생각했다. 그때처럼 어물쩍 넘어갈 수는 없다. 지금은 대답을 아주 잘해야 하는 상황이다, 라고. 홈은 퓨티의 눈에 비치는 그날의 하늘과 빗소리에 집중했다. 홀딱 젖은 몸과 약간의 오한. 말뚝을 지나 사다리를 오르고, 꽤 볼만했던 마을. 그리고, 야만인. 그래, 야만인. 모든 건 야만인부터였어. 내가 그 책을 읽어서, 내가 그 결말을 말해서. 글을 읽은 내가 주인공을 향해 아무것도 할 수 없었듯이, 나도 모르는 사이에 방관자가 되어 버린 거야. 그리고 홈은 기다리는 퓨티를 향해 천천히 말을 뱉어냈다.

"가면 증후군이라고 들어봤어요?"

"아니요."

퓨티가 대답했다.

"시티인들이 가지고 있는 병의 이름이에요. 저처럼 잘나지 못한 사람보다는 잘난 사람들이 많이 앓죠. 이름 그대로 자신을 의심하는 병이에요. 월등한 실력과 재능을 겸하고 있음에도 그들은 끊임없이 의심하고, 또 의심하죠. 그런데, 지금의 제가 꼭 그 병에 걸린 듯 행동하고 있어요. 퓨티 씨, 저는 시티를 떠난 이유가 남들처럼 확고하지 않아요. 시티에서의 저는 충분히 행복했고, 사람들을 뒤덮은 무한한 우울을 피해 갔거든요. 그때부터였던 것 같아요. 내가 남들보다 떨어지는 존재라는 자각을 갖기 시작한 게. 행복의 한계가 정해진 곳에서 나만 헤벌쭉하게 살고 있었구나. 남들은 진작에 그것을 알고 있었기 때문에 우울할 수밖에 없었던 거구나. 다음 날 아침, 눈을 뜨니 확신할 수 있겠더라고요. 저 또한 의심이 도진 거예요. 내가 진정 행복한 게 맞나, 아니, 내가 남들보다 우월하다는 생각은 도대체 왜, 어떻게 들게 되었던 거지. 그렇게 그날은 꽃을 팔러 나가서도 한참을 그렇게 있었어요. 도저히 뭘 할 수가 없겠더라고요. 평소였다면 인사를 나눴을 사람에게도 말 한마디 걸지 못하겠고, 만개한 꽃이 시들어 가는데도 저는 가만히 그를 보고만 있었죠. 그러다 길가에 있는 두 사람이 눈에 들어왔어요."

"어떤 두 사람이요?"

"그냥…, 어딜 향해 가는 듯한 두 사람이었어요. 짐이 많았는데, 이사는 아니었던 것 같고, 그냥 어디론가 떠나려는 듯한 두 사람. 여행일 수도 있고, 도피일 수도 있겠죠. 아무튼 저는 그날의 두 사람 때문에 지금 이 마을로 들어왔던 거예요. 정말이지 충동이라고밖에는 말할 수 없네요."

"마을로 오기까지 위험하진 않았어요? 그것도 혼자였잖아요."

"운이 좋았어요."

그리고 홈은 퓨티를 향해 걸음을 유도하면서 말을 이어 나갔다.

"민트 씨를 만났거든요. 그 두 사람이 보이는 바로 옆쪽에서."

퓨티는 진심으로 놀란 듯 양손을 얼굴 앞으로 올리며 말했다.

"민트 씨를요?"

"네."

홈은 그 뒤로 도둑질이라는 단어를 덧붙이려다 말았다. 그 대신 퓨티의 흥미를 끌 수 있을 만한 좋은 대안을 입 밖으로 꺼냈다.

"퓨티 씨는 장벽을 모르고 있죠?"

"장벽? 마을 출입구에 있는 나무 울타리를 말하는 건가요?"

"하하하하. 아니요. 그건 퓨티 씨가 말한 대로 울타리가 맞아요. 제가 말하는 장벽은 그보다 훨씬 높고, 훨씬 두께가 있죠."

"본 적 없는 것 같아요. 시티에 있을 때의 기억은 너무도 어릴 때의 것이어서요."

홈은 또 한 번 작게 웃음소리를 내었다. 그리고 퓨티의 눈을 지그시 바라보며 장벽에 관해 이야기하기 시작했다.

"장벽은 무척이나 검게 생겼어요. 비유한다면 마치 뭐랄까, 검은 동굴, 혹은 별 하나 없는 밤하늘을 떼어 땅 위에 세워 놓은 듯해요. 그만큼 다가가기 두렵고, 또 어두운 존재예요. 본디 시티에는 그와 같은 장벽이 없었어요. 퓨티 씨의 기억에 없듯이. 장벽이 지어지기 시작한 건 지금으로부터 대략 1년 전의 일이에요. 시티에 있는 모두가 참으로 무력감을 느낀 날이었죠. 센터에서 나온 그들은 무지막지했어요. 덩치는 물론이고, 성격들도 불같았죠. 왜소하고 힘없는 우리들은 그들을 가만히 지켜볼 수밖에 없었어요. 날이 갈수록 앞에 보이던 것들이 장벽에 가려 보이지 않게 되었고, 누군가는 끌려갔고, 누군가는 끌려왔죠. 그리고 장벽이 완성되는 그날, 가더들이 비웃으며 말하더군요."

너희들은 이제 곧 버려질 거야.

길에서 두 사람이 대화하고 있었다.

"이야기 들었어?"

"이야기? 무슨 이야기."

"오늘 피크 씨가 단상에 오른다더군."

"피크 씨가? 무슨 일로."

"나야 모르지. 나도 지나가다 들은 이야기야."

"언제 가면 되지?"

"석양이 지는 무렵이라던데."

그리고 이 두 사람이 나눈 말소리는 삽시간에 모두의 귀로 흘러 들어갔다. 마을은 변했다. 혼자 다니기보다는 둘 이상이 뭉쳐 다니는 쪽이 많았고, 앞에 드러나 말하기보다는 뒤에 숨어 속삭이는 쪽이 많았다. 투표가 모두를 바꾸어 놓았다. 누가 찬성을 던졌고, 누가 반대를 던졌는지는 이제 사람들에게 있어서 중요한 대목이 아니었다. 중요한 건 생존이었다. 눈치 빠른 몇몇은 벌써 집의 식량 창고에 걸쇠를 놓기 시작했다. 그리고 다른 의미로 그들은 눈치를 보았다. 홈이 예언했던 대로였다. 특히 마토의 집에서 노동을 한 경험이 있거나, 그와 직간접적으로 말을 섞은 경험이 있는 자들 위주로 그러한 경향이 짙게 나타났다. 그 외의 사람들 간에 오가는 대화거리는 이전과 다르지 않았다. 약속의 날에 교환할 물건을 고르고, 폭포 아래서 떠오는 식수 당번을 정하고, 산책을 하거나, 한가로이 여유를 부리거나…, 등등. 아직은 다툼 없이 화목한 분위기였다. 그리고, 그 한가로운 날이 저물어 저녁이 되었다.

"다들 자리해 주셔서 감사합니다!!!"

단상에 오른 피크가 양손을 허리춤에 놓은 채로 소리쳤다. 그의 목소리를 들은 다수가 영광에 가까운 얼굴을 보였다. 그리고 단지 그 첫마디에 사람들의 손뼉이 힘껏 부딪히기 시작했다. 오래된 리더의 목소리가 건재하다는 걸 여실히 보여 주는 장면이었다. 그를 본 피크는 자신감을 얻은 듯 굳게 미소 지었다. 그리고 그 한 번의 미소 이후, 피크는 처음보다 더욱 커진 손동작과 목소리로 말을 이어 나갔다.

"여러분께서 여러모로 힘든 날을 보내고 있다는 걸 잘 알고 있습니다! 그리고 그 책임에 제가 포함되어 있다는 것 역시 깊게 통감하고 있습니다! 그러나 오늘의 이 자리는 저 한 사람의 사과를 위해 마련된 자리가 아닙니다! 마을을 건립한 제가, 모든 일의 중심에 서 있는 제가, 더 이상은 뒷전에 물러나 있으면 안 되겠다고 생각했습니다!"

피크는 경청 중인 사람들을 날 선 눈으로 내려다보았다. 그리고 단상의 빈 계단을 손으로 가리키며 조용히 말했다.

"이제는 마을 내로 새로운 손님이 찾아오지 않을지도 모릅니다. 어쩌면 여기 있는 이들이 이 마을에서 살고 죽을 마지막 사람들일지도 모른다는 이야기입니다. 하지만!!!"

"하지만, 그건 우리의 이야기가 아닙니다. 우리의 이야기는 현재이고, 텅 빈 마을이 남는 건 그다음의 이야기입니다. 멋들어진 마을과 고귀한 발자취, 우리가 지나간 자리는 후대에 그렇게 여겨질 것입니다. 여기 살던 이들은 누구보다 선량했으며, 탐욕만이 내려앉은 시티에서 벗어나 누구보다 자유를 꿈꿔 왔다고!"

리더의 끝맺음에 박수가 터져 나올 것이 분명한 순간일 터였다. 노을이 절묘하게 진 자리에 활활 타오르는 횃불을 든 마토가 등장하지 않았더라면 말이다. 마토는 단상의 계단을 오르기 전, 횃불을 쥔 손을 힘주어 고쳐 잡았다. 그리고 마치 눈에 불을 켠 한 마리의 포식자가 달려들 듯 단상의 중앙을 향해 뛰어들었다. 피크는 닿지도 않은 불에 놀라며 몸을 피했다. 그리고 순간 정신을 차린 듯 횃불을 든 마토를 향해 고개를 가까이하며 소리 내었다.

"이 무슨 무례입니까, 마토 씨."

그에 마토는 호탕한 웃음으로 화답했다. 군중의 제일 뒤에 있는 사람에게까지 들릴 웃음이었다.

"여러분, 들으셨습니까. 방금 우리의 고고하신 리더께서 제게 무례하다고 말씀하셨습니다."

그리고 마토는 타오르는 횃불의 끝을 피크를 향해 겨누는 시늉을 한 차례 보이고는 말을 이어 나갔다.

"저에게로, 아니, 여기 있는 그 누구라 해도 이 사람은 그런 표현을 써서는 안 되었습니다. 왜냐!!! 이 사람만큼 위선적이고, 권위를 추구하는 사람은 이 마을에 존재하지 않기 때문입니다. 예를 들어 보죠. 눈먼 장인처럼 살던 여러분에게 진실을 일깨워 준 디케이 씨. 디케이 씨 자리하고 계십니까?"

군중 사이 손을 드는 이는 없었다.

"보이십니까. 정작 이곳에서 환대받아야 할 디케이 씨는 앞장서지 않으십니다. 오히려 원하는 게 아무것도 없어 보이기까지 하십니다. 이런 상황에서 우리의 피크 씨는 무엇이 그리 얻고 싶으신지 사람들을 불러 모았습니다. 여러분께서 진정 눈을 뜨려면 과거에서 벗어나야 합니다. 과거의 권세와 노력으로 평생을 대접받으려는 피크 씨를 멀리하셔야 합니다."

마토의 마지막 문장에서 피크가 치고 들어왔다. 그리고 이어진 둘의 대화는 단상 아래에서 들리지 않을 정도의 작은 목소리로 진행됐다.

"과거의 권세와 노력? 어이가 없는 말이군요. 그런 말씀을 하는 마토 당신은 그렇게도 깨끗하다 자부할 수 있습니까? 전혀 아니죠. 제가 숨죽여 사는 동안 당신이 한 게 뭐가 있습니까. 갈취, 다르게 표현하면 착취. 당신이 한 것이라곤 순진한 사람들을 꼬드겨 노동력을 취한 것밖에 없습니다. 그런 당신이 지금 그런 말을 할 자격이 있습니까?"

"입만 산 너랑은 달라."

마토가 반말로 대답했다.

"뭐?"

"난 적어도 꾸준히 사람들을 대했다고. 너처럼 반짝하고 저물지 않았단 말이지. 요즘도 아침마다 사람들의 인사를 수거하고 있나?"

"표현이 거칠군. 말을 가려, 마토"

"앞으로 더한 단어들을 듣게 될 거야. 속으로 준비하고 있는 게 좋을걸."

"넌 내 상대가 안 돼."

피크가 말했다. 그를 들은 마토는 대꾸하지 않았다. 그 대신 횃불을 앞쪽으로 돌려놓으며 아래의 사람들에게로 목소리를 높였다.

"이런, 이런. 이거 죄송합니다! 부디 제 결례를 용서해 주십시오! 타고난 성미를 누르지 못해 이렇게 나서고 말았습니다!"

여기까진 누가 봐도 완벽한 마토의 시간이었다. 문제는 아직 날이 밝다는 것이었다. 그래서 횃불에 집중되는 시간이 그리 길지 않았다. 마토의 갑작스러운 등장에 놀라는 것에도 한계가 있었다. 마토에 있던 시선 또한 어느덧 피크에게로 많이 넘어가 있었다. 거기서 마토는 승부를 봤어야 했다. 하지만 마토는 그러지 못했다. 수많은 시선, 사람들의 침묵, 평소보다 크게 들리는 자신의 목소리, 어느 것 하나 그에게 익숙한 게 없었다. 결국 마토는 그이상 말을 잇지 못했고, 차례는 자연스레 피크의 것이 되었다. 피크는 성급하게 움직이지 않았다. 꼿꼿이 편 자세로 사람들 한 명 한 명과 느긋하게 시선을 주고받았다. 그리고 1분가량의 시간이 흐르려는 때, 피크의 목소리가 사람들 앞으로 나지막하게 번져 나갔다.

"그럴 수 있습니다."

"학식이 깊은 마토 씨마저 혼란을 일으키실 만큼 마을의 정세가 불안해졌다는 거겠지요. 저는 충분히 이해합니다. 아무렴요. 이해하고 말고요. 다만 마토 씨께서 저에 대해 오해를 한 모양입니다. 제가 오늘 여러분들을 불러 모은 건, 확성기를 잡던 때의 거만함을 보이고 싶어서도 아니고, 저의 권세를 확인받고자 함도 아닙니다. 그저 대화를 꾀하고 싶었을 뿐이에요. 위축되어 있는 저 자신과 걱정하고 계실 여러분 모두와 말이죠."

피크의 말에 마토는 고개를 저었다.

"그렇죠?"

피크는 고개를 끄덕이는 특정인을 차례차례 짚으며 말했다.

"그리고 또 하나, 문제가 생겼습니다. 정말이지 이건 제 불운이라고밖에 말씀드릴 수 없을 것 같은데요. 여기 있는 마토 씨."

피크는 한 번 더 강조했다.

"여러분, 마토 씨였습니다."

이제 다시 마토에게로 사람들의 시선이 쏠렸다. 그리고 피크는 리더의 목소리, 그러니까, 확성기를 잡던 당시의 목소리로 끝말을 이었다.

"오늘은 우리 마을에 있어 없어서는 안 될 마토 씨를 단상으로 초대할 명목으로 만든 자리이기도 했습니다. 이것 참. 일이 왜 이렇게 꼬여 버렸을까요."

그 말에 마토는 떠는 몸으로 앞줄에 자리한 홈을 내려다보았다.

—— 36 화가를 꼬시는 법

"저와 이야기를 나누고 싶으시다고요?"

카리브가 작업실의 문을 열며 말했다.

"그래서 저를 물구덩이 속으로 밀치셨나? 아, 그거 알아요? 이거 되게 아끼는 옷이에요."

"재차 말씀드립니다만, 명백한 실수였습니다."

딘은 고개를 조아리며 말했지만, 카리브는 듣고 있지 않은 듯했다. 작업실의 불을 밝힌 카리브는 딘에게 들어오라 손짓했다. 그리고 딘은 그 직전, 불 켜진 카리브의 작업실을 머릿속에 저장했다.

"용무가 뭐예요? 대출?"

카리브가 말했다. 그리고 딘을 향해 대충 자리를 안내했다.

"아니요. 제안을 하러 왔습니다."

딘은 코트를 벗어 의자에 내려놓으며 말했다.

"제안?"

"네, 제안."

"어떤 은밀한 제안이길래 이 야심한 시각에 저를 찾아왔을까요? 그것도 생판 초면이신 분께서."

"그 이유는 저도 지금부터 알아봐야 합니다. 전혀 계획에 없던 일을 저지르는 중이라서요."

"장례식장에 일하는 분치고는 재밌는 분이시네요."

카리브의 말에 딘은 자신의 옷차림을 확인했다. 그리고 카리브가 선반에 놓인 잔들을 두

드리며 말을 이었다.

"뭐 드실래요. 물? 차?"

딘은 머리를 쓸어 넘기던 손을 내밀어 거절을 표했다.

"눈치가 제로인 사람이시네요. 열기가 있어야 옷이라도 말릴 거 아니겠어요?"

"아…"

"홍차 괜찮죠?"

"네, 괜찮습니다."

커피포트 끓는 소리, 늘 있던 제습기의 지팡이 소리. 고요한 시각에 울리는 두 개의 소리는 손님을 맞이하는 소리로는 너무도 쓸쓸했다.

"늘 이렇게 혼자 지내시는 건가요?"

그리고 딘은 습관적으로 담배를 꺼내 입에 물려다가 무릎 위에 손을 그대로 올려놓았다.

"이젠 일상이니까 너무 처량하게 보지 말아요. 당신이, 아, 딘이라고 했나요? 딘 씨가 들은 소문은 모두 과거의 일이에요. 현재의 저는 이런 사람이고, 상상과는 많이 다르죠?"

"사실은 그렇게 많은 차이가 있지는 않아요."

"그래요? 왜 그렇지?"

카리브가 김이 나는 커피포트를 잔에 기울이며 말했다.

"오늘 들었거든요."

그에 카리브가 고개를 돌렸다.

"오늘 들었다고요? 뭘를?"

"전부를요. 카리브 씨의 이름, 직업, 있었던 일들…"

"광장에 사는 분이 아니셨군요?"

"하하, 네. 근데 그거 아십니까. 제가 오늘 그 이야기만 벌써 몇 번째 듣고 있는지."

"아, 오해 말았으면 좋겠는데. 그 사람들은 농락을 위해 물은 거지만, 저는 진심으로 궁금해서 물은 거라서요. 조금 달라요."

"번지수를 들으면 농락하고 싶은 마음이 피어나실지도요."

"미안하지만, 거기까지는 관심이 없어요."

그리고 카리브가 쟁반 없이 두 개의 잔을 손에 쥔 채 딘을 향해 걸음을 옮겨 왔다. 딘은 고개를 꾸벅이며 잔을 받았다.

"제가 타투이스트에 대한 선입견이 있었나 봅니다."

딘은 말했다.

"어떤 선입견요?"

카리브가 잔에 담긴 티백을 움직이며 되물었다.

"뭔가 가득할 거 같았거든요."

"타투 말인가요?"

"네."

"보통은 그렇죠. 그리고 저를 타투이스트로 알고 있는 분이 꽤 많은데, 저는 타투이스트가 아니에요. 도안만 그려다 넘겨줄 뿐인 사람이라서요. 정확히 말하면 반쪽짜리죠."

"반쪽이라고 말하기엔 너무 큰 성공을 거두시지 않았습니까?"

딘의 그 말에 카리브는 손에 쥐고 있던 잔을 놓으며 무언가 정리할 필요가 있다는 듯한 얼굴로 고개를 좌우로 흔들어 보였다.

"성공이라는 단어가 별로였나요?"

딘은 눈치를 보다 말했다.

"'너무 큰'이라는 표현이 조금."

카리브가 말했다.

"죄송합니다. 저는 단지…"

"괜찮아요. 부정할 생각은 없어요. 그냥 내가 삼자의 눈엔 그렇게 보이는구나, 하는 참회를 잠시 해 봤어요."

"참회?"

"표현이 너무 거창했나요. 반성 중이라는 편이 나았으려나."

"어느 쪽이든 우울한 단어들인걸요."

그리고 딘은 차를 입에 한가득 넣고서 삼켰다.

"그래서 제안이 뭐죠?"

그에 딘은 잔을 들고 있는 손을 높게 처들며 단숨에 대답했다.

"저와 함께 장벽을 오르지 않으시겠습니까."

카리브가 되물었다.

"장벽?"

"네. 장벽."

"장벽을 오르겠다고요? 가더가 철수한 지 얼마나 되었다고. 반역이잖아요, 그건."

그에 딘은 최대한 가다듬은 목소리로 말했다.

"개인적으로는 자유라고 말하고 싶군요. 반역이라는 단어는 누구에게도 적용될 수 없습니다. 그저 장벽을 오르려는 거예요. 이유라도 들어야 하지 않겠습니까? 왜 우리의 존재를 장벽으로써 가려 버렸는지, 우리라는 사람들은 왜 버려진 것인지, 또 앞으로 얼마나 더 많은 장벽을 쌓을 예정인지를요."

"관심 없어요."

"카리브 씨."

"저는 지금 상황에 충분히 만족해요. 로봇이 하는 오토드로잉을 따라가진 못하겠지만, 인간으로서 이 정도면 충분히 할 수 있는 데까지는 해낸 것 같거든요. 바랄 것도 없고, 부족할 것도 없이."

그에 딘은 말했다.

"두 가지 모순을 품고 계시는군요."

"우선, 구역에 있는 예술가들이 모두 카리브 씨처럼 로봇을 경쟁 상대로 삼고 있지는 않습니다. 다들 각자의 자리에서 지나간 시대를 음미하고 있을 뿐이에요. 또한 당장은 좋을지 몰라도, 앞으로는 부족함을 피할 수 없으실 겁니다. 조폐가 끊긴 지금, 우리는 모두 고이고 있으니까요. 이곳, F구역에."

"그다지."

그리고 카리브는 잔에 있는 티백을 건져 내며 말을 이었다.

"미안한 말이지만, 크게 와닿지가 않네요. 이제 막 새 인생을 살아 볼까 하는 사람이라서 그런지."

"이별을 포함해서 하신 말씀입니까."

"…포함해서 한 말이에요."

"음."

말을 멈춘 딘은 시선을 옮겼다. 고개를 돌린 건 우연이었다. 그리고 문득, 딘의 눈에 작업실 안에 서 있는 그리다 만 물감 자국이 발견됐다. 딘이 그것을 가만히 바라보고 있자, 카리브는 숨기고 있던 거짓말이라도 들킨 듯 딘의 옆얼굴을 긴장한 얼굴로 응시했다. 그리고 카리브는 때맞춰 얼굴을 돌린 딘과 눈이 마주쳤다.

"어쩐지 썰렁한 작업실이군요."

딘은 카리브의 눈을 보며 말했다.

"말했잖아요. 예전 같지 않다고."

카리브는 눈을 피하며 대답했다.

"저기 있는 그림의 의뢰인은 그 와중에 카리브 씨를 찾아온 거고요. 맞습니까?"

취조하듯 말하는 딘에 카리브는 곧장 답을 하지 않았다. 그리고 그 잠깐의 공백은 딘에게 충분한 시간이 되어 주었다. 이곳저곳 방치되어 있는 사물들을 하나의 퍼즐로 탈바꿈시킬 시간. 또, 퍼즐로 나눈 주변 풍경들을 적당한 사진 한 장으로 꿰맞출 수 있는 시간. 딘은 대답하지 않는 카리브에게서 고개를 돌렸다. 그리고 다시 그림들로 눈을 옮겼다. 화이트보드, 이젤, 카리브. 또다시 돌아가 화이트보드, 이젤, 카리브. 횟수가 쌓여 갈수록 딘의 얼굴에는 확신이 번져 나갔다. 그리고 딘은 정리를 끝마쳤다.

"제가 오늘 들은 말 중에 이런 게 있었습니다."

"타투 있는 여자를 조심하세요, 라는. 우스갯소리겠거니 한 귀로 흘린 말이었는데, 지금 보니 아주 뜻이 담긴 말인 것 같군요. 흉내쟁이, 낙관론자, 카리브 씨를 거쳐 간 가더들을 말한 게 아니었네요. 그 사람은 가더가 아니라 일반 시민들을 말한 거였어요. 카리브 씨께서 한창 바빴을 그 무렵이었겠죠. 줄을 서서 내미는 도안들을 받았을 그 무렵. 그런데, 그렇게 정신없이 사는 와중에 카리브 씨는 여자 가더와 만남을 가지셨습니다. 제가 생각하기에는 절대로 쉬운 일은 아니었을 거 같거든요. 시간을 빼는 건 물론이거니와 수많은 남자 가더들이 보는 중이라면 더더욱이요. 그래서 방금 한 가지 추론이 휙 하고 지나갔습니다. 시간도 없었고, 시선도 많았다. 그렇다면 카리브 씨께서 만났다고 하는 그 여자 가더가 있을 곳은 그들의 정중앙, 줄밖에는 달리 없다."

말을 마친 딘은 잔을 들어, 남아 있던 차를 벌컥벌컥 들이켰다. 그리고 끝에 한마디를 덧댔다.

"그 여자 가더라는 사람, 결국 타투를 새기지 못하고 갔습니까."

딘은 자신의 추리가 옳다는 가정하에 뒤로 이을 사과까지를 생각해 놓은 상태였다. 하지만 카리브가 틈을 주지 않았다. 딘의 말을 잘 버티며 들었던 카리브는 결국 그의 마지막 한마디에 무너져 내렸다. 뒤로 묶어 놓은 흑발의 머리가 어깨와 함께 비틀대듯 들썩거렸다.

그리고 카리브는 눈물을 쏟았다. 눈물이 어느 정도 흘러나오고 나서야 카리브의 눈이 붉게 물들었다. 딘은 일부러 카리브를 바라보지 않았다. 딘은 의자를 조금 뒤로 물려 몸을 비스 듬히 돌린 채 주머니에서 담배를 꺼냈다. 그리고 망설임 없이 불을 붙였다.

"제일 처음 소문을 접했을 때부터 짐작은 하고 있었습니다. 감당할 수 없는 슬픔을 참고 있겠구나, 라고요. 그런데 그 감정이 우습게도 연민이 아닌 동지애를 택했나 봅니다. 제까 짓 게 뭐라고 감히 기회를 드리려고 하고 있지 않습니까."

그에 카리브는 눈물을 닦아 내며 입을 열었다.

"기회라니 무슨 말이에요?"

딘은 빈 찻잔에다 담배를 꺼뜨리며 말했다.

"혹시 압니까. 장벽을 넘어 그 여자 가더를 다시 만나게 될지."

── 37 통조림 산

"이곳입니다."

디케이가 다리가 휘어 비스듬히 매달린 안경을 한 손으로 올리며 말했다. 그리고 그의 옆에는 자신의 허리 두께만 한 낫을 장승처럼 든 매드가 서 있었다.

"이쪽이라고요?"

무리에서 들린 목소리였다. 투표가 있던 날의 그 여자였다. 다들 눈치만 보던 때에 홀로 조작 의혹을 들고일어났던 여자, 그리고 결국은 묵살당했던 여자.

"일부러 비슷한 장소에 위치시킨 겁니다. 그렇기에 지금껏 들키지 않을 수 있었던 거겠죠."

디케이가 말했다.

"어지간히도 철저하셨네요."

여자가 콧방귀를 뀌며 말했다. 그리고 그녀의 뒤로 남자 여럿이 동조하는 소리를 내었다. 말 그대로 투표(포가 마구잡이로 구멍을 뚫었던)에서 눈을 뜨고 코를 베인 사람들의 집단이었다. 일차적으로 그들이 하려는 건 조사였다. 그들은 통조림의 존재에 대해 의문을 제기했다. 총인원은 디케이와 매드가 통조림을 보여 주었던 그날, 자리에 있었던 사람을 포함해 여덟이었다. 그들은 선두로 나선 여자처럼 의심이 많고, 쉽사리 진실을 받아들이지 못했다.

"거, 삽은 들고 오지 않아도 된다니까 그러네."

매드가 짝다리를 진 채로 사람들을 향해 말했다.

"걱정하지 말아요, 당신더러 들어 달라고 하지 않을 테니까."

여자가 말을 가로채며 대답했다.

"그럴 일 없습니다. 가는 길에 힘들다고 뒤처지지나 마십쇼."

그리고 디케이가 맨 앞으로 걸음을 옮기며 말했다.

"다 됐습니까? 출발할까요?"

날은 좋았다. 먹구름 없이 맑은 하늘이었다. 이제는 모두가 알게 된, 일명 **통조림 산**으로 오르는 길은 사람의 가슴팍 높이까지 자란 날카로운 잡초들로 가득했다. 산을 오르기 시작하고 20여 분이 지났을 때, 팔과 다리가 붉게 달아오르지 않은 사람이 없었다. 그리고 시간이 흘러, 베인 상처 주변으로 진물 비슷한 것이 흐르기 시작하는 무렵, 일렬로 산을 오르던 무리에서 누군가가 말을 꺼냈다.

"왜 이곳을 아무도 몰랐던 거죠?"

그의 목소리에 줄이 잠시 제자리에 멈춰 섰다. 매드는 신경 않고 낫을 휘두르며 앞으로 나아갔다.

"좋은 질문입니다."

디케이가 제자리에서 몸을 뒤로 돌리며 대답했다.

"이곳을 왜 아무도 알지 못하였는가, 그 질문에 마토 씨께서 하신 말씀이 있습니다. 여러분들이 모두 선해서 그렇다고, 특정인의 잘못을 무마하려는 것이 아니라, 진심으로 여러분들이 선해서 몰랐던 것이라고요."

그 말을 들은 여자가 입을 열었다.

"무슨 뜻이에요? 마토, 그 인간이 왜 나오는 거죠?"

"여러분 대부분이 마토 씨와 사이가 좋지 않다는 것을 잘 알고 있습니다. 하지만 그는 분명히 이렇게 대답했었습니다. '차라리 잘됐다. 그리고 지금까지 모른 척해 준 사람들에게 감사해야 한다.'라고 말이죠."

"그게 무슨 말 같지도 않은 소리예요? 자기들끼리 속였지, 우리가 언제 모르는 척을 했다고 안 그래요?"

그리고 이야기를 듣고 있던 일곱 사람의 침묵이 이어졌다. 여자는 꽤 당황한 얼굴로 그들에게 말했다.

"반응이 왜 이래요? 알고 있었어요? 알고 있었다고? 우리가 통조림으로 끼니를 때운 걸 알고 있었단 말이에요? 언제? 어떻게?"

"통조림까지야 몰랐던 사실이지만, 마을의 경작지에서 일을 해 보면 대강 느낌이 오죠."

뒤쪽에서 삽을 들고 있던 남자가 말했다. 그리고 그가 이어 말했다.

"기존에 있던 경작지와 마토 씨가 오고 나서의 경작지. 둘은 구성에 있어 큰 차이가 있는 듯 보이지만, 실제론 그렇지 않습니다. 아무리 농사에 지식이 없는 사람일지라도 느낌으로 알 수가 있죠. 가 쪽으로 심어 놓은 높다란 해바라기와 호박을 제외하면 대략적인 실평수가 40이 조금 넘을 겁니다. 그렇다고 치면, 우리 마을 사람의 인구수와 맞춰 봤을 때 확실히 그간의 수확물은 많긴 했어요. 마토 씨가 개인들에게 배급한 종자의 수를 다 합하여도 말이죠."

"그래서요? 경작지에서 일하지 않은 나 같은 사람들은 군말 없이 주는 대로 받아라?"

여자가 말했다. 그에 디케이가 중재하며 나섰다.

"그런 말씀을 하실 이유가 전혀 없는 상황입니다."

"나만 몰랐던 이야기란 소리잖아요, 지금."

"그렇지 않습니다. 여기 계신 분들이 경작지에서의 경험이 있어 그럴 뿐이지, 실제로 마을 사람의 절반 이상은 그 사실을 알지 못할 겁니다."

그에 여자가 목소리를 높여 대꾸했다.

"그러니까, 결국은 편을 가른 거네요. 알 사람은 계속해서 지식을 쌓고, 모를 사람은 평생을 등신 같이 살고."

"이제 그 악습도 끝이 났습니다."

"지금에 와서 그게 무슨 의미가 있죠? 모르고 살던 사람들에게 짜잔 하고 서프라이즈라도 하는 건가요?"

그 말에 디케이가 여자를 노려보며 말했다.

"서프라이즈가 아닌 공정하게 투표를 했었지요. 또한, 저는 항상 진실의 문을 열어 놓고 있었습니다."

"무슨 문이요?"

여자가 묻자, 디케이는 혼잣말로 말을 끝맺었다.

"누구도 용기를 낸 사람이 없어서 그렇지…"

그리고 열 발자국 정도 앞서 있는 곳에서 목소리가 울려 왔다.

"도착했습니다!!!"

산길의 메아리가 채 끊기기도 전에 매드의 낫 휘두르는 소리가 길을 타고 뒤쪽으로 불어왔다.

"일단 가시죠"

디케이가 말했다. 여자는 배신감을 느낀 듯 홀로 발걸음을 떼지 않았다. 그러다 제일 뒤에서 따라오고 있던 남자가 여자의 옆을 지나며 작게 속삭이자, 그제야 그녀는 터벅터벅 걸음을 옮겼다. 울창한 풀숲의 꼭대기에서 보이는 경치는 초록으로 가득했다. 팔과 다리 모두를 이용해 올라야 할 만큼 큰 바위들은 그 너머에 바다가 있다는 듯이 파도와도 같은 소리를 뿜어냈고, 사방으로 넓게 깔린 풀들은 겉보기만 해도 힘이 있어 보였다. 그리고 그들의 한가운데에서 조금 뒤쪽, 갈색의 진흙이 드러난 곳에 통조림 산이 자리하고 있었다. 얼핏 봐도 산에 있는 벌레란 벌레들은 모두 모인 듯했다.

"이제 됐습니까?"

매드가 낫을 든 손목을 붕붕 휘두르며 말했다. 대답하는 사람은 없었다. 다들 눈앞의 광경에 넋을 빼앗겨 있었다. 디케이는 사람들 앞으로 다가갔다. 그리고 말문이 닫혀 버린 사람들을 향해 말했다.

"여러분께서 지금 보고 계신 것이 지금껏 마을을 먹여 살린 소중한 식량들의 잔해입니다. 그리고 이것은 진실입니다."

"왜 통조림이었습니까?"

삽을 든 남자가 말했다. 남자의 입술이 떨리고 있었다.

"운반이 용이하고, 품질이 보다 오래가기 때문입니다."

디케이가 대답했다.

"왜 하필 통조림이었느냐 말입니다."

남자가 곧장 상기된 목소리로 말했다. 다음 한마디는 필히 화를 낼 것처럼.

"무슨 말씀인지 이해합니다. 하지만 이것이 최선이었습니다."

그리고 디케이의 말을 들은 남자는 삽을 내던지며 소리 질렀다.

"통조림은!!! 시티에서도 거지들이나 주워 먹던 하류 식품입니다. …그걸, …그걸 지금까지."

남자는 디케이에게 말할 틈도 주지 않았다.

"어떻게 이럴 수가 있습니까!!!"

그리고 남자는 같은 말을 되풀이했다.

"…어떻게 이럴 수가 있습니까."

"유감스럽게 생각합니다."

디케이가 말했다.

"유감은 니미. 어디가 유감입니까, 그동안 잘만 먹었으면 됐지."

매드가 말했다.

그에 또 한 번 남자가 나서려 하자, 주변 사람들이 그를 말렸다. 다들 비슷한 표정이었다. 슬프거나, 약간은 화가 났거나, 수치스럽다거나. 의외로 그동안 말이 많던 여자 쪽은 조용했다. 여자는 고개를 돌려 버린 나머지 사람과는 다르게 통조림이 쌓여 있는 곳을 뚫어지게 보고 있었다. 그리고 매드가 그것을 발견했다.

"형씨는 왜 조용합니까."

여자가 걸친 회색 카디건이 바람에 펄럭였다.

"통조림이 좋은 이유는 운반이 편리하기 때문이 아니에요."

그리고 여자가 말을 이었다.

"그 하나로 마을 사람 전부를 천하게 만들 수 있기 때문이지."

——— 38 제리가 결혼하지 않은 이유

    차고에서의 하룻밤이 지나고, 네 사람은 늦은 오후가 되어서야 하나둘 눈을 뜨기 시작했다. 커다란 유리로는 반절이 잘린 해가 지나가고 있었다. 햇빛이 드는 곳은 먼지가 자욱이 떠다녔다. 그리고 그들 중 제일 먼저 일어난 제리는 홀로 분주했다. 쟝과 페퍼는 여전히 반쯤 잠에 취한 상태로 눈을 계속 끔벅였다. 계단에 올라, 차고 높은 곳의 창문을 모두 연 제리는 다시 1층으로 내려와 양손에 브러쉬와 걸레, 광택제를 쥔 채로 계단을 올랐다. 그리고 그 모습을 소파에 있는 소년이 뚫어지게 바라보고 있었다. 소년은 자신이 교관이라도 된 양 제리의 다리 사이를 주의 깊게 노려보다가 소파에서 뛰어내려 계단을 향해 달려 나갔다. 그리고 소년이 밝은 목소리로 인사했다.

    "좋은 아침이에요!"

    제리는 시가를 입에 문 채로 말했다.

    "그래, 너도."

    "청소하시는 건가요?"

    "응, 매일 하는 루틴이야. 눈을 뜨면 저놈들이 밤을 잘 지새웠나 걱정이 들거든. 참고로 말하자면, 오늘은 지각을 한 셈이야."

    그리고 제리는 다음 계단에 발을 올리며 말했다.

    "마침 잘 됐다. 구경도 할 겸, 손 좀 빌려줄래?"

    소년은 맑은 눈으로 거듭 고개를 끄덕이며 대답했다.

    "뭐든 할게요!"

    그 말에 제리는 오른손에 든 플라스틱병을 소년에게 건넸다. 그리고 입에 문 시가를 손가락으로 옮기며 연기를 내뿜었다.

"들 만해?"

제리의 물음에 소년이 자신의 키에 절반 가까이 되는 병을 품에 안고서 대답했다.

"조금 묵직해요!"

"발아래 조심하고, 천천히 따라와."

"네!"

어제의 철제 다리 쪽이었다. 제리는 이미 계단을 지나 제일 구석에 있는 트럭에 도착하여 있었다. 그리고 한참 뒤쪽으로 소년이 이제 막 다리에 발을 올리려 하고 있었다. 제리는 소년을 흘깃 바라본 뒤, 트럭 위로 점프하여 올라탔다. 그리고 몸을 숙여 창문을 털기 시작했다. 노동자 같지 않은 옷차림으로 단순한 일을 하는 모습이 꽤 간극이 있어 퍽 멋이 났다. 제리가 세 개의 창문의 먼지 털기를 마치자, 소년이 도착했다.

"수고했어."

제리가 말했다.

"이거 드리면 될까요?"

"잠깐만."

제리는 손을 뻗었다. 제리의 긴 팔이 난간 바로 앞까지 다가왔다. 소년은 양손으로 병을 내밀었다. 그리고 제리의 손가락이 병에 감기자 소년이 말했다.

"됐다."

"고마워."

"이제 뭘 하면 될까요?"

그 말에 제리는 소년이 하찮고 귀엽다는 듯이 웃으며 말했다.

"편히 있어도 돼. 이걸로 충분하니까."

"정말요?"

"그래."

"그럼, 부탁 하나만 해도 될까요?"

"부탁?"

"말동무해 주세요."

제리는 얼마든지, 라는 표정으로 시가를 빨아들였다. 그리고 말했다.

"딘이 없으니 심심하지?"

"네."

"오늘은 돌아올 거야. 조금만 참고 있어. 아무렴 너를 두고 형이 오래도록 자리를 비울까."

"네."

그리고 소년이 맨바닥에 쭈그려 앉으며 말했다.

"근데 아저씨."

"응."

"아저씨는 왜 아이가 없으세요?"

제리는 창문을 닦으며 대답했다.

"나? 글쎄. 결혼을 하지 않았으니 없지?"

"왜 결혼을 하지 않으셨는데요?"

"음. 그건 말이야. 무서워서 그래."

"무서워서?"

"그래. 무서워서. 어른들의 표현이야."

"뭐가 무서운데요?"

거기서 제리는 줄곧 이어 나가던 표정을 유지하지 못했다.

"꽤 많은 게 무섭단다. 얼굴이 예쁜 여자면 심보가 고약하진 않을까, 얼굴이 못생긴 여자면 심보까지 고약한 건 아닐까. 또 아이를 낳으면 그거대로 걱정이지. 너처럼 똑똑한 아이가 나오면 다행인데, 그렇지 않으면 그것도 골치 아프거든. 멍청한 아이를 똑똑해 보이게 키워야 하니까."

"그럼, 얼굴이 못생기고 심보도 고약하고 멍청한 아이까지 나오면 정말 골치가 아프겠네요?"

그 말에 제리는 웃음을 터뜨렸다.

"하하하. 그렇지. 그렇게 되면 정말 인생이 암담해지는 거거든."

"암담?"

"불행하다는 뜻이야."

"그런데 제가 볼 때는 말이에요, 아저씨. 그건 핑계 같아요."

"핑계?"

"네, 변명이라는 뜻이에요."

그리고 소년은 난간 끝까지 엉덩이를 밀어 넣으며 말을 이었다.

"그러니까 결국은 자신이 없다는 거잖아요. 얼굴과 마음씨가 예쁜 사람을 만날 자신도, 자기들 두 사람의 지능을 물려받은 아이의 모습을 고스란히 받아들일 자신도, 아닌가요?"

소년의 말을 들은 제리는 걸레질을 멈추었다. 소년의 의중을 어느 정도 눈치를 챈 얼굴이었다. 그리고 제리는 물고 있던 시가와 쥐고 있던 걸레를 트럭 위에 내려놓고서 그 옆에 걸터앉았다. 그리고 빤히 소년의 얼굴을 들여다보며 천천히 말을 꺼냈다.

"네 말이 맞아."

"그렇죠?"

"그러니까 너무 깊게 생각하지 않아도 돼. 이기적인 건 어른들이지 너는 아무 잘못이 없어. 너는 단지 머리가 좋은 부모를 만났지만, 마음씨가 못난 사람들 사이에서 태어났을 뿐이야. 그리고 또 어른의 이기적인 생각이지만, 너는 네 부모를 용서해 주는 수밖엔 방법이 없단다. 그들을 원망하지 마. 그 대신 하늘에 감사해. 딘이라는 걸출한 형을 만나게 해 준 것에 대해서."

소년에게는 조금의 슬픈 기색도 드러나지 않았다. 말을 듣는 내내 의연했고, 차분했다. 오히려 그게 무슨 상관이냐고 되묻는 듯한 눈망울이 제자리에서 빛났다.

"저는 아무도 원망하지 않아요. 또한, 아무에게도 감사한 마음을 품고 있지 않고요. 단지 저를 버리지 않고 함께 있어 주는 사람을 따라야겠다고 마음먹었을 뿐이에요."

"대단한데."

제리가 걸레에 손을 문지르며 말했다.

"어리다고 마냥 풀 죽어 있을 순 없잖아요. 살아야 하니까."

"네가 괜찮다고 해서 하는 말인데 말이야."

"네."

"네 부모는 분명 후회하고 있을 거야."

그리고 제리는 소년이 대답하기 전, 손을 뻗어 그의 수북한 머리털을 좌우로 쓰다듬었다. 소년은 불쾌하다는 듯 고개를 내뺐다.

"다 봤어요. 걸레에 손 닦으시는 거."

"오, 그래?"

"당연하죠. 훗날 시티의 제일가는 대도가 될 몸이라고요."

"하하하, 그래, 그래. 사과할게."

그리고 그때, 굳게 닫힌 차고의 문에서 소리가 들려왔다. 일정한 소리는 아니었고, 미리 정해 놓은 박자 같았다. 큰 소리로 한 번, 작은 소리로 두 번, 다시 큰 소리로 한 번, 작은 소리로 세 번. 소리에 제일 먼저 반응한 것은 1층에 있던 쟝과 페퍼였다. 첫 음이 들림과 동시에 눈을 번쩍 뜬 쟝은 가만히 소리를 듣고 있다가, 마지막 세 번의 소리가 멎자 고개를 쳐들어 3층의 제리를 향해 소리쳤다.

"제리 씨! 딘입니다!"

쟝의 목소리를 들은 제리는 소년을 향해 미소 지으며 말했다.

"어서 내려가 봐."

소년도 제리를 따라 미소 지었다. 그리고 대답했다.

"네!"

페퍼는 이미 제리의 허락도 없이 차고 출입문의 잠금을 풀고 있었다. 그리고 문이 서서히 열림과 동시에 차고에 있던 사람들의 시선이 바깥을 향해 집중되려는 찰나, 딘이 아닌 다른 누군가에 의해 그 모든 시선이 와해되었다. 3층에서 그를 본 제리는 급히 아래로 발걸음을 내딛었다. 환영의 분위기는 순식간에 긴박하게 흘러갔다. 그리고 딘의 옆에 쭈뼛쭈뼛하게 서 있는 여자는 마찬가지로 식은땀을 흘리고 있었다. 그런 상황 속에서 딘은 태연하게 제리가 도착할 때까지 기다렸다. 그리고 제리와 쟝, 페퍼, 소년이 출입구에 모두 도착한 순간에 팔을 앞으로 내밀며 딘이 말했다.

"여러분들, 이쪽은 카리브 씨입니다."

——— 39 실패한 마토와 홈, 그리고 지도

서류철 가득한 방에 다른 소리는 없었다. 종이의 소리와 불편한 숨소리, 대부분은 오고 가는 한숨 소리가 주를 이뤘다.

"제가 한 말을 귓등으로 들으셨군요."

홈은 팔에 닿아 걸리적거리는 종이들을 신경질적으로 치우며 말했다. 마토는 여전히 수치스러움을 삼키지 못한 얼굴로 자리에 앉아 있었다. 그리고 홈은 두꺼운 서류철 하나를 손에 들며 말했다.

"왜 그러셨습니까? 뭐가 그리 급하셨습니까? 도대체 뭐가…"

"아주 적합한 순간이라고 생각했습니다. 피크를 내몰고, 저를 향한 사람들의 인식을 바꿀 수 있는 자리라고요."

마토가 억울한 목소리로 대답했다.

"그러면 말을 계속했었어야죠. 그 자리에 눌러앉으셨었어야죠. 최소한 마지막까지 내빼는 꼴을 보이진 마셨었어야죠."

"미안합니다. 사전 준비도 없이 올라간 제 잘못입니다. 대본이라도 맞추고 올라갔어야 하는 건데…, 즉석에서 사람들을 휘어잡기가 그리도 어려운 일인지는 몰랐던 터라…"

"몇몇 사람들은 벌써 실망했을 겁니다. 투우사처럼 횃불을 들고 나타난 기세로도 피크에게 밀린 마토, 라고요. 급하게 나가야 했던 이유가 조금도 없었다, 이 말입니다. 그날 피크 씨의 연설도 특별하지 않았어요. 뜬구름 잡는 이야기들 뿐이었지. 그저 기다리기만 하라고 부탁드린 게 마토 씨에게 그렇게 힘이 드는 일인 줄 몰랐네요."

그리고 홈은 마저 말했다.

"저 또한 실망했습니다. 모든 계획이 부서져 버렸다고요."

"시티로 빠져나가는 일은 걱정하지 마십시오. 그건 제가 약속했던 대로 준비해 드릴 테니."

"아뇨, 그건 마토 씨가 자리를 꿰찬 이후의 일입니다. 그전까지는 시티로 돌아가지 않을 겁니다."

그 말에 마토가 고개를 기울이며 물었다.

"무엇 때문입니까. 그렇게나 마을의 수장을 저로 바꾸려는 이유. 어차피 시티로 돌아갈 홈 씨에게는 크게 상관없는 일 아닙니까."

홈은 서류철을 멋대로 휘휘 넘겼다. 그리고 빼곡한 글씨로 쓰인 어느 장에서 손을 멈춰 세우며 말했다.

"이유는 하나밖에 없습니다. 제 꿈을 짓밟은 마을을 향한 복수."

"복수요?"

"저는 지킴이가 되려고 했었습니다. 마을로 처음 들어온 그 순간부터요. 별다른 계기가 없는 제게 그것은 꽤 큰 명분이었습니다. 어떻게든 버텨야 했거든요. 이 재미없는 마을 속에서요. 그러니 지킴이 폐지에 반대표를 던진 사람들을 끌어내리고 싶은 것입니다."

"그러니까 정리하자면, 지킴이를 노리고 있던 찰나에, 디케이 씨가 단상에서 폭탄을 터뜨렸고, 그에 맞춰 열린 투표에서 반대표를 던진 사람들에게 복수를 하고 싶었다, 그 말입니까?"

"그렇습니다. 그 외에 다른 감정은 없습니다."

말을 들은 마토는 의자를 당겨 홈과의 거리를 좁혔다.

"제가 반대표를 던졌더라면 상황이 달라졌겠군요."

그 말에 홈은 속으로 코웃음 쳤다. 그리고 대답했다.

"그럴 리가요. 마토 씨께서는 절대 반대표를 던지지 못하십니다. 마을의 경작지를 발전시킨 활약도 제대로 칭찬받지 못했는데, 지킴이가 들어오는 통조림들이 얼마나 눈엣가시였겠습니까. 제가 마토 씨였더라면 디케이 씨보다 먼저 단상에 올라 진상을 까발렸을 겁니다. 오히려 그랬더라면 마토 씨는 지금보다 높은 위치에 자리하고 있었을 테죠."

그리고 홈은 줄곧 속으로만 되뇌고 있던 말을 입 밖으로 뱉어냈다.

"결국 그런 것 아닙니까. 마토 씨도 이 방대한 지식을 마을 사람들에게 거저 주고 싶지는 않으니, 약속의 날만 되면 종자를 들고 단상에 올랐던 거겠죠. 어떻게 모은 지식인데,

어떻게 얻게 된 힘인데. 안 그렇습니까?"

홈의 말을 들은 마토는 대답 없이 표정을 얄궂게 지어 보였다. 원래도 굴곡 있는 얼굴이 더욱더 휘어 보이게끔.

"처음부터 그런 사람은 아니었습니다."

"시티에서는 나름 선한 영향력을 끼치려고 노력했었죠. 아무래도 배움이 부족한 사람들이, 아니, 현실을 외면하고 자기만의 세계에 빠져 있는 사람들이 많은 시티였기에 더욱 그랬습니다. 당시만 하더라도 저 또한 시티에 속해 있는 사람이었으니 그런 감정이 배가될 수밖에 없었을 겁니다. 그래도 시티에서는 보람이 있었어요. 적어도 사람들이 감사함을 표현할 줄은 알았거든요. 그래서 지금도 간혹, 한편으로 남아 있을 그들에게 미안한 마음이 들기도 합니다. 마지막으로 배움을 청한 사람이 꼭 지금의 홈 씨 나이쯤 되는 청년이었는데, 인품이 매우 좋았어요. 하나를 가르쳐줄 때면 늘 그는 자신의 보물을 저에게 건네주었죠. 보물이라고 해 봤자, 잡동사니들이었지만요."

홈은 고개를 끄덕였다. 그리고 그런 그를 마토가 빤히 내려다보았다. 별안간 따로 하고픈 말이 생각 난 얼굴이었다.

"꽃을 파셨다고 들었습니다."

마토가 말했다.

"그랬었죠. 할 줄 아는 게 꽃을 가려내는 일밖에 없었으니까요."

"많은 사람을 만나 보셨겠군요."

"많다면 많고 적다면 적은 숫자겠죠. 매일 꽃을 사는 누군가가 있는 반면, 평생토록 꽃에 관심을 주지 않는 사람도 많으니까. 그런데 그건 왜 물어보시는 겁니까?"

"궁금했습니다. 저는 늘 뭔가 결핍된 사람들과 마주했기에, 꽃과 같은 데 여유를 부리는 사람들은 어떤 느낌을 풍기는가 해서요."

그에 홈은 반쯤 남은 서류철의 종이를 손끝으로 잡으며 말했다.

"지금 머릿속에 떠올리신 이미지, 딱 그 정도입니다. 더벅머리를 손질했거나, 정장을 갖춰 입었거나, 그런 사람은 없죠."

"이제 어떻게 하실 생각이십니까."

"잘 모르겠습니다."

마토가 대답했다.

"끝인가요?"

홈은 물었다.

"현재로서는 어떠한 탈출로도 보이지 않는군요. 말씀하신 대로 제가 다 망쳐 버렸잖습니까."

"기다림은 아직 유효합니다."

"홈 씨."

"네."

"제가 잘 할 수 있을까요. 과연 제가 피크를 대신해 마을을 원래보다 위용 있게 일으켜 세울 수 있겠습니까."

"그건 마토 씨께서 마음먹기에 달렸다고 생각합니다. 저는 단지 도우미일 뿐이에요. 제가 직접적으로 나설 수 있는 곳은 아무 데도 없습니다. 구체적인 농법을 아는 것도 마토 씨고, 그를 현장에 적용할 수 있는 사람도 마토 씨입니다. 그리고 다행히도 지난번 저와 마토 씨의 대화를 엿본 사람이 적어도 열 사람은 넘었었으니까요. 그들이 부디 입을 가볍게 놀려 주길 바라는 수밖에요. 그렇게만 된다면 마을 사람들의 발걸음은 끝내 이곳으로 향할 수밖에 없게 되어 있습니다. 독립이니, 자유니 해도, 당장의 배가 부르지 않는다면 허상에 불과하니까요."

마토는 홈이 말을 끝낼 때까지 적어도 십여 차례는 고개를 끄덕거렸다. 처음부터 끝까지 긍정이 담긴 고갯짓이었다. 한편으론 쓸쓸한 눈이기도 했다. 홀로서기에 도전함과 동시에 실패를 맛본 자의 움츠림 비슷한 모습이었다. 그 뒤로, 마토는 홈에게 시티로 빠져나갈 방법을 설명해 주었다. 일단 마토는 기존의 지킴이들이 트럭을 숨겨 놓은 장소를 말했다. 홈은 시티에서 운전의 경험이 있었기에 그에 따른 설명이 따로 요구되진 않았다. 그리고 다음으로 마토는 시티의 입구로 가는 최단 루트를 종이에 그려 주었다. 허허벌판과도 같은 곳에 총 다섯 가지의 이정표가 있다는 것이 그의 설명이었다.

"이정표요?"

홈은 물었다.

"이정표라고 말했지만, 정확히 설명하자면 자연의 구조물 같은 것들입니다. 몹시도 길이 복잡하기 때문에, 초행길로 나서서는 알아보는 데 힘이 들 수도 있어요. 제가 될 수 있는 한 구체적으로 그려 드리도록 하겠습니다."

그리고 마토가 서류철에서 빼낸 백지에 마을의 입구를 기점으로 그림을 그려 나가기 시작하자, 홈은 물었다. 이런 걸 어떻게 다 알고 있는 겁니까. 그에 마토는 대답했다. 내가 시티에서 도망쳐 나올 무렵은 밤이 아니라 낮이었다. 그리고, 과거의 지킴이들이 수없이 입을 맞추어 만든 길이기에 그렇다, 라고. 그 대답에 홈은 묘한 표정을 지으며 짐작했다. 그리고 동시에 눈을 찌푸리며 말했다.

"…지킴이를 하셨었군요?"

그에 마토가 대답했다.

"네. 아주 오래전 일이죠."

40 이름 없는 소년

카리브는 부연 없이 짧게 자신을 소개했다. 이름, 직업, 나이, 현재 상황. 마지막으로, 장벽을 오르려는 이유. 소년은 단지 멀뚱멀뚱한 눈으로 카리브를 바라봤지만, 나머지 셋은 놀란 얼굴을 감추지 못했다. 그들은 카리브가 코앞에 서 있음에도 불구하고 다 들리는 목소리로 수군거렸다.

'카리브?'

'카리브라고? 그 카리브를 말하는 거야?'

'세상에 딘, 대체 누구를 섭외한 거예요.'

그리고 카리브가 마지막으로 말한 페퍼를 향해 손을 내밀며 입을 열었다.

"잘 부탁해요."

페퍼는 양손으로 카리브의 손을 잡았다. 그리고 멋쩍음이 몰려온 듯 손을 받쳤던 다른 한 손을 바지 뒷주머니에 대고 닦아 냈다. 쟝은 그저 우호적이었다. 얼굴에 웃음이 끊이질 않았고, 심지어는 카리브가 페퍼와 대화를 하는 와중에도 그 옆에서 웃고 있었다. 반면에 제리는 오묘했다. 기뻐하는 것인지, 불편해하는 것인지 분간하기 어려운 표정을 띠고 있었다. 그를 본 딘은 쟝과 페퍼가 카리브에 눈이 팔린 사이, 제리를 조용히 옆으로 불러냈다.

"아직 화가 덜 풀린 것은 아니실 테고."

딘은 제리를 따라 슬그머니 팔짱을 끼며 말했다.

"당연하죠, 딘. 그것은 이미 잊은 지 오래입니다."

"그럼, 다른 문제가 있습니까?"

"생각 중입니다."

"그 말씀은 부정적인 답이 나올 수도 있다는 뜻인지요."

그에 제리는 대화 중인 카리브의 얼굴을 슬쩍 흘겨보며 말했다.

"그런 건 아닙니다. 그저 너무 유명한 인사가 껴 버린 탓에 우리의 일에 제약이 실리신 않을까 하는 막연한 두려움 때문이겠죠."

그리고 그때, 카리브가 쟝을 건너뛰고서 제리를 향해 인사를 건네왔다. 쟝은 율동과도 같은 머쓱한 몸짓으로 뒤로 상체를 물렸다.

"안녕하세요."

"반갑습니다."

"성함이?"

"제리라고 합니다."

"청소 중이셨나 봐요."

제리에게 다가선 카리브가 그의 손에 들린 것들을 보며 말했다.

"루틴입니다. 매일 눈을 뜨면 창을 연 채 먼지를 털곤 하죠."

"아, 그러면 그쪽이 대장이군요?"

그 말에 제리는 나이 든 이 특유의 여유 있는 웃음으로 딘이 있는 곳을 향해 카리브의 시선을 옮겼다.

"저 사람이라고요?"

"네. 저는 그저 모임의 일원일 뿐입니다."

"제일 연장자 같으신데."

카리브가 제리의 얼굴을 물끄러미 쳐다보며 말했다. 그리고 제리의 입에서 별다른 대꾸가 나오지 않자, 고개를 돌려 옆에 선 딘을 향해 말했다.

"그쪽이 왜 리더죠?"

딘은 처진 어깻죽지를 반듯하게 펴며 대답했다.

"저흰 그런 거 없습니다."

"리더라던데요?"

카리브가 제리의 얼굴을 가리키며 말했다. 거기서 제리는 유머 코드가 맞아떨어졌는지 혼자 웃음을 터뜨렸다. 그 뒤의 대화는 차고 2층 복판에 자리한 공간에서 이루어졌다. 별다른 것 없이, 넓게 떨어진 3개의 소파와 시원한 맥주로 채워진 냉장고가 있는 곳이었다. 간혹 습기로 인해 천장에서 물방울이 떨어지곤 했는데, 바닥의 색이 어두운 탓에 떨어진 자리가 티도 나지 않았다. 그러한 분위기 속에서, 차고 높게 설치돼 있는 하얀 형광등이 이리저리 흔들거렸다.

"하암…"

딘에게 딱 붙어 있던 소년이 입을 크게 벌려 하품했다. 그리고 소년은 딘의 무릎에 누우려는 듯 신발을 벗고 소파에 완전히 몸을 올렸다. 딘은 하던 대화를 이어 나가며 코트를 벗었다. 그리고 어느새 무릎에서 잠이 든 소년의 위로 코트를 덮어 주었다.

"아들이에요?"

카리브가 그 모습을 유심히 보고 있다가 말했다.

"동생입니다."

딘은 병에 중간쯤 남은 맥주를 단번에 마시며 대답했다.

"어쩐지 안 닮았다고 했어요."

그리고 카리브가 자리에서 일어나 뒤에 있는 냉장고에서 새 병을 꺼내 딘에게 건네며 말했다. 작은 목소리였다.

"누구예요?"

딘은 대답하기에 앞서, 잠든 소년이 좋은 꿈을 꾸길 바라며 머리를 쓰다듬어 주었다. 한 번, 두 번, 세 번. 그리고 딘은 말했다.

"이 아이는 이름이 없어요. 정확히는 있었겠지만."

"부모에 대한 원망 때문인 건지, 워낙 어릴 때의 일이라 기억나지 않는 건지는 모르겠습니다만, 시간이 지나도 말해 주질 않더군요. 과거에 어떤 일이 있었는지, 무슨 이유로 혼자가 되었는지."

"이름이 없다고요?"

카리브가 잘못 들었기를 바라는 듯한 얼굴로 되물었다.

"네."

"그럼, 뭐라고 부르는데요?"

그 질문에는 쟝이 대답했다.

"보통은 소년이라고 부르죠."

그에 사뭇 진지한 얼굴로 듣고 있던 카리브가 썩은 표정을 지으며 말했다.

"소년? 장난해요?"

그리고 딘은 카리브가 보통 사람이 할 만한 반응을 모두 보이고 나서야 입을 열었다.

"아이의 의지였어요. 이름 갖기를 원하지 않더군요. 그래서 저희는 그것을 존중하기로 했습니다."

"아직 애잖아요?! 그 말을 진지하게 받아들이면…"

카리브의 목소리가 커지자, 딘은 고의로 말을 끊으며 말했다.

"이 아이는 조금 달라요. 속에 품고 있는 것이 많은 아이입니다. 저는 그저 지금처럼, 척이라고 하더라도 밝게만 자란다면 문제 될 게 없다고 생각합니다."

딘의 말을 들은 카리브는 굉장히 할 말이 많아 보였다. 거기서, 불과 어제까지는 모임의 유일한 여자였던 페퍼가 입을 뗐다.

"강요보다는 존중이 필요한 시대잖아요?"

"좋아요. 그건 그렇다고 쳐요."

카리브가 선심 쓰듯 말했다. 그리고 그녀는 대단히 중요한 말을 꺼낼 것이라는 걸 예고하듯이, 들고 있던 병을 탁상에 내려놓으며 말했다.

"소년은 어떻게 하는데요? 소년도 장벽에 올릴 거예요?"

그리고 카리브의 질문에 쟝이 대답했다.

"그럼요. 당연히 같이 가야죠. 한 식구인데."

"미친 소리."

쟝은 멍청한 사람처럼 보이고 싶은 것인지 카리브의 욕에 실실 웃었다. 카리브가 어이없다는 얼굴로 그 모습을 바라봤다.

"페퍼 씨가 아까 말했잖습니까. 존중이 필요한 시대라고."

딘은 오프너를 쓰는 대신 아래 송곳니로 병맥주의 뚜껑을 열며 말했다. 그리고 딘은 몹시 긴 한 모금을 들이켠 뒤에 말을 덧붙였다. 그와는 상관없이 카리브는 여전히 말도 안 된다는 얼굴을 짓고 있었다.

"아이를 혼자 둘 순 없어요."

그에 카리브가 몸을 앞으로 내밀며 대꾸했다.

"안전이 보장되지 않잖아요."

"그건 이곳에서도 마찬가지입니다."

"아니요. 너무 추상적이고 과한 상상이에요. 가더가 철수했다고 무법지대가 될 거라고 했죠? 저는 아직 그 말에 동의하지 않아요."

"이거 또 사지를 걸어야겠군요. 카리브 씨, 무법지대 그 이상이 될 겁니다. 이곳 F구역은 말이죠."

쟝이 말했다.

"이유를 대 봐요."

"이유라면 사방에 보이는 게 이유 아니겠습니까, 카리브 씨. 조폐가 끊겼고, 혈기 있는 구역의 사람들이 한바탕 축제까지 벌였고, 또 뭐가 있나. 아, 그래. 눈치 빠른 사람들은 식료품 공장들을 점령하고 있죠."

"공장이 점령당했다는 이야기는 광장에 있으면서도 처음 듣는데요. 애초에 이 구역 가더들이 그곳까지 신경 쓰진 않지 않았나요?"

"곧 그렇게 될 거라는 얘기였습니다. 하하하."

그런데, 이렇게 시끄러운 와중에도 유독 제리 쪽이 조용했다. 그의 앞에 입을 대지 않은 맥주가 그대로 놓여 있었다. 시가와 라이터도 함께.

"생각이 많아 보이시네요."

카리브가 좋은 시기에 제리가 앉은 곳으로 몸을 돌리며 말했다.

"아무래도 저 때문인 것 같은데."

무슨 이유인지는 모르겠지만, 딘은 의지와는 관계없이 그 장면이 머릿속에 저장됨을 느꼈다. 그리고 1초가 되지 않는 아주 짧은 시간, 3초 정도 되는 그 장면을 처음부터 떠올렸을 때, 딘은 제리의 감정 상태가 평소와 같지 않음을 알 수 있었다. 현실로 돌아온 딘은 침을 꿀꺽 삼켰다. 그리고 몸을 돌린 카리브가 아닌, 가만히 입을 닫고 있는 제리를 예의주시했다. 제리와 붙어먹은 지가 오래된 페퍼도 그를 눈치채는 시점이 비슷했다.

"카리브 씨."

제리가 거뭇한 수염자리를 손바닥으로 훑으며 말했다.

―― 41 포의 눈물

포는 퓨티가 집에 발을 내리는 순간부터 무언가 그녀에게 변화가 있다는 걸 알아챌 수 있었다. 포는 창 쪽으로 몸을 돌려 있기를 잘했다고 속으로 생각하며 두 눈을 감은 채 최대한 소리 없이 누워 있으려 노력했다. 포는 퓨티의 시선이 느껴졌다. 그리고 이내 퓨티가 눈을 다른 곳으로 돌렸다는 걸 알 수 있었다. 이불이 덮이지 않은 허리 부분에 한기가 들었지만, 그렇게 하리라 마음먹은 포는 충분히 참을 수 있었다. 그때, 퓨티가 조용히 중얼거렸다.

"…아무래도 안 될 것 같은데."

그리고 이번에는 포의 귀에 들릴 정도의 목소리로 말했다.

"안 될 것 같아."

포는 당장에 몸을 뒤돌려 퓨티를 보고 싶다는 욕망에 휩싸였다. 하지만 포는 참았다. 언젠가 확실한 순간이 온다는 확신 때문이었다. 퓨티의 혼잣말이 이어졌다. 퓨티는 포가 잠에 빠져 있다고 굳게 믿고 있는 모양이었다.

"경쟁도 아니야, 다툼도 아니야. 그런데 화가 나. 전에도 이랬어. 함께 사형대에 갔을 때. 시작은 좋았어. 늘 문제는 헤어지는 무렵이야. 항상 뭔가 지는 것 같단 말이지."

"열등감? 내가 그 사람에게 느낄 열등감이 뭐가 있다고 부러움? 아니, 부럽지 않아."

퓨티는 1인극을 벌이듯 계속해서 말을 이어 나갔다.

"워블 씨 집으로 가 볼까. 그래, 워블 씨에게 물어보면 좋을 것 같아. 워블 씨라면 이 상황에 대한 해답을 지니고 있을지도 몰라. 내가 어떻게 해야 하는지, 워블 씨라면 어떻게 할 것 같은지."

그리고 퓨티가 움직이는 소리가 들리자, 포는 질끈 감고 있던 눈을 적당히 느슨한 간격으로 벌렸다. 퓨티의 그림자가 포가 있는 곳으로 조금씩 다가왔다. 포는 침을 꿀꺽 삼켰다. 그동안 미동도 하지 않고 있던 탓에 침이 넘어가는 소리가 자못 크게 울렸지만 퓨티는 듣지 못한 듯했다. 포는 슬그머니 실눈을 뜬 채 눈알을 돌렸다. 퓨티가 포의 발아래를 막 넘어가고 있는 시점이었다. 포는 어두운 곳에서의 시력이 밝았다. 구름에 가려 달빛이 흐릿한 순간이었지만, 포는 퓨티의 움직임을 또렷하게 알아볼 수 있었다. 퓨티는 창가에 널려 있는 자신의 옷가지들을 거두고 있었다. 그 순간에 포는 벌떡 일어나 퓨티의 손목을 잡아채고 싶었지만 참았다. 그리고 실눈을 유지한 채로 퓨티의 행동을 이어서 지켜봤다. 옷을 품속에 안은 퓨티는 도둑고양이 같은 걸음으로 다시 포의 발아래를 넘어갔다. 포는 퓨티의 소리에 귀를 기울였다. 자그맣게 사부작거리는 소리가 폭포의 물소리와 겹쳐 풀벌레들의 합창곡처럼 울렸다. 눈을 감고 가만히 소리를 듣고 있던 포는 머릿속에 두 가지를 떠올렸다. 하나는 퓨티가 자신을 떠나 다른 사람의 집으로 들어간다는 것이었고, 또 하나는 퓨티가 자신을 버리고 완전히 사라져 버린다는 것이었다. 포는 둘을 두고 저울질했다. 그러나, 양쪽으로 매달려 있던 접시가 한쪽으로 기우는 데는 오랜 시간이 걸리지 않았다. 결론이 같았으니까.

"……"

둘에게 있어 절묘한 순간이었다. 포가 몸을 일으켜 입을 뻐끔거리는 순간에 퓨티는 가방의 입구를 벌리고 있었다. 시티에서 도망 나오던 당시, 포의 등에 걸려 있던 짙은 녹색의 백팩이었다. 가방을 본 포는 한달음에 침대에서 내려와 퓨티에게 몸을 가까이했다.

-이유가 뭐니.

퓨티는 갑작스럽게 뛰어 내려온 포에 당연하게도 놀람을 감추지 못하면서도 한편으로는 태연한 모습을 보였다. 그 짧은 사이에 결심을 굳게 한 듯이 무슨 소리를 듣든 흔들림이 없을 것 같은 얼굴이었다. 구름이 지나가고, 달빛이 집 안으로 흘러 들어왔다. 그리고 퓨티가 말했다.

"마을을 떠나 보려고요, 아버지."

그를 들은 포는 빠르게 달아오르는 몸을 진정시키지 못한 채 퓨티의 어깨를 뒤흔들었다.

-마을을 떠나? 왜.

퓨티는 포가 진정하기를 기다리다가 입을 열었다.

"사실 저도 잘 모르겠어요. 지내던 마을이 싫어진 것도 아니고, 지금껏 살아온 고향과도 같은 곳을 버리고 싶어진 것도 아니에요. 이유는 그냥. 그냥인 것으로 할게요."

-안 돼.

"…부디 그러지 말아 주세요. 이미 한 결심이에요."

포는 고개를 격렬히 가로저으며 말소리를 내뱉지 못하는 설움을 고스란히 모아 퓨티를 향해 건넸다. 시끄러운 소리가 번졌다.

"갑작스럽게 말씀드려서 죄송해요. 하지만 아버지는 분명 마을에 남을 거라고 생각이 들어서요. 저는 기억이 희미하다지만, 아버지는 아니잖아요? 그래서 몰래 떠나려고 했던 거예요. 그래야 아버지도 미련 없이 저를 놓으실 수 있으실 테니까요."

포는 고개를 가로저었다. 그리고 언어로 표현할 수 없는 소리를 계속해서 뿜어내며 가방 위에 놓인 퓨티의 손을 쉴 새 없이 붙잡고 또 붙잡았다.

"아주 가 버리려는 건 아니에요. 시티가 별로라고 느껴지면 그땐 다시 마을로 돌아올게요. 약속해요."

포는 침대 뒤로 몸을 기댔다. 그리고 거미줄에 걸린 먹잇감처럼, 바닥에 앉아 있는 퓨티를 눈앞에 두고서 이리저리 발버둥 쳤다. 포는 격렬히 발버둥을 치는 와중에도 퓨티에게서 눈을 떼지 않았다. 그런 한편, 속으로는 현실을 직시했다. 나약하고 간사하게 변해 버린 현재의 자신의 처지로서는 퓨티를 잡을 수 없고, 그런 자신에게는 마을을 떠나 시티로 돌아간다는 선택지를 택할 용기조차 없단 사실을. 그래서, 포의 발버둥은 간청이 아니었다. 순전한 발버둥이었다.

"……"

포는 다시 입을 뻐끔거리기 시작했다. 퓨티는 가만히 그를 보고 있다가 포가 말을 마치자, 이내 대답했다.

"아뇨. 목숨이 위험하진 않아요. 이제는 가더가 없어요. 모두 철수했대요. 하나도 남김없이. 그래서 가려고 하는 거예요."

"…?"

포는 '철수'라는 단어를 되뇌었다.

"네. 이유는 모르겠어요. 좀 전에 집으로 들어오는 길에 민트 씨에게도 여쭤봤지만, 모른다고 답변하시더라고요. 도리어 기분이 탐탁지 않다는 듯이 목소리를 낮추셨어요. 아무래도 페리 씨 때문인 것 같아 저도 더 이상은 말을 할 수가 없었어요. 이게 다예요."

퓨티가 말을 마치자, 포는 슬그머니 가방에서 손을 치웠다. 퓨티는 포의 얼굴을 힐끔 쳐다보고는 고개를 푹 숙인 채 처음에 넣으려던 옷을 넣고, 다음 옷을 곧장 접기 시작했다. 그때 포는 처음으로 후회를 느꼈다. 지킴이 제도가 철폐되지 않았더라면 퓨티가 마을에 머물렀을 텐데. 아니, 애초에 디케이 개새끼가 단상에서 헛소리만 하지 않았더라면 퓨티가 변할 일은 없었을 텐데.

——— 42 장벽을 어떻게 오를 것인가

"도대체 왜 안 된다는 거야, 딘. 내가 볼 때는 이게 최고의 방법이라고. 제리 씨께서 몇 날 며칠을 고민한 사안이란 말이야."

쟝이 긴 탁상의 모서리를 주먹으로 내리치며 말했다. 그에 딘이 대꾸했다.

"너무 위험해."

카리브도 거들었다.

"동감이에요."

"다른 방법이 있는 것도 아니잖아?"

"내가 생각해 볼게."

"하아…, 시간이 문제라고, 시간. 시티의 사람들이 다시금 광장에 모여들기 시작했어. 그게 무슨 얘기겠어? 사람들이 또다시 축제를 벌이려는 거야. 이전에 벌인 광란의 축제보다 더한 축제를."

딘은 쟝의 굵은 주먹을 말없이 응시하며 내려앉은 어깨를 더욱더 아래로 가라앉혔다. 쟝의 목소리를 들은 카리브는 가만히 있었다. 그리고 머릿속으로 사람들을 줄 세웠다. 우두머리는 딘, 나머지 사람들은 그의 추종자. 이제 나도 딘이란 사내를 추종해야 하는 건가. 카리브는 김이 피어나는 커피를 조용히 홀짝였다.

"제리 씨."

딘은 제리 옆에 놓인 재떨이에 수북이 쌓인 담뱃재를 흘겼다가 말했다.

"말씀하세요."

제리가 물고 있던 담배를 손가락으로 옮기며 대답했다.

"일단 잠시나마 유보하는 게 어떠시겠습니까."

"저는 상관없습니다. 저를 신경 쓰지 마세요. 우리는 단지 우리가 설정한 목표 하나만을 위해 나아가기만 하면 됩니다."

딘은 고개를 두 번 끄덕여 고마움을 전했다. 그리고 딘은 오래도록 자리를 비운 것에 대해 사과를 표했다.

"지난밤엔 정말 죄송했습니다. 이 자리를 빌려 모두에게 사과하겠습니다. 또한, 앞으로는 그런 일이 없으리라 단언하겠습니다. 장벽은…, 장벽은 어떻게든 오를 겁니다. 모두가 안전하게요. 그리고 덧붙여, 이 자리에 응해 주신 카리브씨에게도 정식으로 감사를 표합니다."

그 말에 카리브는 자리에서 일어나 소년을 포함한 모두를 향하여 한 차례씩 고개를 꾸벅였다. 카리브가 자리에 앉자, 딘은 말을 계속해서 이어 나갔다.

"우리는 어쩌면 역사의 기로에 서 있는 인물들일지도 모릅니다. 단순히 가더의 철수를 일찍이 예견하고, 하위 구역의 존망을 비극적으로만 생각해서만이 아닌, 우리 개개인의 인생에 있어서의 이야기입니다. 우월주의를 말하는 것이 아님을 여러분 모두는 잘 알고 있으실 겁니다. 그저 우리는 구역에 머무는 다수의 인간보다 한발이 빠를 뿐이죠. 그렇지만 평범한 그 한발이 불러올 결과는 창대할 것입니다. 우리가 쌓아 온 노력과 용기는 결단코 헛되지 않을 겁니다. 그리고 우리 모두의 이름은 후대의 인간들에게 지겹도록 거론될 것입니다. 속박을 뿌리치고, 사회의 부당함과 정면으로 맞댄 사람들, 틀 속에 갇혀 썩어 가기만 하는 삶을 거부한 사람들. 그렇기에 우리는 어떻게든 장벽을 올라야 합니다. 장벽을 올라 그 너머를 봐야만 합니다. 오릅시다. 그리고 신세계를 품에 안읍시다."

시티의 왕이 하루 동안 얼마만큼의 숭배를 받고 사는지는 모르겠지만, 지금 딘이 받은 박수와 양이 비슷할 것이다. 분위기에 취한 거나한 박수 소리가 끝난 다음으로는 각자의 시간이었다. 카리브를 데려간 페퍼에게선 말소리가 끊이지 않았다. 제리는 차고 안에 마련돼 있는 작은 숙직실들을 하나씩 손으로 짚어준 뒤, 자신의 침실로 들어갔다. 그리고 어른의 대화가 끝난 뒤 소년이 처음으로 입을 열었다. 이젠 잠이 안 와요. 딘은 웃으며 소년의 손을 잡고 차고의 위로 걸음을 옮겼다. 그 뒤를 쟝이 뒤따랐다.

"오버했죠?"

소년이 철제 계단의 봉 사이로 다리를 밀어 넣으며 말했다. 그리고 귀가 밝은 쟝이 곧장 그를 따라서 말했다.

"오버했지."

딘은 둘의 행동에 미소를 보이다가 이내 거두며 차고 아래로 시선을 옮겼다. 소년이 중앙에 섰고, 쟝이 이어 옆을 자리했다.

"오버한 게 아니야."

딘은 말했다.

"나는 단지 긴장을 풀고 싶었어."

"긴장을 풀겠다는 놈이 혹을 붙여 오나?"

"카리브는 도움이 될 거야."

그에 쟝이 딘의 옆얼굴을 꼬집듯이 바라보며 말했다.

"도움? 무슨 도움. 그녀에게 그물을 재단할 능력이라도 있나?"

"그물을 재단할 능력은 없겠지만, 관중을 통제할 능력은 지니고 있을 거야. 알아본 바로는 꽤 덕망 높은 화가였다고 하니까. 순진무구한 예술가들에게 그런 사람이 우리 편이라는 걸 보여 준다면 상황이 순탄하게 흘러갈지도 모르지."

"오호, 역시 그랬군. 난 네가 그녀를 데려왔기에 웬일로 전에 없던 동정심을 품었나 했는데. 그럴 성자가 아니지, 네가."

그 말에 딘은 차고 1층 구석을 멍하니 바라보며 대답했다.

"결국은 펍에서 제리 씨와 한판 벌인 게 득이 됐어. 그 일이 아니었으면, 환락가에 들르지도 않았을 테니까."

"카리브의 이야기는 그곳에서 들었나?"

"그래."

그리고 딘은 가면이 매달려 있었던 허리를 손으로 쓸어내렸다.

"대단한 사람이라고, 저 여자."

쟝이 다시 딘의 옆얼굴을 흘겨보며 말했다. 그리고 그것으로는 부족했는지 아예 몸통을 돌리며 말을 이었다. 소년이 고개를 끄덕이며 쟝을 따라 몸을 움직였다.

"고작 그림 그리는 것 하나만으로 구역의 한 자릿수 바로 코앞까지 간 사람이란 말이야. 만약 가더가 철수하지 않았더라면 입성도 확실했을 거야. 일반인이라면 엄두도 못 낼 일이지. 딘, 넌 정말 그녀가 네 의견에 따라 준 것에 감사해야 해."

글쎄, 라고 딘은 속으로 먼저 대답한 다음, 입으로 소리 냈다.

"충분히 그러는 중이야."

244

그리고 이야기를 듣고 있던 소년이 말문을 열었다.

"근데 저 누나는 왜 장벽을 오르려는 거예요?"

그에 대한 답은 쟝이 해 줬다.

"소년. 너도 훗날 시티의 대도가 되면 알게 되겠지만, 인간에겐 욕정이란 게 있단다."

딘은 비웃었다.

"대도랑은 관계없는 이야기 아닌가?"

"가만히 있어 봐. 애한테도 중요한 이야기라고."

쟝은 소년의 얼굴을 손으로 붙잡으며 말했다.

"왕의 침실보다 훨씬 더 중요한 이야기야."

왕의 침실이란 단어에 소년의 눈이 번쩍하고 뜨였다. 쟝은 손바닥으로 소년의 볼을 꾹 누르며 말을 이었다.

"욕정이 무엇이냐, 남자에게도 있고, 여자에게도 있고, 성전환자에게도 있고, 짐승에게도 있고, 식물에게도 있고, 먼지에게도 있고, 로봇에게도 있고, 아무튼 모든 것들에 있는 감정이야. 소년, 여기서 카리브 누나는 어디에 속하지?"

"여자요."

"그래, 여자. 그런 누나에게 만약 오감을 버리고도 잃고 싶지 않은 게 있다면 그게 뭘까?"

소년은 신중한 얼굴로 잠시 생각하다 대답했다.

"침실?"

딘은 웃음을 터뜨렸다. 그리고 속삭였다. 뭐, 비슷하긴 하지.

"아냐. 너에게 침실이 욕정이라면 누나에게는 사랑이 욕정이란다. 그리고 카리브 누나는 지금 그 사랑을 놓친 상황이야. 말 그대로 네가 잠자고 누워 있는 침대를 하루아침에 도둑맞은 셈이지."

"침대를요?!"

쟝은 소년의 볼을 누르고 있던 양손을 떼어 내며 긍정의 표정을 지어 보였다.

"그럼, 여기서 문제. 침대를 잃은 카리브 누나가 지금 가장 하고 싶은 일이 뭘까?"

소년은 곧장 답했다.

"침대를 되찾는 일이요!!"

"그렇지! 그래서 카리브 누나가 우리와 함께하는 거란다. 그러니 너도 한 명의 남자로서 욕정을 품을 줄 알아야 해. 시간의 길이는 중요하지 않아. 그 당시가 얼마나 상큼한가, 또 얼마나 탐욕스러운가, 그게 중요한 거야. 알겠어?"

"네."

그리고 소년은 기합이 잔뜩 들어간 목소리로 말을 이었다.

"제가 꼭 왕의 침실을 차지해 보일게요!!"

딘은 고개를 가로저었고, 쟝은 다리가 덜컹거릴 정도로 흐느끼며 웃었다. 그렇게 3층에서의 대화 소리는 차차 조용해져 갔다. 그리고 여전히 아래에서 두 여자의 목소리가 울리고 있었다.

"아까도 말씀드렸지만, 저는 응원하는 쪽이에요."

페퍼가 방에 들어가려는 카리브를 멈춰 세우며 말했다. 카리브는 슬쩍 웃었다가, 기분이 나쁘지 않은 듯 숨을 길게 내쉬며 대답했다.

"일부러 계속 확인시켜 주는 거예요?"

페퍼는 미모를 앞세운 미소로 말했다.

"없지 않아요."

"노력은 감사한데, 그럴 필요 없어요. 누가 뭐라고 말하든 제가 듣고 싶은 대로 걸러 듣는 게 버릇이 돼 버려서."

"저는 카리브 씨가 그 사람을 꼭 다시 만나셨으면 좋겠어요."

그 말에 카리브는 문 옆의 벽에 기대어 페퍼의 얼굴을 빤히 쳐다봤다. 꽤나 고혹적인 눈빛인 탓에 페퍼는 순식간에 매료당한 듯 약간의 홍조 띤 얼굴로 카리브의 눈을 피했다. 그에 카리브는 속으로 생각했다. 딱히 그런 분위기는 아니었는데. 카리브는 눈을 돌린 페퍼가 눈치채지 못하게 반걸음 앞으로 다가서며 입을 열었다.

"뭐 하나만 물어봐도 돼요?"

"네! 뭐든지요."

페퍼가 다시 얼굴을 돌려왔다.

"그쪽은…"

"페퍼예요."

"그래요, 페퍼 씨."

카리브는 **그쪽**이라는 단어를 써 본 게 얼마 만이지, 라고 속으로 웃음 지었다. 그 웃음은 겉으로도 조금은 티가 났다.

"페퍼 씨는 장벽을 오르려는 특별한 이유가 있어요?"

페퍼가 대답했다.

"물론이죠."

"그게 뭐예요?"

"예술가가 아니라서요."

"이 구역에 예술가만 사는 건 아니잖아요?"

"그렇죠. 하지만 보통은 예술에 종사하는 사람들이니까. 저 같은 사람은 지겨워요. 그들을 부러워하는 인생이 될 줄 알았으면 차라리 단순노동자나 될걸, 싶기도 하고, 낭만이 없잖아요? 예술 하는 사람들의 뒷바라지만 하고 평생을 살기에는."

"왠지 죄인이 된 기분이네요."

카리브는 미소 지으며 말했다. 그리고 페퍼도 악감정은 없었다는 사실이 깔려 있었다는 걸 증명하듯 아무렇지 않게 대답했다.

"못난 사람의 잘못이지, 잘난 사람은 잘못이 없죠."

"장벽을 넘으면 적성을 찾느라 바쁘겠네요."

"하나 생각해 둔 게 있어요."

페퍼가 카리브에게 한 발자국 다가서며 말했다.

"뭔데요?"

카리브는 제자리에서 물었다.

"모델이요."

페퍼가 대답했다.

43 추격

야밤의 추격전은 억지로 이어 갈 수도 있었던 마을의 평화를 단번에 부서뜨리는 균열의 시작과 같았다. 도망자는 둘이었다. 퓨티와 워블. 그리고 그 두 사람을 쫓는 사람은 피크를 포함해 열 명 이상. 지킴이는 없었다. 피크는 떠나는 부인을 잡는다지만, 나머지는 왜일까. 그들은 피크만큼이나 필사적이었고, 그 어느 때보다 격앙돼 있었다. 적어도 확실한 건 충성심 때문으로는 보이지 않았다. 두 사람이 마을의 출입구를 지나쳐 가는 순간, 추격자 무리에 섞여 있던 홈이 큰소리로 사람들의 발걸음에 채찍질을 가했다.

"창고로 가는 겁니다!! 창고에 트럭이 있어요!!"

그리고 확성기를 입에 단 듯 피크가 미친 듯이 소리쳤다.

"절대 놓쳐서는 안 됩니다!!! 기필코 잡아야만 합니다!!!"

퓨티와 워블의 달리기는 생각보다 빨랐다. 멀찍이 벌려 있는 거리가 좀처럼 좁혀질 기미를 보이지 않았다. 퓨티는 젊거니와 민트를 동경하며 그녀의 흉내를 몇 번이고 냈다지만, 워블의 발이 의외였다. 10년을 땅에만 붙이고 있던 발일 터인데. 뛰는 것은 고사하고 걷는 것조차 그녀에겐 드문 일일 터인데 말이다. 일렬로 늘어선 횃불이 들짐승처럼 각개로 움직였다. 튀어나온 흙이 밟히고, 돌이 발에 차여 뒹구는 소리가 났다.

"퓨티!"

워블이 소리쳤다.

"네!"

퓨티는 순간 뒤로 고개를 돌렸다가 다시 손에 든 횃불로 초점을 맞췄다.

"지금 할 말은 아니지만, 고마워요!"

퓨티는 대답 대신 미소를 띠어 보였다. 그리고 등 뒤에서 흔들리는 백팩의 끈을 꽉 움켜쥐었다. 퓨티와 워블, 두 사람 모두 숨이 머리끝까지 차올라 있었다. 타오르는 횃불이 나무 한 그루를 비췄다. 워블이 왼쪽이라고 소리쳤고, 퓨티는 오른손에 쥔 횃불을 왼손으로 옮겨 쥐었다. 둘의 늘어진 그림자가 완전히 사라지고, 수 초가 지나서야 추격자들의 발소리가 그 앞에 나타났다. 여전히 피크와 홈이 그들 사이에서 거칠게 울부짖고 있었다. 그리고 평지의 마을 길은 끝이 났다. 이제부터는 언덕이었다. 언덕이 나타나자, 워블은 퓨티의 어깨를 치고서 걸음을 앞질러 그녀의 앞을 가로막았다. 퓨티는 영문을 모르겠다는 얼굴로 숨을 고르며 불에 비치는 워블의 얼굴을 바라봤다.

"여기서부턴 불을 끄고 가야 해요."

워블이 횃불을 보며 말했다.

"저들은 불이 옮겨붙는 걸 신경 쓰느라 속도가 더뎌질 거예요. 우린 그걸 이용하면 돼요. 여기까지 와서 잡히면 낭패잖아요?"

그에 퓨티는 고개를 뒤돌려 재빨리 추격자들이 들고 있는 횃불의 위치를 눈으로 훑었다. 그리고 워블이 퓨티의 고개를 되돌렸다.

"나를 믿어요."

퓨티는 고개를 끄덕였다. 횃불을 건네받은 워블은 몸을 바짝 숙여 불이 붙은 막대기 위로 흙을 올리기 시작했다. 처음에는 불꽃이 흙 사이사이로 삐죽삐죽 솟아올랐다. 그러나 이내 불씨가 사그라들었고, 달아오른 모래에서 허연 연기가 피어올랐다. 워블은 사이사이 고개를 쳐들어 퓨티의 뒤쪽을 쳐다봤다. 아직은 그들의 모습이 보이지 않았다. 불이 없는 공간은 순식간에 어두워졌다. 그리고 그와 동시에 워블이 손에 묻은 흙을 털고 자리에서 일어나며 말했다.

"이제 던지기만 하면 돼요."

워블은 횃불의 머리를 발로 밟았다. 그리고 서 있는 곳에서 반대가 되는 가장 먼 곳으로 막대를 힘차게 집어 던졌다.

"달려요!"

워블은 퓨티의 손을 잡았다. 퓨티는 알겠다는 눈빛으로 그녀를 바라보았다. 구름 한 점 없는 하늘에 달빛이 밝았다. 잘게 나뉘어 내리는 빛이 아니라, 하나로 붙은 단단한 빛이었다. 워블이 앞장선 언덕은 다른 곳에 비해 경사가 있는 곳이었다. 아마도 그녀가 아는 최단 거리일 것이다. 그리고 얼마 지나지 않아, 뒤쪽에서 추격자들의 소리가 겹치어 울려왔다.

피크의 목소리, 그리고 홈의 목소리, 그 외 다수들. 퓨티는 피크의 목소리가 들리자, 온몸에 소름이 돋는 것이 느껴졌다. 10년 전, 단상에서 들었던 목소리. 그때의 그 목소리야. 퓨티는 워블의 손을 꽉 잡았다. 그리고, 들었을 것이 분명할 텐데도 조금의 머뭇거림과 지친 기색 없이 오로지 길을 여는 데에만 자신의 온 힘을 쏟고 있는 워블에, 퓨티는 기대었다.

"잠깐."

그때, 워블이 자리에 급히 멈춰 서며 말했다.

"왜 그러세요?"

"잠깐만."

워블은 무언가를 찾듯 두리번거렸다. 그리고 말했다.

"길이…"

"길을 잘못 든 건가요?"

"아니, 그건 아니에요. 이쪽인 건 틀림없어요."

퓨티는 침을 꿀꺽 삼키며 뒤를 돌아보았다. 횃불은 멀지 않았다. 그리고 그들은 체계적으로 움직이고 있었다. 두 개의 횃불이 각각 한 쌍이 되어 다섯 방향에서 반원형을 그리며 언덕을 죄는 중이었다. 워블은 서늘하게 침착했다. 아주 침착한 자세로 머리를 짜내고 있었다. 침착한 시간 속에서 추격자들의 횃불의 밝기가 한걸음 가까워졌다. 그리고 그들의 목소리가 언덕의 모두를 깨우듯 요란하게 울려 퍼졌다. 그에 워블이 목에 두른 스카프를 풀며 입을 열었다. 워블은 스카프를 길게 늘여 퓨티와 이어 있는 손을 꽁꽁 묶었다.

"생각났어요. 이쪽이에요."

대꾸할 겨를도 없이 워블이 땅을 박차고 달려 나가기 시작했다. 그 뒤로는 어떠한 말도 오가지 않았다. 달리고, 또 달릴 뿐이었다. 두 사람의 뒤를 쫓는 추격자들의 발걸음도 그 순간부터 예사롭지 않게 변하였다. 워블이 꺼뜨린 횃불을 발견한 모양이었다. 퓨티와 워블은 창고에 점점 더 가까워졌고, 두 사람이 창고와 가까워질수록 추격자들도 덩달아 속도를 냈다. 그리고 평생토록 이어질 것 같던 풀숲은 이파리의 키가 차차 낮아짐과 동시에 끝을 보였다.

"저기예요."

먼저 평지를 밟은 워블이 왼팔을 들어 어느 수풀을 가리키며 말했다. 퓨티는 말없이 그녀의 손을 따라 시선을 옮겼다. 보통 나무의 배는 될 듯한 굵기였다. 그리고 지저분한 노끈처럼 내려온 초록색의 잎들이 그곳을 덮고 있었다.

"저게 트럭이라는 거군요."

퓨티는 쿵쾅대는 심장처럼이나 빠르게 말을 뱉어냈다.

"놀라긴 일러요. 우리는 저걸 타고 여길 빠져나가야 하니까. 차를 탔던 기억이 남아 있어요?"

"아니요, 조금도."

퓨티의 대답에 워블은 둘을 하나로 묶은 스카프를 팽팽히 당기며 해맑게 웃었다.

"긴장해야 할 거예요."

퓨티는 대답했다.

"네!"

—— 44 실명한 소년

다음 날 아침, 딘은 청소 중인 제리를 포함하여 모두에게 시간이 없다는 걸 강조했다. 그 소리를 듣고서 다시 잠이 들기를 청하는 멍청이는 없었다. 오전 7시. 모두가 2층 소파에 자리해 앉았다. 페퍼가 커피라도 놓고서 대화하자고 했지만, 딘은 그 자리에서 거절했다. 그래서 탁상과 소파에는 사람 외엔 아무것도 놓인 것이 없었다. 꾀죄죄한 몰골을 한 모두가 딘을 원망스럽게 바라봤다. 딘은 낯짝 두꺼운 얼굴로 눈을 감고서 왁스가 발린 머리를 여유롭게 넘겨 보였다. 그리고 흘리듯이 슬쩍 입을 열었다.

"밤새 생각해 봤습니다. 여기 모인 우리가 어떻게 장벽을 오를지, 그리고 어떤 방식으로 올라간 장벽을 다시 내려올지를요."

"오, 그래?"

쟝이 곧장 추임새를 넣었다.

"발판을 놓을 겁니다."

"발판?"

제리가 물었다.

"네, 발판."

"발판이 갑자기 어디서 나는데요?"

이어 카리브가 물었다.

"장벽에 철근을 박아 넣으려고 합니다."

그에 쟝이 질색하며 말했다.

"철근? 너무 위험하지 않을까? 딘, 그건 제리 씨가 말한 것보다 더 도전적인 것 같은데? 게다가 장벽 위의 상황을 제대로 알지도 못하는 상황에서 벽 너머의 적들에게 이쪽의 상황을 너무 알려주는 셈이 돼. 오르려면 단번에 올라야 한다고."

딘은 머리에서 손을 떼며 대꾸했다.

"소음이 걱정이라면 이판사판이야. 어차피 우리가 장벽에서 서성이고 있는 날은 사람들로 시끄러울 테니까."

"장벽을 등반하자는 거군요."

제리가 말했다.

"그렇습니다. 제리 씨께서도 리프트의 그물이 닿지 않는 부분까지는 저와 같은 방식을 떠올리셨던 게 아니십니까?"

"맞습니다."

그 말을 들은 딘은 자리에서 일어났다. 그리고 말을 이었다.

"F구역에는 훼손 이후 손쓸 방도가 없어 방치된 건물들이 많이 있습니다. 철근은 거기서 얻을 수 있을 겁니다. 우선 저와 쟝이 함께 이동합니다. 저희가 이동해 쓸만한 철근을 수거하는 동안 여기 계신 여러분들은 따로 해 주실 일이 있으십니다."

"그게 뭔가요?"

페퍼가 물었다.

"일종의 테스트입니다. 지금껏 저희가 머릿속으로만 그려 왔던 그림을 실제로 그려 보는 것이죠. 정말 그것이 그려지는지, 아니면 상상에 그쳤던 것인지를요. 제리 씨의 트럭에 탑승해 장벽으로 가 줬으면 합니다. 제리 씨, 괜찮으시겠습니까."

제리는 잠시 고민했다. 그 모습을 쟝과 페퍼, 두 사람이 의심스러운 눈초리로 몰래 바라봤다. 그러나 제리는 재빨랐다. 무엇이라 사족을 달 시간도 없을 정도로 제리는 빠르게 답을 내놓았다.

"그러죠."

딘은 소리가 나게 손뼉을 친 다음, 맞잡은 두 손을 흔들며 제리에게 감사를 건넸다.

"누군가가 따라와 묻는다면, 그땐 58번지에서 왔다고 말씀하세요. 길을 잘 몰라서 그랬다고, 오늘이 초행길이라고요."

"알겠습니다."

그리고 딘은 제자리에서 빙빙 돌며 빠뜨린 게 없는지 확인했다. 펍, 환락가, 광장, 화실. 순서 그대로 딘은 상황을 떠올렸다. 기억에 남는 사건보다는 묻혀 지나갈 수 있는 사건을 중심으로. 그러는 와중에 딘의 그런 모습이 퍽 수상해 보였는지 카리브가 옆자리에 앉은 페퍼의 어깨를 툭툭 두드렸다. 그리고 속삭이듯 말했다.

"…틱인가요?"

"…아, 처음 보시겠구나. 좀 요란스럽죠?"

"…요란스럽다기보다는 괴상한데요."

"…원래는 엎드려야 하는데, 갑자기 엎드릴 자리 찾기가 민망해서 저러는 걸 거예요. 아무튼, 뭐."

그리고 둘은 딘의 모습을 나란히 쳐다봤다. 떴는지 감았는지 모를 눈부터, 굽혀졌다 펴졌다 하는 손가락까지.

"크흠."

둘의 소곤거림을 들은 건지, 쟝이 그만하라는 신호를 보냈다. 딘은 그제야 눈을 떴다. 그 사이, 딘은 두 가지를 건졌다. 통조림 창고. 시티 밖의 사람들. 딘은 고민했다. 당장에 논할 정도로 시급한 사안인가. 딘은 아니라고 결론지었다.

"딱히 짚을 만한 문제는 없는 것 같습니다."

그에 카리브가 기다렸다는 듯이 입을 열었다.

"그게 뭐 하는 건데요?"

"장면들을 떠올리는 겁니다. 일종의 회상이죠."

"당황했어요. 대장에게 문제가 있나 해서."

"대장?"

딘은 되물었다.

"그쪽이 우두머리 아니에요? 대장 맞지."

카리브가 배배 꼰 팔을 내밀며 말을 마치자, 딘을 제외한 모두가 웃었다. 공손함과 건방짐이 배합된 특유의 목소리는 덤이었다. 딘은 고개를 절레절레 저었다. 그리고 쟝을 향해 곁으로 오라는 손짓을 보냈다. 그 뒤를 소년이 강아지처럼 뒤따랐다. 차고의 문이 열리자 날카로운 바람이 불어왔다. 함께 걸어 나온 쟝이 옷을 여미며 소년에겐 들리지 않을 정도의 목소리로 말했다.

"날씨도 신경 써야겠어. 번지는 58번지로 갈 요량이지?"

딘은 목소리를 낮추었다.

"눈치도 빨라. 모든 준비가 완료되면 날을 정할 거야. 그리고 그게 어떤 날이든, 우리는 장벽을 오를 거고."

"그래. 너는 어릴 때부터 성급한 성격이었으니까."

"마찬가지라고 생각하는데."

딘의 말에 쟝은 마주하고 있던 눈을 들어 하늘 위 태양을 올려다보았다.

"딘, 이렇게 태양을 보고 있으면 말이야, 마치 신이 그의 품으로 나를 인도하고 있는 듯한 기분이 들어. 아마 소문이 사실일지도 몰라. 눈이 멀 때까지 노려보고 있노라면 하늘이 감복하여 실로 나를 데려갈지도 모르는 일이지. 근데 그게 과연 의미가 있을까."

"그만 눈을 내려, 쟝."

"그렇잖아. 눈이 보이지 않으면 악의 무리에 있든, 선의 무리에 있든, 나는 매 순간 어둠과 함께하니까. 알 게 뭐야, 안 그래?"

"알았으니까 그만둬. 그러다 정말 눈을 잃을 거야."

쟝은 방대하게 웃었다. 그리고 천천히 고개를 아래로 내렸다.

"거의 다 갔었는데. 너 때문이야."

딘은 쟝의 재킷에 손을 넣어 열쇠를 꺼냈다.

"운전은 내가 하지."

"그것참 반가운 소리군. 난 못 해. 58번지면 도대체 얼마를 가야 하는 거야."

"그러지 마. 안 어울려."

"뭐가?"

쟝이 눈을 비비며 대꾸했다.

"운전하기 싫어서 태양을 봤다는 둥, 하는 이야기."

그리고 두 사람의 대화 속으로 소년이 끼어들었다.

"으아, 눈앞이 깜깜해요!"

─── 45 탈출

마치 전쟁이라도 난 것처럼 검은 밤하늘 위로 불화살 같은 횃불이 우수수 떨어진 것은 시동이 걸린 트럭이 반대편 길 위에 올라타 속도를 내기 시작한 무렵이었다. 입에 담지 못할 욕설과 절규와도 같은 말들이 저 멀리서 들려왔고, 퓨티는 그저 워블이 알려 준 조수석이라는 자리에 멀뚱히 앉아 그녀와 이어져 있는 스카프를 손안에서 만지작거릴 뿐이었다. 나의 아버지, 포, 민트 씨, 레드 할아버지…, 퓨티는 가벼운 것들은 가벼운 것들끼리, 무거운 것들은 무거운 것들끼리 모았다. 하지만 차오르는 감정의 수가 너무 많았다. 이대로 모두와 끝나는 건가. 이제 다시는 마을로 돌아오지 못하는 건가. 나는 또 한 번의 반역을 꾀한 사람이 되는 건가. 퓨티는 마지막 물음이 떠오르는 순간, 입 밖으로 그를 뱉어냈다.

"저희는 또 한 번의 반역을 저지른 사람이 되는 건가요?"

워블은 여전히 긴장의 끈을 놓지 않고 있었다. 분명 퓨티의 목소리를 들었을 텐데. 워블은 답해 주지 않았다. 퓨티는 다시금 비슷이 질문하였다. 기계처럼 운전대를 붙잡고 있는 워블을 향하여.

"제가 처음 마을에 들어왔을 때 단상에 계신 피크 씨께서 말씀하셨어요. 마을에 있는 모두가 도망자라고요. 그때 당시에는 도망자며, 반역자며, 무슨 뜻인지 알아듣지를 못하였는데 지금은 알 것 같아요. 그게 무엇을 말하는지, 또 얼마만큼의 무게 있는 말이었는지를요. 그러니까, 저희는 또 한 번 반역을 저지르고 있는 거예요. 워블 씨."

"아직 마을에서 완전히 벗어나지 않았어요. 내릴 거면 내려요."

워블이 건조한 투로 말했다.

"아니요. 마을은 떠날 거예요. 굳힌 결심을 물릴 마음은 없어요. 단지…"

"퓨티 양."

"네."

"내 남편을 포함해, 저들이 왜 우리를 쫓아온 것 같아요?"

퓨티는 생각했다. 워블과 자신이 마을을 배신했기 때문이라고.

"반역을 저질러서가 아니에요. 저들은 우리가 타고 있는 이 차가 마지막 보루였던 거예요. 언제고 마을을 떠날 수 있는 탈출구, 혹은 마음의 안식처, 뭐가 됐든. 게다가 이제는 모두가 알게 됐잖아요? 이 마을이 얼마나 가치가 없어졌는지. 단지 고고한 삶을 연명하는 줄로만 알았던 우리네 마을이 거짓으로 밝혀진 지금, 사람들은 내심 우리와 같은 선택을 하고 싶었던 걸지도 몰라요. 그렇기에 우리가 가는 길의 뒤를 따라 밟으며 서슬푸르게 울부짖는 거고. 퓨티 양이 생각하는 것과 달라요. 우리는 선수를 친 선구자, 저들은 눈치를 보느라 기회를 놓친 패배자. 이게 지금 우리의 위치예요."

"…네."

그리고 퓨티는 정면을 응시했다. 빠르게 흘러가는 풍경과 점점 멀어지는 사람들. 또, 퓨티는 고개를 내밀어 집 밖으로 나온 사람들의 뒤를 돌아봤다. 어디서부터 시작했고, 또 어디를 향해 나아가는지를 알기 위해. 출입구가 가까워졌다. 단단한 척하는 나무짝들. 워블은 차를 멈추지 않았다. 트럭이 그대로 문을 뚫고 마을을 빠져나왔다. 두꺼운 타이어 아래로 나무들이 시끄럽게 소리 내며 으스러졌다. 퓨티는 빠르게 뛰기 시작하는 심장 소리를 들으며 고개를 숙였다. 몇몇 잔해들이 트럭 안으로 기어들어 왔다. 워블은 출구를 뚫은 순간부터 속도를 내기 시작했다. 운전대 위로 다섯 개의 별을 선으로 이은 듯한 스케치가 붙어 있었다. 워블은 눈을 치켜올려 첫 번째 별을 확인했다.

"퓨티 양."

워블이 입을 열었다.

"네."

퓨티는 여전한 두려움에 고개를 숙인 채 대답했다.

"마을 밖이에요."

"네, 느껴져요."

"그런데도 계속해서 숨어만 있을 거예요? 고개 들어요. 두 눈에 똑똑히 새겨 둬야죠."

그리고 워블은 오른팔에 힘을 주어 스카프를 팽팽히 만들며 퓨티가 고개를 들 수밖에 없게끔 했다. 퓨티의 몸이 운전석으로 빠르게 딸려갔다가 반동에 치여 일으켜졌다. 퓨티는 짧은 순간에 본 창밖 풍경에 일순 해방감을 느꼈다가, 다시금 온몸을 휩싸는 두려움에 눈을 감았다. 그리고 눈을 감은 상태로 워블과 대화를 이었다.

"뭔가 어두운 황야를 본 것 같아요."

"황야? 그 표현 괜찮네요. 보통은 황무지라고 하던데. 저는 황무지라는 단어가 마음에 안 들더라고요. 꼭 자기들 마음대로 꾸미지 못해 시기하는 듯한 느낌이 들어서."

"잠깐이었지만, 좋았어요."

"그래요? 앞으로는 마음껏 즐겨요. 지금의 자유, 지금의 황홀."

퓨티는 스카프를 꽉 움켜쥐며 대답했다.

"네."

그렇게 한참을 달렸다. 그리고 수평으로 갈라져 어슷하게 놓여 있는 바윗덩이가 나타나자, 워블은 트럭을 멈춰 세웠다. 그것이 첫 번째 별인 듯했다.

"저건 보고 가는 게 좋을 텐데."

워블이 말했다. 그 말에 퓨티는 조심스럽게 눈을 떴다가 재빨리 도로 감았다. 그 모습이 워블은 안쓰러운 모양이었다.

"아직도 무서워요?"

"아니요. 지금은 좀 괜찮아요."

"근데 왜 그렇게 눈을 감고 있어요. 마치 못 갈 데라도 끌려가는 것처럼. 걱정하지 말아요. 장담하건대 아무도 우릴 쫓아오지 못해요. 더불어 시티 무리에 섞여 들어가서도 아무런 눈살을 받지 않을 테고."

"어떻게 그리 확신하세요?"

퓨티는 워블에게로 고개를 돌리며 물었다. 워블은 웃었다. 그리고 다시 트럭의 시동을 걸었다.

"곧 알게 될 거예요. 제가 왜 시티에서 온 수많은 편지를 읽지 않은 건지, 방금과도 같은 확신을 대책 없이 안겨 줄 수 있었는지. 답은 쉬워요, 퓨티. 시티, 그것만 생각해요."

"…시티."

시티라는 단어를 되뇌던 퓨티는 한 가지를 빠뜨렸다는 걸 알아차렸다.

"그런데 워블 씨."

"네."

"왜 물어보지 않으세요? 이 야밤에 문을 두드렸잖아요. 저를 뒤쫓아 온 홈이 시끄럽게 소리까지 지르기도 했고. 결과적으로 제가 저지른 행동 때문에 저희가 쫓기게 된 건데."

"들어야 해요?"

"꼭 그런 건 아니지만, 말씀은 드려야 할 것 같아서요. 워블 씨에게는 아무것도 숨기고 싶지 않아요. 그러고 싶어요."

"나는 단순히 복수일 거라고 생각했는데."

워블이 입꼬리를 올리며 말했다.

"복수요?"

"민트 씨 일이 있었잖아요."

"무슨 일이 있었죠?"

"퓨티 양이 두 번째. 민트 씨가 첫 번째."

"아."

"그래서 홈, 그 청년에게 먼저 마을을 떠나자고 꼬신 거 아니었어요? 저는 그런 것으로 홀로 결론을 내려 있던 차였는데."

퓨티는 웅크린 채로 대답했다.

"…아니에요. 홈 씨가 말한 걸 제가 멋대로 실행에 옮겼을 뿐."

"그 청년이 뭐라고 말했는데요?"

워블이 누르고 있던 클러치에서 발을 떼며 물었다.

"시티의 가더들이 철수했다고요. 그래서 이제 마을에 머무는 건 본인의 선택에 달린 일이라고, 그렇게 말했어요. 거기서 제가 오해했나 봐요. 저는 그 말이 함께 마을을 떠나자는 뜻인 줄 알았어요. 잠에서 깬 아버지와 눈이 마주쳤을 때도, 아버지가 한사코 반대를 표출하셨을 때도, 저는 마을을 떠나야겠단 생각밖에 하지 않았어요."

그리고 퓨티는 스카프의 촉감이 느껴지는 현실에 천천히 고개를 들어 올렸다. 까만 밤하늘. 보이는 것이라곤 처음 보는 트럭의 조명과 그곳에 담겼다가 이내 사라지는 자연 그대로의 거친 길. 퓨티는 약간의 숨 막힘이 들어, 입고 있던 셔츠의 단추를 풀었다. 그리고 워블의 옆모습을 보며 말했다.

"저는 많은 원망을 받을 거예요."

워블은 부정하지 않았다.

"맞아요."

"저는 피크의 아내이기에 이야기가 다를 수도 있지만, 퓨티 양은 그렇지 않죠. 청년이 퓨티 양을 원망할 거고, 아버지가 퓨티 양을 원망할 거고, 또 다른 많은 이들이 퓨티 양을 원망할 거예요."

그리고 워블은 잔인하게 말한 것을 후회하지 않는다는 표정으로 퓨티와 눈을 마주했다. 퓨티는 가슴 부위의 콕콕 찌르는 듯한 통증에 워블의 눈을 오래 보지 못한 채 다시 몸을 웅크려야 했다. 워블은 말없이 퓨티의 등을 토닥였다. 그리고, 말을 이었다.

"하지만 걱정하지 마요. 내가 퓨티 양이 느끼는 것보다 훨씬 더 많은 양의 대가를 치를게요. 그러면 괜찮아요. 퓨티 양은 홀가분하게 살기만 해요. 속죄는 내가 떠안을 테니, 알겠죠?"

퓨티는 웅크린 모습 그대로 흐느꼈다. 굵고 뜨거운 눈물이 바닥에 떨어지며 비와 같은 소리를 냈다. 워블은 계속해서 퓨티를 토닥여 주었고, 퓨티는 얼마 가지 않아 입을 벌려 소리로써 슬픔을 토해 냈다. 그렇게, 트럭은 밤길을 달렸다.

——— 46 반역자의 최후

포는 붉게 달아오른 얼굴에 손을 얹어 뜨거움을 확인했다. 이윽고 들려오는 사람들의 매서운 목소리가 퓨티를 향한 것임을 포는 직감적으로 알 수 있었다. 포는 잠옷을 벗고서 가죽으로 된 재킷과 헐렁한 청바지에 몸을 집어넣었다. 그리고 부엌으로 가, 이전에 먹고 남은 빵 옆에 놓여 있는 나이프와 포크를 챙겼다. 나이프는 재킷의 안주머니에, 포크는 청바지의 뒷주머니에. 그리고 집에 켜져 있는 모든 불을 꺼뜨렸다. 포는 문을 열기 전, 민트가 집에 있는지 창문 밖으로 고개를 내밀어 확인했다. 불이 켜져 있었지만, 속에서 움직이는 그림자는 없었다. 단순한 확인 절차였다. 설령 민트가 집에서 자신을 발견한다고 한들, 그녀는 관심이 없는 사람이니까. 포는 신발을 신었다. 그리고 문을 열었다. 계단의 삐걱거림은 오늘따라 얌전했다. 아마 그 소리가 추격자들의 목소리에 묻혀 그럴 것이다. 포는 느리게 아래로 걸음을 내밟았다. 1층에 도착한 포는 고개를 돌려 민트의 집을 눈으로 훑었다. 민트는 보이지 않았다. 다만, 길이 밝았다. 포는 거기까지는 예상하지 못했다. 마을의 조용한 밤은 온데간데없었고, 모두가 횃불을 들고 길가로 뛰쳐나와 있었다. 포는 잠시 당황했지만, 차라리 잘되었다고 생각했다. 불이 있는 곳만 의식해서 움직인다면 충분히 몸을 숨기며 이동할 수 있을 테니. 포는 민트의 대문 옆에 타오르는 횃불을 뽑아 발로 짓눌렀다. 빗장을 올리며 포는 머릿속으로 계획을 추슬렀다. 길의 어느 방향으로 이동할 것이며, 어떻게 디케이의 근처에까지 다가가 그의 목에 포크와 나이프를 관통시킬 것인지. 포는 길가의 횃불과 멀리 떨어진 곳으로 몸을 옮기기로 했다. 포는 살금살금 집의 뒤뜰로 이동했다. 뒤뜰로 몸을 옮긴 포는 입을 열어 저주를 외듯 입을 뻐끔거렸다.

"........."

그 자식은 분명 퓨티를 뒤쫓는 데 가담하지 않았을 거야. 확실해. 피크의 목소리가 들렸어. 시선 받길 좋아하는 새끼가 부각되지 않는 자리에 나섰을 리 없지. 말을 마친 포는 생각했다. 그렇다면 디케이, 그 개새끼는 지금 어디에 있을까. 그리고 불현듯 하나의 생각이 포의 머릿속을 강하게 치고 지나갔다. 사형대. 포는 그를 소리 내 다시금 중얼거렸다.

"…"

사형대. 그래, 그 새끼는 지금 독 안에 든 쥐야. 잔뜩 쫄아 있을 게 분명해. 겁에 질린 인간은 꽁무니를 빼기 마련이지. 가능성 없는 이야기는 아니야. 출입구에서 가장 먼 곳, 모두가 내 딸을 쫓는 데 혈안이 되어 있을 때 아무도 찾지 않을 곳. 포는 결심했다. 그리고 곧바로 실행에 옮겼다. 뒤뜰에서 다음 집의 뒤뜰로, 포는 집집에 내걸린 횃불의 위치를 이용해, 한 집씩 한 집씩 자리를 이동했다. 한밤에 들썩거리는 마을처럼 폭포의 물소리가 스산하게 길가를 옥죘다. 그리고 폭포의 물소리가 출발 지점과 비슷한 크기로 들려오는 무렵, 포는 발걸음을 멈춰 세웠다. 포는 고개를 돌려 미행이 없는지 확인했다. 그리고 포는 페리의 집에 다다랐다. 포는 그녀의 집에 몸을 붙인 채로 건너편을 훔쳐봤다. 대문 옆 행거에 검은색 모자가 걸려 있지 않았다. 그를 본 포는 달리 입을 벙긋하지 않았다. 광인처럼 두 눈을 크게 뜨며 그 사실을 마음에 담을 뿐이었다. 페리의 집은 불이 꺼져 있었다. 먼젓번의 소모 때문인지 포는 페리의 존재가 신경 쓰이지 않았다. 포는 숨을 골랐다. 숨을 고르며 얼마 남지 않은 사형대까지의 경로를 계산했다. 가는 길이 꽤 돼. 방법이 여럿이야. 하지만 디케이, 그 새끼라면 마지막 자존심 정도는 지켰을 테지. 숨어 움직이지는 않았을 거야. 넓은 길로 가자. 가장 넓은 길. 그리고 포는 다시 움직이기 시작했다. 포가 움직이는 곳에 그림자는 없었다. 아무것도 보이지 않는 어둠 속에서 뚝뚝 끊겨 이어지는 발소리만이 번져 나왔다. 사형대에 가까워질수록 사람과 횃불의 수가 줄어 갔다. 그리고 보이는 마지막 횃불. 포는 그곳이 사형대에서 가장 가까운 집이란 걸 보는 순간 알 수 있었다. 또한, 비어 있다는 사실 역시도. 거기서 포는 조용히 주머니 속으로 손을 집어넣었다. 그리고 꼼꼼하게 집 주변 반경을 살피며 그곳으로 걸음을 옮겼다. 주변은 고요했다. 타오르는 횃불만이 타닥타닥 소리를 내고 있었다. 포는 다시금 주먹을 쥐며 땀이 찬 나이프의 손잡이를 말렸다. 포는 서서히 발을 굴렀다. 그리고 속도를 가해 집을 향해 달렸다. 창가에 몸을 붙인 포는 숫자를 세었다.

3…, 2에서 1, 그래, 2에서 1.

정확히 그 시점에서 포는 영 좋지 못한 감정을 느꼈다. 창가로 돌려 있는 몸의 뒤편에서 풍겨 오는 위압감과 인기척이 그 이유였다. 포는 생각했다. 곧장 왼쪽으로 돌아, 들 수 있는 최대한의 높이로 팔을 뻗으면 디케이의 목과 위치가 비슷할 거야. 손에 쥔 나이프를 디케이가 보지 못했기를 바라는 수밖에. 그 경우가 아니라면 나는 이 싸움에서 이길 수가 없으니까. 그리고 포는 머리에 떠올린 그림을 곧바로 실행에 옮겼다. 순식간에 벌어진 일이었고, 멈추거나 없던 일로 되돌릴 틈도 없는 찰나와도 같은 순간이었다. 우선, 디케이가 맞았다. 그리고 포가 오른손으로 뻗은 나이프의 위치 또한 정확했다. 단지 디케이가 아주 조금 빨랐다. 디케이는 그 짧은 순간에 오른팔을 들어 방어 자세를 취했고, 그 덕분에 목을 향해 파고드는 칼끝을 피할 수 있었다. 포는 손을 부들부들 떨며 디케이의 손에 박힌 나이프를 원망스럽게 쳐다봤다. 그리고 낮게 깐 음정으로 입을 뻐끔거렸다.

-개새끼가.

디케이는 아픈 내색 없이, 더 할 말이 없느냐는 눈초리로 포를 내려다봤다. 그런 뒤, 왼 어깨를 뒤로 넣었다가 그대로 앞으로 뻗으며 왼 주먹으로 포의 얼굴을 강타했다. 포는 그 자리에서 쓰러졌다. 흙바닥에 몸을 찧은 포는 악에 받친 소리를 냈다. 수치스러움에 절규하고, 절규와 동시에 비통함을 느꼈다. 디케이는 어금니를 꽉 깨문 채로 오른손에 박힌 나이프를 주저 없이 한 번에 빼냈다. 그리고 그를 저 멀리 어둠 속으로 힘껏 내던지며 입을 열었다.

"따님의 일은 안타깝게 생각합니다."

디케이는 가운을 벗어 손에 감았다. 그리고 이어 말했다.

"장담은 못 하겠지만, 그리 나쁜 인생은 아닐 겁니다. 뭐, 당신께서 화가 난 이유는 그와는 관계가 없겠지만. 따님에게 얘기를 들었는지는 모르겠습니다만, 시티는 변했습니다. 가더들이 모조리 철수했다고 하더군요. 센터에서 벗어난 장소가 돼 버린 만큼 구역은 자유로울 겁니다. 우리가 살던 시티가 아니란 뜻입니다. 물론, 따님이 거기서 살아남는 사람이 되는 건 또 다른 논쟁거리겠지만요."

그에 포는 몸을 일으켜 디케이의 눈을 똑바로 노려보며 말했다.

-내 딸을 돌려 내.

디케이는 표정을 찡그리며 고개를 가로저었다. 디케이의 오른손에 감겨 있는 하얀 가운이 붉게 물들어 갔다.

"죄송합니다만, 저는 당신의 목소리를 알아듣지 못합니다. 아마도 원망의 말이겠죠. 따님이 떠난 게 제 탓이라는. 이해합니다. 그렇기에, 방금 당신이 행한 살인에 준하는 행위를 그 누구에게도 말하지 않을 겁니다. 그리고…"

말을 끊은 디케이는 입술을 여러 차례 붙였다 떼었다 했다. 그리고 결국은 머금고 있던 말을 포를 향해 뱉어냈다.

"따님이 떠났다는 사실만을 바라보지 마시고, 그간의 시간을 곰곰이 직시해 보시기 바랍니다. 퓨티가 영특한 아이란 사실은 마을의 모두가 알고 있는 사실입니다. 그런 아이가 부모를 저버린 데엔 이유가 있을 테죠. 가령 긴 세월을 허무하게만 지샌 피크의 아내처럼요. 그런데 우스운 게 뭔지 아십니까. 근 10년을 그처럼 살던 워블 씨가 지금 당신의 따님과 함께 있습니다. 놀랍지 않습니까. 처음 그 사실을 접한 저는 꽤나 큰 충격을 받았습니다. 마치 영화를 보는 듯했거든요. 둘 중 누군가는 오늘 같은 날을 기다리고 있었던 거겠죠. 아니면, 가더가 철수할 것을 예상한 사람이 있었다거나."

포는 신이 있다면 그의 멱살을 잡고 구걸하고 싶었다. 지금 한순간만이라도 디케이의 말에 대꾸할 수 있는 목소리를 하사해 주신다면 제 얼마 남지 않은 수명 전부를 바치겠노라고. 기적은 없었다. 돌아오는 건 디케이의 깔보는 듯한 눈초리뿐이었다. 디케이는 열심히 떠들었다. 시간이 갈수록 포는 부끄러움이 느껴졌고, 열심히 뻐끔거리던 입도 점차 닫혀 갔다. 그러다 포는 디케이의 오른손에 눈이 갔고, 가운과 눈이 마주쳤다.

-온몸이 찝찝해. 뜨겁고, 끈적거린다고.

-첫 시도에 끝냈어야 했는데 실패했어. 내 탓이야.

-내 주인을 죽인다고 네 딸이 돌아와?

-아니.

-그럼, 왜 죽이려고 하는 거야?

-부모로서의 도의가 아닌가 해서.

-그냥 네가 죽이고 싶어서가 아니고?

-그럴 리가. 난 살인마가 아니야.

-10년 전의 기억을 마음대로 지웠구나. 소년이 지옥에서 벼르고 있어, 아저씨.

-소년?

-그래, 소년. 피크의 아들.

-걔를 내가 죽였다고? 그런 적 없어.

-거짓말. 내가 그날 새벽 다 보았는걸.

-헛소리하지 마. 그 새벽엔 모두가 잠들어 있었어.

-거봐, 잊지 않았잖아. 그의 비명도, 그의 피도, 아, 그러고 보니 여기네. 누명 쓴 사람들이 묻혀 있지 아마? 아무튼 너는 최대한 늦게 죽는 게 좋을 거야. 지옥에서 기다리고 있는 사람들이 많거든.

-꺼져.

-왜 그런 거야?

-꺼지라고 했어.

-우리 주인도 참 많이 궁금해했었거든. 뭐가 문제였던 걸까. 정신적으로 문제가 있는 사람인 건가, 라고 그렇게 며칠을 끙끙 앓다, 결론을 내렸지. 아, 그저 지능이 높은 사람이구나, 라고. 그렇지? 넌 수치심을 느낀 거야. 마을에 소개되는 첫날. 단상에서. 당시의 피크는 새로운 주민을 꼭 가축 취급하듯 소개했으니 말이야.

가축. 그 단어를 마지막으로 포는 현실로 되돌아왔다. 왼 손아귀에서 넘어질 때 본능적으로 쥐어 든 마른 모래가 느껴졌다. 그렇구나. 난 포기하지 않았구나. 포는 여전히 깔보는 얼굴로 입을 나불거리는 디케이를 조금 더 내버려두었다. 그리고 디케이가 줄곧 참아 왔던 통증과 함께 표정을 일그러뜨리는 바로 그 순간에, 왼손의 모래를 그의 눈 위로 흩뿌렸다. 땀으로 흥건한 오른손의 포크가 또다시 전과 같은 궤적으로 디케이를 향해 나아갔다. 이번엔 살점 속으로 파고드는 느낌이 확실히 느껴졌다. 포는 두 번째 기회를 놓치지 않았다. 손에 힘을 가했고, 좀 더 깊숙이 포크를 밀어 넣었다. 그리고, 왼팔을 디케이의 목에 두르며 몸을 던졌다. 디케이는 소리도 없이 뒤로 넘어갔다. 넘어진 디케이가 떨리는 눈으로 포를 쳐다봤다. 포는 동정 따위에 휘둘리지 않았다. 디케이와 눈을 맞댄 그 상태 그대로 포는 포크를 옆으로 비틀었다. 그리고 끝내 디케이가 알아듣지 못할 목소리를 내뱉으며 그의 숨이 끊어지기를 기다렸다.

—— 47 아기의 울음소리가 들리면 안 되는 곳

표지판이 창가 옆을 지나갈 때마다 쟝의 얼굴은 썩어 들어갔다. 아무래도 태양으로 인한 시력 상실은 없는 모양이었다. 두 번의 주유, 그리고 두 번의 정차. 기름을 넣을 때마다 소년은 뒷자리에 남았고, 딘과 쟝은 보닛에 걸터앉아 담배를 피워댔다. 그때마다 쟝은 딘에게 시시껄렁한 이야기들을 건넸다. 제리를 상대로 페퍼가 아깝다느니, 사실은 본인이 페퍼를 먼저 찜했다느니. 딘은 코웃음 치며 반박했다. 쟝, 페퍼 씨는 너를 사람으로 생각하지도 않을 거야. 그 말에 쟝은 진심이었던 듯 마음 상한 얼굴을 띠어 보였다. 그를 본 딘은 별 지랄을 다 하는군, 라고 생각했다. 딘은 주유구를 닫은 뒤, 주유소 바로 옆에 서 있는 허름한 표지판의 숫자를 속으로 읽었다.

'51.'

그리고 쟝을 향해 말했다.

"앞으로 한 시간이면 도착할 것 같아."

그에 쟝이 담배를 신발에 꺼뜨리며 커다란 몸으로 기지개를 켜 보였다. 딘은 알아들었다는 의미로 그를 받아들였다. 조수석에 쟝이 오르고, 딘이 다음으로 운전석의 문을 닫았다. 두 사람이 차에 들어오자, 뒷자리에 누워 있던 소년이 몸을 일으켜 입을 열었다.

"배고파요."

"거의 다 왔어."

딘은 백미러를 보며 말했다.

"아!"

소년이 뭔가 생각난 듯 소리쳤다.

"왜?"

딘은 물었다.

"저희 다시 왔던 길로 돌아가야 하는 거예요? 오늘? 바로?"

"당연하지. 철근만 수거하면 되니까. 오늘 하루만 고생한다고 생각해. 그럼, 마음이 편해질 거야."

딘의 말에 소년이 운전석을 향해 저돌적으로 고개를 넣으며 말했다.

"어떻게 마음이 편해져요. 오늘 하루를 고생으로 시작해서 고생으로 끝난다는 걸 알아 버렸는데."

"내 말이. 딘, 그건 현재 진행형의 잔혹사야. 그렇지, 소년?"

"맞아요. 이럴 줄 알았으면…"

소년의 얼버무림에 딘은 사악한 표정으로 웃었다. 그리고 소년을 향해 짓궂게 말을 건넸다.

"왜, 거기 남아 있고 싶었어? 그럼 그렇게 하지 그랬니. 아무도 말리는 사람 없었을 텐데."

쟝이 안전벨트를 매며 박쥐처럼 킥킥거렸다.

"거긴 친한 사람이 없단 말이에요."

소년이 붉어진 얼굴로 말했다.

"그것 봐. 너에게는 선택지가 없었어. 어디에 있든 불편함이 성립되지. 차에 오른 건 전적으로 네가 정한 길이야. 그러니 어린애 같은 투정은 소용이 없어. 감수해."

"감수가 뭔데요?"

소년의 질문에 쟝이 딘을 대신해 대답했다.

"울지 말란 뜻이야."

그를 들은 소년은 말없이 고개를 빼고서 다시 뒷자리에 발을 뻗고 누웠다. 그리고 딘이 시동을 걸자, 쟝이 그 직후에 툭 하고 말을 내뱉었다.

"발판이 필요한 건 알겠는데 말이야."

그에 딘은 고개를 돌려 쟝을 바라봤다.

"짐작은 가. 네가 왜 철근을 굳이 58번지까지 가서 구하려고 하는지. 근데 확실히 해 두고 싶어서."

"아는 사실을 굳이 내 입으로 다시 들어서 뭘 하려고."

"확인."

쟝은 딘이 소년에게 그랬듯 딘을 향해 똑같은 표성을 지어 보였다. 딘은 유치함에 콧방귀를 뀌었다. 그런 뒤, 대답해 주었다.

"네 그 잘난 짐작이 맞아. 끝에서 끝으로 통한다고들 하지. 내가 구역의 끝이라고 불리는 58번지에서 철근을 가져와 1번지에 솟아 있는 장벽에 꽂으면, 장벽이 다시 다른 하나의 끝이 되는 셈이야. 난 거기에 의미를 두고 있어."

"58번지에 사는 게 그렇게 쪽팔렸나?"

"아니."

그리고 딘은 곧장 번복했다.

"아니, 사실은 맞아. 더럽게 쪽팔리더군. 이번 여정에서 그를 크게 체감했어. 내가 죽도록 외면해도 무의식에서만큼은 떨어지질 않는다는 사실과 누가 뭐라고 해도 58번지는 시티에서 제일 쓸모없는 사람들이 모여 사는 곳이라는 사실."

"58번지에 이런 인재가 숨어 있었다는 걸 사람들이 알면 깜짝 놀랄 거야. 그런 무의미한, 그러니까 내 말은 시답잖게 콧대 높이는 인간들의 말에 너무 신경 쓰지 말라는 얘기야. 좋게 좋게 가자고. 이제 우리의 여정이 얼마 남지 않았으니까."

"당연하지. 난 더 이상 물러설 곳이 없어, 친구. 무한한 감사를 표할 뿐이야. 너를 포함한 나머지 사람들에게."

"아무렴. 근데 그거 아나 딘? 우리들도 네게 감사하고 있어. 틀 깨기라고 하지. 다들 속으로만 생각하고 있던 일을 딘, 네가 부서뜨려 준 거야. 넌 대단한 사람이라고. 진심이야."

그 말을 들은 딘은 기어에 손을 올렸다. 그리고 말없이 쟝과 눈을 맞췄다. 쟝은 치아가 드러나도록 펑퍼짐하게 웃음 지었다. 필요한 말은 없다는 것처럼. 차가 소리를 내며 출발하자, 소년은 창문틀에 어깨를 올려 51이라 적힌 표지판을 향해 손을 흔들었다. 그렇게 다시, 차는 달리기 시작했다. 계기판의 기름 표시가 슬슬 줄어들 때까지 대화 소리는 들리지 않았다. 더불어 바깥길의 풍경이 점점 더 흉측하게 변해 가고 있었다. 도로 역시 마찬가지로 포장이 벗겨져 차를 덜컹거리게 만들었다. 그리고 기름이 3분의 1쯤 남았을 때, 딘은 눈을 감고 있는 소년과 쟝을 불렀다. 소년은 일어나기 싫다는 듯 몸을 둘둘 말았고, 쟝은 위에서 역류한 산을 느낀 듯 가슴에 손을 얹고 표정을 찡그렸다.

"이제 곧 초입이야. 두 사람 다 준비하라고."

그리고 딘은 길에 들어서면서부터 차를 뚫어지게 쳐다보는 사내를 내부에 달린 거울들로 힐끔힐끔 확인했다. 사내는 양쪽 눈이 시뻘겠다. 약을 했든지, 잠을 자지 않았든지, 둘 중 하나였다. 보통은 약을 하면 잠을 자지 않는 편이었다. 그러니, 약을 한 것일 거라고 딘은 생각했다.

"다들 일어나."

그에 쟝이 한쪽 눈을 슬그머니 뜨더니 웅얼거리며 말했다.

"…여기가 58번지야?"

"그래. 여기가 시티의 시작점이야."

"시작이라, 낭만 있는데."

"쟝, 저기 네 오른쪽 백미러에 남자 한 명 보이지?"

쟝은 눈알을 슬쩍 굴려 딘이 말한 곳을 바라봤다. 그리고 자세를 고쳐 앉으며 되물었다.

"아는 사람이야?"

"아니."

"내가 나설까?"

"됐어. 그냥 둬."

"그냥 두면 버릇 나빠져. 저런 애들은 초장에 기를 눌러 놓아야 한다고."

쟝은 당장이라도 내릴 기세로 안전벨트를 풀었다.

"두라니까."

딘은 쟝의 왼팔을 잡으며 말렸다.

"왜."

그리고 이유를 설명했다.

"아마도 약쟁이일 거야. 가까이 붙어 봐야 너만 손해지. 네 몸에 약 기운을 옮기고 싶다면 말리지 않을게."

약이라는 단어는 꽤 효과가 있었다.

"쳇, 더러운 새끼들."

그리고 쟝이 딘 쪽으로 고개를 돌리며 물었다.

"시티의 시작이라는 곳에서, 약에 찌든 사람이 입구서부터 덜렁 널려 있다는 게 참."

"나한테 화풀이할 거면 그냥 가서 한 대 치고 와."

그때, 언젠가 몸을 일으킨 소년이 입을 열었다.

"이젠 가더들도 없으니 때려도 되지 않을까요?"

쟝이 그 말이 듣기 좋았는지 소년의 머리를 쓰다듬으며 말했다.

"크하하하. 그래, 우리의 대도. 이게 남자지. 딘, 넌 멀었어."

딘은 그 사내가 점점 멀어져 보이지 않을 때까지 차를 몰고 도로의 안쪽으로 들어간 다음, 인기척이 없는 지점에 도착해서야 갓길로 가, 시동을 꺼뜨렸다.

"봐서 알겠지만, 무너지기 직전인 건물이 지천이야. 사람 살 곳이 없지. 펍으로 가기 전, 벽에 꽂기 딱 좋아 보이는 붉은색 철근을 봤었어. 그게 58번지 거였더라면 그걸 썼을 텐데. 아쉽군."

"그건 어디 있던 건데?"

쟝이 물었다.

"30 언저리였던 거 같은데."

"34예요! 거기서 택시를 잡았었어요."

"34? 거긴 예전에 가 본 적이 있어. 안개가 무진장 자욱한 곳이었지, 아마. 안개를 보러 갔었을 거야. 유행이 돌았었거든. 한 자릿수 번지 사람들은 유행을 깨나 좋아하는 편이니까."

"안개가 자욱하긴 했지."

딘은 차 키를 뽑으며 말했다.

"뭐라고 불렸는지 알아?"

쟝이 담배를 입에 물며 물었다.

"글쎄."

"안개 낀 도시."

"괜찮은 작명이군."

그리고 세 사람은 차에서 내렸다. 키가 가장 작은 소년이 가운데에 섰고, 딘과 쟝이 각각 좌우를 차지했다. 딘은 58번지에 처음 방문하는 쟝에게 이것저것 얘기해 주었다. 이곳의 사람들은 말 그대로 배운 것도, 가진 것도 없는, 사전에 등재돼 있는 하층민이란 단어에 어울리는 인간들이다, 라고 딘의 설명을 유심히 듣고 있던 쟝은 그가 말을 마치자, 여러 가지 질문을 건넸다. 그럼, 몸에 심각한 문제가 생겼다거나, 배움을 바란다거나, 하는 노인과 어린아이들은 어떻게 해결하느냐고. 그와 함께 쟝은 가운데 끼인 소년을 연민스럽게 내려다보았다. 딘의 대답은 명료했다.

"죽을 뿐이야."

그 대답에 담배가 꽂혀 있던 쟝의 손가락이 부르르 떨렸다. 그리고 딘은 말을 덧붙였다.

"행여나 호기심이 들더라도 주변을 두리번거리진 않길 바라."

"왜?"

"눈이 마주친 누군가가 칼을 들고 너를 향해 돌진해 올 수도 있으니까."

그때까지만 해도 쟝은 농담조로 그를 받아들인 얼굴을 띠고 있었다. 그의 표정이 변한 건, 시체들이 보이기 시작한 무렵이었다. 시체들은 곳곳에 자리하고 있었다. 주택의 커튼 너머에도 있었고, 철 다리에도 있었고, 양철 쓰레기통에도 있었다. 반이 시체, 반이 행인이었다. 그리고 쟝이 결정적으로 헛구역질을 한 대목은 그처럼 자리한 풍경을 아무렇지 않게 지나가는 보통의 사람들 때문이었다. 그들은 멀쩡하게 생겼으며, 멀쩡한 언어를 쓰고 있었다. 딘은 쟝의 상태를 확인하는 겸, 그의 시선을 쫓아 남녀 한 쌍을 주시했다. 두 사람이 가는 길 바로 옆에 목을 맨 여인이 비치는 주택이 있었다. 소년은 다른 곳을 보았다. 시체를 먼저 발견한 건 남자였다. 그가 유리창 앞에 멈춰 서 여인을 바라보자, 여자도 따라서 발걸음을 멈추었다. 딘은 대각에서 순간 보였던 남자의 입 모양을 따라 입술을 움직였다.

'언제 떨어질까?'

그리고 딘은 쟝을 쳐다봤다. 쟝은 거기까지는 읽지 못한 듯했다. 대신에 입 안이 텁텁하다는 듯이 혀를 계속 날름거리고 있었다.

"잔혹해. 잔혹하다고, 딘."

쟝이 고개를 돌리며 말했다. 딘은 동의의 고갯짓을 보였다. 그리고 쟝의 넓은 어깨에 손을 내려놓으며 말했다.

"너무 깊이 빠지진 마. 가더가 있던 무렵에서도 손을 놓은 곳이야. 우리가 해 줄 수 있는 건 아무것도 없어. 그저 이곳에서 갓 태어난 아기의 울음소리가 들리지 않길 바라는 수밖에."

——— 48 퓨티와 딘의 첫 만남

목이 조이는 느낌, 그래서 질식할 것 같은 기분. 왠지 모를 메스꺼움이 느껴지고, 왠지 모를 식은땀이 이마로부터 맺히고 있구나, 라는 걸 무의식에서 감지하며 발버둥을 치고 있을 때, 퓨티는 푸석한 손이 자신의 몸을 쓰다듬고 있다는 사실을 깨달았다. 그로 인한 불쾌함이었을까. 퓨티는 눈을 번쩍 떴다. 귓가로는 워블의 목소리가 들리고 있었다. 퓨티는 자각몽인가, 생각했다. 퓨티는 몽롱함에 휩싸여 있었지만, 선택이 필요한 순간이란 것은 본능적으로 알 수 있었다. 그렇기에 퓨티는 목이 조여지기보다는 푸석한 손을 택하기로 마음먹었다. 그리고 덥석 손을 잡았다. 손을 잡자, 호흡이 가지런해졌고, 식은땀이 금방 날아갔다. 퓨티는 잡은 손을 공손하게 주무르며 바짝 마른 입을 천천히 열었다.

"악몽을 꾸었어요."

그에 워블이 말했다.

"괜찮아요? 많이 괴로워 보였어요."

"저는 수많은 인파 속에 있었어요. 그러다 한 여자와 눈이 마주쳤죠. 처음 보는 사람이었어요. 태어나 한 번도 본 적 없을 것 같은 얼굴의 여자. 그녀와 눈이 마주쳤는데 기분이 뭐랄까, 이상하다는 표현과는 조금 달라요. 미래가 느껴졌다고 해야 하나. 저 사람은 나에게 다가올 것 같아, 그리고 나에게 말을 걸 거야. 무슨 말을 하려는 거지? 내가 무슨 잘못을 한 거지?"

"그래서 그 여자가 안 좋은 말을 하던가요?"

"네. 눈을 깜빡이자, 멀리 있던 여자는 바로 제 코앞으로 다가와 있었어요."

"그리고요?"

"…그리고 말했어요. 너는 오늘 저녁 재수가 없을 거야."

그를 들은 워블이 탁한 웃음소리를 냈다. 그런 다음, 퓨티의 손을 놓아주었다. 그제야 퓨티는 두 사람 사이를 이어 놓았던 스카프가 워블의 목으로 돌아가 있다는 걸 알아차렸다.

"큰일이네요. 지금이 딱 저녁 무렵인데."

워블이 말했다.

"어?"

퓨티는 트럭 밖이 어둡다는 걸 그때 알았다. 그리고 대화를 이으려는 워블이 입을 열려는 그때, 퓨티는 갑작스레 다가오는 서늘함에 창문 밖으로 고개를 내밀었다. '절대적인 감탄'이라는 표현이 있다면 그것이 맞을 것이다. 퓨티는 웅장히 펼쳐진 광경에 입을 벌렸다. 그저 황홀을 느꼈으며, 여러 갈래로 뻗쳐 나가는 자신의 감정을 흔들리는 소용돌이에 던져 넣었다. 후줄근한 길가, 늘어져 있는 회색빛. 처음 보는 조명과 그에 섞여 새로이 입력되는 낯선 풍경들. 그런 퓨티를 워블은 뿌듯하게 바라보았다. 그리고 퓨티에게 줄곧 품고만 있던 말을 건넸다.

"밖으로 나가 볼까요?"

그에 퓨티는 우렁차게 대답했다.

"네!"

워블은 트럭 열쇠를 새끼손가락에 걸고 차에서 내렸다. 그리고 아직 꿈에서 헤어나지 못한 퓨티를 직접 문을 열어 이끌어 주었다. 황무지, 아니, 퓨티가 표현한 대로 황야에서. 황야와 시티의 경계는 분명했다. 색이 있는가, 색이 없는가. 퓨티는 백팩을 어깨에 걸었다. 그리고 숨을 들이쉬며 눈에 보이는 모든 것을 탐구했다. 워블은 퓨티를 향해 손을 내밀었다. 스카프는 없었지만, 둘은 마을에서와 마찬가지로 손을 맞잡은 채로 걸음을 옮겼다. 시티를 처음 본 퓨티는 정확히 반대로 생각했다. 58번지의 무너진 집채들을 단정한 건축물로, 희뿌옇게 먼지가 묻은 유리를 빛나는 다이아몬드로, 여기저기 쓰러지고 죽어 있는 사람들을 펜을 쥔 시인으로, 퓨티는 빠르게 걷고 싶지 않았다. 그건 아마 시티에 대한 향수를 7년 동안 하늘로써 대신해 왔던 워블도 마찬가지였을 것이다. 그리고 얼마를 더 가, 커다란 컨테이너로 이루어진 장소가 나타났을 때, 워블이 말했다.

"저곳이에요."

퓨티는 워블이 가리키는 방향을 따라 고개를 돌렸다.

"저곳이 우리 마을의 지킴이들이 드나들던 곳이랍니다. 통조림이 가득 들어 있는 곳. 일명 통조림 창고이죠."

퓨티는 고개를 끄덕거렸다.

"모두가 이곳을 위해 그 고생을 한 거예요. 뜀박질을 경쟁하고, 힘을 경쟁하고, 눈을 경쟁하고, 경쟁, 경쟁. 피크의 아내로서 그를 보는 게 참 힘들었어요. 어차피 대회가 끝나면 자신들이 무엇을 위해 힘써 왔는지 알게 될 테니까요. 그리고 진실을 알게 되어도 환호하는 사람들이 있기에 쉽사리 입을 열지 못하죠. 참 못난 지도자예요. 나란 사람과 나란 사람의 남편. 말을 하다 보니 갈수록 고해성사일 뿐이네요. 오늘은 좋은 날인데. 미안해요, 퓨티."

퓨티는 다른 말은 귀에 들어오지 않았다. 마지막으로 워블이 내뱉은 퓨티. 처음으로 이름만을 불러 준 것만이 기억에 남았다. 워블은 창고에 눈을 대고서 한참을 자리에 서 있었다.

"들어가 볼래요?"

워블이 말했다.

"창고 말씀이신가요?"

"네."

"저는 상관없어요. 모든 게 새롭기 때문에 어디든 가 보고 싶어요."

"정말이에요? 그럼, 우선 창고 구경부터 해 볼까요?"

퓨티는 워블이 지킴이들에 대한 예우를 위해 창고행을 자처하려 하는구나, 짐작했다. 가더는 없었다. 보초를 서는 작은 공간 위의 붉은 확성기에도 먼지가 쌓여 있었고, 거리 모퉁이마다 붙어 있는 감시카메라에도 전원이 들어와 있지 않았다. 또한, 퓨티와 워블의 침입에 신경 쓰는 사람도 보이지 않았다. 간혹 남자 무리가 힐끔거리기는 했으나, 외부인이라는 이유보다는 다른 이유 때문으로 보였다. 퓨티는 그조차도 좋게만 느껴졌다. 부끄러움을 느끼는 일 하나 없이. 기다란 컨테이너는 총 여섯 개로, 디귿의 형태로 붙어 있었다. 두 개의 컨테이너마다 한 개의 사다리가 매달려 있었고, 컨테이너 사이사이 발판이 있어, 입구로 들어가기 편한 구조로 되어 있었다. 워블은 장소에 도착하자, 퓨티의 손을 놓았다. 그리고 중앙으로 가서는 각진 곳에 뚫려 있는 작은 구멍 하나를 가리켰다. 퓨티는 그를 보자마자 알 수 있었다. 저곳이구나. 저곳을 통해 민트 씨께서 음식을 훔치셨던 거구나. 워블이 퓨티를 보며 이해했냐는 듯이 손을 움직였다. 퓨티는 고개를 끄덕였다. 그리고 퓨티는 불현듯 그 구멍으로 몸을 이끌어야겠다고 생각했다. 퓨티의 돌발행동에도 워블은 웃으며 뒤따라 걸음을 옮겼다. 둘은 말없이 구멍 앞으로 줄을 섰다. 그리고 퓨티가 먼저 백팩을 내려놓고 구멍에 허리를 넣었다. 적당히 마른 체형을 가진 사람이 들어갈 수 있을 만한 폭이었다. 안으로 들어간 퓨티는 손바닥으로 바닥을 보듬었다. 절삭 면이 깔끔하지 않고 오돌토돌한 것이 꼭 자신의 그것을 닮았다고 퓨티는 생각했다. 그리고 저 멀리 보이는 어둠에 퓨티는 고개를 들었다. 저곳은 시티가 아니야, 황야야. 그리고 퓨티는 그만 뒤로 몸을 빼려 했다. 그때, 뒤따라 구멍에 들어온 워블이 조용히 소리 내었다.

"쉿."

좁은 틈에서 퓨티는 겨우 고개를 돌렸다. 그리고 그제야 워블이 자신과 같은 방향이 아니라 반대로 몸을 집어넣었음을 알게 되었다. 워블의 몸에 가려 바깥이 보이지 않았지만, 사람들의 목소리는 들을 수 있었다. 퓨티는 잠자코 그를 듣고 있다가, 조심히 입을 뗐다.

"위험한 사람들인가요?"

"잘 모르겠어요. 일단 가더는 아니에요. 그들은 더 이상 존재하지 않아요."

"그럼, 나가도 괜찮은 거 아닌가요?"

"아마도요."

그리고 워블이 심하게 목소리를 떨며 말했다.

"…저기에 사내아이가 있어요."

──── 49 앞치마 청년

"괜찮으십니까."

제리가 뒷자리에 앉은 카리브를 향해 물었다. 이유는 간단했다. 그녀가 딘이 떠난 이후로 단 한마디도 하지 않아서. 카리브가 말을 하지 않는 이유 역시 간단했다. 그저 저기압에 휩싸인 기분이라서.

"아무렇지 않아요."

카리브는 제리의 시선이 느껴졌지만, 마주치지 않으며 대답했다. 앞서 예상대로 장벽 가까이의 사람들은 시선을 던져 왔다. 대신에 그들의 시선은 차분했다. 열광, 환호, 멈춤, 그 따위는 없었다. 도로 위를 지나가는 호송차를 보는 정도. 제리는 장벽에 최대한 트럭을 붙였다. 아무렇지 않은 척을 하는 것은 불가능했다. 장벽 근처에는 어떠한 것도 자리해 있지 않았기 때문에. 다들 두려운 것이다. 가더가 떠나간 곳에서 뜨거운 기름이 떨어지진 않을까. 행여나 멀쩡하던 재수에 옴이 붙지는 않을까. 하지만, 어디든 예외는 있었다.

"거기! 뭘 하려는 겁니까?"

근육질 몸과는 별개로 여성스러운 앞치마를 두른 청년이었다.

"아, 길을 잘못 들었습니다."

제리가 미리 준비한 대사를 그를 향해 날렸다. 청년은 대답하기 이전, 뚫어지게 제리를 노려봤다. 의심으로 가득 찬 눈초리였다.

"사람들이 멈추기 시작했어요."

심상치 않음을 느낀 카리브는 말했다. 페퍼도 거들었다.

"정말로요. 이쪽을 바라보는 사람이 점점 늘어나고 있어요."

두 여인의 재촉에 제리는 구시렁거리며 차 문을 열고 몸을 내렸다. 그리고 다른 말 없이 제리는 그 청년을 향해 뚜벅뚜벅 걸어갔다. 청년은 선 자리에서 제리가 오길 가만히 기다리고 있었다. 제리는 그와의 거리가 가까워지기 이전에 딱딱한 목소리로 운을 먼저 뗐다.

"무슨 문제 있습니까."

그에 청년이 웃었다.

"웃는 이유도 궁금하군요."

제리가 말하자, 청년이 기죽음 없이 대꾸했다.

"한 자릿수에 거주하는 분들이 아니시죠?"

"그렇다면요."

"잘 모르시나 본데, 그쪽은 가는 길이 아닙니다."

"막혀 있어서 달리 갈 곳도 없어 보입니다만."

"대화가 통할 것 같이 생기셨는데, 딴소리를 내놓으시는군요."

"그저 장벽을 둘러보고 있었을 뿐입니다."

"가더가 두렵지 않으십니까?"

그 말에 제리가 주변을 두리번거리며 비아냥댔다.

"가더? 가더가 어디에 있습니까?"

청년이 낯빛을 바꾸며 대답했다.

"가더는 어디든 있습니다. 지금도 우릴 지켜보고 있고요. 선생님의 지금 모습도 모두 주시하고 있을 겁니다."

"그걸 당신이 알고 있으면 당신이 가더라는 얘기가 되는군요."

"또 일부러 말을 돌리시는군요."

제리의 인내력은 그리 오래 유지되는 것이 아니었다. 제리는 한 발자국 청년을 향해 다가가 입을 작게 오므리며 말했다.

"이봐."

청년은 또 처음과 같은 웃음으로 제리의 말을 흘려보냈다.

"같잖은 웃음이 배어 있는 걸 보니 사는 게 즐겁나 보군. 우린 너처럼 한가롭지 못해. 너 같은 코흘리개는 이해 못 할 세상이지. 좋은 말로 할 때 걸음을 물려."

"정말로 가더가 두렵지 않으십니까?"

"그들은 떠났어. 그리고 떠나는 순간에 유언까지 남겼지."

"알고 있습니다."

"그럼, 네가 하는 짓이 얼마나 몽매한 짓거리인지 잘 알고 있을 텐데?"

"선생님께서도 알고 계실 텐데요."

"뭐?"

"장벽을 기웃거린 사람들은 모두 사라져 버렸다는걸."

"헛소리."

"사실이에요. 제 아버지께서 사라지셨거든요."

"그 말을 믿으라고?"

"믿는 편이 좋으실걸요. 안 그랬다간 어디로 사라질지 몰라요."

그 대화를 차 안에 있는 카리브는 처음부터 듣고 있었다. 그리고 생각하고 있었다. 처음 듣는 이야기야. 장벽에 관심을 보인 사람은 여태껏 아무도 없었어. 만일 그런 무리가 있었 다면 소문이 났을 테지. 저건 거짓말이야. 그런데 왜, 왜 저런 거짓말을 하는 거지.

"저게 들려요?"

페퍼가 놀랍다는 목소리로 물었다.

"귀가 밝은 편이라서요."

"뭐라고 하는데요?"

"장벽에서 떨어지래요. 안 그러면 하늘로 솟구친다나."

"누가요?"

"저기 앞치마가요."

페퍼는 말없이 고개를 갸우뚱거렸다.

"거짓말일 거예요. 그런 일은 한 번도 없었으니까."

"그럼, 저 사람은 뭘까요?"

"저도 그걸 생각 중이에요. 덩치를 봐서는 겁에 질릴 스타일은 아닌 것 같아서."

"그거 이상하네요. 하필이면 오늘."

페퍼의 말을 카리브는 매듭지었다.

"기다렸다는 듯이."

"소문이 난 걸까요?"

"저야 모르죠. 모임에 합류한 지 이제 겨우 하루가 지났는데. 짐작 가는 거라도 없어요?"

페퍼는 고개를 가로저었다. 그리곤 몹시 두렵다는 얼굴로 아직 대치 중인 제리가 있는 쪽으로 시선을 돌렸다.

"우린 두 자릿수에 배정받은 사람들이 아니야. 네가 하려는 게 뭔지 모르겠지만, 그 정도로 지능이 낮지도, 생각이 짧지도 않지. 무슨 말을 듣든 우린 나아갈 거야. 그걸 막을 수 있는 사람은 아무도 없어. 이것만이 자명한 사실이야. 술에 취해 사라진 네 아버지와는 다르게 말이지."

그에 청년이 앞치마 주머니에 손을 넣어 캥거루처럼 부풀리고는 의기양양한 표정으로 말했다.

"뭐- 말리진 않겠습니다. 들으실 위인도 아닌 것 같고, 대신에 이것 하나만 기억하세요. 동료들이 하나둘 사라진 뒤에는 이미 늦은 무렵이라는걸."

말을 들은 제리는 손가락을 차례대로 굽혀 주먹을 쥐었다. 그러나 청년은 영리했고, 셈이 빨랐다. 주먹을 본 그 순간 하늘로 시선을 치켜올렸고, 단 한마디의 말도 입 밖으로 꺼내 놓지 않았다.

"참을성이 좋네요. 보기보다."

그 짧은 장면을 바라보던 카리브는 신기함에 입을 열었다.

"저이는 항상 저기까지예요."

페퍼가 말했다.

"네?"

"항상 저기까지. 더 이상 나아가는 경우가 없죠."

"으흠."

"그러니 걱정하지 않으셔도 돼요. 누가 오든, 누가 붙든, 싸움이 일어나는 일은 없을 테니."

"그렇군요."

그리고 두 사람은 다시 제리가 있는 곳으로 시선을 옮겼다. 제리의 주먹은 여전히 굳게 쥐어 있었다. 제리는 그 상태로 말했다.

"더 할 말이 남았나?"

청년은 고개를 가로저었다. 그러나 반대로, 주머니에 있는 손을 꼼지락거리며 괜한 비아

냥을 자아냈다. 페퍼의 말대로 제리는 여기까지. 날숨을 소리 내 내뱉은 제리는 죽일 듯한 눈으로 청년을 노려본 다음, 몸을 돌렸다. 청년도 마찬가지. 그 역시 관계에 미련을 두지 않았다. 그리고 두 사람을 보고 있던 관객들이 차례대로 돌아 나갔다. 카리브는 다시금 신음했다.

"흐음."

"왜요?"

페퍼가 물었다.

"상황이 구려서요. 차라리 한 대 패 버려서 이유라도 들었더라면. 그랬더라면 어땠을까. 1번지 사람들의 이목을 싼값에 떨쳐 낸 것 같아 다행이라는 생각이 들긴 하지만, 저 청년의 정체를 알아내야 했던 게 아니었나, 그런 기분이 드네요. 앞을 향해 가야 하는데 뒤가 불안하면 안 되잖아요?"

그리고 터벅거리는 구두 소리와 함께 제리가 트럭에 올라탔다. 카리브는 조용히 기다렸고, 페퍼는 입이 가벼웠다.

"이제 어떻게 하죠? 딘 씨 쪽도 걱정이에요."

제리가 흠칫 놀라며 뒤를 돌아봤다.

"다 들었어요. 여기 카리브 씨 덕분에."

카리브는 고개를 절레절레 흔들며 제리의 놀란 눈을 바라봤다.

"사실입니까?"

"네. 어릴 때부터 귀 하나는 좋았어서."

그에 제리는 무성한 수염을 손으로 쓸어내리며 한숨 쉬었다. 그리고 굵은 팔을 운전대 위에 턱 하고 내려놓고선 말을 이었다.

"솔직히 말해, 정말 난감해졌습니다. 저런 사람이 튀어나오리라곤 상상조차 하지 못했는데 말입니다. 난제가 추가되었군요."

그 말에 카리브는 물었다.

"어떻던가요? 진심으로 보였어요? 아니면 그냥 겁먹은 시민 한 사람?"

제리는 진중히 단어를 고르는 듯 답변에 시간이 걸렸다.

"어중이로는 보이지 않았습니다."

그에 카리브는 곧장 쏘아붙였다.

"어중이로는 보이지 않는다? 그럼, 저 남자의 말을 믿는다는 의미이신가요?"

"…머리가 아프군요."

"우리 중에 배신할 사람은?"

그 질문엔 페퍼가 대답했다.

"무슨 말씀을?! 겨우 여섯이에요. 거기다 한 명은 꼬마이고."

카리브는 손가락을 펼치며 대꾸했다.

"저와 꼬마를 빼면 넷이죠. 그리고 저는 갓 들어온 신입이고요. 확실히 해 두고 싶은 것뿐이에요. 사탕발림 소리에 속은 건 아닌가 해서."

"그럴 일은 없습니다."

제리가 말했다. 카리브는 고요하게 떠 있는 제리의 눈을 가만히 바라보다 입을 열었다.

"잘 참으셨어요. 거기서 싸움을 일으켰으면 여기 우리는 두 번 다시 장벽 근처에 얼씬도 하지 못했을 거예요. 두 마리 토끼 모두를 잡을 순 없는 노릇이죠. 도망간 한 마리가 토끼인지는 모르겠지만."

카리브의 그 말을 끝으로 트럭 안은 조용해졌다. 페퍼는 자리에 누워 불안한 고양이처럼 손톱을 물어뜯었고, 카리브는 끝까지 내린 창문 바깥으로 한 팔을 내밀어 뒤흔들었다. 시간이 흐르고, 제리는 다시 트럭에서 몸을 내렸다. 그리고 해야 할 일을 했다. 일은 트럭의 그림자가 장벽으로 기울어진 시각부터 시작되었다. 제리는 장벽에 붙어 눈을 감고 손바닥을 들어 올렸다. 그리고 타고난 촉감에서 비롯된 세심한 움직임으로 장벽의 재질과 강도를 확인했다. 그러다 시커먼 부스럼이 머리 위로 떨어질 때면, 제리는 한숨 쉬었다. 그 모습 그대로 날이 어두워졌다. 카리브는 고개를 돌려 여전히 몰두 중인 제리를 바라봤다. 그리고 옆자리에 있는 페퍼를 한 번. 그러다 문득, 생각했다. 지금 이곳엔 모두 한 자릿수 번지에 사는 사람들이구나. 나만 빼고. 나는 어쩌다 이들 사이에 끼게 되었지. 애초에 낄 자격이 있는 사람인가, 내가.

"있잖아요."

카리브는 창밖의 팔을 거둬들이며 페퍼를 향해 말했다. 페퍼는 마지막 손가락인 오른손 새끼를 물어뜯고 있다 화들짝 놀라며 대답했다.

"네?"

카리브는 웃으며 물었다.

"제가 여기에 어울리는 사람인가요?"

그에 페퍼가 물어뜯던 손을 내려놓으며 말했다.

"그럼요. 저도 저이도 모두 58번지에 살던 사람들인걸요. 아, 쟝만 빼고요. 그는 원래부터 한 자릿수 번지에 살았어요."

── 50 소년을 대하는 워블의 자세

"변덕은 너와 어울리지 않는 단어라고 생각했는데. 근래에 들어 꽤 많이 보이고 있어. 카리브를 모임에 끌고 들어온 것도 그렇고."

쟝이 말했다. 딘은 뜸을 들이다 대답했다.

"딱히. 한 가지 놓친 게 생각났거든. 사실 출발할 때부터 마음에 걸려 왔던 거긴 한데…"

"제리 씨와 한바탕 치렀던 걸 말하는 거지?"

"그래."

"왜, 장벽 위에 여기 통조림이라도 한번 쌓아 보려고?"

"그런 건 아니야. 단지 이편이 더 좋겠다는 생각이 들어서. 얼추 내가 구상한 구색과도 맞아떨어지고 해서."

"구색? 새로운 끝을 창조하는 일 말인가?"

"맞아. 생각해 보면 이곳만큼 바닥이라는 단어에 어울리는 장소도 없지. 바깥에 살고 있는 사람들을 생각하면 더욱 그런 셈이고. 네 생각은 어때?"

"좋다고 생각해. 물론 네 철학 이야기가 아니라…"

말을 끊은 쟝이 손으로 컨테이너를 가리키며 말을 끝맺었다.

"저 사다리를 떼어 가자는 아이디어에."

그리고 쟝이 딘을 쳐다보며 물었다.

"그런데 저게 장벽에 들어가긴 할까?"

딘은 대답하기 이전, '무조건'이라는 단어를 붙여야겠다고 생각했다.

"무조건. 시티 최고의 타일공이 있으니까 우리에겐."

그를 들은 쟝은 그 호칭이 듣기 좋은 듯 손으로 코를 훔쳤다.

"원래는 그게 건축가였어야 하는 건데 말이야."

쟝이 큰 목소리로 말했다.

"요즘도 꿈에 나오곤 해? 오래됐잖아, 그거."

딘은 물었다.

"거의 매일 그래. 젊은 날의 나는 버젓한 학교에서 건축학 수업을 듣고 있고, 늘 나쁜 점수를 돌려받지. 그걸 매일 꾸다시피 하다 보니, 나도 모르게 학교라는 곳에 정이 들어 버렸어. 현실은 구경도 해 보지 못한 곳인데, 우습지?"

"전혀. 쟝, 조금도 우습지 않아. 그리고 넌 언젠가 그 꿈을 이루게 될 거야. 반드시."

그리고 딘은 잠시 생각하다 이어 말을 뱉어냈다.

"정 안 되면 타일학을 네가 신설해도 되고."

그에 쟝이 호쾌히 웃으며 대답했다.

"푸하! 타일학이라! 그런 걸 배우러 오는 사람이 몇이나 되려나. 아니지, 오히려 세상 온갖 백수들이 줄자를 들고 올지도 모르는 일이겠군!"

딘은 따라 웃었다. 그리고 자연스레 대화에서 소외되어 있던 소년을 내려다보게 되었다. 소년은 말없이 어느 한 곳을 바라보고 있었다. 딘은 직접 질문을 건네는 대신 그를 따라 시선을 옮겼다. 그리고 소년과 같은 곳을 바라보게 된 딘은 곧장 심각한 표정이 되어 쟝을 툭 건드렸다. 수다에 빠져 있던 쟝은 가벼운 목소리로 왜, 라고 되묻는 한편, 같은 곳을 보고 있는 두 사람을 따라 눈을 움직였다. 그리고 순식간에 딘과 같은 얼굴이 되어, 입을 벌렸다.

"뭐야."

"침착해. 생각 중이야."

딘은 구멍 속에 있는 사람이 나이 있는 여자라는 걸 그의 단정한 눈과 그 주변에 있는 주름을 보고 알 수 있었다. 딘은 조용히 한 걸음을 내밟았고, 앞으로 나와 있는 소년을 쟝의 곁으로 돌려보냈다. 그리고 그때, 구멍 속의 여자가 슬그머니 고개를 내밀었다. 딘은 뒤의 두 사람을 향해 가만히 있으라는 손짓을 보인 다음, 구멍이 있는 곳으로 조금씩 걸어갔다. 그리고 딘은 구멍 옆에 기대어 있는 백팩을 보는 순간, 본능적인 감이 느껴졌다. 저들은 시티인들이 아니구나. 시티 밖의 사람들이다, 라고. 딘 역시 보는 것은 처음이었다. 딘은 구멍에 가까워질수록 머릿속에 부하가 걸림을 느꼈다. 의지대로 움직여지는 것은 하나도 없었고, 장면들이 장면대로 엉키어 멋대로 엉망진창의 필름이 되었다. 딘은 구멍 속의 여인이 보이는 곳에서 멀찍이 떨어진 자리에 멈추어 섰다. 그리고 자리에 한쪽 무릎을 꿇고 앉아 그녀와 눈높이를 맞췄다. 가까이에서 본 여자는 더욱 나이가 있어 보였다. 딘은 마른 입술에 침을 바른 다음, 최대한 상냥하게 들릴 만한 목소리로 말을 건넸다.

"안녕하십니까."

그에 여자가 대답했다.

"안녕하세요."

무척이나 탁한 여자의 목소리에 딘은 놀랐지만, 밝은 표정을 유지하며 말을 이었다.

"시티에 돌아오신 걸 환영합니다."

그리고 딘은 절대로 닿지 않을 손을 뻗으며 나와도 괜찮다는 손짓을 보였다. 여자는 고민하는 표정을 지었다. 또, 딘에게 들리지 않을 만한 목소리로 홀로 속삭이기도 했다.

"…도 되나요?"

여자가 말했다.

"네?"

여자가 다시 말했다.

"아이를 만져 봐도 되나요?"

그 말에 딘은 고개를 끄덕거렸다. 그리고 미소 띤 얼굴로 말을 덧붙였다.

"소년이 허락만 한다면요."

여자는 입을 틀어막으며 알겠다고 말했다. 그리고 고개를 돌려 또 홀로 속삭였다. 여자가 살금살금 기어 나오고 나서야 딘은 그녀 외에 또 한 명의 여자가 구멍 속에 있었다는 것을 알 수 있었다. 뒤에서 쟝이 작은 목소리로 말했다.

"하느님 맙소사."

딘은 아랑곳하지 않고, 구멍에서 나온 두 사람과 차례로 인사를 나누었다. 그때, 쟝 옆에서 있던 소년이 자리를 박차고 둘에게로 달려왔다. 그리고 명랑한 목소리로 말했다.

"시티 밖의 마을에서 온 거죠? 그렇죠?"

워블은 눈물을 글썽이며 그렇다고 말했다. 그리고 퓨티는 딘에게로 가까이 붙어 말을 걸었다.

"저희, 괜찮은 건가요?"

딘은 대답했다.

"괜찮고말고요. 그런데 어떻게…"

"잠깐!"

쟝이 딘의 말을 끊으며 다가와 소리쳤다. 표정부터가 그냥 넘어갈 사안이 아니라고 말을 하는 중이었다. 딘은 쟝을 붙잡으며 고개를 가로저었다. 하지만 쟝은 멈추지 않았다.

"마을에서 왔다고요? 확실합니까?"

워블은 소년에게 붙어 있었기에, 대답은 퓨티가 하였다.

"네. 맞아요."

"무기는 어떻게 했습니까? 당신들이 왔다는 건, 곧 반란이 시작된다는 의미입니까?"

"도무지 무슨 말씀이신지…"

"가더의 숙직실에 있던 무기들 말입니다! 당신들이 가져갔잖습니까?!"

퓨티는 아니라고 대답했지만, 쟝은 열을 식힐 기미를 보이지 않았다. 결국 딘이 나서서 상황을 정리했다.

"쟝, 일단 이들의 말을 들어나 보자고. 그런 뒤에 화를 내든, 따지고 들든 늦지 않아. 일단은 조금만, 응? 조금만 가라앉혀."

쟝은 쉽사리 가라앉지 않았다. 그가 조용해진 건, 워블이 소년을 끌어안고 울음을 터뜨리기 시작한 무렵이었다. 줄곧 글썽이던 감정이 터져 버린 것이다. 워블에게 붙잡힌 소년은 살려달라는 얼굴로 딘을 쳐다봤다. 자세는 우스웠다. 어찌할 줄을 몰라 일자로 편 팔과 딱딱히 굳어 자라처럼 선 목이 소년의 감정을 대변하고 있었다. 딘과 쟝, 그리고 퓨티는 말없이 그를 바라볼 수밖에 없었다. 울음소리가 너무도 처절해서, 방울방울 떨어지는 워블의 눈물이 너무도 진심 어려서. 더욱이 퓨티는 사연을 알기에 감정이 배가되어 다가왔다. 딘은 쟝에게 가만히 있으라는 눈짓을 보낸 다음, 퓨티가 있는 곳으로 다가와 조용히 물었다.

"일이 있었나 봅니다."

그에 퓨티는 뜸을 들이다, 워블에게 폐가 되지 않는 선에서 대답했다.

"사건이 있었어요."

딘은 사건이라는 단어를 듣자마자 퓨티가 무엇을 생략했는지 알 수 있었다. 그리고 그를 들은 쟝도 눈치를 챘는지 말없이 밤하늘을 올려다보았다. 어느 정도 시간이 흘러, 퓨티는 워블에게 다가가 그녀의 어깨를 끌어안았다. 워블은 고개를 끄덕였다. 그리고 끝으로 소년의 머리를 쓰다듬으며 그에게서 물러났다.

"통성명이나 합시다."

쟝이 말했다. 컨테이너의 세 곳에서 내리쬐는 타원의 조명 속에서 이들은 서로를 소개했다. 이름, 그리고 나이, 각자 살던 곳에서의 삶. 워블은 거기서 뭔가를 더 말하려고 했다. 하지만 쟝이 그를 허락하지 않았다. 정확히 세 가지. 셋에서 쟝은 말을 끊었다. 그리고 이제 마지막, 소년의 차례였다. 소년은 패기 있고 당당한 목소리로 말했다.

"나이는 열 살! 이름은 없다!"

그 말에 워블이 물었다.

"없다?"

"네! 이름은 없어요!"

"왜? 왜 이름이 없어?"

그때 쟝이 또 한 번 워블을 가로막았다.

"나이가 어리다고 해서 하대하는 건 안 되는 일이지요."

그러나 워블은 집요했다.

"하대라뇨? 이름이에요, 이름. 이름은 들어야죠. 그럼, 여태껏 이름도 없이 아이를 거두고 있었단 얘기인가요?"

"소년이라는 버젓한 호칭이 있습니다."

"소년? 지금 저더러 그 말을 납득하라고요?"

"당신이 납득하든, 납득하지 않든 아이와는 관계없는 일입니다."

그에 워블이 발끈하며 몸을 앞세우려 하자, 퓨티는 조용히 그녀의 등을 꼬집었다. 그리고 선을 넘지 않는 선에서 말을 이어 했다.

"이해해 주세요. 나쁜 뜻이 있는 건 아니에요."

그리고 퓨티가 말을 하자, 가만히 있던 딘이 입을 열었다.

"중재를 잘하시는군요."

그를 들은 퓨티는 딘에게로 고개를 돌렸다. 그리고 처음으로 딘과 눈이 마주쳤다.

"퓨티라고 했나요?"

딘이 물었다.

"네."

"나이가 열일곱이시라고요."

퓨티는 고개를 끄덕였다.

"모쪼록 잘 부탁드립니다. 제가 아닌, 여기 있는 소년을요."

그에 소년이 딘을 올려다보며 말했다.

"뭐라고 불러야 해요?"

"누나라고 불러."

"누나?"

"그래, 누나. 너보다 나이가 많으니까."

그 말을 들은 소년은 심각한 표정이 되어 질문했다.

"말도 높여야 하나요?"

"당연하지. 날 대하듯이 대하면 돼."

소년은 퓨티를 쳐다봤다. 그리고 쑥스러운 듯 눈을 오래 마주치지 못한 채 고개를 돌리며 조용히 대답했다.

"…알겠어요."

그리고 물러나 있던 쟝이 앞으로 나오며 상황을 정리했다.

"좋습니다. 서로의 이력은 확인했으니, 이제 심층적인 부분으로 넘어가 봅시다. 간단하게 질의응답 시간을 가져 보는 게 어떨까요. 순서는 저희부터. 그리고 질문은 순서당 한 개씩. 대답은 될 수 있는 한 구체적으로, 어떻습니까?"

"좋아요."

퓨티는 대답했다. 그리고 워블의 눈치를 살폈다. 워블은 소년에게서 눈을 떼지 못한 채로 고개를 끄덕이는 듯 마는 듯한 모습을 보였다.

"그럼, 두 분 다 동의하신 걸로 알고…"

쟝은 말을 멈추고 딘을 바라봤다. 딘은 끄덕였다.

"자, 질문입니다. 시티에는 무슨 용무로 오셨습니까?"

"아무런 용무가 없어요."

퓨티는 대답했다.

"용무가 없다?"

쟝이 물었다.

"네. 저희는 탈출한 사람들이거든요."

"탈출이요?"

"이제 저희 차례인가요?"

퓨티의 말에 쟝은 앞으로 내민 목을 머쓱하게 안으로 집어넣으며 입술을 깨물었다. 딘도 피식 웃으며 쟝을 뒤로 당겼다. 그리고 퓨티는 워블을 흔들었다. 워블은 고개를 가로저었다. 그래도 퓨티는 다시 한번 워블을 흔들었다. 그러나 워블은 오직 소년뿐이었다. 딘과 쟝이 기다리고 있었고, 퓨티는 시간을 끌 수 없었다. 짧은 시간에 퓨티는 생각했다. 최대한의 이득을 얻을 수 있는 질문이 뭐가 있을까. 무엇을 물어야 저들이 우리를 얕보지 않고 함부로 대하지 않을까. 퓨티는 심장 소리에 귀를 기울였다. 그런 다음, 다짐했다. 앞으로 열 번. 열 번 안에 나는 정답을 찾을 거야. 그리고 카운트다운이 시작되었다.

하나, 둘, 셋, 넷, 다섯, 여섯, 일곱, 여덟, 아홉, 열…

퓨티는 정확히 열 번째 박동이 끝나는 시점에 입을 열었다.

"편지가 있었어요. 꼭 지금 여기 있는 소년의 나이에 어울리는 필체로 쓰인 편지가요. 내용이 뭔지 아세요?"

그에 쟝이 물었다.

"그게 질문입니까?"

퓨티는 쟝의 말을 무시코서 말을 이었다.

"의심이 돼서요."

그때 딘이 쟝을 가로막으며 말했다.

"58번지라고 쓰인 편지였습니까?"

"네. F-58."

"그리고 소년의 글씨체로 편지가 쓰여 있었고요?"

"네."

"그럼, 이 소년이 쓴 게 맞을 겁니다. 58번지에는 글을 아는 남자아이가 없거든요. 이 아이 말고는. 내용이 뭐라 적혀 있었나요."

"그걸 따지려고 하는 중인데, 먼저 물으시니 할 말이 없네요. 편지엔 정확히 이렇게 쓰여 있었어요. '너희들의 삶을 두고 독립이라고 할 수 있나?'"

── 51 눈치 빠른 제리

계기가 있어야 결과가 있다. 차에 오른 제리의 첫마디였다. 그리고 제리는 몸을 해파리처럼 늘어뜨린 다음, 계속해 말했다. 첫 번째 계기는 저와 딘 씨와의 다툼이었습니다. 그 계기로 인해 카리브 씨가 합류하게 되었지요. 그리고 두 번째 계기는 장벽에 넣을 철근을 찾는 것이었습니다. 그 결과, 우리는 오늘 저와 같은 남자를 만나게 됐습니다. 그럼 세 번째 계기는 무엇일까요, 라고 제리는 뒤의 두 사람을 향해 질문하듯이 말을 건넸다. 그리고 스스로 대답했다. 철근을 구한 딘 씨와 쟝 씨가 돌아오는 것이겠죠.

"그럼, 그 뒤엔?"

그에 카리브는 대답했다.

"구해 온 철근을 장벽에 박아 넣겠죠."

"그렇습니다. 그럼, 그 중간에는 무엇이 있겠습니까."

"중간이요?"

"네. 중간. 철근을 구하러 간 그들이 과연 철근만을 가지고 돌아올까요?"

"그럼요?"

페퍼가 청명한 목소리로 물었다. 페퍼의 물음에 제리는 백미러로 그녀가 아닌 카리브를 바라보며 대답했다.

"카리브 씨. 그들이 떠나기 전, 뭐라고 말했었죠?"

"별 이야기 없었는데요."

카리브는 대답했다.

"그러시군요. 저는 당연히 카리브 씨도 들었을 거라 판단했습니다만, 원체 귀가 좋으시니."

"미안한데, 말의 요지를 모르겠어요."

"58번지."

제리가 말했다.

"두 사람은 58번지에 간다고 말했습니다."

"그게 문제가 되나요?"

카리브는 백미러에 비치는 제리의 눈을 보며 반문했다.

"문제가 될 수도, 문제가 되지 않을 수도 있겠죠."

그에 페퍼가 다시금 청명한 목소리로 말했다.

"무슨 문제요?"

제리는 페퍼에게 눈길을 주지 않았다.

"또다시 새로운 사람을 반겨야 할 수도 있다는 점."

자신을 저격하는 듯한 말을 아무렇지 않게 내뱉는 제리에 카리브는 소름이 끼쳤지만, 겉으로는 피식 웃음을 내비쳤다. 그리고 그를 이해하지 못한 사람처럼 말했다.

"사람이 늘어나면 좋은 거 아닌가요? 그만큼 뜻을 함께하고 싶은 사람이 많다는 뜻인데."

"물론 그렇지요. 하지만 58번지의 사람은 또 다른 문제니까요."

"이유가 궁금하네요. 왜 58번지 사람이 끼는 것을 문제로 생각하는지."

"그들은 아슬아슬하니까요."

"아슬아슬하다?"

"네."

"어떤 점에서 그렇게 생각하는데요?"

카리브의 말에 제리는 길게 생각지도 않고 말을 뱉어냈다.

"그곳은 경계선에 놓인 구역입니다. 말마따나 시티를 배신한 사람들이 언제든 뒤섞일 수 있는 곳이죠. 특히, 가더가 없어진 지금과 같은 시기에는."

"혼자 너무 먼 곳을 보고 있는 것 같은데."

"저는 항상 제 직감을 믿죠. 그리고 언제나 맞아떨어집니다."

"말도 안 돼."

카리브가 말하자, 페퍼가 끼어들었다.

"틀린 말은 아니에요. 그것 하나로 한 자릿수 번지까지 오른 사람이니까요. 저도 그 덕을 봤고."

빌어먹을 한 자릿수. 카리브는 속으로 말했다. 그리고 오른쪽에 있는 페퍼를 힐끔 바라봤다. 당장에 나를 어떻게 할 것 같지는 않은데. 이쪽은 저쪽 편인 게 확실하고, 58번지로 내려간 나머지 두 사람은 또 그쪽대로 편인 건가. 그래, 네 말이 맞네. 아슬아슬해.

"그게 사실이라면 정말 대단한데요? 어떻게 했길래 직감만으로 한 자릿수에 갈 수 있었어요?"

"말로는 설명하기 어렵습니다. 그저 상황이 닥치면, 거기서 최선에 최선의 수를 발견해 낼 뿐이죠. 좋게 말하면 이런 거고, 나쁘게 표현하자면 매사에 헌정적이었습니다. 가더에게요."

"예시를 들어 주면 좋겠어요."

카리브는 물었다.

"기다려 보시죠. 곧 있으면 딘 씨가 사람을 매달고 돌아올 테니. 그럼, 제 직감에 대한 믿음이 자연스레 생기실 겁니다."

"그래요. 저야 잃을 게 없으니. 그건 그렇고, 만약 말한 대로 대장이 사람을 매달아 오면요?"

"마찰이 생기겠죠."

"그럼, 큰일인데요. 저는 장벽을 넘겠다는 꿈 하나에 이리로 넘어온 사람인지라. 마찰의 정도가 클까요?"

"클 겁니다. 저도 한 번은 참은 터라 이번은 그냥 넘어가지 못할 것 같거든요. 아무리 같잖은 자존심이라고 할지언정 일말이라도 건져야 남자라고 할 수 있지 않겠습니까."

그리고 제리는 꺼져 있던 트럭의 시동을 거칠게 켰다. 그때부터 카리브는 대화를 일절 중단했다. 카리브는 첫 만남을 떠올렸다. 처음부터 묘한 기류가 보이긴 했어. 그때도 이 사람이었지. 웬 덩치 큰 양반이 나를 그다지도 노려보나 했었는데, 이유가 있었다 이거야. 그리고 인정하긴 싫지만, 딘 씨는 왠지 사람을 달고 올 것 같아. 내 느낌도 그래. 철근 따위를 구하자고 그 먼 58번지까지 내려갈 이유가 조금도 없으니까. 분명 누구를 만나기로 했거나, 아니면 약속을 해 둔 상태겠지. 문제는 그가 정말로 시티 밖 사람을 데리고 오느냐는 건데…, 그게 현실로 다가온다면 나는 정말 헷갈리게 될 거야. 장벽을 넘는 게 과연 누구를 위한 일인지 말이야. 이 정도 일을 꾸밀 정도의 사람이라면 준비가 되어 있겠지. 그리고 아마도 우리에게로 납득할 수밖에 없는 말들을 뱉어낼 거야. 그땐?

　모르겠는걸. 거기까지는 생각해 본 적이 없어. 마찰이 있어야 할 만큼 상관이 있는 일인가? 그리고 카리브는 운전 중인 제리를 넌지시 바라봤다. 자세히 보는 것은 처음이었다. 굵은 목, 그 옆으로 보이는 덥수룩한 수염자리, 웬만큼 성미 있어 보이는 눈매. 산양을 보는 것 같다고 카리브는 생각했다. 다음은 페퍼, 적당히 윤이 나는 노란 머리가 가슴까지 내려오고, 단정하게 말아 놓은 앞머리가 뽀얀 이마를 보였다 감췄다 하는. 카리브는 차고에 있을 때부터 진즉에 페퍼를 꼼꼼히 보았기 때문에 다른 생각이 피어나거나 하지 않았다. 단지 지금도 그녀를 보는 순간 드는 생각 한 가지. 어여쁘다. 그런 감상에 빠져 있을 때쯤 페퍼가 고개를 돌려왔다. 카리브는 훔쳐보다 걸린 것만큼이나 당황했으나 눈을 그대로 뒀다. 미처 피할 사이도 없었지만. 그리고 페퍼가 그런 카리브를 보며 미소를 건넸다. 무슨 의미일까. 카리브는 똑같은 미소를 띠어 주었다. 그리고 귀가 밝은 제리를 피하여 소리 없이 입을 뻐끔거렸다.

　'어때요?'

　그에 페퍼가 대답했다.

　'모르겠어요.'

　'싸움이 날까요?'

　'그것도 잘…'

　'원래도 이런 사람들인가요?'

　페퍼는 고개를 가로저었다.

　'시일이 가까워져서 그럴 거예요. 다들 긴장하고 있거든요.'

　'일이 실패할까 봐요?'

　페퍼는 다시 고개를 가로저었다. 그리고 말했다.

　'목숨을 잃을까 봐요.'

편지에 대한 말들이 오갔다. 그리고 결론은 소년의 한마디로 결정지어졌다.

"제가 쓴 거 맞아요! 저번에 제리 아저씨가 부탁했어요!"

그를 들은 딘은 잠시 시간을 달라며 모여 있는 자리에서 빠져나갔다. 그리고 나머지 세 사람의 대화가 이어졌다.

"마을엔 이와 같은 편지가 많이 있어요."

퓨티는 쟝을 보며 말했다.

"그렇군요. 모두 F구역에서 간 편지들입니까?"

그 물음엔 워블이 대답했다.

"네. 통조림을 훔치러 간 곳은 이곳뿐이니까."

"하나 궁금한 게 있습니다."

"말씀하세요."

"왜 그 많은 편지들을 묵살하셨나요. 여건상 마을에 부르진 못했다고 하더라도, 최소한 답장을 써 주실 수는 있지 않았습니까."

"제가 제일 싫어하는 게 희망 고문이라서요. 편지를 쓴 사람이 어떤 사람인지 알지도 못할뿐더러, 말씀하신 대로 그들 모두를 마을로 부를 수도 없는 입장이니까. 그렇다면 모두에게 공평한 대우를 해 주는 게 예의가 될 수도 있겠다고 생각했어요. 간절한 마음으로 편지를 쓴 사람들에겐 비겁한 악역이 되겠지만. 또, 상식적으로 가더가 있던 때에 그런 위험을 감수할 수도 없었으니까요."

"그럼, 현재 마을에 거주하는 사람은 몇이나 되는지요?"

거기서 워블은 한 번에 말하지 못했다. 그리고 그런 워블을 이상하게 생각할 수도 있겠다 싶은 찰나에 퓨티가 입을 열었다.

"마흔다섯 명이에요."

쟝이 시선을 퓨티에게로 옮기며 대답했다.

"많군요."

"지금은 두 사람이 빠졌으니 마흔셋."

"그럼, 이제 앞으로의 마을은 어떻게 되는 겁니까."

"저희는 그런 걸 저버리고 나온 거예요."

워블이 말했다.

"그런 거라면?"

"책임, 신뢰, 그간의 우정."

"그렇군요."

그리고 쟝은 아직 멀찍이 떨어진 곳에서 생각에 잠겨 있는 딘을 흘겨봤다.

"두 분은 친구 사이신가요?"

워블이 물었다.

"네."

"같은 번지에서 태어나서요?"

"아뇨, 그건 아닙니다. 저는 7번지에서 태어났고, 딘은 58번지에서 태어났거든요."

"번지가 뭐예요?"

퓨티는 물었다.

"쉽게 설명하자면, 계급장 같은 겁니다. 숫자가 줄어들수록 누릴 기회가 많아지고, 더 나은 사람들을 이웃으로 둘 수 있죠. 이말 저말 필요 없이 시티에 내려오는 악습이라고 보시면 됩니다."

"저희는 폭포를 기준으로 집을 배정받아 살았어요."

"폭포?"

"네. 폭포를 기준으로 물안개가 심한 곳과 덜한 곳으로 나누어 차곡차곡 채워 나가듯이."

퓨티의 말에 쟝이 대답했다.

"그건 그거대로 낭만이라도 있군요."

그리고 그때, 딘이 신발을 질질 끌며 쟝의 옆으로 돌아왔다. 할 말이 많은 얼굴이었다. 소년을 포함한 네 사람이 딘을 쳐다봤다.

"쟝, 나를 믿나?"

딘이 말했다.

"물론."

"그럼, 지금 이들과의 만남도 우연이라는 걸 의심치 않겠군."

"당연하지. 네가 그렇게 계산적인 사람이 아니라는 걸 알아. 왜 그런 걱정을 하는 거야? 제리 씨에 대한 정리는 끝났어?"

"그걸 지금부터 말해 보려 해."

딘은 주머니에서 담배를 꺼내 입에 물었다. 연기가 피어나고, 딘은 말을 시작했다.

"제리 씨가 소년을 이용해 그런 편지를 쓰게 했다는 데서 나는 화가 났어. 물론 어려운 일은 아니지. 그는 원래 나와 같은 번지에 살 때부터 통조림 창고 경비직을 섰으니까. 거기까지는 이의 없어. 그의 관할이고, 그의 자격이니까. 하지만 소년을 이용한 부분에 있어서, 또, 58번지에 거주하는 아이의 손을 대표해 쓴 편지에 그런 내용을 실었다는 것에 있어서 나는 화가 나."

그리고 딘은 담배를 떨어뜨려 발로 짓눌렀다.

"아마 제리 씨는 여기까지를 생각하고 있을 거야. 지금까지 흐른 시간으로 봤을 때, 우리가 가까운 번지수로 내려간 것이 아님을 눈치챘겠지."

"그래서?"

"결론은 간단해. 이들을 데려가려 해, 쟝."

"잠깐만요."

퓨티는 딘을 멈춰 세웠다.

"말씀하세요."

"저희는 따라간다고 말한 적이 없는데요?"

"그럼, 여기서 그냥 헤어지려 하셨습니까?"

"당연하죠. 당신들이 누군 줄 알고 동행을 하나요?"

"구세주."

"뭐라고요?"

퓨티는 되물었다. 그럼에도 불구하고 딘은 뱉은 단어를 취소할 생각이 없다는 듯 우직하게 턱을 치켜든 채 말을 이었다.

"우리는 당신들을 구제할 수 있습니다. 아니, 해 드리죠. 어쩌면 저희를 만난 게 우연이 아닐지도 모른다는 생각, 드시지 않으십니까?"

"아뇨, 잠시만요. 저희는…"

"저희는 장벽을 넘을 겁니다."

"장벽을요?"

퓨티에겐 홈으로부터 들은 기억이 있었다.

"장벽이 뭐죠?"

그러나 워블에겐 기억이 없었다.

"장벽을 모르신다고요?"

딘이 물었다. 쟝도 놀란 얼굴을 비쳤다. 그리고 앞서 딘이 뱉은 폭탄 발언 따위는 진즉에 통과시킨 듯, 쟝은 내색하지 않았다.

"그러고 보니 그렇게 오래된 일이 아니군요."

딘이 퓨티와 워블을 번갈아 바라보며 말했다. 그리고 이어 말했다.

"그런데 어떻게 한 사람은 알고, 한 사람은 모르는 건지요."

그에 쟝이 말을 덧댔다.

"사정이 있는 거겠지, 딘."

그리고 쟝의 그 말은 워블에게 달갑게 다가가지 않은 듯했다.

"퓨티 양, 내게 숨기는 게 있나요?"

"아니, 전혀요. 말할 기회가 없었던 것뿐이에요. 굳이 다룰 일도 아니었다고 생각했었고요. 미처 의식에 다다르지 못했을 뿐이에요. 저도 시티에 장벽이 지어졌다는 사실을 홈 씨로부터 들은 게 불과 어제의 일이거든요."

"홈?"

"네."

그에 워블은 날카롭게 변했던 모습을 원래대로 되돌렸다.

"미안해요. 제가 예민했네요. 다른 사람을 생각했어요."

그 말을 들은 퓨티는 워블이 피크를 떠올렸구나, 라고 생각했다.

"장벽이 세워졌다고요?"

워블이 딘을 보며 물었다.

"이유가 뭐죠? 어차피 이곳은 센터를 비롯해 여섯 구역으로 나누어 놓은 곳이잖아요. 거기다 굳이 벽 같은 걸 쌓아 올릴 이유가 있나요?"

"그걸 알아보려 합니다. 벽 너머의 저들이 왜 우리를 분단시키면서까지 떼어 놓으려고 하는지, 몇 남지 않은 예술가들의 삶을 왜 그리도 짓밟지 못해 안달인 것인지. 그리고 마지막으로 왜 저들은 우리를 취급 선상에 올려놓기조차 꺼리는 것인지를요."

딘이 말하자, 워블이 대꾸했다.

"장황하네요."

"그렇습니다. 하지만 일을 크게 만든 건 저들이에요. 가만히 있는 우릴 벽으로 가려 버린 건 저들이라고요. 길이 하나라면 그 길을 가야 한다고 생각합니다. 그리고, 곧 날이 잡힐 겁니다."

"그 이야기를 우리에게 들려주는 저의가 뭐죠? 어중간히 볼 일도 아닌 것 같은데. 게다가 초면이잖아요?"

워블이 말했다.

"손을 보태달라는 뜻입니다."

"뭘 보태달라고요?"

"그날이 오면 싫든 좋든 관중들이 많이 몰리게 될 겁니다."

"그래서요?"

"현재의 F구역에는 여러분들만큼의 역사를 지닌 인물이 없습니다. 모두가 현실을 받아들인 채 정신을 놓아 버렸죠. 오시는 길에 보셨겠지만, 이미 구역의 다수가 자살했습니다. 그리고 나머지 사람들은 그들을 조롱하는 지경에까지 이르렀죠. 저는 난사람이 되기 위해 이 일을 시행하려 하는 것이 아닙니다. 뜻을 함께하는 사람들 모두 마찬가지입니다. 거창하고 장황한 것이 아니라, 알고 싶은 것입니다. 우리가, 우리들이 버려진 진짜 이유."

"이유를 알고 나면 뭐가 달라지나요?"

퓨티는 슬슬 짜증이 났다. 워블의 말투에, 그녀의 태도에. 퓨티에겐 의문이었다. 왜 저다지도 가시가 돋쳐 있는 걸까. 이 아름다운 시티의 한가운데에서.

"정말로 궁금하지 않으시다고요? 그렇다면 시티로 오신 이유가 의문인데요. 최종적인 목표에는 그 같은 이유가 있으실 겁니다."

"아뇨, 아뇨. 저희는 그런 정치적인 신념을 쫓아 마을을 떠나온 게 아니에요. 단지 시티에서의 새 인생을 위해 온 것일 뿐."

딘은 웃었다. 그리고 퓨티와 눈을 마주치며 말했다.

"이쪽 아가씨의 마음은 다른 것 같습니다만."

그리고 딘은 퓨티 쪽으로 몸을 틀었다. 눈이 마주친 퓨티는 침을 삼켰다.

"젊은 숙녀분께서는 어떻게 생각하십니까. 제가 지금 포교 활동을 하는 것처럼 보이나요?"

퓨티는 단호한 목소리로 대답했다.

"아니요."

"그러실 줄 알았습니다."

딘은 손뼉을 치며 말했다.

"두 분은 마을을 함께 빠져나오셨지만, 서로 쫓는 게 달라요."

딘은 다시 워블에게로 몸을 틀었다. 그리고, 젊음이라는 단어를 강조했다.

"여기 계신 분은 시티에서의 새 인생이 목적이라 하셨지만, 젊은 숙녀분께서는 그게 아니었던 겁니다. 그렇죠? 퓨티 씨?"

퓨티는 홀린 듯이 말이 튀어나왔다.

"네."

"퓨티! 정신 차려요! 이 사람은 지금 우리를 광대로 세울 작정인 거라고요!"

"저는 상관없어요. 이미 마을에서도 경험한 부분이니까요."

"정말!!!"

"워블 씨. 저는 뭐든 상관없어요. 진심으로요. 줄곧 저를 가두어 놓았던 마을의 출구가 으스러지는 때부터 결심했거든요. 시티에 가서는 환경이 이끄는 곳이 아닌, 내 마음이 가는 곳으로 향하겠다고요. 저는 지금 극도의 흥분 상태임에도 정상의 맥박을 느끼고 있어요. 저는 정상이에요. 그런 상태에서 대답을 하고 있는 거고요."

워블은 입을 다물지 못했다. 아마도 찰싹 때릴 작정으로 쳐올렸을 손바닥이 공중에서 가만히 멈춰 있었다. 그리고 결정적으로 줄곧 가만히 있던 소년이 입을 열었다.

"왕의 침실에 누워야 해요! 그러니 함께해 주셨으면 좋겠어요!"

── 53 부서진 마을

언제부터고 예정되어 있던 일이었는지도 모른다. 그저 주인공으로 뽑힌 사람이 디케이였던 것이고, 남겨진 마을은 해가 뜰 때까지 아무 소리 없이 고요했다. 패잔병들은 제자리에 주저앉거나, 영혼 없는 눈으로 서로를 바라보았다. 디케이를 죽인 포는 현장에서 벗어나 폭포로 향했다. 10년 전에 그랬듯 누군가에게 씌울 누명 거리를 찾거나 하지도 않았다. 떨어지는 세찬 물줄기 속에서 포는 피로 흥건한 몸을 씻어 냈다. 그리고 포는 절벽에 올랐고, 어떠한 말도 없이 아래로 몸을 던졌다. 처절한 발버둥 하나 없이 허전하고, 허망했다. 디케이의 시체는 그날 오후, 레드로부터 발견되었다. 그리고 누구도, 시체를 발견한 레드를 범인으로 생각하지 않았다. 그 소식은 곧 피크의 귀에도 들어갔고, 피크는 오열했다. 장례는 절차대로 치러졌다. 장작, 도포, 헌화, 화장. 도포는 디케이의 상징과도 같은 수의로 대신했다. 피크는 피 묻은 수의를 디케이에게 덮어 주며 혼자 들릴 크기의 목소리로 중얼거린 다음, 횃불을 놓았다. 디케이가 타들어 가는 것을 보며 피크는 두 눈을 질끈 감았다. 죽음 앞에서는 침묵만이 이어졌다. 디케이를 좋아했던, 미워했던, 혹은 미워하게 되었던, 불이 붙는 그 순간만큼은 모두가 슬픈 얼굴을 비쳤다. 검은 연기가 팽이처럼 빙글빙글 하늘 위로 피어올랐다. 장례가 있던 그날은 그렇게 조용한 여느 하루로 지나갔다. 마을이 시끄러워진 것은 다음 날. 원인으로 떠오른 것은 전날 밤의 추격전이었다. 피크도 예외로 취급되지 않았다. 뿔이 난 사람들의 의견은 이것이었다. 왜 그와 같은 사실을 당신들만 알고 있었나. 그리고 왜 그와 같은 기회를 당신들만 취하려고 했었나. 평등을 기둥으로 일군 마을의 기조를 어째서 자꾸만 망가뜨리려 하는가. 거기에 대해 홈을 포함한 추격자들은 이렇게 대꾸했다. 통조림 때부터 내려오던 불문율일 뿐이다. 모르는 자들은 모르는 채로 살고 싶었던 게 아닌가. 또, 당신들이 그날 밤 가담됐다고 한들 진심이 담겨 있었겠느냐. 그렇게 대화가 있는 곳으로 사람들이 모였고, 그 화두는 급기야 단상에까지 올랐다. 단상 계단에 발을 걸친 남자가 거칠게 뱉어냈다. 군이었다.

"이건 도를 넘어도 한참을 넘은 거야! 특히 너!"

군은 홈을 콕 집어 가리켰다.

"네놈 새끼가 들어오고부터 균열이 시작되었어!!!"

사람들은 동조했다. 홈의 옆에는 민트가 서 있었다. 민트가 달리는 행위 하나만을 위해 마을로 들어온 역사적인 인물임은 모두가 인정했다. 하지만, 전 지킴이라는 수식어가 붙은 그녀의 목소리는 인정받지 못했다. 오히려 역효과를 불러일으켰다. 그리고 곧 민트는 추격자들 쪽으로 밀려났다. 시간이 지나니 모두가 그렇게 되어 있었다. 마을에서 한자리를 차지하고 있던 인물들은 악인, 그저 그들로부터 삶을 제공받고 있던 인물들은 선인. 둘로 나뉘어 버린 마을은 빠르게 끝을 향해 달렸다. 주거하고 있던 집들을 아군과 적군의 진영처럼 바꾸는가 하면, 경작지조차 반으로 갈랐다. 이 부분에서 마토는 악인에 속했기 때문에 아무도 그의 목소리를 듣지 않았다. 마토는 당신들이 살기 위해서는 최소한의 경작법이라도 알아야 하지 않겠느냐 주장하였지만, 소용없는 일이었다. 사람들은 굵다란 나무를 들고 와, 줄을 긋고, 담을 쌓았다. 고독한 한숨과 시끄러운 고성의 연속이었다. 피크의 위상도 그들과 다르지 않았다. 리더는 사라지고, 혼돈만이 뿌리내렸다. 사람들은 쪽수로 밀어붙였다. 정확히 1:3의 비율이었다. 악인 1, 선인 3. 그리고 새롭게 떠오르는 인물이 있었는데, 투표소에서 이의를 제기했던 여자였다. 굵다랗고 짤막한 다리를 가진 여자. 여자는 홈과 피크를 이어 빠르게 사람들의 선망을 샀고, 악인의 집을 빼앗는 데까지 이르렀다. 포렌과 토슈가 살던 12시의 물안개가 끼지 않는 집. 그리고 그를 시작으로 1에 속하는 사람들은 차례차례 3으로부터 집을 빼앗겼다. 사형대 근처에 비어 있던 집들은 이제 1의 집이 되었다. 여자는 툭 하면 단상으로 사람들을 불러 모았다. 그리고 노상 같은 말을 반복했다. 이제 더 이상 숨김이 있는 마을이 되어서는 안 된다, 불문율 따위의 암묵적인 규칙들도 모조리 철폐되어야 한다는 둥. 그리고 악인에 포함된 사람 속에는 페리가 있었다. 그녀를 두고는 의견이 엇갈렸다. 그러나 결국 페리는 선인의 무리로 들어가지 못했다. 시간이 흐를수록 마을은 더욱 양분화되어 갔다. 견딜 만한 삶, 살 만한 안락, 쓸 만한 화합은 이제 더 이상 마을에 존재하지 않았다.

"…이런 식으로 흘러갈 것을 너는 알고 있었지?"

피크가 그을린 자국밖에 남지 않은 풀밭을 바라보며 말했다.

"그래서 단상에 올랐던 거고, 응?"

잔뜩 취해 있는 목소리였다.

"참나."

"그렇게 앞날을 잘 볼 줄 알았던 사람이었으면, 미리 내게 귀띔 정도는 해 줄 수 있었잖아. 민트 씨의 이름을 숨길 필요도 없었고 말이야. 고작 이렇게 가 버릴 사람이었나. 아니잖아. 우리는 조금 더 나은 미래를 쥘 수 있었어. 조금만 잘 풀어 나갔더라면 말이야."

피크는 병을 기울였다. 높은 언덕에 해가 지고 있었다.

"오늘따라 석양이 아름다워. 마을의 아름다움이 모조리 태양에 잡아먹힌 듯이. 이봐, 디케이. 네가 내게 얼마나 소중한 사람이었는지 알고 있나. 지난밤의 일은 제대로 된 사과도 하지 못하였지. 그런데 이렇게 가 버리면 나더러 어떡하란 말이네."

피크는 다시 목을 축였다. 그리고 찰랑이는 병을 저 멀리 풀밭에 던졌다.

"인간 곁을 맴도는 필연이지. 죽음이 임박한 사람 곁에는 커다란 다툼이 일고, 그 사람이 나 자신에게 소중한 사람일수록 다툼의 상대는 내가 되고. 내가 잠시 그를 잊었어."

그리고 피크는 거의 뻗다시피 한 자세로 주머니에서 물건 하나를 꺼냈다. 화장 직전에 빼낸 디케이의 안경이었다. 피크는 햇빛에 안경을 가져다 댔다. 깨진 안경알 너머로 주황빛이 사방으로 조각 나 보였다. 피크는 어지러움이 느껴질 때까지 렌즈를 바라보다, 바닥에 몸을 털썩 눕히며 안경다리를 접었다. 그리고 등에 닿은 차가운 흙바닥을 베개 삼아 스르르 눈을 감았다. 마을 사방에서 불평의 소리가 시끄럽게 울렸다. 줄곧 그치지 않은 폭포의 물소리처럼.

54 퓨티와 워블의 합류

우연으로 빚어진 마찰은 모두의 생각보다 훨씬 강도가 셌다. 목소리뿐만이 아니라, 주먹이 오갔으니까. 딘이 사다리의 용도를 채 설명하기도 전에 제리는 쟝의 차의 뒷좌석에 앉은 퓨티와 워블을 발견했고, 그 자리에서 주먹을 휘둘렀다. 딘은 쓰러짐과 동시에 반격했다. 펍에서부터 이어져 온 응어리가 결국엔 터져 버린 것이다. 그 광경을 말리려는 사람은 없었다. 모두가 필요한 상황이라고 생각한 듯이. 오직 한 사람, 소년만이 두 어른의 싸움에 울음을 터뜨렸다. 딘은 제리의 가슴을 발로 차며 말했다.

"넌 58번지에서 아양 떨 때부터 마음에 들지 않았어."

그리고 시멘트 바닥에 넘어진 제리가 딘의 정강이를 세게 걷어차며 대꾸했다.

"아양?"

이번엔 딘이 넘어졌고, 제리는 진작에 마음을 먹은 사람처럼 쓰러진 딘을 마구 걷어찼다. 소년의 울음소리가 차고에 퍼져나갔다. 두 사람이 싸움을 중단한 건 한 시간이 조금 지난 무렵, 정확히는 시계가 정오를 가리키는 때였다. 결국은 쟝이었다. 마무리는 깔끔하지 않았지만, 그런대로 두 사람을 멀찍이 떨어뜨려 놓는 데까지는 성공했다. 제리에게는 페퍼가 다가갔고, 딘에게는 쟝과 소년이 다가갔다. 카리브는 누구에게도 다가가지 않았다. 단지 차고 입구에 주저앉아 차의 뒷좌석에서 눈치를 보고 있는 두 사람을 응시할 뿐이었다. 카리브는 딴청을 피우듯이 다른 곳을 바라보며 차에 있는 퓨티와 워블의 대화를 엿들었다.

"결국은 이렇게 될 줄 알았어요."

"괜찮아질 거예요. 너무 걱정하지 마세요."

"우리는 여기에 껴선 안 됐어요."

"워블 씨, 워블 씨도 솔직해지셔야 해요."

"무슨 뜻이에요?"

"아이가 있어서잖아요. 소년이라고 불리는 아이 때문에…"

"아니에요."

"솔직하지 못하세요."

소년. 저 사람의 목적은 소년이구나. 그럼, 저기 젊은 여자의 목적은 뭐지. 상황이 참 복잡하네. 그리고 카리브는 슬쩍 몸을 일으켜 차가 세워져 있는 곳으로 다가갔다. 노크는 두 번. 창가 자리에 있던 퓨티가 카리브를 바라봤다. 카리브는 퓨티의 눈을 보며 생각했다. 너도 참 사연 많아 보이는 눈을 하고 있구나, 라고.

"내리셔도 돼요."

카리브는 창문을 두드리며 말했다.

"아직 안 되지 않을까요?"

퓨티가 대답했다.

"괜찮아요. 어차피 괜찮아질 거니까."

그에 퓨티는 워블을 바라보며 말했다.

"내리실래요?"

워블은 한숨을 푹 내쉬며 고개를 끄덕였다. 카리브는 문을 열어 주었다. 그리고, 차에서 내리는 워블을 향해 손을 내밀었다.

"안녕하세요. 저는 카리브라고 해요."

워블이 손을 잡으며 탁한 목소리로 짧게 대답했다.

"워블이에요."

그리고 카리브는 퓨티를 바라봤다.

"아, 저는 퓨티예요. 편하게 말씀하세요."

"시티 바깥에서 온 분들이시죠?"

워블이 대답하지 않자, 퓨티는 대신해 대답했다.

"네, 맞아요."

그에 카리브는 물었다.

"가더가 철수했다는 소식을 들어서요?"

"네."

"저도 비슷해요. 저도 여기 합류한 지 며칠이 채 되지 않거든요. 우리는 꽤 잘 통했으면 좋겠네요. 저기 있는 사람들은 영 거리감이 느껴져서."

그리고 말을 마친 카리브는 퓨티 옆의 워블의 위아래를 훑으며 그녀에게도 같은 말을 건넸다.

"잘 부탁드려요."

워블은 대답 대신 고개를 까딱 움직였다. 그러는 사이, 딘 쪽이 시끄러웠다. 소년의 목소리가 크게 울렸다. 부어오른 눈과 터진 입술, 여기저기 더럽혀진 옷. 그들을 보며 소년은 딘을 향해 걱정스러운 말을 쏟아 냈다. 맞은 곳은 괜찮냐는 둥, 왜 싸운 거냐는 둥. 딘은 핏자국 흥건한 입술로 소년의 질문에 일일이 답해 주었다.

"아파."

"어차피 한번은 터질 일이었어."

그리고 쟝이 딘의 등을 툭툭 두드린 뒤에 제리를 향해 갔다. 머리를 긁적이며 말을 시작하는 걸 보아하니, 몰아붙이는 쪽을 선택한 것이라기보다는 한 수 접고 들어가기를 택한 듯 보였다. 그리고 물론 카리브는 그곳의 대화도 엿들었다.

"죄송하게 되었습니다. 하지만 두 분의 사이가 틀어지거나 하진 않았으면 좋겠어요. 그리고, 짐작하실 부분은 사실이 아닙니다. 제가 증인이에요. 딘의 친구인 걸 떠나, 모든 걸 걸고 맹세합니다."

"어떻게 할 생각이랍니까."

제리가 별말 없이 질문했다.

"간략하게 말씀드리자면, 저 사람들을 카리브 씨처럼 이용할 계획이라고 하더군요."

"더 많은 방패막이를 세우겠다는 거군요."

"네, 일단은요."

"얼마나 많은 인파를 생각하기에 카리브에 이어 시티 밖 사람들까지 모은 건지 저는 잘 모르겠군요. 카리브라는 좋은 방패막이가 이미 저희에게 있는데 말입니다."

"그건 후에 두 분이 입을 맞춰 보아야 할 것 같습니다. 저도 단지 저 친구의 장단에 맞춰 주고 있는 것뿐이라서요."

"그래요, 알겠습니다."

방패막이라는 단어가 들린 시점에 카리브는 홀로 헛웃음 쳤다. 쟝은 제리를 향해 고개를 꾸벅인 뒤에 다시 딘에게로 돌아왔다. 그리고 마치 커다란 바윗덩이를 옮기는 것처럼 이쪽 저쪽 오가며 두 사람의 간격을 천천히 좁혔다. 퓨티는 그 모습을 보며 마도의 집에서 있었 던 일을 떠올렸다. 그때의 내가 저런 모습이었을까. 그때의 나도 저렇게 요란을 떠는 듯 비 치었을까. 쟝이 머리를 털며 식은땀을 떨쳐 낼 때, 딘과 제리는 어느덧 처음의 간격으로 좁 혀져 있었다. 둘은 서로를 바라보지 않았다. 말을 하는 건 쟝 혼자였다.

"좋게 좋게. 저희가 나쁜 일을 하려는 것도 아니잖습니까. 우선은 2층으로 가, 대화부터 나누시죠. 딘, 너부터 사과해. 아까의 말투는 뭐야? 너답게 굴어. 너답게."

그렇게 대화는 지난번처럼 2층에서 시작되었다. 시간과 머릿수만 달랐을 뿐, 구조는 동 일했다. 소파, 냉장고, 물방울, 재떨이. 쟝은 퓨티와 워블의 앞에는 커피를, 딘과 페퍼, 제리 의 앞에는 맥주를 놓았다. 다른 사람은 움직이지 않았고, 퓨티만 잔을 들어 한 모금을 홀짝 였다.

"…"

쟝이 페퍼에게 눈짓했다. 페퍼는 고개를 가로저었다. 그런 흐름이 꽤 오랜 시간 지속됐 다. 그리고 상황이 이럴 때마다 늘 어른들을 반성하게 만드는 주인공, 그 주인공은 역시나 소년이었다. 소년이 소파에서 벌떡 일어나 가운데로 걸음을 옮겼다. 그리고 말했다.

"가만히 있는다고 문제가 해결되지 않아요. 싸운 이유, 해결 방안, 앞으로 그러지 않겠다 는 다짐. 이 같은 순서로 이어져야 한다고요. 그래서 왜 싸우신 건데요? 저를 두고 부끄럽 지도 않으세요? 장벽만 오르면 되는 거잖아요. 다른 게 뭐가 중요해요. 저는 이해가 되질 않아요, 제리 아저씨. 아저씨께서 무엇 때문에 화가 나신 건지 모르겠지만, 저희는 그렇 게 잘못한 일이 없어요. 철근을 구하러 집이 있는 곳으로 내려갔을 뿐이고, 거기서 **우연히** 여기 있는 누나들을 만났을 뿐이에요. 무려 시티 바깥 마을에서 오신 분들이라고요. 만나려 고 애를 써도 보기 힘든 사람들을 왜 이런 식으로 대접하세요? 똑같은 사람이에요. 원래부 터 같은 구역에 살던 사람. 가더가 아니라고요."

그에 제리가 피우려던 담배를 내려놓으며 대답했다.

"그래, 네 말이 옳아."

그리고 이어 말했다.

"대화합시다."

그를 들은 딘은 소년처럼 자리에서 일어섰다. 그러자 소년이 딘이 앉았던 곳으로 가, 몸을 앉혔다.

"먼저 사과부터 하겠습니다."

딘은 제리를 향해 허리를 굽혔다. 제리도 엉덩이를 뗐다. 그리고 딘과 똑같은 모습으로 사과를 받아들였다. 딘은 한 번 더 제리에게 고개를 꾸벅인 다음, 말하기 시작했다.

"우선 말씀드리고 싶은 부분은 앞서 소년이 얘기했듯이 우연으로 만난 사람들이라는 점입니다. 그래도 의심이 풀리지 않으신다면 최대한 부풀려 설명해 드리겠습니다."

제리는 한 손을 들어 필요 없음을 표명했다.

"네, 그렇다면 철근에 대하여 이어 이야기하겠습니다. 제가 58번지로 내려가 철근을 가져오려 한 이유는 오로지 순수한 욕심 때문이었습니다."

"욕심이요?"

제리가 물었다.

"그렇습니다."

"거기엔 설명이 필요할 것 같군요."

"구역 제일 바닥의 물건을 가져다 구역의 제일 높은 곳에 꽂는다."

"무슨 뜻입니까?"

"한 자릿수 사람들에게 같은 구역 아래, 또 다른 장벽은 없다는 것을 일깨워 주고 싶었습니다. 이번 길에 참으로 많이 느꼈거든요. 그들의 자존심, 자긍심. 그리고 아랫사람을 하대하는 마음."

그에 말을 듣고 있던 카리브는 제리의 눈치를 살피며 두둔했다.

"어쩔 수 없는 부분이라고 생각해요. 애초에 구역을 나눈 것부터가 사람들의 그런 마음을 조준한 것이니까요."

"그렇습니다. 그렇기에 그 틀을 부숴 버리고 싶었습니다. 개인적으로요."

"그런다고 부서지지 않아요."

카리브는 말했다.

"압니다."

딘은 짧게 대답했다.

"끝?"

"얼마 안 있으면 따스한 바람이 불어오는 계절이 됩니다. 저는 단지 빠르게 일을 끝내고 싶을 뿐이에요. 최대한의 구색에 맞춰서, 최대한의 노력을 가하여."

"개인적으로, 말이죠?"

카리브의 물음에 딘은 대답했다.

"또 너무 그런 식으로 몰아가진 마세요. 모두에게 해가 되는 일도 아니니까요."

딘의 그 말이 끝나고 나서, 제리가 나섰다. 정확히는 일어섰다. 제리가 일어나자, 모두가 그를 바라보았다. 제리는 물고 있던 담배를 꺼뜨린 뒤, 정장 소매를 가다듬었다. 거기서 소년은 또다시 싸움이 번지는가 하는 생각이 들었는지 몸을 달싹였지만, 쟝이 괜찮다며 그를 제지했다.

"다 좋습니다. 그리고, 모두 이해했습니다."

제리가 딘을 쳐다보며 말했다.

"이제 중요한 건 시일을 정하는 일이 되겠군요. 말씀하신 대로 곧 가을이 가고, 봄이 오니까요."

그리고 제리는 퓨티와 워블에게로 시선을 옮기며 말을 이었다.

"참고삼으시라고 말씀드리는 겁니다만, 다가올 시티의 봄은 절대 조용하지 않을 것입니다. 바람을 껴안고 잠 하나만을 탐하던 사람들은 이제 모두 죽고 없어요. 남은 건 눈에 불을 켠 짐승들 뿐입니다. 그리고 그러한 짐승들의 강점은 말이 통하지 않는다는 점이고요. 그들은 그들이 생각하는 대로 시티를 바라볼 것이고, 또한 무리를 지을 겁니다. 따라서 우리는 서둘러야 합니다. 그들이 몸집을 불리기 전에요."

그리고 딘은 기다렸다는 듯, 제리의 말을 이어받았다. 금방 싸움을 마친 사람들치고는 손발이 척척 맞아떨어졌다.

"아마도 그들은 다시 축제를 벌일 생각일 겁니다. 이전번의 축제에서 느낀 쾌락과 해방감을 잊지 못한 것이겠죠. 저희가 장벽을 오르는 시일은 그보다 빨라야 합니다. 광장에 무리가 형성되면 아무래도 일에 차질이 생길 가능성이 높아질 테니까요."

"축제가 벌어질 거라는 정보는 어디서 얻은 거죠?"

카리브는 물었다. 대답은 제리가 했다.

"제 직감입니다."

"거기에 보다 확실한 물증이 있습니다."

딘이 말했다. 그리고 딘은 쟝에게로 신호를 보냈다. 쟝은 입가에 묻은 맥주 거품을 손으로 닦으며 말했다.

"제가 다 보았습니다. 화약을 실은 전차와 수많은 수레바퀴."

딘은 곧장 정정했다.

"폭죽과 앰프가 실린 리어카들이 17, 18, 19번지에서 모습을 보이기 시작했습니다. 그 말인즉, 이번에도 수많은 인파가 광장을 뒤덮을 거란 이야기겠죠. 그들이 슬슬 올라오고 있습니다. 저희가 있는 곳으로요."

그리고 쟝이 말했다.

"그깟 폭죽놀이쯤 즐기도록 내버려두면 안 됩니까? 어차피 우리의 일 따위, 안중에도 없을 텐데요."

쟝의 말에 제리가 대답했다.

"그게 그들이 노리는 바입니다. 일명 등잔 밑이지요."

이후로 이어진 제리의 설명은 구체적임과 동시에 설득력이 있었다. 까다롭게 굴던 카리브도 수긍할 정도였으니까. 워블도 그랬다. 다만, 퓨티는 제리의 말이 끝나고 홀로 곱씹었다. 좋은 날에 그게 잘못된 건가? 라고

"그들이 도착하기까지 시간이 얼마나 걸릴 것 같습니까?"

제리가 딘을 보며 물었다.

"저번 사례로 봐서는 아마 일주일 정도면 도착할 겁니다. 하지만 그때는 정확히 광장까지였죠. 광장까지. 장벽이 있는 한 자릿수 번지 근처로는 얼씬도 하지 않았습니다. 그래서 이번이 난관일 가능성이 커 보입니다. 아니, 크다고 보고 있습니다."

"저도 정확히 똑같은 생각을 하고 있습니다."

그에 딘이 한 번 더 확인했다.

"확신하십니까."

제리는 고개를 끄덕이며 대답했다.

"그렇습니다. 들리는 바로는 그때의 행렬이 있었던 직후, 그들을 따르는 사람들이 많이 늘었다고 합니다. 아주 많이요. 그리고 또한 걱정되는 것은 나눠진 행렬이 과연 같은 포지션을 취하느냐입니다. 각각의 무리마다 성향이 다른 리더가 있을 것이고, 리더의 성향에 따라 무리는 또 다른 모습을 보일 테니까요."

그리고 페퍼가 말했다.

“그 일, 이야기 해야 되지 않아요?”

제리가 소리 냈다.

“아.”

딘이 물었다.

“무슨 일이 있었습니까?”

“그것이…”

제리는 복잡한 표정을 지어 보이며 한 번에 말을 하지 못했다. 말을 끊은 제리가 계속해 그런 느낌을 풍겨대자 카리브가 나섰다.

“저희 다 걸렸어요. 아직 확실한 건 아니지만.”

그에 딘은 자리에서 일어서며 말했다.

“걸렸다니, 누구에게 말입니까?”

“당신들이 떠난 이후로 우리는 곧장 제리 씨의 트럭을 타고 장벽으로 향했어요. 장벽에 붙는 데까지는 아무런 문제가 없었고요. 사실, 문제랄 것도 아닌 것 같긴 한데…”

그리고 카리브 역시 말을 더듬거리며 제리의 눈치를 살폈다.

“왜 문제가 아니에요? 문제지.”

페퍼가 큰 목소리로 끼어들었다. 딘은 페퍼에게 청하듯 고갯짓을 보내며 자리에 앉았다.

“작은 시비가 있었어요. 앞치마를 두른 청년과 이 사람 사이에.”

“시비요?”

“네. 장벽에 차를 대고 자리를 잡으려는데, 불쑥 그 사람이 나타나 이이에게 말을 걸더라고요. 아, 저는 여기 카리브 씨처럼 귀가 밝지 않아서 나중에 따로 들은 이야기이긴 해요. 뭐라고 했다고 그랬죠?”

“어이- 거기 당신들, 뭘 하려는 거야.”

카리브가 청년의 목소리를 흉내 내며 말했다.

“그래요, 저렇게요. 그래서 이이가 하는 수 없이 차에서 내렸어요. 그리고 그 청년이 서 있는 곳으로 갔죠. 으- 저는 보는 것만으로도 불쾌했어요. 왜, 그 아시죠. 장벽하고 길 사이에 있는 시커먼 자리.”

딘은 고개를 끄덕이며 페퍼를 향해 이어 하라는 손짓을 보였다.

“아무튼. 그리고 나서 말들이 오갔어요. 무얼 하려는 게 아니다. 단순히 길을 잘못 들었을 뿐이다. 그러면 청년이 말해요. 그럴 리가. 막힌 곳이고, 나아갈 곳이 없는 곳이다. 그때부터 사람들이 모이기 시작했어요. 트럭에 남은 우리는 창문을 반쯤 올렸죠. 그럼에도 여기 카리브 씨께서는 그게 다 들렸대요."

페퍼가 그 말을 하자, 카리브는 상황이 우스운 듯 피식 웃었다.

"그리고 어떻게 됐더라. 아, 맞아요. 그 사람이 그런 말을 했어요. 장벽에 얼씬거리지 말라고. 그랬던 자기 동료들이 모두 증발해 버렸다고. 그러니 조심해야 할 거라고."

"조심하라는 말은 하지 않지 않았어요?"

듣고 있던 카리브가 말했다. 그리고 쟝이 입을 열었다.

"뭐야, 그럼. 우리 계획이 노출된 겁니까?"

그에 제리가 대답했다.

"아뇨. 그건 아닐 겁니다. 그럴 수가 없어요."

쟝은 딘을 바라봤다. 딘은 누구보다 심각한 얼굴로 손가락을 굽히고 있었다. 그런 딘을 빼놓고 대화가 계속되었다.

"동료들이 증발했다는 말은 뭡니까?"

쟝이 물었다.

"거짓말일 거예요."

카리브가 대답했다.

"진실이라면요?"

"진실일 리가 없다던데요. 우리 중에 배신자가 있지 않은 이상."

퓨티는 배신자라는 단어에 몸이 움찔거리는 게 느껴졌다. 그리고 제리가 말했다.

"그렇습니다. 저도 깊이 생각해 봤지만, 우리가 그에 휘둘릴 필요는 없어 보입니다. 어쩌다 마주친 재수 없는 사람, 그 정도."

"저기, 괜찮다면 말을 해도 될까요?"

퓨티는 손을 들며 말했다. 그리고 딘을 제외한 모두와 한 번씩 눈을 맞췄다. 퓨티는 그중 제리와 가장 진하게 눈을 맞췄다.

"그럼요. 못 할 건 뭐예요."

페퍼가 제일 먼저 대답했다. 뒤이어 쟝도 거들었다.

"마음껏 하십쇼. 눈치 보지 마시고."

둘의 대답을 들은 퓨티는 마지막으로 제리의 얼굴을 빤히 쳐다보며 대답을 기다렸다. 그러나 제리는 말없이 눈을 맞추기만 할 뿐 조용했다. 제리가 말이 없자, 퓨티는 생각했다. 그래, 그런 식으로 나온다 이거지. 마을에서 터득한 요령 그대로, 퓨티는 이럴 때 어떤 얼굴이 잘 먹히는지 알고 있었다. 퓨티는 먼저 눈에 들어가 있는 힘을 뺐다. 그리고 숨을 조금 들이마시어 코와 그 주변을 부풀렸다. 다른 사람들에겐 그저 들이쉬고 내뱉는 단순한 숨 한 번으로 보였을 것이다. 모든 준비가 끝이 나고, 퓨티는 입을 열었다. 시골 마을에 있던 영특한 소녀의 얼굴 그대로였다.

"저희 두 사람은 아직 시티에 대해 모르는 게 많아요. 예를 들면 짐승이라든가, 축제라든가, 장벽이라든가, 하는 것들이요. 그래서 조용히 있을 수밖에 없었던 거예요. 사고가 떨어지거나, 말주변이 없거나 하지 않아요. 가만히 있는 동안 계속 그 생각을 했어요. 무시하면 어떡하지, 얕잡아 보면 어떡하지, 라고요. 그래서 나름으로 지금까지 들었던 말들을 정리해 봤어요. 이건 이런 것 같고, 저건 저런 것 같다."

퓨티가 말을 마치자, 가장 크게 표정 변화를 보인 건 제리였다. 그는 처음처럼 입을 다물고 있기 힘든 듯 급하게 담배를 꺼내 베어 물었다. 불을 붙이는 오른손이 다급한 걸 보니 표정이 꽤 먹힌 모양이었다. 퓨티는 그런 제리를 더욱 몰아넣기 위해 힘을 뺀 눈을 그에게로 가져갔다. 그리고서 조금 더 커진 목소리로 말을 이었다.

"어떻게 들리실진 모르겠지만, 시티의 기억이 없는 저로서는 지금 제 주변에 보이는 모든 게 꿈에서의 신문물을 보는 듯해요. 그래서 여러분께서 다루시는 주제 또한 범접하지 못할 무거움이 느껴지고요. 오는 길에 여기 두 분에게 들었어요. 장벽을 넘을 거라고. 그리고 그 너머를 볼 거라고요."

퓨티가 말을 멈추자, 워블이 그녀를 넌지시 바라봤다. 퓨티가 다음으로 무슨 말을 할지 눈치챈 사람처럼.

"그래서 단순한 쌈박질이 아님을 이해할 수 있었어요. 거기 두 분께서 저희를 두고 싸울 수밖에 없었던 이유는 조심스럽기 때문이구나. 큰일을 앞두고 있기에 그랬던 거구나, 라고요."

"저는 운이 좋다고 생각하고 있어요. 마침 갈 곳도 없었는데 동아줄을 잡았다고, 잘됐다고요. 그리고 초면이지만, 여러분들의 성향을 대충 파악했어요. 어떤 사람은 냉철하고, 어떤 사람은 부드러우며, 또 어떤 사람은 겁이 많다는 것을요."

그리고 퓨티가 다시 한번 말을 끊자, 딘이 물음을 건네왔다.

"그럼, 제가 어떤 의도로 두 분을 모셔 온 건지도 짐작하고 있으시겠군요."

퓨티는 고개를 끄덕였다. 그리고 말했다.

"저희가 살던 마을에도 비슷한 예가 있었어요. 지킴이라고."

그에 쟝이 흥미롭다는 목소리로 물었다.

"지킴이요?"

"네. 지킴이. 오래도록 쓰인 단어예요."

"성스러운 직함이군요."

딘이 말했다.

"뜻을 알아?"

"대충은. 일종의 신 비슷한 거야. 네가 좋아하는 태양처럼."

말을 들은 쟝은 고개를 뒤로 젖히며 놀람을 표시했다.

"그랬었어요."

퓨티는 말했다.

"그 사람들은 특별했거든요. 열정이 있고, 욕심이 있고, 나름의 명예도 있는."

그리고 퓨티는 뒷이야기를 이을까, 생각했다. 사실은 그 성스러운 직함을 가진 사람들이 통조림 도둑에 불과했고, 그 여파에 밀려 자신들이 시티로 떠밀려 오게 된 것이라고. 결국에 신은 없었다고.

"무슨 일을 했습니까, 그 사람들은."

딘이 물었다. 그에 퓨티는 지금껏 말 없던 워블이 동조해 주길 바라면서 거짓을 말했다.

"마을을 지켰어요. 눈이 좋은 사람은 누가 침입하진 않는지 밤을 새워 횃불 옆을 지키고, 힘이 좋은 사람은 누군가가 악행을 저지를 때마다 앞장서고, 발이 빠른 사람은 항상 마을을 뛰어다니며 사람들을 보살피죠."

그를 들은 딘이 말했다.

"싸움은 없습니까? 세력 다툼이라든가, 차등 대우라든가, 하는."

"대회가 있었어요."

"대회?"

"네."

"그들을 가리는 대회예요. 공식적으로는 1년에 한 번, 그리고 4개월에 한 번씩 부활전이 개최됐어요."

그리고 이어서 쟝이 질문했다.

"그 자리에 오르게 되면 달리 누릴 수 있는 혜택이 있습니까?"

"물론이에요. 강도 있는 육체적 노동에서 면제받고, 실제 생활면에서도 다른 사람들에 비해 풍족함을 누릴 수 있죠. 이를테면, 식수를 운반하는 일에서 배제된다거나, 품질 높은 수확물을 우선적으로 선택할 수 있다든가, 보다 좋은 집에서 잠을 잘 수 있다든가."

"집이라면 어떤? 아, 말씀하신 폭포와 관련이 있습니까?"

"네, 맞아요. 무시는 가능하지만, 한번 신경을 쓰기 시작하게 되면, 꽤 시끄럽게 느껴지거든요. 그리고 물안개도 관계가 있고."

"물안개?"

페퍼가 맥주를 삼키며 물었다.

"마을에 물안개가 자주 끼거든요."

"그게 그냥 안개랑 비슷한 건가?"

"비슷해요."

퓨티는 그냥 안개가 뭔지 잘 몰랐지만 대충 얼버무렸다. 그리고 퓨티의 대답과 함께, 담배를 모두 태운 제리가 불을 꺼뜨렸다. 담배를 꺼뜨린 제리는 수염을 만지기도 하고, 머리를 긁적이기도 했다가, 몇 번의 우물거림 끝에 입을 열었다.

"결국은 제가 오해를 했군요."

그 말에 모두의 눈이 제리를 향했다. 제리는 더욱 곤란함을 느낀 듯 방금보다 격렬하게 수염을 만졌다.

"하하! 그거 그렇게 곤란해하지 않으셔도 됩니다. 이미 제가 이분들을 데려오는 과정에서 거친 일이거든요. 숙직실의 무기들 말하는 거 맞으시죠?"

쟝이 소심히 앉아 있는 제리를 향해 웃으며 말했다. 제리는 아무 대꾸 없이 수염을 만지기만 했다.

"그건 벌써 끝난 일입니다. 쟝의 성격 잘 아시잖습니까. 이미 모든 취조를 마쳤습니다. 걱정치 않으셔도 됩니다. 아, 취조라는 표현은 조금 그랬나요."

딘은 퓨티를 바라봤다. 퓨티는 아니라는 표정을 보였다. 그리고 모든 게 바람을 잘 탄

배처럼 흘러갈 분위기에서 워블이 입을 열고 말았다. 퓨티가 처음부터 걱정했던 그 말, 그 대사.

"그래 봐야 그들은 도둑이었어요. 다들 알고 있지 않나요?"

소년은 눈을 반짝였지만, 어른들은 그렇지 못했다. 제리는 새 담배를 꺼냈고, 딘과 퓨티는 고개를 숙였다. 쟝은 페퍼의 눈치를 살핀 이후에 그녀처럼 동정의 눈빛을 꺼내 들었다. 그러나 단 한 사람, 카리브만은 그들처럼 행동하지 않았다.

"얘기 들어 봤어요. '58번지의 통조림 도둑' 말씀이시죠?"

"그래요. 그들 이야기예요."

워블이 커피를 들며 대답했다. 그리고 카리브는 작금의 분위기를 이어 나가려는 사람처럼 연이어 질문했다.

"그게 어떻게 가능했던 거죠? 그때는 시티에 가더가 지키고 있었을 텐데. 그들 간에 합의라든가, 그런 게 있었던 건가요?"

"아뇨. 그런 게 있었더라면 그들이 도둑이라고 불리지도 않았겠죠. 그 사람들은 자기네 목숨을 걸었던 거예요. 우리 마을을 먹여 살리기 위해서."

"용감한 사람들이네요."

그에 워블은 쓸쓸함 가득한 얼굴로 찻잔을 내려놓았다. 퓨티는 카리브가 그만해 줬으면 하고 생각했다. 침묵 속에서 제리의 담배 연기 내뿜는 소리가 한숨처럼 울렸다. 워블은 이미 한 단계 너머를 보고 있는 걸지도 모른다. 차고를 에워싼 우중충한 분위기에, 눈앞 시티 사람들의 여유에, 그것이 10년이 흐른 지금의 자신이 가질 수 없는 것이란 사실에. 그리고 이어진 점심시간. 식탁은 조촐했지만, 음식은 그렇지 않았다. 메뉴는 빵과 잼, 그리고 묽은 파스타와 구운 고기. 퓨티는 눈치를 보지 않고, 파스타 한 움큼을 포크에 말아 입 안 가득 집어넣었다. 사람들은 그런 그녀를 빤히 바라보다 평소처럼 본인들의 식사를 시작했다. 달그락달그락 소리가 울렸다. 개인마다 소음이 달랐다. 시티인들은 조용한 반면, 마을에서 온 퓨티와 워블은 소리가 있는 편이었다. 워블은 음식 한입에, 물 한 모금을 반복했다. 그 모습을 본 쟝이 워블을 보며 물었다.

"음식은 입에 맞으십니까."

워블은 잔을 내려놓으며 대답했다.

"그럼요."

"물을 더 드릴까요?"

"네."

쟝은 딘을 향해 손짓했다. 물이 담긴 디캔터가 그의 왼손 옆에 있었다. 딘은 포크를 접시에 놓고서 자리에서 일어나 워블의 잔에 직접 물을 채워 주었다. 그에 카리브가 들으라는 듯이 말했다.

"뭐야, 우리 대장한테 저런 면도 있었어요?"

딘이 자리에 앉으며 대꾸했다.

"무슨 뜻입니까?"

"친절하잖아요."

"제가 불친절했던 적이 있었나요?"

"벌써 잊었어요? 첫 만남부터 저를 쓰레기장으로 밀쳤는데."

"물웅덩이였습니다만."

"그래요, 물웅덩이."

소년이 풉 하고 웃었다. 뒤따라 페퍼도 소리를 보탰다.

"어머, 강렬하셨네."

"아닙니다. 그런 거."

"그런 게 맞는 거 같은데?"

쟝이 말했다.

"실례라고."

딘이 카리브의 눈치를 보며 말했다. 카리브는 무슨 뜻인지 이해했다는 얼굴로 말했다.

"몰랐네요, 그런 쪽까지 신경 써 주는 줄은."

"조심해야죠."

"아아, 방금 그 표현은 좀 별로였어요."

"최대한 가려서 말한 겁니다."

"농담도 못 하나."

식사는 대화 몇 마디와 함께 금방 끝이 났다. 그리고 퓨티는 소매를 걷으며 식기를 정리하기 시작했다. 딘과 쟝이 만류했지만, 퓨티는 아랑곳하지 않았다. 퓨티는 마을부터 힘들었을 워블에게도 휴식을 권했다. 제리는 말을 하는 둥 마는 둥 하다가 담배를 피우러 바깥으로 나갔다. 퓨티는 방법을 몰랐기에 눈에 보이는 길 그대로 따라 움직였다. 장갑이 있으면 장갑을 끼었고, 물이 떨어지는 구멍이 보이면 그곳으로 손을 가져갔다. 그리고 때맞춰, 페퍼가 슬그머니 퓨티의 옆으로 다가왔다. 그녀 뒤로 카리브가 보였다.

"무리하지 않아도 돼요."

"그래도 척은 해야죠."

그 말에 페퍼는 피식 웃으며 물었다.

"나이, 물어봐도 돼요?"

"열일곱이에요."

"으흠-"

"언니는요?"

"무례하다. 언니 아니면 어쩌려고."

퓨티는 자연스러운 미소가 지어지는 게 느껴졌다. 그리고 생각했다. 시티에 오고 처음으로 웃는 건가, 나.

"그리고 언니라는 확신이 들었으면, 묻지 말았어야죠."

퓨티는 또 한 번 웃었다.

"저는 페퍼예요. 동생의 이름은?"

"저는 퓨티예요."

"이름이 예쁘네요. 시티는 처음이에요?"

"아니에요. 어릴 때 시티에 살았었어요."

"아, 정말? 그러면 완전히 처음은 아니네요."

"네. 하지만 남아 있는 기억이 거의 없어서 처음과 같아요."

그를 들은 페퍼는 천천히 고개를 끄덕거렸다. 그리고 잠시 우물거리다 벽에 기대며 물었다.

"저분이 어머니는 아니시죠?"

"네. 어머니는 시티를 떠날 때 돌아가셨어요."

"아버지는?"

"아버지는 마을에 계세요."

"그렇구나."

페퍼는 정확히 거기서 말을 끊었다. 퓨티는 페퍼가 선 지키기에 능한 사람이구나, 생각
했다.

"언니는 직업이 뭐예요?"

"뭐일 거 같아요?"

"…모델?"

"뭐?! 정말?!"

페퍼는 벽을 붙잡고 펄쩍펄쩍 뛰었다.

"아닌가요?"

"아니지, 당연히!"

"아, 너무 예쁘셔서요. 키도 엄청 크시고, 아무래도 보통 직업은 아닐 거 같아서. 그냥
보이는 대로 던져 본 건데."

그리고 퓨티는 페퍼의 가슴과 인사해야 했다. 페퍼는 끌어안은 퓨티를 제자리에서 빙빙
돌렸다. 퓨티는 거품이 묻은 장갑을 어쩔 줄 몰라 하며, 될 대로 되라는 식으로 페퍼의 등
을 껴안았다.

"페퍼 씨가 원래 저런 캐릭터였나?"

딘이 3층 난간에 기댄 채로 말했다.

"글쎄. 저렇게 좋아하는 건 나도 처음 보는데."

쟝도 똑같은 자세로 자리하고 있었다.

"잘은 모르겠지만, 아마도 긴장 때문일걸."

"긴장?"

"그래. 전에 너 없을 때 한 이야기인데, 약을 늘렸다고 했어. 아무래도 걱정이 이만저만
이 아닌 모양이야. 아, 궁금하지 않겠지만, 약은 나도 늘렸어."

그를 들은 딘은 차고 입구를 내려다보며 말했다.

"그래?"

"넌 어때?"

"난 모으는 중이야."

"모으다니, 뭘? 약을?"

"응."

"왜, 한 방에 털어 넣게?"

"정답."

그에 쟝은 딘과 같은 곳을 바라봤다.

"그러지 마, 딘. 농담이라도."

"농담 아닌데?"

"이런 썩을 놈이."

딘은 킥킥 웃었다. 그리고 한 가닥 내려온 머리를 매만지며 말했다.

"적기에 쓰려면 누군가는 약을 모아 둬야 할 거야. 필요한 사람이 급작스럽게 나올 수도 있는 일이고."

"그러다 네가 먼저 쓰러지면 어쩌려고?"

"그럴 일은…"

"그런 생각이라면 모두가 돌아가면서 약을 모아도 되는 거잖아. 네가 리더라도 그 정도 일은 절충할 수 있다고."

"내가 그렇게 하기 싫어서 그래."

"왜?"

"그냥."

"팀원들을 못 믿는 거야?"

"아니."

"네 입으로 말하기 뭣하면, 내가 대신 해 줄까?"

"됐어. 그냥 이렇게 가는 걸로 해."

"너도 약이 필요한 순간이 있을 거 아냐."

쟝이 난간에 기댄 몸을 뒤집어 딘과 눈을 마주치며 말했다.

"괜찮아."

"네가 하는 괜찮다는 말은 늘 괜찮지 않다는 뜻과 연결돼 있었어. 늘 말하지만, 넌 항상 너 스스로 무리를 해. 알고 있지?"

그리고 그때, 제리가 차고로 들어왔다. 딘은 그를 유심히 바라보다 대답했다.

"쟝."

"왜."

"요즘 어때 보여?"

"누구?"

쟝이 고개를 비틀어 제리를 보고는 다시 물었다.

"제리 씨?"

"응."

"아까의 주먹질을 봐서는 너처럼 약을 안 먹는 것 같은데."

"조금 달라 보인다는 뜻이야?"

쟝이 난간 아래로 휘파람을 불며 대답했다.

"그런 뜻은 아니고."

제리가 손을 들며 화답했다. 그리고 그는 곧장 고개를 숙였다.

"나는 좀 다르게 보고 있어."

딘이 말했다. 그에 쟝이 슬그머니 몸을 돌리며 속삭였다.

"말해 봐."

"저 직감 좋은 사람이 왜 우리와 함께 있는 걸까, 하고."

"좋은 거 아냐?"

"좋은 거?"

"당연하지. 네 말대로라면 제리 씨가 있는 이유야, 성공 확률이 높다는 데에서 오는 확신 때문이 아니겠어?"

"그게 이유라면 더할 나위 없이 좋겠는데…"

딘은 계단으로 첫걸음을 내려놓는 제리를 끝까지 바라봤다.

"무슨 말을 하고 싶은 거야?"

"나도 잘 모르겠어."

그리고 딘은 쟝이 서 있는 방향으로 몸을 돌리며 말했다.

"날을 정하자. 그래야 무거운 머리가 조금은 해소될 것 같아."

55 카리브와 워블

방에 들어온 카리브는 곧장 문을 잠갔다. 그리고 침대 같이 생긴 곳에 몸을 던졌다. 몸을 뉜 카리브는 생각했다. 무슨 일이 있었더라. 지금까지 무슨 일이 있어서 내가 이곳에 있는 거지.

"아, 그래. 작업실."

천장을 보며 카리브는 말했다. 그리고 계속해서 생각했다. 작업실이 시작이었어. 체리 모양 조명이 그날따라 깜빡거렸지. 문제는 내가 왜 여기 있느냐는 거야.

"마라카투라."

그렇구나. 마라카투라가 시작이구나.

"그러고 보니, 이렇게 오랫동안 작업실을 비운 적이 없었던 것 같아. 여유를 가져 본 것도."

여유…, 여유라고 말할 건 또 아닌가.

"아무튼."

카리브는 천장을 보며 작업실의 마라카투라를 떠올렸다. 가지는 그렇게 굵어 보이지 않게, 열매는 사진에 보이는 것보다 크게. 색깔은 튀지 않고, 개수는 주렁주렁.

"바라는 것도 많아. 생긴 건 그렇게 안 생겨 놓고."

아냐. 딱 그렇게 생겼어. 남의 말은 안 듣고, 자기주장은 누구보다 강하지. 은색 빛의 여우. 맞아, 하룻밤 만에 사라진 나의 여우. 나는 여우에게 홀린 걸까. 그래서 여기에 누워 있는 거고 장벽을 넘으면 여우를 볼 수 있을까. 그러려면 어디로 가야 하지. 그전에, 장벽을 넘는다고 여우를 볼 수 있으리란 확신은 누구로부터 얻게 된 거지. 여우는 없을 수도 있어. 아주 멀리 가 버렸을 수도 있고. 그래, 내가 자만했어. 그녀를 반드시 볼 수 있겠다는 자만.

누구도 도와주지 않아. 나 스스로 해야 하는 일이야.

"나 스스로"

라고 카리브는 소리 내 말했다. 그리고 그 긴 혼잣말이 끝날 무렵, 문밖에서 누군가가 노크를 건네 왔다.

"누구세요?"

문밖 사람은 대답하지 않았다. 그에 카리브는 크게 괘념치 않았다. 자신을 죽이러 온 사람만 아니라면 누구여도 상관없었으니까. 그래서 카리브는 금방 문을 열 수 있었다. 그리고, 문밖의 여인과 마주쳤다.

"워블 씨?"

워블은 두 손을 배꼽 앞으로 모으고 반듯이 서 있었다.

"아까는 무례했어요"

워블이 말했다.

"무례라뇨? 더욱이 사과는 하실 필요도 없으세요. 괜찮아요"

"무례했죠. 사람이 말하는데 고개만 끄덕였으니."

그리고 워블은 가슴에 한쪽 손을 얹고 고개를 숙였다. 카리브는 그녀를 따라 했다. 그리고 카리브는 워블을 향해 방으로 들어오라는 손짓을 보냈다. 워블은 한 번 더 고개를 숙였다 올린 다음, 목에 둘린 스카프를 정돈하며 걸음을 내렸다.

"마실 걸 드릴까요?"

"괜찮아요. 아까의 커피로 이미 심장이 두근거리기 시작해서."

"아, 커피. 정말 오랜만에 만난 커피였겠어요"

"네. 그런데, 그 향과 맛은 잊히지 않았나 봐요. 입에 대는 순간 금방 다시 생각이 나는 걸 보니."

그리고 워블이 자리에 선 채로 말을 이었다.

"제가 혹시 방해를 하고 있나요?"

카리브는 아니라고 대답하며 침대를 가리켰다. 워블은 카리브의 손을 따라 침대에 걸터앉았다. 그리고 말했다.

"혼자 있는 사람이 없기에 이곳으로 올 수밖에 없었어요. 저는 사람 많은 곳을 싫어하거든요."

"그러시군요."

그리고 카리브는 워블을 슬며시 들여다보았다. 워블도 그런 카리브를 눈치채었는지 한동안 말을 않고 가만히 기다렸다. 카리브는 길게 시간을 소모하지 않았다. 가능한 짧게, 필요한 만큼만 시간을 썼다. 그리고 아무렇지 않은 척 대화를 이어 나갔다.

"퓨티 씨는요?"

"키 큰 아가씨와 대화하고 있던데."

"아, 그 사람의 이름은 페퍼예요."

"네."

카리브는 짧게 대답해 오는 그 순간을 놓치지 않았다.

"뭔가 사연이 많아 보이는 얼굴이세요."

그를 들은 워블은 조금도 불쾌하지 않은 듯 한 번 가벼이 미소 지으며 대꾸했다.

"그런 말이 나올 정도로 티가 많이 나나요."

카리브는 조심스레 고개를 끄덕였다.

"그럴 만도 하죠. 여러 일이 있었으니까요."

그리고 워블은 말을 덧붙였다.

"주책이네요. 나이가 들었으면, 그런 걸 숨기는 법도 좀 알아야 하는데. 제가 너무 한 곳만 보고 살아서 그럴 거예요."

"한 곳이라고 하시면?"

"…음. 하늘이라고 해야 할까요."

"하늘?"

"네, 하늘."

그리고 하늘이라는 단어를 끝으로 잠시간, 정적이 두 사람을 뒤덮었다. 카리브는 이제 워블의 차례이구나, 라고 생각하며 그녀와 맞추고 있던 눈을 다른 곳으로 돌렸다. 워블의 눈빛은 잔잔한 파도와 같았다. 소리가 약하고, 일어났다 사라지는 물거품의 양도 많지 않았다. 다만 하나가 있다면, 좁은 곳 구석구석까지 물길을 틀 수 있을 만한 무한한 연륜의 호수가 그녀의 것이라는 것. 그래서 워블은 누구의 방해도 없이, 어떠한 스스럼도 없이 그곳에 닿은 모양이었다.

"좋아하는 사람이 있죠?"

카리브는 숨이 턱 막혔다. 어떻게, 그것도 아무런 징조도 없었던 곳에서 가장 치부인 것을 단번에 짚어 냈을까. 그리고 또, 어떻게 나는 대답을 할 수밖에 없는 입장이 돼 버린 걸까. 카리브는 바닥을 내려다보고 있었다. 천장에 그려 놓았던 마라카투라가 바닥에서 사람의 손 인사처럼 가지를 흔들었다.

"네."

카리브는 대답했다. 그리고 워블이 말했다.

"그렇게 놀라지 않아도 돼요. 이 나이가 들도록 살면 보이거든요. 상대의 눈에 사랑하는 사람이 있는지 없는지 정도는. 나는 카리브 씨의 눈에서 사랑하는 사람이 있는 걸 보았을 뿐이에요."

카리브는 절대로 그렇지 않을 거라고 확신하며 말을 뱉었다.

"제가 어떻게 해야 하죠?"

워블이 되물었다.

"어떻게 할지는 이미 정해 놓은 거 아니었어요?"

카리브는 대답했다.

"맞아요."

"장벽 너머에?"

"네. 장벽 너머에."

"여러모로 다양한 사람들이 모인 곳이군요, 이곳은."

"저는 이제 사흘 차예요. 기간이 오래된 건 저기 넷이죠."

"이름이 어떻게 되나요?"

"코트 차림에 머리를 넘긴 사람은 딘, 양복을 입은 사람은 제리, 몸집이 큰 사람은 쟝, 키가 크고 얼굴이 예쁜 여자는 페퍼. 아, 아까 차 안에 계실 때 쌈박질을 한 게 딘 씨랑 제리 씨예요. 덧붙이자면 딘 씨가 여기 모임의 리더고요."

그에 워블이 물었다.

"그들은 무슨 목적으로 장벽을 넘으려는 건가요?"

카리브는 옆머리를 쓸어 넘기며 말했다.

"장황해요."

"어떻게 장황한데요?"

"역사에 남겠다느니, 신세계를 품에 안겠다느니, 말로만 놓고 보면 정말이지 대단한 위인들 같다니까요."

"그래요?"

"네. 그래서 결국 저도 설득당해 버렸지만요."

"저는 아직이에요."

아직? 카리브는 속으로 먼저 말한 뒤, 입 밖으로 소리 냈다.

"마음을 정하고 오신 게 아니셨나요?"

"네. 아직 갈피를 잡지 못하였어요. 단순히 이끌림에 의해 이곳에 온 것인지, 이곳에 이끌리도록 인연의 끈이 전부터 매듭지어 있었던 건지를요. 이렇게 말을 하니 더욱 그런 기분이 드네요. 그렇지만 딱히 퓨티 양 탓을 하는 건 아니에요."

그리고 워블은 하던 말을 끝맺었다.

"그저 잘 모르겠다는 감정일 뿐."

"그 아가씨를 꼭 공주처럼 표현하시네요."

그 말에 워블이 스카프에 손을 대며 말했다.

"네. 그러려고 노력 중이에요. 일부러 그러는 것이기도 하고."

"이유를 여쭤봐도 되나요?"

카리브의 물음에 워블은 잠시 멈췄다. 숨, 그리고, 맥박, 움직이던 그 모두를. 그들이 다시 흐르기 시작한 것은 잠시 뒤, 카리브가 이야기를 받아들일 준비가 되었다는 표정을 보였을 때, 그때였다.

"제게 있던 아들과 나이가 같거든요. 비록 성별은 다르지만. 제가 하나뿐인 아들을 무척이나 귀중히 여겼었나 봐요. 남의 자식을 보며 그리 말을 하는 걸 보니."

"…아."

"어머, 보통은 유감이라는 단어를 먼저 꺼내던데."

그리고 워블이 이어 말했다.

"제 아들을 죽인 놈은 이미 벌을 받았어요. 그러니 괜찮아요."

카리브는 워블이 말한 벌에 대해 묻고 싶었지만, 말하지 않았다.

"지금은 좀 괜찮아지셨어요?"

"아니요. 여전히 생각이 난답니다."

그리고 워블은 이어서 차곡차곡 말을 쌓아 나갔다.

"구름이 낀 하늘을 보고 있으면, 일이 벌어졌던 그날이 생각나고, 구름이 갠 하늘을 보고 있으면, 일이 벌어졌던 전날이 생각나고, 완전히 구름이 없는 하늘을 보고 있으면, 마치 나에게 아무 일도 없었던 건 아닐까, 하는 망상에 빠지기도 해요. 그렇게 버텨 왔어요. 죽은 내 아들에 대한 설움을 억지로 삼키고, 또, 삼키면서."

"그게 벌써 10년이 넘었네요. 세월이 참 빨라요."

그에 카리브는 조심스레 입을 뗐다.

"그럼, 혹시 이곳으로 걸음을 하신 게 소년 때문이신가요?"

워블은 고개를 가로저었다. 그러다 다시 고개를 비스듬히 기울였다. 자신의 속마음을 도저히 모르겠다는 사람처럼, 혹은 그것이 사실일지라도 절대 인정할 수 없겠다는 사람처럼.

"그럴 리가요."

저녁이 되도록 차고를 빠져나가는 사람은 없었다. 대신에 이곳저곳에서 머리 굴러가는 소리가 들렸다. 누군가는 자리에 앉아 명상을 했고, 누군가는 쉼 없이 담배를 피웠으며, 누군가는 손을 바들바들 떨며 약통과 함께했다. 차고 바깥은 쥐 죽은 듯이 고요했다. 간혹 부는 바람을 제외하고는 창문이 흔들리는 일도 많지 않았다. 퓨티는 난간에 걸터앉아 가만히 생각했다. 또렷이 기억나는 마을과 흐릿하게 기억하는 시티. 퓨티는 현재에 집중할수록 또렷하던 마을의 시간이 흐릿하게 번져 감을 느꼈다. 탕, 탕, 퓨티의 다리가 난간에 부딪히며 소리를 냈다. 소리는 겸허했다. 소음처럼 들리지 않았다. 퓨티는 눈을 내려 2층 소파에 앉아 있는 워블과 카리브를 바라봤다. 그리고 퓨티는 워블과 처음 말을 나누었던 그날을 떠올렸다. 홈과 사형대에 갔던 일, 비가 무척 쏟아졌던 일, 서로 거리를 둔 채 귀가했던 일. 또 하나, 또 하나. 마지막으로는 아버지를 버렸던 일을 떠올렸다. 차분히 생각하기 좋은 곳이라고 퓨티는 생각했다. 그러다 제리의 모습이 처음으로 눈에 들어올 즈음, 퓨티의 머리 위에서 목소리가 들려왔다.

"다들 모여 주시기 바랍니다!"

딘의 목소리였다. 그리고 쟝이 몸의 앞뒤로 손뼉을 치며 뒤쪽에서 걸어 나왔다. 제리는 차고의 문을 잠갔고, 워블은 넓게 쓰던 자리를 피해 소파의 좁은 곳으로 몸을 옮겼다. 카리브는 가만히 있었다. 그리고 딘과 쟝이 계단을 내려오며 퓨티를 향해 말을 던졌다.

"이쪽으로."

퓨티는 네, 라고 대답한 뒤, 난간에 넣어 있던 다리를 빼내었다. 그리고 다시, 사람들이 2층에 모였다. 불필요한 것들은 모조리 배제되었다. 담배, 술, 커피, 심지어는 물까지. 한 명씩 소파에 엉덩이를 붙였다. 딘은 소파의 중앙에서 조금 떨어진 곳에서 걸음을 멈췄다. 그리고 끝으로, 자리에 앉은 제리가 셔츠 소매를 걷으며 몸을 앞으로 숙이자, 딘은 말하기 시작했다.

"날을 정하려고 합니다."

그 말과 함께 모두의 눈빛이 변했다.

"작업은 가능한 빠르게 진행될 것입니다. 순서는 이렇습니다. 첫째, 주변 탐색. 둘째, 제리 씨와 마찰이 있었던 남자에 대한 뒷조사. 셋째, 사다리 부착. 모두를 하루 안에 끝마쳐야 합니다. 시간이 길어선 안 됩니다. 그것이 저희가 걸 수 있는 최대한의 안전장치입니다. 장소는 장벽의 왼쪽 부분입니다. 왼쪽을 정한 이유는 그곳이 가장 사람이 덜 드나드는 곳이기 때문입니다."

거기서, 카리브가 손을 들었다.

"네, 말씀하세요."

"사람이 어느 정도로 모일 것 같아요?"

그 질문에 딘은 잠시 눈을 감고 생각하다 입을 열었다.

"1번지에 사는 사람들과 구역의 중간 지점에 머무르는 사람들, 그들을 합하면 최소 500명은 모일 것으로 생각하고 있습니다."

그에 카리브가 놀란 목소리로 대꾸했다.

"최소라고요?! 그건 1번지의 절반에 해당하는 숫자잖아요."

"제 머릿속 계산으로는 그렇습니다. 아무리 조용히 일을 치른다고 해도 500. 일자로 이어진 장벽을 일렬로 덮을 수 있는 사람의 수, 500. 만약 축제를 벌이기 위해 1번지로 오는 인파들의 소리가 저희의 경로와 비슷하게 이어질 경우, 더 많은 사람이 저희가 있는 곳으로 덮쳐 올 가능성도 있습니다. 그러지 않길 바라야겠지만, 그와 같은 사태를 놓고 가정한다면, 그들의 방해가 최대한 저희에게 닿지 않도록 카고크레인에 리프트를 설치하여 단시간에 위쪽으로 올라야 할 것 같습니다."

그리고 딘의 말이 끝나자, 제리가 손을 들며 말했다.

"제가 지닌 리프트는 짧아요. 7층 높이의 장벽을 오르기에 무리가 있습니다."

"아니요. 아슬아슬하게 가능합니다. 조금 전, 쟝과 제가 58번지에서 가져온 사다리의 길이를 측정해 보았는데, 사람 키 한 명 정도의 길이가 모자라더군요. 만일 한 명의 사람이 목말을 태워 다른 한 사람을 올린다면 불가능한 일은 아닐 겁니다."

그리고 페퍼가 제리의 의견에 동조하는 말을 꺼내 들었다.

"만일 그렇게 되면, 모두가 장벽에 오르지 못하는 상황이 벌어지게 되지 않나요?"

딘은 손가락으로 페퍼를 가리키며 대답했다.

"맞습니다. 그래서 지금부터 그에 대한 제 생각을 말해 보려 합니다."

"우선 저희가 낼 수 있는 최대한의 퍼포먼스는 사람들의 방해를 받지 않고 조용히 사다리 설치를 끝마치는 것입니다. 그러나 아마 불가능할 겁니다. 경직된 사람들이 너무도 많은 1번지이기에, 저희는 그들의 주목을 받을 수밖에 없습니다. 또한 지난번의 경우처럼, 생각지 못한 삼자가 나타나지 않는다는 확신도 가질 수 없는 노릇입니다."

이번에는 아무도 손을 들지 않았다. 그를 본 딘은 홀로 납득했다는 얼굴로 다음 말을 이어 나갔다.

"그래서, 지금 저희가 정해야 할 게 있습니다."

"그게 뭐죠?"

"어떤?"

페퍼와 카리브가 동시에 질문했다.

"만약 제가 생각한 대로 길이가 모자라 여기서 누군가가 목말을 태워야 하는 상황이 온다면, 누가 아래에 있을 것이며, 누가 장벽 위에 오르냐는 것입니다. 저는 지금 제가 무슨 말을 여러분께 건네고 있는지 잘 알고 있습니다. 자유롭게 들어오신 만큼 자유롭게 나가셔도 됩니다. 하지만, 이것만은 말씀드려야 할 것 같습니다. 저는 아래에 있지 않을 겁니다. 무조건 장벽에 오르는 사람이 될 것입니다. 어떠한 경우라도, 반드시."

그리고 다시 제리가 손을 들었다.

"네, 말씀하세요."

"가져오신 사다리의 무게가 어느 정도입니까."

"확실하지는 않지만, 일자형 사다리의 경우 대략 15kg이 나가는 것으로 알고 있습니다."

"아슬아슬한 무게이군요. 사람도 실어야 하니 말입니다."

"그렇습니다."

그 한마디를 끝으로 제리는 소파에 기대어 눈을 감았다. 그리고 아무도 예상하지 못한 시점에서 워블의 목소리가 퍼졌다.

"저는 아직 정하지 않았어요."

"예?"

"말한 대로예요."

"장벽을 오르지 않으시겠단 말씀입니까?"

딘이 물었다.

"저와 퓨티 양은 그럴 목적으로 시티에 온 게 아니에요."

워블은 퓨티를 바라봤다. 워블과 눈이 마주친 퓨티는 그녀의 눈을 슬쩍 피하며 다른 곳을 응시했다.

"퓨티 씨도 같은 생각이신지요."

딘이 물었다.

"틀린 말은 아니에요. 저도 워블 씨의 심경과 비슷해요. 시티에 온 것은 마을로부터의 해방을 위함이라지만, 시티에서 또 다른 시티로 넘어간다는 것은 저희 두 사람의 계획에 없던 일이라서요."

"…음."

딘은 손가락을 손바닥에 연신 두드리며 퓨티와 워블을 여러 차례 번갈아 봤다. 고심을 하는 듯 보였다. 긴 시간 말이 없었다. 그 모습에 퓨티는 딘이 설득 문제를 생각하고 있다기보다는 다른 것, 처우, 혹은 그다음을 고민 중인 것이라고 생각했다. 그리고 퓨티는 생각했다. 워블이 언제까지 소년을 외면할 수 있을까. 소년은 영문을 알 리 만무했다. 딘의 옆에 앉은 소년은 퓨티가 난간에서 했던 것처럼 다리를 흔들고 있었다. 나뭇가지처럼 짤막한 그림자가 앞뒤로 흔들거렸다.

"시간을 드리면 될까요?"

딘이 말했다.

"어떤 시간을 말하는 거죠?"

워블이 물었다. 그리고 딘이 대답이 없자, 그대로 말을 이었다.

"동행을 말하는 거라면, 생각할 시간이 많이 필요해요. 그 정도는 쥐여 줘야 합당하지 않나요?"

"마치 저와 거래를 하는 듯이 말씀하시는군요."

"모를 거라 생각하지 말아요. 저는 시티에 깨나 오래 살아 봤으니까. 당신이 우리 둘에게 뭘 원하는지 정도는 눈치챌 수 있어요."

딘은 한 방 먹었다는 표정으로 쟝을 바라봤다. 쟝은 어깨를 으쓱이며 소파에 등을 기댔다. 도와 줄 틈이 없어, 라고 말하듯이.

"그러면 이렇게 하는 걸로 하죠, 워블 씨. 일단 오늘, 날을 정하기로 한 걸 취소하지는 못합니다. 이미 결정한 일이기도 하거니와, 시간이 많지 않아요. 대신에 두 분껜 따로 시간을 드리겠습니다."

딘은 손가락을 두드렸다.

"일주일이면 되겠습니까?"

그를 들은 워블이 대답했다.

"좋아요. 그런데, 조건이 있어요."

"말씀하세요."

"그 일주일 동안에는 저희 둘의 활동을 제약하지 말아 줘요."

"활동이라 하심은?"

"저희 둘에게 외출을 허가해 줘요. 퓨티 양과 저는 당신들처럼 현재의 시티가 익숙하지 않아요. 특히나 여기 있는 퓨티 양은 더욱 그렇고요. 동행을 하려면 최소한의 숙지가 필요해요. 큰일을 앞둔 여러분을 위해서라도 그렇다고 생각되고요."

"알겠습니다."

그리고 딘은 짧게 말을 덧붙였다.

"좋은 결정 기다리고 있겠습니다."

"고마워요."

워블이 말을 마치자, 퓨티는 딘을 향해 고개를 꾸벅였다. 퓨티는 고개를 숙인 것에 있어, 고개를 듦과 동시에 따로 감정을 느꼈다. 나는 왜 고개를 숙인 거지, 라고. 그리고 워블은 스카프를 추스르며 자리에서 일어섰다. 딘을 제외한 나머지 어른 넷은 입도 벙긋거리지 않았다. 특히 제리는 아예 관심도 없는 사람처럼 보였다. 누군가의 목소리가 들린 건, 자리에서 일어난 워블이 퓨티를 향해 걸음을 떼려는 그때였다.

"그냥 같이 가면 안 돼요?"

때가 끼지 않은 목소리, 유일하고도 순수한 단 하나의 목소리.

"같이 가요! 재밌을 거예요!"

소년의 말이 끝나는 때, 퓨티는 그 순간을 놓치지 않았다. 누구보다 빨리 워블의 얼굴을 훔쳤다. 그리고 그녀의 판단은 정확했다. 딘과 쟝은 소년을 보느라 눈치채지 못한 듯했다. 퓨티는 자리에서 벌떡 일어나 워블의 곁으로 갔다. 그리고 남요로 몸을 덮어 주듯이 워블의 몸을 껴안아 그녀를 감쌌다. 카리브의 눈이 퓨티를 쫓았다. 카리브는 이내 상황을 파악한 모양이었다.

"전부터 궁금한 게 있었는데."

딘과 쟝, 그리고 페퍼가 카리브를 바라봤다. 그 사이 퓨티는 워블을 데리고서 계단으로 이동했다. 뒤에서 카리브의 목소리가 들렸다. 퓨티는 한 발 한 발 워블의 걸음에 몸을 맞췄다. 부들부들 떨리는 그녀의 몸은 불타는 얼음 같았다. 겉은 뜨거웠고, 속은 차갑게 얼어 있었다. 뒤편에서 계속 카리브의 목소리가 들려왔다. 그러나 퓨티는 거리가 조금 더 벌어질 때까지 기다렸다. 워블이 중얼거렸다. 퓨티는 대꾸하지 않았다. 그리고 다시 워블이 중얼거렸다.

"…소년."

워블은 두 개의 계단을 모두 내려갈 때까지 그를 반복했다. 차고의 1층에 도착한 퓨티는 고개를 들어 2층 복도를 쳐다봤다. 그리고 따라오는 사람이 없다는 걸 확인한 후에야 워블에게 말을 건넸다.

"괜찮으세요?"

"…불쌍한 소년."

"아니에요. 소년은 괜찮아요. 지금도 밝은 목소리가 들리고 있어요. 들리세요?"

"…소년의?"

"네. 소년의 목소리가요."

"…퓨티. 거기 있어요?"

"여기 있어요. 지금 워블 씨를 붙잡고 있는 사람이 저예요."

워블이 초점 나간 눈으로 퓨티를 쓰다듬었다. 그리고 말했다.

"…퓨티. 아이를 구해야 해요."

퓨티는 그를 들은 즉시 대답했다.

"워블 씨께서 뭘 하시든지 제가 옆에서 도울게요. 그러니 걱정하지 마세요. 이렇게 떨지도 마시고요. 다 괜찮아요. 괜찮을 거예요. 제가 약속해요."

퓨티의 달램은 한동안 계속되었다. 워블은 하늘을 보던 그때로 돌아간 듯이 넋이 나가 있었다. 퓨티는 워블의 집에서 봤던 돌고래 모양 자수와 파도 모빌을 떠올렸다. 그리고 떨고 있는 워블을 천천히 그 아래에 내려놓았다. 워블이 퓨티의 손끝을 따라 고개를 움직였다. 퓨티는 손으로는 돌고래를, 입으로는 파도 소리를 냈다. 의자에 앉은 워블의 눈이 서서히 감겼다. 퓨티는 입으로 불던 휘파람을 조금씩 그쳐 갔다. 그리고 워블이 완전히 잠에 빠진 듯 보이자, 그녀가 자신에게 해 주었듯, 목에 감긴 스카프를 풀어 손등에 감아 주었다. 그리고 퓨티는 워블의 헝클린 머리를 뒤로 넘기며 작은 목소리로 말했다.

"아마 악몽을 꾸실 거예요."

"과거의 좋지 못한 기억이 눈앞에 나타날 수도 있고요."

"그들과 마주하더라도 겁먹지 마세요. 그들은 오로지 워블 씨를 괴롭히기 위해 태어난 존재들이니까. 또, 그들이 뭐라고 하든 개의치 마세요. 더러운 말을 하거든, 워블 씨도 더러운 말을 뱉어내세요. 악몽은 단지 꿈일 뿐이에요. 시간이 얼마가 걸리든, 그들은 절대 워블 씨를 함락시키지 못해요. 제가 그를 보고만 있지 않을 거니까요."

몸에 타투가 없는 사람은 없었다. 사방에서 불꽃이 튀었고, 사람들은 불꽃이 튀는 방향을 향해 몸을 흔들었다. 맨 앞줄에 있는 사람, 그가 지휘자였다. 그는 연주가 진행되는 동안 단 한마디의 말도 하지 않았다. 그저 손짓할 뿐이었다. 그가 손짓할 때면 주위의 사람들은 오선지에 매달린 음표처럼 구부정한 모습으로 흐느적거렸다. 남녀 구분은 없었다. 옷차림으로는 성별을 분간하는 것이 불가능했고, 간혹 동성처럼 보이는 사람들끼리도 격렬하게 혀를 섞고 있었다. 광란, 이보다 적합한 단어는 없을 것이다. 그리고 폭죽 사이로 한 여자가 뛰어들었다. 여자는 거의 헐벗은 모습이었다. 작은 뱀 같기도 했다. 붉은색 원피스가 불씨에 그을려 구멍이 났다. 그럼에도 여자는 넘나들기를 멈추지 않았다. 아예 옷을 몽땅 태울 작정인 사람처럼.

"이렇게!"

여자가 지휘자의 손끝을 보며 소리쳤다. 그리고 다시. 사람들은 그녀의 동작을 똑같이 따라 했다. 그녀 뒤로 미치광이 과학자의 눈을 가진 왼손잡이 기타리스트가 시끄럽게 줄을 뜯었다. 그리고 다시 지휘자의 손짓. 시끄러운 연주가 점점 클라이맥스로 향하고, 폭죽을 손에 쥔 사람들은 마지막 한 음에 맞춰 줄을 당겼다. 흩날리는 색종이들 사이로 지휘자가 지붕에서 미끄러져 내려오며 말했다.

"모두 고생하셨습니다."

여기저기서 탄성이 터져 나왔다. 그들은 길고 긴 고지전을 끝낸 병사들같이 목이 터지게 고함을 질러댔다. 그리고 마지막으로 기타리스트의 끝내주는 속주가 이어졌다. 지휘자가 손을 들자, 남자는 연주를 멈추었다.

"17, 그리고 19."

지휘자가 말했다. 그 말에 사람들은 거세게 야유했다.

"오늘 저희와 같은 시각에 폭죽을 터뜨린 사람들의 번지수입니다. 어디서 솟구친 줄도 모를 따라쟁이들. 창의력이라고는 조금도 보이지 않는 잡것들."

그리고 지휘자는 고급진 망토처럼 보이는 턱시도를 한 번 대차게 펄럭이며 사람들 사이로 몸을 비집고 들어갔다. 그의 걸음을 따라 사람들의 간격이 활주로처럼 활짝 벌어지고, 좁혀졌다. 지휘자는 큼직하게 트여 가는 길을 적잖이 만끽하는 얼굴로 걸음을 내밟았다. 그리고 그때, 사람들과 인사를 나누던 지휘자의 앞으로 청년 한 명이 나타나 그에게 물었다.

"곧장 광장으로 가면 안 됩니까?"

지휘자는 웃으며 대답했다.

"우리는 과거의 걸작, 피리 부는 소년들입니다. 사람을 모으고, 또 모아야 하는 사명을 지니고 있죠. 그게 우리의 일이고요."

청년은 뻘쭘한 얼굴로 몸을 물렸다. 그러나 다시, 또 다른 생각이 떠오른 듯 지휘자의 앞을 가로막으며 소리 내 말하였다.

"광장이 아니라 장벽은 어떻습니까?"

말을 들은 지휘자는 침착하게 코웃음 쳤다. 그리고 침착한 얼굴 그대로, 손에 씐 흰색의 장갑을 벗으며 청년에게 대답을 유도했다.

"어디라고요?"

"장벽이라고 말했습…"

그의 말이 끝나기도 전에 지휘자의 헐벗은 손이 그의 얼굴을 덮쳤다. 지휘자는 턱뼈가 위치한 곳을 정확히 찔렀다. 손가락이 점점 더 깊숙이 들어감에 따라, 청년은 침을 질질 흘리며 입을 벌릴 수밖에 없었다.

"광장까지는 좋습니다. 하지만, 당신이 말한 너머의 곳은 치아에 들러붙어 있는 충치 같은 곳이에요."

지휘자가 청년의 입 안을 치과의사처럼 살피며 말했다.

"우리와 상종 못 할 인간들이 머무르고 있는 곳이란 말입니다. 청렴이란 단어와는 거리가 먼 것들. 그런 곳에 가서 연주를 한다? 앞뒤가 맞지 않는 이야기지요. 우리 단원들은 훌륭한 악사입니다. 단순히 시끌벅적한 시위대가 아니라."

그리고 지휘자는 청년의 얼굴을 놓으며 말했다.

"알아들었으면 자리로 돌아가도록 하세요."

"제 친구 두 명이 다른 두 악단에 가입해 있습니다. 그들 말로는 머지않아 장벽까지 건너갈 거라고 하더군요."

"그래서요?"

지휘자가 되물었다.

"…그래서! …그러니까! 저희도 뒤처지지 않으려면 장벽이 목표라고 미리 점을 찍어 둬야 합니다! 그렇지 않으면 **처음**이라는 타이틀을 **빼앗기고** 말 거라고요! 가만히 보고만 계실 겁니까?! 저들이 두 눈 시퍼렇게 우리의 자리를 노려보고 있는데도요?!"

꽤 큰 목소리, 그리고 깨나 용기 있는 발언. 하지만 사람들의 반응은 심드렁했다.

"친구 두 명이라고 했습니까?"

"네. 두 명 모두 각각 다른 악단에 소속되어 있습니다."

"그 친구분들하고는 막역한 사이시고요?"

"그럼요. 두말할 것도 없는 사실입니다."

그에 지휘자는 날개 펴듯 팔을 벌려 뒷사람들을 등에 업은 채로 말했다.

"의문이 드는군요."

그리고 청년이 이해 못 한 얼굴로 대꾸했다.

"네?"

"그런 친구분들을 왜 만류하지 않았습니까? 충분히 이쪽으로 데리고 올 수도 있었을 텐데요."

그리고 지휘자는 턱시도 소매를 거칠게 잡아끌며 말을 이었다.

"왜요, 그때의 우리는 초라해 보였습니까. 트럼펫도 없는 콰르텟 형식의 곡만 연주해서요? 그것입니까?"

"…아니요! 아닙니다! 그런 게 아니라…"

지휘자는 청년의 말을 끝까지 들어 주지 않았다. 금방 고개를 돌려 버렸고, 나머지 사람들과 이야기하기 시작했다.

"우리가 어떻게 모였습니까?"

사람들은 목놓아 대답했다. 어렵게, 힘들게, 모질게.

"그렇습니다. 여기, 이 당돌한 청년은 그렇게 모이고 모여 탑을 이룬 우리를 멸시하고,

또 무시하고 있어요! 그의 발언이 그랬습니다! 솔로든, 듀엣이든, 그게 무슨 상관입니까? 우리는 그저 악기를 연주하는 악사입니다! 남들이 뭐라 하건 그 또한 무슨 상관입니까? 눈치는!!! 우리가 가장 멀리해야 할 종목입니다! 이렇게 좋은 날 이와 같은 말을 들으니 억장이 무너지는군요. 분위기가 이렇게 어수선해서야 다음 번지에서 제대로 된 연주를 할 수 있겠습니까?"

줄곧 여자의 젖꼭지에 매진 중이던 한 남자도 그 말에는 고개를 돌려 도리도리 저어 보였다.

"이거 이래선 안 됩니다. 안 되고 말고요."

그리고 지휘자는 더 이상 올라가지 않는 소매를 연신 당기며 화를 삭이지 못하는 모습을 보였다. 오히려 더 화를 끌어올리려 애를 쓰는 사람 같았다. 사건의 발단은, 그의 다음 한마디 때문이었다.

"이 악귀를 매장시킵시다."

지휘자의 말은 절대적이었다. 그의 말이 끝남과 동시에 악기를 들고 있던 사람들은 청년을 공중으로 들어 올렸다. 그리고 하나의 세포조직처럼, 똑같은 발걸음을 내리며, 위로 들어 올린 청년을 처음부터 정해 놓은 곳이라도 있었던 것처럼 정확한 지점에 떨어뜨렸다. 청년은 어떻게든 빠져나가려고 발버둥 쳤다. 지렁이처럼 기기도 했고, 공벌레처럼 구르기도 했다. 소용은 없었다. 우선은 첼로를 켜던 덩치가 크고 우직하게 생긴 남자들이 청년의 팔다리를 꽁꽁 붙들었다. 청년도 왜소한 편은 아니었는데, 여럿을 상대하기엔 버거웠다. 그리고 그는 곧 고함을 고래고래 내지르기 시작했다.

"이럴 것까진 없지 않습니까!!!"

"악단이 생긴 맨 처음 시절에서부터 함께했습니다!!! 다른 데로 눈을 돌린 적도 없었어요!!!"

그 말에 지휘자는 팔을 올렸다. 사내들은 그것이 동작을 멈추라는 뜻이 아님을 안다는 듯이 청년을 놓아주지 않았다. 그리고 지휘자가 청년의 앞으로 다가서며 말했다.

"처음부터라고요?"

"예!!"

"그건 예삿일이 아니군요."

"제가 선을 넘은 것이라면, 반성하겠습니다!! 또, 제가 몹쓸 말을 한 것이라면, 그 또한 반성하겠습니다!!"

그에 지휘자는 보조개를 깊숙이 집어넣으며 말했다.

"이거, 뭔가 오해를 사 버린 것 같군요."

"저는 지금 살인을 행하려는 게 아니에요. 당신의 부상 당한 머리를 치료하려는 거죠."

"부상이라뇨?! 저 제정신입니다!! 멀쩡합니다!!"

끝으로, 증명해 보이겠다고 말한 그는 포박된 손으로 앞머리를 힘겹게 들춰 올리며 이마를 사람들을 향해 내밀었다.

"아니요, 그렇지 않습니다. 당신의 머리엔 분명 문제가 있어요."

—— 58 장벽을 오르지 않는 사람

"그래서 카리브 씨. 이제 어느 정도 이해가 되셨습니까?"

딘의 손가락이 빠르게 움직였다.

"글쎄요"

카리브는 처음과 같이 차가운 목소리로 말했다. 그리고 쟝이 딘의 뒤를 이어 말했다.

"너무 또 그렇게만 생각하지 마세요. 제가 실수했습니다. 사람의 면전에 대고 그런 단어를 쓰는 게 아니었는데. 사과드리겠습니다."

"아뇨, 저도 딱히 트집 잡으려고 그런 건 아니었어요. 그냥 궁금했던 거지. 내가 방패막이 용도인가? 동등한 취급이 아니었나? 하는. 대답을 들었으니 됐어요. 쓰임 따위 중요하지 않으니까요"

"그리고 또 하나 궁금한 게 있어요"

카리브는 딘에게 있던 시선을 제리 쪽으로 옮기며 말했다.

"장벽을 오르는 일 말인데, 그 뒤로는 계획이 어떻게 돼요?"

제리는 눈을 뜨지 않았다. 그러나 카리브는 계속해 제리를 응시했다.

"뒤는 비어 있습니다."

딘이 대답했다.

"비어 있다고요?"

"네."

"저는 장벽을 넘은 그 뒤의 일을 구상하고 있었는데요"

"유감이지만, 저희에게 그 뒤의 계획은 없습니다. 오로지 장벽을 오르는 것. 그것 하나만 염두하고 있어서요"

그에 카리브는 약간 발끈한 목소리로 대꾸했다.

"그러면 저를 속인 게 되지 않아요? 제 상대는 장벽 위가 아닌, 장벽 너머에 존재하고 있으니까요."

"뭐야, 이야기된 게 아니었어, 딘?"

쟝이 말했다. 딘은 그를 무시코서 카리브의 말에 대답했다.

"거기까지 확답을 드리기엔 무리가 있었습니다."

"이제 와서요?"

"일이 그렇게 돼 버렸군요."

"그렇게 말하면 다인가요?"

"알고 계신 줄 알았습니다."

"아니요, 알고 있는 건 당신뿐이었죠. 여기까지만 저를 끌어들여 오면, 제가 스스로 나가지 않을 거란 사실을 말이에요."

"부정하지 않겠습니다."

그 말을 마친 딘의 손가락이 처음으로 제자리에 멈춰 섰다. 카리브는 그쯤에서 슬쩍 제리의 뒤로 보이는 1층 풍경을 내려다보았다. 퓨티와 워블은 보이지 않았다. 그를 확인한 카리브는 다시 제리의 앞으로 시선을 옮기며 쓸모없는 이야기를 이어 나갔다.

"재밌네요. 스스로 궁지에 들어가는 꼴이라니."

그리고 페퍼가 처음으로 이야기에 끼어들었다.

"…괜찮은 뒷이야기가 있을 수도 있겠죠? 예를 들면, E구역에도 가더들이 철수를 했다든가, 아니면 장벽의 반대편에는 아래로 내려갈 수 있는 장치가 따로 설치돼 있다든가, 그것도 아니라면 장벽을 올랐다가 내려온 우리들을 사람들이 밉게만 봐주지 않는다든가."

"꿈 같은 이야기들입니다."

쟝이 웃음기 섞인 목소리로 말했다.

"왜요?"

페퍼가 물었다.

"너무 꿈이라서요."

"그러지 마, 쟝."

딘이 말했다.

"아니, 왜. 사실이잖아."

거기서 카리브는 확신했다. 딘과 쟝은 원팀인 게 확실하다고. 문제는 제리. 제리가 눈을 감은 지도 벌써 십여 분이 지나가고 있었다. 카리브는 대충 짚이는 게 있었지만, 그것이 아니길 바랐다. 그리고 더 이상 무시하기가 싫었다. 그래서 카리브는 가장 쉬운 길을 택했다.

"아까부터 무슨 생각을 그렇게 하세요?"

그러나 제리는 강적이었다. 느긋했고, 솔직했다.

"시티 밖 사람들을 생각하고 있었습니다."

"왜요?"

"뭐라고 표현해야 하나, 조금 걸린다고 해야 할까요."

"뭐가 걸리시는데요?"

단박에 묶인 둘에게로 모두의 시선이 쏠렸다.

"이것저것이요."

"예를 들면?"

"지킴이와 마을, 탈출과 마을, 남겨진 사람들과 마을."

"마을이 꼭 포함되네요?"

"원래는 무기였습니다. 하지만 그건 아무래도 아닌 것 같아서."

"무기요? 총을 말씀하시는 거예요?"

"네."

"말이 되는 소릴. 저들은 모든 걸 두고서 떠난 사람들이에요. 불쌍하게 여겨야 할 사람들이라고요."

"보통 그렇기에 방심하기가 쉽죠, 착한 사람들은."

"워블 씨와 퓨티 씨를 나쁜 사람으로 생각하고 있다는 말로 들리는데요, 방금 그 말은."

"이해하신 게 맞습니다."

"아까의 화해는 뭐죠, 그럼?"

"화해는 딘 씨와의 일이지, 저들과 한 것이 아닙니다."

딘은 가만히 있었다. 그리고 카리브는 울컥하고 올라왔지만, 더 나아가지 않았다. 기복을 최대한 자제했고, 숨을 최대한 자연스럽게 쉬면서 카리브는 말을 이어 나갔다.

"좋아요. 지금 없는 사람 얘기를 더 하진 않을게요. 사실 저와는 관계없는 일이기도 하고요. 대신에 이것 하나만은 지켜 줘요."

"네, 말씀하시죠."

"저 사람들이 어떤 결정을 내리든, 일에 사적인 감정을 섞지 마세요. 조금이라도요."

"물론입니다. 저는 단지 지게꾼일 뿐인걸요. 여기 있는 사람들을 안전히 올려다 드리는 데에만 만전을 기할 것이니, 다른 쪽은 염려하지 않으셔도 됩니다."

"지게꾼? 그게 무슨 말이죠?"

거기서 딘이 카리브의 말을 중단시켰다.

"제리 씨는 장벽을 오르지 않으십니다."

전에 오고 간 이야기였지만, 두 여자는 모르는 척 소리 냈다.

"왜죠?"

"어머."

그리고 딘은 두 사람을 향한 대답보다 쟝의 눈치를 살폈다. 쟝은 처음 듣는다는 표정으로 안면의 모든 구멍을 부풀려 있었다.

"한 사람은 아래에 남는 게 더욱 안전할 테니까요."

말한 제리는 담배를 꺼냈다. 카리브는 제리의 손이 양복의 안쪽으로 들어가기 전, 손목에 걸린 시계를 내려다보는 걸 눈치챘다. 제리는 자연스럽게 담배를 꺼낸 다음, 오른팔을 내렸다. 카리브는 그대로 따라갔다. 그리고 제리가 라이터의 버튼을 누르려는 그때, 말을 뱉어냈다.

"애도 있는데 흡연은 그렇지 않아요?"

제리는 멈칫했다. 그러나 그뿐, 제리는 담배에 불을 붙였다. 카리브는 소년을 바라봤지만, 소년은 그저 눈을 반짝이고 있었다. 그리고 제리가 연기를 내뿜으며 말했다.

"카리브 씨. 전부터 말씀드리고 싶었습니다만."

"말씀하세요."

"저희에 닥친 상황에 좀 더 진지함을 보이시는 게 어떻습니까."

"진지함을 보이라고요? 이해가 안 가는데요. 그동안 제가 경솔함을 보였나요?"

"네. 조금."

그리고 제리는 한 모금을 세게 빨아들이고서 절반 넘게 남은 담배를 곧장 재떨이로 가져갔다.

"어이없어."

카리브는 자리에서 일어서며 말했다. 그리고 그때가 돼서야, 뒤늦게 쟝이 입을 뗐다.

"어어, 아닙니다. 아니에요. 카리브 씨. 자리에 앉으시지요."

그리고 쟝은 그 뒤로도 급하게 말을 쏟아 냈다.

"안 그렇습니까, 제리 씨. 카리브 씨는 경솔하지 않으셨어요. 분명 제리 씨께서 어느 한 부분을 잘못 보신 걸 겁니다. 뜻을 함께하기로 했는데요. 그게 어떻게 가벼운 마음이겠습니까, 그럼요. 절대 그렇지 않습니다. 카리브 씨, 아닙니다. 앉으세요."

카리브는 쟝의 말이 그다지 와닿지 않았다. 뾰족이 세운 눈으로 제리를 내려봤고, 어디 그 이상 말을 해 보란 듯 가만히 기다렸다. 제리도 굴하지 않았다. 그런 카리브의 눈을 정면으로 응시하며 또 하나의 담배를 주머니 속에서 꺼내었다.

"끝났나요?"

카리브는 물었다. 제리는 하는 둥 마는 둥 고개를 끄덕였다.

"좋아요."

그리고 카리브가 계단으로 향하려는 순간, 제리가 입을 열었다.

"방패막이라는 표현."

카리브는 자리에 우뚝 멈춰 섰다.

"제가 처음 했습니다. 오해를 하고 계신 것 같기에."

그에 카리브는 뒤돌지 않고서 대답했다.

"참고하죠."

―― 59 무리에서 빠져나온 두 사람

퓨티는 팔다리가 후들거렸지만, 한 번을 멈추지 않았다. 닐 곳을 찾는 데엔 시간이 걸렸다. 도중에 눈을 마주친 사람은 예닐곱 명. 도움을 주거나, 말을 거는 사람은 0. 그리고 그때부터 퓨티의 눈에 씐 최면은 한 겹 두 겹 벗겨져 나갔다. 투명한 유리는 망조를 뜻하는 것이고, 거리에 누워 있는 시인들은 명을 다한 사람. 동시에 퓨티는 빠르게 적응했다. 전과 다르게 보이는 풍경은 괜찮다. 우리를 헤치려는 사람은 이곳에 없다. 목이 죄이는 기분이 드는 건 몸이 피곤하기 때문이다…, 비어 있는 벤치가 모습을 보인 건 퓨티의 속에 자리하고 있던 저와 같은 꺼풀이 스무 장쯤 벗겨진 무렵이었다. 퓨티는 벤치 깊숙한 곳에 조심스레 워블을 내려놓았다. 워블은 퓨티가 말한 대로 악몽을 꾸고 있는 듯했다. 퓨티는 옷소매를 길게 빼내어 워블의 이마에 맺혀 있는 식은땀을 닦아 주었다. 그리고 또한 본인도 벤치에 몸을 앉혔다. 해가 높게 떠 있는 시간임에도 그늘진 곳이 많았다. 퓨티가 있는 곳이 딱 그 경계 부분이었다. 해가 드는 곳과 해가 가려진 곳. 퓨티는 왼쪽으로 고개를 돌리면 장벽이 보이리란 걸 그림자부터 알 수 있었다. 그럼에도 퓨티는 고민이 되었다. 장벽을 보면 되돌릴 수 없게 되는 것이 아닐까. 장벽으로 고개를 돌리는 순간 나 역시 저를 넘고 싶어 하는 한 사람이 되는 것은 아닐까.

"알 게 뭐야."

그리고 워블이 눈을 뜬 건, 그러니까, 제정신으로 눈을 뜬 건 한 시간이 지난 때였다. 워블은 목이 마르다고 말했다. 퓨티는 폭포를 떠올렸지만, 시티에 폭포는 없었다. 조명이 꺼져 있는 잡화점이 하나 있었다. 가게의 유리는 깨져 있고, 내부도 엉망으로 망가져 있었다. 워블은 거기서 가장 투명한 병을 가져오면 된다고 말했다.

"그냥 가져와도 되는 건가요?"

344

"…그냥 가져와요."

퓨티는 좌우를 살폈다. 택시 한 대가 지나가고, 퓨티는 빠른 걸음으로 도로를 건넜다. 신발 아래에서 유리 파편 밟히는 소리가 났다. 사람이 있었다면 퓨티는 아마 인사를 건넸을 것이다.

"투명한 병…, 투명한 병…"

냉장실에는 수많은 라벨이 있었다. 그리고 투명한 병의 종류도 한 가지가 아니었다. 퓨티는 눈치를 보며 투명함을 띠는 모든 병을 챙겨 들었다. 그리고 다시 빠른 걸음으로 도로를 넘었다.

"가져왔어요. 맞게 가져온 건지는 모르겠지만요."

워블은 어딘가의 아픔을 참는 듯한 웃음으로 팔을 뻗었다.

"잘 가져왔네요. 하나를 뺀 나머지는 술이긴 하지만."

"아."

그리고 워블은 차가운 물을 단번에 들이켰다. 퓨티는 빈 플라스틱병을 받기 위해 손을 내밀었다.

"아니, 그냥 이렇게 하면 돼요."

워블은 손으로 병을 구긴 다음, 도로를 향해 던졌다. 그렇구나, 라고 퓨티는 생각했다.

"좀 괜찮으세요?"

"퓨티 양 덕분에요."

"아, 카리브 씨에게도 후에 감사를 표해야겠네요."

"기억나세요?"

"거기까지는요."

그리고 워블은 말을 아꼈다. 눈이 위를 향해 있었다. 퓨티는 침을 삼켰다. 무심코 고개를 돌려 버릴까 봐.

"저게 장벽이군요."

워블이 말했다.

"저는 아직 보지 않았어요."

"왜요?"

퓨티는 솔직히 대답했다.

"넘고 싶어질까 봐요."

"넘고 싶었던 게 아니었어요?"

"워블 씨를 배려한답시고 그랬던 거예요."

"그랬구나. 고마워요."

워블이 퓨티의 머리를 쓰다듬으며 말했다.

"아프지 마세요. 몸도, 마음도, 특히나 소년 때문이라면 더더욱."

"그럴게요."

그리고 두 사람은 얘기와 함께 거리를 걸었다. 장벽이 둘의 뒤로 멀어져 갔다. 워블은 주로 피크에 대해 말했다. 그가 가지고 있던 권력, 그의 자식을 가졌던 일, 그런 그를 곁에서 바라봐야만 했던 일. 그녀의 말이 끝나고, 각각의 호응을 모두 끝마친 뒤에, 퓨티는 자신의 이야기를 하기 시작했다.

"이상하게 다른 감정은 느껴지지 않는데, 두고 온 아버지가 마음에 걸려요. 저는 그날 밤 처음으로 한 사람의 통곡을 보았어요."

"물론 저라고 아버지의 모든 말소리를 알아듣지는 못해요. 단지 가까이에서 자란 자식이기에, 남들보다는 조금이나마 쉽게 이해를 할 뿐이죠. 그리고 사실, 그날은 말이 없으셨어요. 설령 그게 말이었다고 해도, 울음소리에 묻혀 들리지 않았을 거예요. 제 아버지는 그만큼 서럽게 우셨어요. 집의 문이 닫히는 그 순간까지도요."

"그래서 저는 두 배로 살아야 해요."

두 배. 퓨티는 그 말의 의미를 되새겼다. 아버지, 시티에서의 나. 그리고 워블이 입을 열었다.

"짐을 달고 산다는 건 그리 좋은 생각이 아닐 수도 있어요."

퓨티는 대답했다.

"타고난 성격이 그런걸요."

"그래도 최대한 짐을 더는 방향으로 인생을 잡아 봐요. 짐에 짓눌린 상태로 살아간다는 게 괴로운 일이거든요. 게다가 내 말은 들을 만도 하잖아요? 그 분야에 있어 최고의 탐구자니까."

퓨티는 소리 없이 웃었다. 그리고 대답했다.

"그것도 버릇이에요."

"응? 뭐가요?"

"항상 관찰자처럼 말씀하시는 거요."

"관찰자?"

"네. 한 번씩 그러세요. 꼭 '아니, 난 됐어. 너희들이나 맘껏 즐겨.'라고 하시는 것 같아요."

그 말에 이번엔 워블이 웃었다.

"아니. 한 문장이 빠졌어요. '어차피 너희들한테도 관찰자 한 사람이 필요한 거잖아?', 이 정도는 되어야 진정한 관찰자라고 할 수 있죠."

"이거 보세요. 제 말이 맞죠?"

"그래요, 잘났어요."

"워블 씨, 저 아직 장벽을 돌아보지 않았어요."

"그래요, 그것도 잘났어요."

"워블 씨는 장벽을 넘고 싶으세요?"

"네."

"소년 때문이시죠?"

워블이 뜸 들이지 않고 대답했다.

"네."

그리고 워블은 입술을 꽉 깨물고는 쓴웃음으로 말했다.

"스스로는 잊었다고 생각했는데, 그게 아니었나 봐요. 누구에게도 들키고 싶지 않았거든요. 살해당한 자식이 있다는 그 자체로의 진실이 아니라, 자식이 살해당할 때까지 아무것도 하지 못한 부모라는 사실을요. 퓨티는 이해 못하겠지만, 이보다 더한 부끄러움은 이 세상에 존재하지 않을 거예요."

"그럼요. 제가 감히 어떻게 알겠어요. 하지만요, 워블 씨. 지금껏 곁에서 바라본 한 사람의 입장으로는 워블 씨께서는 못나지 않으셨어요."

"그전까지는 못난 사람으로 생각하고 있었고요?"

그에 퓨티는 솔직하게 말했다.

"네. 사실을 알기 전까지는 그랬어요."

"어떤 사실요?"

"우선은 피크 씨가 1순위예요. 그런대로 마을 내에 소문이 번져 있었거든요. 피크 씨의 노력에도 워블 씨는 좀처럼 깨어나지 못하고 있다고요."

"그 소문은 나도 익히 들어 봤어요. 그리고 누가 맨 처음 말을 꺼낸 건지도 알고 있고요."

"그럼, 진작에 난간에서 내려오셨어야죠. 마을 사람들이 워블 씨를 두고서 감히 조롱하지 못하게요."

"그들이 뭐라고 하든, 아무 의미 없다는 걸 퓨티도 알고 있잖아요? 그 사람들은 그저 식충이일 뿐이에요. 단지 시티에서 도망 나왔다는 긍지 하나로써 아까운 세월을 흘려보내는 고지식한 사람들이죠."

"그런 무식한 사람들의 입에 워블 씨의 이름이 오르내렸잖아요. 저였더라면 그를 가만히 두고만 보고 있지 않았을 거예요. 따끔하게 혼을 내 줬을 거라고요."

"앞으로는 그렇게 할게요. 다음이 있다면."

그리고 두 사람은 목적지 없이 걸음을 내밟았다. 시티의 풍경을 보던 퓨티는 생각했다. 더러워. 질서 없어. 이제 남아 있는 꺼풀은 한 장이었다. 장벽. 퓨티는 아직껏 고개를 돌리지 않았다. 본능이 시키는 일이기도 했고, 시티에게 속은 자신을 향한 분풀이 행세이기도 했다. 두 사람은 어느덧 1번지 끝까지 내려와 있었다. 퓨티는 표지판을 손으로 가리켰다. 워블은 친절한 미소로 설명해 주었다. 표지판이 삼각형인 이유부터 아래로 갈수록 표지판이 더러워진다는 사실까지. 그에 퓨티는 표지판이 더러워지는 이유를 물었다.

"날씨 때문인가요?"

워블은 고개를 가로저었다.

"시티의 날씨는 우리가 살던 곳과 비슷해요. 가끔 인공우를 떨어뜨리는 일이 있는데, 그 것도 예전에나 그랬지, 지금은 어떨지도 모르겠네요."

그러면 표지판이 왜 더러워지는 건가요. 퓨티는 물었다.

"마을에서 집을 배정받던 때가 기억나요?"

"나요. 피크 씨께서 직접 저와 아버지를 데려다주셨어요."

"그렇죠? 그것과 비슷하다고 생각하면 돼요. 시티에는 센터라는 곳이 존재해요. 센터는 극소수의 인원으로만 구성되어 있어요. 그들이 어떻게 생겼는지, 이름은 무엇인지, 어떤 삶을 살고 있는지는 아무도 알지 못해요. 그것에 대해 저는 이렇게 결론 내렸어요. 처음부터.

그래, 처음부터 정해진 것이구나, 라고요.”

"장벽이 있기 전에는 센터에 가 볼 수 있었나요?”

워블은 또 한 번 고개를 가로저었다.

"시도한 사람이 없어요.”

"왜요?”

"A구역까지의 거리를 가늠조차 하기 어렵거니와, 이유가 없죠. 당장에 처해 있는 삶이 여유를 내주지 않으니까요. 나 역시도 시티에 머물면서 그런 생각을 해 본 적은 없는 것 같네요.”

"저는 달랐을 것 같아요.”

어떻게 달랐을 것 같아요, 라는 워블의 물음에 퓨티는 대답했다. 모험을 걸었을 것 같아요. 잃을 게 없잖아요. 가만히 변화를 기다리기보다는 제가 먼저 변화를 일으키는 편이 낫죠.

"가다가 무섭지 않아요?”

그 말에 퓨티는 일순 눈부심이 느껴졌다. 짧은 회상이었다. 흰색 불빛. 불빛에 갇힌 여자, 굳어 버린 여자아이, 두 번의 총성. 장면들이 지나가고, 퓨티는 다시 시티의 오후에 시선을 맞췄다. 그리고 분명한 목소리로 말했다.

"그들이 안으로 들어가는 길을 막진 않을 거잖아요?”

—— 60 피리 부는 소년

하수구 옆으로 냄새나는 물이 졸졸 흘러갔다. 그곳에는 사람들이 꽤나 포진하고 있었다. 텅 빈 종이 상자 하나를 맡에다 두고서 머리를 처박고 있는 사람들. 그들은 아마 평생을 그처럼 있을 것이다. 만약 그들 중 운이 좋은 사람이 있다면 들을지도 모른다. 시티의 지화는 가치를 소실했고, 그마저도 이젠 바닥을 보이고 있다고 악기를 등에 업은 단원들이 그들의 그림자를 밟으며 조용히 지나갔다. 그리고 저기 그늘진 자리 한 곳에서 이 모두를 꾸민 지휘자가 모습을 드러냈다. 그는 안도에 차 있었다. 표정이 그를 말하고 있었다. 그의 뒤로 손발이 묶인 청년이 보였다. 그도 가만히 당하고 있지만은 않은 듯 온몸이 상처투성이였다. 청년은 가로등 불이 얼굴을 비추자, 눈을 찌푸렸다. 그리고 지휘자가 걸음을 멈춰 세웠다. 맞은편에서 다가오고 있던 단원들이 양쪽으로 길을 벌렸다.

"이거, 이거, 오늘은 아주 큰일을 치렀습니다."

지휘자가 양팔을 치켜들며 말했다.

"오늘은 하늘이 우릴 도왔습니다. 스스로 나서 주지 않았더라면, 알지 못했을 거예요. 안 그렇습니까?"

그리고 지휘자는 몸을 뒤로 돌려 청년을 가리켰다.

"저는 지금 이분께 굉장한 감사를 느끼고 있습니다. 덕분에 많은 걸 지켰어요. 우리 악단의 소중한 것들을 말이에요. 누가 답해 보시겠습니까?"

그에 누군가가 선뜻 답했다.

"이름을 지켰습니다."

그를 들은 지휘자는 당장이라도 말을 한 그에게로 가 머리를 쓰다듬을 것처럼 제자리에서 몸부림쳤다.

"맞아요, 맞습니다. 우리는 오늘 이름을 지켰습니다. 저 악마가 뭐라고 말했습니까? **처음**이라는 단어를 입에 올렸습니다. 다들 기억나십니까?"

대답은 우렁찼고, 끝맺음은 정확했다.

"올려선 안 될 단어였습니다. 의식해서라도 붙잡아야 했을 단어였습니다. 그런 단어를, 여기."

"이 친구가 뱉어내고 말았습니다. 안타까운 일이 아닐 수가 없습니다. 과거로 돌릴 수 있는 시계가 있다면, 억만금을 주고서라도 이 친구의 입을 틀어막고 싶습니다. 하지만 불가능한 일은 불가능한 일. 우리는 신을 대신해 벌을 내릴 수밖에 없었습니다. 그는 불가피한 일이었으며, 우리는 최선을 다해 벌을 내렸습니다. 신께서도 보셨을 겁니다. 그러니 우리는 이제 다시, 다음 번지로 이동할 수 있는 명분을 얻은 것입니다. 기회를 소중히 여깁시다. 그리고, 실수를 반복하지 맙시다."

여기저기서 박수가 이어졌다. 지휘자는 박수갈채 속에서도 말을 멈추지 않았다.

"한 계단을 오를수록 우리의 수명은 무한해집니다! 무한한 수명 연장으로써 우리의 이름을 지킵시다!"

그 말이 끝이자, 피날레였다. 청년을 붙잡고 있던 단원들은 일제히 힘을 주었고, 그를 냄새나는 물속에다 던져 넣었다. 청년은 온 힘을 다해 발버둥 쳤다. 검은 구정물 속에서 그의 주둥이가 물고기 아가미처럼 펄떡거렸다. 물에 떠 있던 쓰레기와 정체 모를 찌꺼기들이 그의 입을 틀어막았다. 청년은 한 번의 숨을 들이마시기 위해 필사적으로 그들을 뱉어냈다. 지휘자는 웃었고, 단원들은 표정 없이 그를 지켜봤다. 거기서 지휘자는 지휘봉을 꺼내 들었다. 눈빛은 물에 떨어진 가로등처럼 은은했다. 음악은 없었다. 지휘자 한 명의 손짓만이 허공을 노닐었다. 그리고 마침내 청년이 내뱉던 공기 방울이 수면에서 완전히 사라지자, 지휘자는 움직임을 멈추었다. 달라진 건 없었다. 지휘자는 지휘봉을 다시 집어넣었다. 얼굴에 걸려 있던 웃음도 함께였다. 그리고 지휘자는 구두의 앞굽을 바닥에 내리찧으며 단원들을 향해 몸을 돌렸다.

"깔끔한 정리이군요!"

"이제 다음 번지로 이동토록 합시다."

거기서 누군가가 손을 들었다. 지휘자는 밝은 얼굴로 그 사람을 지목했다.

"어제부로 쟁여 놓았던 식량이 떨어졌습니다. 오늘이나 내일 중으로 다시 비축을 해야 할 것 같습니다."

"아, 그래요? 그런 일이 있었습니까. 먹을 게 떨어지면 안 되죠. 제가 괜찮은 가게를 알아보겠습니다. 남은 식량이 얼마나 됩니까?"

"대여섯 사람 정도 먹을 양이 남아 있습니다. 하루치로요."

"아이고, 알겠습니다. 제가 하루빨리 가게를 수소문해 보죠."

그리고 지휘자는 그가 있는 곳을 손끝으로 두 번 두드렸다. 그러자 손을 들고 있던 사람이 팔을 내렸다. 또 다른 사안은 없느냐고 지휘자가 물었지만, 말하는 이는 없었다.

"고생하셨습니다. 오늘의 연주는 이곳에서 마치는 것으로 하겠습니다. 식량에 관해서는 걱정하지 마십시오. 제가 잘 해결하겠습니다. 다음 장소는 순리대로 17번지입니다. 차례대로 갑시다. 그리고, 조급해하지 맙시다. 우리들은 피리 부는 소년이 되면 될 뿐입니다. 사람들이 몰려들거든 웃으며 환대해 주십시오, 사람들이 웃거든 더 큰 웃음으로 화답해 주십시오. 우리는 그러면 됩니다. 우리는 **피리 부는 소년들**이니까요."

창문 없는 벽을 보며 카리브는 방의 블라인드를 떠올렸다. 그리고 카리브는 아마도 그 앞에 그대로 있을 32개의 물감 병을 차례대로 진열했다.

"만약 집으로 돌아갔더라면 지금쯤 나는 잉크병 마개를 들고 있었겠지. 그래, 나는 아마도 저것을 꿀꺽꿀꺽 삼키고 있었을 거야."

그리고 카리브는 이어서 그들 중 하나를 들어 올려 입 안에 털어 넘기는 것처럼 시늉했다.

"일단은 여기까지 밀려왔는데, 사실 잘 모르겠어. 난 당신의 이름도 모르고, 나이도 모르고, 아는 게 없어. 내가 제대로 가고 있는 거야? 당신도 나를 기다리고 있는 게 맞고? 내가 장벽을 넘으면 웃으며 나를 맞이해 줄 거야? 확신이 서질 않아. 내가 고른 이 길이, 그리고 당신이 기다리고 있어야만 하는 그 길이."

툭 밀면 아래로 떨어질 것 같은 낭떠러지 앞에 웅크린 사람처럼 카리브는 소리 없이 눈을 감았다. 바깥에서 사람들의 목소리가 가늘게 들려왔다. 카리브는 피식 웃었다. 대충 예상은 했지. 방패막이라는 단어가 나오기 이전부터 저들은 나와의 관계에 선을 그을 것이라고. 그리고 카리브는 문득 밖으로 나간 퓨티와 워블을 생각했다. 어디든 잘 갔으려나. 이 밤에 갈 곳도 딱히 없을 텐데. 강도를 만나진 않겠지. 아니, 그전에 길을 잃을지도 몰라.

"…하, 뭐래."

자그마치 500명이야. 저들은 나더러 500명의 총알을 맞아 주길 바라고 있어. 거기 장벽 너머의 그쪽, 듣고 있어요? 저 사람들이 나 보고 500명을 상대하래요. 그것도 혼자서. 그러니까 가더들을 우르르 몰고 와서 나를 지켜 내 봐요. 구역의 사람들은 여전히 우리의 이야기를 속닥거리고 있고, 나는 빈정대는 그들의 머리통에 총구를 겨누고 싶으니.

"좋네."

한 번의 상상은 또 다른 상상을 불렀고, 카리브는 반대로 장벽을 넘어오는 가더들을 머릿속으로 색칠하며 방문에 기대 있던 몸을 더욱더 깊이 웅크렸다. 딘과 쟝의 목소리가 워블의 노크처럼 문을 두드렸지만, 카리브는 조금의 흥미도 가지 않았다. 대신, 한 가지 사실만은 뚜렷하게 떠올렸다.

'나는 방패막이야.'

그리고 시간이 흘러, 시끄럽던 바깥의 소리가 점차 조용해지자, 카리브는 잠갔던 문을 열어 고개를 내밀었다. 2층의 조명은 그대로, 1층과 3층의 조명도 그대로, 그리고 그를 제외한 나머지 큼지막한 조명들은 꺼져 있었다. 카리브는 터벅터벅 발소리를 내며 차고 1층의 자그마한 광장으로 걸음을 옮겼다. 그리고 3층 어딘가에 조명이 아닌 다른 무언가의 그림자가 자리하고 있는 것을 우연히 발견했다.

"자기는 글렀나."

카리브는 곧장 계단을 올랐다. 그림자는 제리였다. 제리는 카리브가 2층에 다다랐을 때부터 준비를 하고 있었던 모양이었다. 첫 문장이 그랬다.

"일어나셨습니까."

"안 잤어요."

"아, 그렇군요."

"설마하니 기다렸다는 말은 하지 말아요. 조금 오싹할 것 같으니까."

"기다렸습니다."

제리가 기름 묻은 스패너를 걸레에 닦으며 말했다.

"도무지 캐릭터를 알 수 없는 사람이시네요."

카리브는 제리와의 거리를 조금 더 좁힐까, 고민하다가 선 자리에 멈춰 있기로 했다.

"아까는…"

"여기서 사과까지 들으면 더 오싹할 것 같은데요."

"그럼, 하지 말까요?"

"네, 하지 마세요. 틀린 표현도 아닌데요, 뭐."

"카리브 씨 때문에 화를 낸 게 아니었습니다."

"저는 화를 내신 줄도 몰랐어요."

"화가 나신 목소리시네요."

"그랬는데, 풀었죠. 빌려주신 방에서."

"그럼, 제가 사과를 하는 게 더더욱 맞는 것 같은데요."

"안 받고 싶어요. 다혈질이신 분의 사과는 더욱이요."

그 말에 제리는 걸레와 스패너를 바닥에 내려놓으며 말했다.

"다혈질인 건 인정합니다. 그러니 지금 사과를 받으세요. 그렇지 않으면 언제 다시 돌변할지 모르니까요."

카리브는 표정 변화 없이 대꾸했다.

"어떻게 돌변하는데요?"

"어둡고, 진지하고, 솔직하게요."

"어둡고, 진지한 것만 빼면 흥미가 돋네요. 게다가 솔직하게 변한다니, 상상이 안 가는데요?"

거기서 제리는 카리브를 향해 한 걸음 가까이 다가왔다.

"지금 솔직해져 볼까요?"

카리브는 썩 궁금하진 않았지만, 예의상 고개를 끄덕였다.

"저는 카리브 씨에 대해선 별 감정이 들지 않습니다. 관심이 없다기보다는, 그럴 수도 있다는 쪽의 의견에 가까워요."

"그러면요?"

"저는 시티 밖에 있는 사람들이 두렵습니다."

그리고 제리는 1층과 2층으로 고개를 내려 듣는 사람이 있는지 확인했다.

"왜 그들을 두려워하는 건데요? 설마 아까 한 말이 진심이었던 거예요? 원래는 마을이 아니라 무기였다는 말."

"네, 맞습니다."

"이해가 안 돼요. 그들은 시티가 싫어서 도망친 사람들이잖아요. 그런 그들이 무슨 용기가 있어 다시금 시티로 돌아오겠어요?"

"당장만 하더라도 벌써 두 명의 사람이 저희 눈앞으로 나타나지 않았습니까. 앞으로 더 많은 인원이 시티로 돌아오지 않는다는 보장이 없죠. 그리고 그들이 시티에 모인다면 어떤 일을 계획할지 알 수도 없는 노릇이고요."

"아니요. 그건 정말 과잉 반응인 것 같아요. 그래 봐야 수십 아니에요? 게다가 시티 밖은 황무지예요. 다들 먹는 것도 부실해 영양결핍 상태로 살아가고 있을 거라고요. 그들이 시티로 온다고 한들, 이곳 사람들에게는 아무런 영향도 끼치지 못할 거예요. 무기? 그들이 구역의 사람들에게 악의가 있을까요? 가더가 아니라?"

거기서 제리는 또 카리브를 향해 한 걸음을 다가왔다.

"그들이 도망칠 때를 기억하십니까?"

"미안하지만, 거기까지는 알지 못해요. 저는 58번지까지 내려가 살아 본 적이 없어서요."

"그게 핵심입니다. 마을 밖 사람들은 대부분 58번지에 거주하던 사람들일 거예요. 페퍼가 말했다고 들었습니다. 제가 58번지에 살았던 적이 있었다고요."

카리브는 팔짱을 끼며 말했다.

"네, 들었어요."

"저는 둘 모두를 봤습니다. 어둠 사이를 뚫고 달려가는 도망자들의 뒷모습과 그들을 놓치지 않기 위해 필사적으로 쫓아가는 가더들의 뒷모습을요."

그리고 제리는 양손으로 사이렌을 묘사했다.

"그러면 머지않아 사이렌이 울립니다. 사이렌이 울리면 커다란 흰색 불빛이 그들을 따라가기 시작하죠. 그때부터는 잔인한 총성이 뒤따릅니다. 총성이 울리는 때면 사람들이 쓰러지는 소리가 들려오죠. 그렇게 새벽이 지나고 날이 밝아오면 마치 아무 일도 없었다는 듯이 사람들은 피로 흥건한 길을 내밟습니다. 저는 그 모습을 아직도 잊을 수가 없어요. 새벽의 총성, 다음날의 길거리, 그 모두를."

카리브는 대답 없이 제리의 눈을 바라봤다. 솔직해진 제리의 눈은 슬픔을 담고 있었다. 카리브는 그런 제리를 무표정하게, 경멸스럽게, 부럽게, 이다음을 기다린다는 눈빛으로 바라보았다. 그리고 속으로 속삭였다. 저 사람에게 다음은 없어.

"담배 있어요?"

"네."

카리브는 한 손으로 담배를 받았다. 담배가 타는 동안 카리브는 생각을 정리했다. 제리는 겁이 많은 사람. 스스로 두려움의 울타리에 자신을 가둬 놓은 사람. 솔직한 모습을 누구에게나 보일 수 있는 사람. 그리고…

그리고 카리브는 모두 태운 담배를 제리에게 건넸다.

"남의 집 바닥에 버리는 건 예의가 아닌 것 같아서."

제리는 인자하게 웃으며 꽁초를 은색 케이스에 집어넣었다.

"방금 좀 부럽다고 생각했어요."

카리브는 말했다.

"무엇을요?"

제리가 물었다.

"또, 스스로 반성도 했고요."

제리는 영문 모르겠다는 얼굴로 다시 물었다.

"무엇을요?"

"저도 같았거든요."

"도통 이해가 가지 않습니다만."

"그거잖아요. 사실은 도망자가 되고 싶었던 사람. 맞죠?"

"이번이 몇 번째지? 회의가 무산된 게."

딘은 어둑한 밤하늘을 보며 말했다.

"쉬운 해결책이 있어. 약을 먹어."

"동족이 되라는 뜻이야?"

"당장의 불을 끄고 보는 것도 나쁜 방법은 아니잖아."

그리고 쟝은 씨익 웃으며 딘의 눈앞으로 약통을 흔들었다.

"대도는 소년이 되어야 한다고 하더니."

"네가 그만큼 경직돼 있다는 거야. 내 큼직한 손이 안주머니에 들어가는 것도 모르고 있을 만큼."

"조화가 안 돼서 그래. 다들 따로 노는 느낌이야."

"그게 네 잘못이라고 생각하는 거야?"

그리고 쟝은 훔친 약통을 딘에게 건넸다. 딘은 그를 손에 쥐며 물끄러미 내려다보았다. 사탕이 들어 있었으면 좋았을 텐데, 라고 생각하며.

"그때 네가 했던 말을 요즘 되뇌고 있어."

"무슨 말?"

"내게 변덕이 생긴 것 같다는 말."

그에 쟝이 말했다.

"그래, 사실이야."

"그게 언제부터인지 생각해 봤는데."

"봤는데?"

"가더가 철수한 날부터인 것 같아. 그들이 나를 바꿔 놓았어. 아니, 정확하게는 날 들뜬 상태로 변하게 만들었어. 기회가 왔구나. 이제 더는 부끄러운 감정을 느끼며 살지 않아도 되겠구나, 하는 허영심을 심어 놓았어. 거기서부터야. 내게 변덕이 생기고, 약에 대한 반감이 생기고, 일이 뜻대로 되겠다는 희망을 품게 된 시점은."

"그래도 넌 우리에게 오라클 같은 존재야. 다들 이유 없이 너를 따라나선 게 아니라고, 벽이야 있겠지만, 너를 믿기에 너를 선택한 거야. 나 역시 마찬가지. 그러니 너는 지금의 상황에 보다 당당해져야만 해. 리더가 무너지면 전체가 무너지는 꼴이니까."

딘은 순간 영광스러움을 느꼈다가, 리더라는 단어에 수치스러운 기분이 들어 약이 가득 든 통을 급히 코트 속으로 숨겼다.

"일주일 뒤로 하자."

"다른 사람들은 어떡하고."

"의견을 말하는 거야?"

쟝은 고개를 끄덕였다.

"내가 리더라며. 따라와야지."

"나는 좋아."

"미안하지만, 네 의견은 상관이 없었어."

그 말을 들은 쟝은 호탕하게 웃음소리를 내었다.

"하하하! 그래, 그래. 그런데 그 사람들은 어떻게 하지?"

"일주일 안에 결정을 내리겠지. 그 안에 오면 동행, 그 안에 오지 않으면 제외. 간단하게 생각하자. 내가 성급했던 면도 없지 않았으니까. 사람이 많을수록 융화가 어렵다는 것을 미처 알지 못했어."

"이제 와서 하는 말인데 말이야."

"말해."

딘은 쟝이 무슨 말을 꺼낼지 대충 예상이 갔다.

"그 사람들까지 끌어들인 이유가 뭐야?"

"통조림 창고에서 만난 사람들을 말하는 거면, 나는 네가 이미 그 이유를 알고 있다고 생각하는데."

딘의 말을 들은 쟝은 아슬아슬하게 서 있는 돌덩이처럼 비틀거렸다. 그리고 어느 순간 한쪽으로 픽하고 쓰러진 자세로 말을 뱉었다.

"설마."

딘은 여유롭게 미소 지었다.

"그래, 그 설마. 그게 내 답이야."

"잔인하군."

그에 딘은 맞받아쳤다.

"아예 모르고 있었다고는 말하지 못할 텐데, 너도?"

쟝의 입꼬리가 실룩거렸다.

"그래서 지금 후회하는 중이야."

"그것 봐, 알고 있었잖아."

"자, 워블과 퓨티야."

쟝이 왼손가락을 차례로 굽히며 말했다.

"그래서?"

딘은 물었다.

"나머지 세 손가락의 이름을 답해 봐."

"밀고자가 되라는 뜻이야?"

"죄를 지었으면 벌을 받아야지."

딘은 쟝의 손가락을 비스듬히 바라봤다. 양심이란 게 의식이 아니라, 손으로 만질 수 있는 것이었더라면, 딘은 그래, 양심의 가책을 느꼈다. 하지만, 아주 조금.

"듣고 후회하는 편을 택했나 보지?"

"어차피 후회는 하는 중이었어."

"왜?"

"카리브 씨가 방패막이라는 단어로 처음 불렀을 때, 나 또한 속으로 그렇게 생각하고 있었거든."

"제리 씨를 말하는 거야?"

"그래, 네가 제리 씨에게 마구마구 짓밟힌 직후."

"그래서 내게 그 기억이 없었던 거였군."

"당연하지. 네가 제리 씨에게 마구마구 짓밟힌 직후이니까."

딘은 쟝의 눈을 초롱초롱하게 바라봤다. 그러다 쟝이 눈을 마주쳐 오는 순간, 가볍게 쥔 주먹으로 그의 배를 올려 쳤다. 쟝은 단말마 비슷한 소리와 함께 한쪽 무릎을 꿇는 척 액션을 취했고, 딘은 꼴좋다는 웃음소리를 내며 아래로 내려간 쟝을 쓰다듬었다.

"앞으로는 쌍방이었다고 회상해 주길 바라."

그리고 딘은 쟝의 구레나룻을 잡아 뜯으며 그를 일으켜 세웠다.

"네게 그런 마초적인 자존심이 있는 줄은 몰랐는걸."

쟝이 일어나며 대꾸했다.

"자존심이 아니야. 나는 전력을 다하지 않았다고."

"그럼, 제리 씨는 전력을 다했다는 거야?"

그 말에 딘은 다시 쟝을 초롱초롱하게 바라봤다. 쟝은 노인처럼 껄껄 웃으며 뒷걸음질 쳤다.

"알았어. 뭐 재밌는 이야기라고."

그리고 무심한 표정으로 한마디를 툭 내뱉었다.

"근데 그런 거라면 그 사람들한테만 유독 가혹하게 구는 거 아니야?"

"어떤 면에서?"

딘은 물었다.

"특정 지어 어떤 면이라기보다는 전반적으로."

"내가?"

"응. 방금의 네 말마따나 너는 그 사람들을 바닥 취급하고 있어. 그들을 컨테이너에 부착된 사다리 아래로 보고 있으니까. 내 생각이지만, 그건 일전에 제리 씨가 말했던 반역이라는 표현과 다를 게 없어 보여. 아니, 오히려 네 표현이 좀 더 사실적이고, 더 비참해. 마치 시티를 떠난 그들에게 자유의 시간 따윈 조금도 없었다고 트집 잡는 사람 같아."

쟝의 말이 끝나고 시간이 흘러갔다. 딘은 바로 대답하지 않았다. 정확히는, 하지 못했다. 쟝이 너무 정확히 자신을 꿰뚫고 있어서, 꿰뚫린 자신의 본심이 너무도 저질스러운 것이어서. 그렇기에 딘은 평범하게 대처할 수 없었다. 더럽혀진 얼굴을 더욱 더럽혀야만 했다.

"입장이 뒤바뀐 거 같은데."

딘은 마음을 굳히고서 첫말을 뱉어냈다.

"뭐?"

"원래는 네가 나처럼 행동했어야 한다고."

쟝은 대꾸 이전에 썩은 얼굴로 딘을 쳐다봤다.

"책임을 전가하고 싶은 모양인데, 나는 그 상황 이후에 바로 끝냈어. 끝을 내지 못한 건 너야."

"나는 시작한 적 없어."

"시작한 적이 없다고? 무슨 뜻이지?"

"너처럼 끝내고 말고 할 자시가 없다는 뜻이야. 처음부터 깊게 뿌리 내린 생각이었으니까."

그에 쟝이 어이없다는 얼굴로 대꾸했다.

"그럼, 그게 다 연기였다는 거야? 제리 씨와의 다툼, 그때의 네 표정, 억양, 시티 밖 사람들을 아우르던 말들, 그 모든 것들이?"

"거기에 거짓은 없어, 쟝. 그리고 그들을 향한 마음도 변한 적이 없고 난 딱 거기까지만을 생각했던 거야. 그들이 반역자가 아니라는 사실, 그들에게 덮어씌울 죄가 없다는 사실. 사실, 사실, 사실. 오직 사실 하나에만 집중해 있었던 것일 뿐이라고."

"전에는 존중이라고 하지 않았던가?"

쟝이 물었다.

"그건 거짓이었어."

딘은 대답했다.

63 시티 1번지

시티 1번지의 밤은 과거 워블이 말한 휘황함과는 사뭇 멀었다. 거리를 밝히는 조명의 수도 많지 않았고, 집으로 돌아가는 사람들의 모습도 자연스럽지 않았다. 하나같이 무엇에 걸려 있거나, 무엇을 의식하는 듯 보였다. 퓨티와 워블은 음악이 흐르는 건물 아래서 머물고 있었다. 워블은 지금 듣고 있는 것이 말러가 작곡한 클래식이라고 설명해 주었지만, 퓨티는 고개만 위아래로 흔들 뿐, 감정이 크게 요동치거나 하지는 않았다. 좀 더 솔직해지자면, 퓨티는 그를 단지 시끄러운 소리라고 생각했다.

"전에 말한 적이 있을 거예요."

워블이 말했다.

"내가 야경을 보며 듣는 클래식을 특히 좋아했다고."

퓨티는 기억이 났다.

"네, 아이의 태교도 그렇게 하셨다고 말씀하셨어요."

"맞아요. 그런데 시티가 좀 변해 있네요."

"원래는 어땠는데요?"

"원래는 지금보다 훨씬 밝고 활발했어요. 물론 가진 자들의 이야기이긴 하지만, 그걸 감안하더라도요."

그를 들은 퓨티는 고개를 들어 눈앞의 풍경을 다시 한번 바라봤다. 칠이 벗겨진 건물, 금이 가 있는 유리, 보일 듯 말 듯 한 내부. 퓨티는 이제 그것들이 보석처럼 보이지 않았다.

"제 눈에도 그래요."

퓨티의 말에 워블은 놀란 듯 소리 냈다.

"어머."

그리고 얼굴을 돌리며 말했다.

"그러고 보니 아까랑은 다르네요."

"제가요?"

"눈빛이 꺼져 있어요, 퓨티."

퓨티는 손가락 뒤로 눈을 비볐다. 그리고 워블이 그를 안쓰럽다는 듯이 바라봤다. 퓨티는 생각했다. 눈빛이 꺼져 있다는 건 어떻게 보인다는 뜻일까. 또, 밝고, 황망하게만 여겨지던 시티가 어둡게 보이는 건 왜일까. 생각이 길어지고, 퓨티의 손에는 힘이 들어가기 시작했다. 마찰을 따라 퓨티의 하얀 눈꺼풀이 붉게 달아올랐다. 그러나 퓨티는 아픔이 느껴지지 않았다. 그것보다는 눈을 비빌수록 무언가 계속해서 달라붙는 듯한 느낌이 들었다. 그리고, 눈이 한계에 다다랐다는 듯이 뜨거운 눈물을 쏟아 낼 때쯤, 워블의 손이 퓨티의 등을 덮었다. 워블은 말을 하려다 멈추었다. 그리고 워블이 멈춘 순간은 음악이 바뀌는 순간이기도 했다. 말러의 교향곡이 끝나고, 누군가의 서정적인 음률이 유리 틈 사이로 흘러나오기 시작했다. 음률은 가녀렸으며, 실처럼 공기 위를 사뿐히 떠다녔다. 워블은 또다시 입을 오물거렸다. 아마도 위로보다는 작곡가의 이름을 퓨티에게 말해 주고 싶기 때문일 것이다.

"…퓨티."

워블은 퓨티의 팔을 잡았다. 그리고 워블은 퓨티의 팔을 아래로 끌어내렸다. 퓨티의 눈가와 손가락이 투명한 물로 흥건했다.

"눈물일까요?"

퓨티는 물었다.

"아니요."

워블이 확신에 찬 목소리로 대답했다.

"그렇죠? 눈물을 흘렸나, 했어요."

"흘리면 안 되는 이유는 없어요, 퓨티."

"알죠. 근데 울기가 싫었거든요. 폐를 끼치는 것 같아서."

"울고 싶어요?"

퓨티는 곧장 대답했다. 네. 울고 싶어요. 가슴에 구멍이 크게 난 줄도 모르고 달렸나 봐요. 모든 걸 털어 냈다고 생각했는데 오만이었나 봐요. 지금 보니 저의 죄가 너무 커요. 죄가 너무 큰 나머지, 다른 사람이 되어 버린 것 같아요. 다시는 돌아갈 수 없겠죠. 어느 한 사람도 저를 기다리고 있지 않을 거예요. 그런 사람들을 상대로 희롱을 저질렀어요. 당신과는 보는 눈이 다른 사람인 척, 당신과는 수준이 다른 사람인 척, 결국 그 오만함이 저를 죄인으로 꽃피우게 만들었어요. 그래서 저는 울고 싶어요, 워블 씨. 눈이 메말라 시뻘겋게 갈라질 때까지 울고 싶어요.

"울어도 돼요."

워블이 퓨티의 머리를 손으로 감싸며 말했다. 퓨티는 자그마한 나뭇가지에 머리를 기댄 것 같다고 생각했다. 꽃은 지고, 잎은 떨어지고, 아무것도 남아 있는 것이 없는 나무. 퓨티는 가지에 대고 속삭였다.

"클래식이란 거 말이에요."

"네."

워블이 대답했다.

"나쁘지 않은 것 같아요."

"아까는 조금 그랬죠? 원래 그 사람 곡이 유독 그런 편이에요."

"저는 클래식이라는 장르가 모두 그런 건 줄 알았어요."

"어때요, 새로이 들어 본 소감이?"

퓨티는 눈을 감았다. 그리고 음악에 집중했다. 절정으로 치닫는가 하면, 아직은 아니라며 다시금 잔잔하게 깔리고, 잔잔함이 이젠 끝이라고 말할 무렵에는 색소폰이 소리를 죽이며 또다시 처음으로 돌아갔다. 묘한 소리야. 마치 자기들끼리 말을 하는 것 같아.

"적어도 외롭진 않겠어요."

퓨티는 조용한 목소리로 말했다.

"왜요?"

워블이 물었다.

"악기가 여러 가지잖아요. 혼자 소리 낼 일은 없을 테니까."

"솔로로 나설 때도 많아요."

"정말요?"

퓨티가 말하자, 워블은 빙긋 웃었다.

"순수하네요, 퓨티는. 아니면 아직 어린애거나."

"어린애는 아닐 거예요. 어린애라기엔 너무 어른 같은 짓을 많이 해서."

"꼭 나 들으라고 하는 소리 같네."

"보세요. 하는 짓이 어린애는 아니죠?"

그 말에 워블이 품에 있던 퓨티를 떼어 냈다.

"전에 말했죠. 나쁜 건 모두 나에게로 넘겨요. 내가 다 책임질게요. 방금처럼 울고 싶어질 때나, 마을이 생각나서 죄책감이 느껴질 때나, 언제고부터 소리 없이 찾아올 오한이나, 모두 나에게로 넘겨 버려요. 그러면 모든 게 괜찮아질 거예요. 해방을 바랐죠? 내게서 가져가요. 퓨티의 해방."

퓨티는 고개를 저었다. 그리고 말했다.

"그런 이기적인 해방은 싫어요. 함께 누려요, 워블 씨. 저와 함께요."

"함께 누리려면 많은 힘이 들 텐데도요?"

"괜찮아요."

"지금 그 말, 후회하지 않겠어요?"

"네."

퓨티의 대답에 워블은 고맙다는 듯 표정을 지었다. 그리고 워블의 표정을 본 퓨티는 준비했다. 가느다란 심호흡이 가게의 악보에 맞추어 합을 이뤘다. 하나, 둘. 퓨티는 속으로 숫자를 세며 어둑한 밤거리 한 곳에 눈을 올려놓고 초점을 흐렸다. 그러다 워블을 제외한 모든 것들이 완전히 흐려져 겹치어 보일 때, 퓨티는 얼른 고개를 돌려 밤하늘 아래를 바라보았다. 홀연한 어둠이 희게 빛나는 달을 받치고 있었다. 퓨티는 워블의 팔을 붙잡았다. 워블의 목소리가 들려왔다.

"겁먹지 말아요."

워블은 계속해 말했다.

"우리는 사형대 옆에서도 잠을 잤던 사람들이에요. 그에 비하면 저런 벽쯤이야 아무것도 아니랍니다. 단지, 우리의 키를 웃돈다는 이유로 높은 척을 하고 있을 뿐이에요. 그런 상대에게 약한 모습을 보인다면 저것은 우리를 더욱 내려다보겠죠. 저 단순하고도 미약한 건축물이 그렇게 하도록 내버려두지 말자고요. 강한 건 우리 쪽이니까."

퓨티는 입술을 꽉 깨물었다. 뭐라고 대답할 여유 따윈 이미 퓨티에게 사라진 지 오래였다. 퓨티는 견고하고, 촘촘한 장벽의 단면에 순식간에 함락되어 버렸다. 워블의 목소리가 작아지고 있구나, 라는 것을 느낀 시점에는 몸과 마음이 장벽 바로 앞까지 달려 나가 있었다. 장벽은 고요했다. 들리는 소리라고는 이따금 떨어지는 돌조각이 바닥과 부딪히며 나는 것 정도. 퓨티는 세세하게 파고들지 않았다. 우선은 눈에 보이는 것부터, 그리고 마음이 이끄는 것부터 장벽을 관찰했다. 퓨티는 손을 뻗어 장벽의 표면을 조심스레 쓸어내렸다. 뾰족하진 않지만, 오돌토돌 튀어나온 부분이 많았다. 퓨티는 그 촉감을 가까운 과거에 느낀 적이 있음을 깨달았다. 그리고 그것이 지킴이가 드나들던 쥐구멍이었다는 걸 퓨티는 금방 떠올릴 수 있었다. 손을 내린 퓨티는 하늘 높이 솟구친 장벽을 따라 고개를 치켜들었다가 아래로 내렸다. 소리는 없는 걸까. 속으로 말한 퓨티는 양 손바닥을 장벽에 대고서 천천히 왼뺨을 붙였다. 모든 것은 퓨티의 상상 아래. 소리는 다양했다. 멀리서 오셨네요, 라고 말하는 남자의 목소리부터 그렇다고 대답하는 여인의 목소리까지. 퓨티는 그들의 사이에 대고 말했다.

"네, 정말 멀리에서 왔어요."

"당신들이 상상조차 할 수 없는 곳에서. 아니, 정확히는 당신들의 눈길이 미치지 않는 곳이라고 할 수 있겠네요. 제 출발지는 그런 곳이에요. 외롭고, 황망한 곳. 누구의 삶도 기록되지 않는 곳."

⎯⎯ 64 무한한 수명

무한한 수명. 지휘자가 뱉었던 그 말은 많은 이들에게 먹혀들었다. 계단은 어디에서 나오고, 무엇이 수명을 무한히 연장시키는가. 연주를 끝낸 연주자들은 지휘자를 중심으로 조용히 자리를 지켰다. 광란의 시간에 보였던 천박한 표정, 몸짓, 언행, 그들과는 반대되는 모습이었다. 흔히 교양이라고 말할 수 있는 것들 말이다. 또한, 그들은 척을 했다. 격식 있는 사람인 척, F구역의 사람이 아닌 척, 부족함이 없는 척. 그래서 그들에겐 공통점이 있었다. 밤 중에 참을 수 없는 졸음이 몰려오더라도 절대 길바닥에 몸을 뉘지 않는다는 것. 축제에 영혼을 바친 만큼, 해가 지는 시간만을 기다리는 것이다. 단, 오늘은 아침까지의 시간이 평소보다 짧았다.

"자, 이제 해가 뜨기 시작하는군요."

지휘자가 하늘을 보며 말했다.

"오늘은 비록 불미스러운 일이 생겼었습니다만, 여러분들의 망설임 없는 협력으로써 기분 좋게 마무리를 지을 수 있었습니다."

그제야 사람들은 어딘가에 기대어 있던 몸들을 하나둘 떼어 내기 시작했다. 야밤의 음기란 음기는 모조리 빨아먹은 듯한 얼굴들. 나아가서는 피곤한 기색조차 허락하지 않는 듯한 얼굴들. 젖을 탐하던 남자는 유독 초롱초롱했다. 아마 그는 내일 밤이 다 되어서야 잠이 들 것 같다. 연주자들이 차지한 골목 앞으로 사람들이 보이기 시작했다. 그들은 앞만 보고 걸었다. 뚱한 표정으로 보아 밤새 울린 음악 소리에 잠을 설친 모양이다. 그리고 또 한 사람, 또 한 사람. 사람들이 지나갔지만, 골목으로 고개를 돌리는 사람은 아무도 없었다. 사람이 지나가는 것이 보이고 얼마 있어, 지휘자는 조용히 끼고 있던 장갑을 벗어 주머니에 집어넣었다. 그리고 피 묻은 칼을 정돈하듯 갈색의 지휘봉을 허공에 탁탁 털고는 하늘에 비추어 손잡이부터 끝까지를 손수건으로 닦아 냈다.

"그럼."

지휘자는 연주자들이 모여 있는 곳으로 고개를 숙여 인사했다. 인사를 하는 그는 아무하고도 눈을 마주치지 않았다. 침묵이 뭉쳐 있는 공간에 대고 고개를 숙이는 것과 같아 보였다. 지휘자의 인사를 받은 연주자들도 그러했다. 지휘자는 골목 밖 사람들 사이로 걸어갔다. 그리고, 사라졌다. 아마 그는 그 길로 이미 털렸거나, 자력으로 털 수 있을 만한 식료품점을 물색할 것이다. 이젠 남겨진 사람들의 시간이었다. 그들은 공정했다. 누가 그를 붙잡았고, 발버둥 치는 그를 향해 결정타를 날린 것이 누구이며, 오물을 입에 머금은 그의 모습을 보며 웃음소리를 새어 보낸 사람은 누구인지, 찾지 않았다. 죄책감을 서로 떠민다. 그것도 아니었다.

첼리스트가 가방을 꾸리며 말했다.

"먼저 가 보겠습니다."

그리고 몇몇이 남자의 말을 따라 했다. 정말이지 하수구 청년의 이야기는 조금도 나오지 않았다. 그래도 누군가는 있었다. 그는 완곡하게 말했다.

"트럼펫 연주자가 구해져야 할 텐데."

깡마른 안경잡이에 머리는 새치로 거뭇했다. 외관만 봤을 때는 마을의 디케이나 마토와 비슷한 선상에 있는 사람처럼 보였다.

"구하겠죠, 뭐."

맞은편 벽에 기댄 여자가 말했다. 지휘자의 손짓에 맞춰 불길을 넘나들던 무용수였다.

"**마스** 씨에겐 그만한 여유가 없을 것 같아서요."

"우리 멋대로 행동할 수도 없는 노릇이잖아요?"

"…그렇긴 하지만."

"안경이나 깨끗이 닦고, 짐이나 챙기세요. 해산해야죠. 내일 밤을 위해서."

여자의 말에 안경잡이는 멍한 표정으로 있다, 포기한 얼굴로 땅에 내려놓은 가방 손잡이에 주섬주섬 손가락을 걸었다. 그리고 그와 마찬가지로 짐 챙기기를 마친 단원들이 하나둘 골목에서 빠져나갔다. 작별 인사는 없었다. 모두가 나가고, 텅 빈 골목으로 햇살이 내리쬐었다. 굳이 뭔가를 암시하는 것이라 치부한다면, 정화가 아닐까. 밤새 퍼진 인간의 왜곡된 행복 분출과 그로부터 패여 버린 땅바닥의 발자국들을 위한. 빈 골목은 한동안 조용했다.

조금의 찬 바람도 불지 않았다. 그렇다고 마냥 따뜻하다고 말할 수도 없었다. 옆으로 보이는 담벼락에는 낙서가 많았다. 어른의 눈높이에서 쓰인 것과 아이들의 눈높이에서 쓰인 것이 있었는데, 보통 높은 쪽에 쓰인 어른의 문구들이 부정적이었다. 신을 조롱하는 것도 있거니와, 대부분이 눈에 담아서 좋을 건 없는 내용들이었다. 검은색과 흰색 털이 예쁘게 난 고양이 한 마리가 담벼락에서 뛰어내렸다. 몸집이 작아 태어난 지 얼마 안 돼 보였지만, 사실은 아닐 것이다. 눈동자가 그를 말해 주고 있었다. 사람의 손길 따위에 기대어 봤자 남는 것이 없다는 걸 안다는 눈이었다. 고양이는 뛰어내린 자리에 가만히 주저앉아 골목의 출구를 바라봤다. 조심스레 들어 올린 발 하나가 그쪽을 향하는가 했지만, 이내 제자리로 돌아갔다. 그리고 이어진 작은 하품. 하품의 진동에 녀석의 눈에 껴 있던 눈곱들이 가루가 되어 바람과 함께 날려 갔다. 눈곱이 사라지자 녀석의 눈이 잘 보였다. 쾽한 눈이었다. 양안의 초점이 모두 나가 있고, 무언가를 집중하여 보았던 적이 언제인지 기억조차 나지 않을 눈.

65 딘의 선포

딘은 회의를 잡지 않았다. 그저 선포했다. 자신을 포함한 이곳의 모두는 일주일 뒤에 장벽에 오를 것이라고. 이외에 쓸모없는 의문은 가볍게 묵살했다. 특히 딘의 그 말을 들은 카리브가 시티 바깥에서 온 두 여인, 퓨티와 워블의 이름을 끈질기게 거론했지만, 딘은 고개를 가로저으며 대답했다.

"그들에게도 동등한 시간을 주었습니다. 일주일 내에 돌아온다면 우리와 함께하는 것이고, 일주일이 지나고도 돌아오지 않는다면 그때의 우리는 두 번 다시 그 두 사람과 마주할 일이 없겠죠."

딘의 말을 들은 소년과 페퍼는 달리 말이 없었다. 문제는 제리였는데, 그는 딘의 앞에서 확실하게 선을 그었다.

"다시 말씀드리지만, 제 역할은 거기까지입니다."

"물론입니다. 그건 진작에 약속되어 있던 일이니까요. 그런데 정말 장벽에 올라 보지 않으셔도 괜찮으시겠습니까?"

"이번 한 번으로 끝날 일도 아니잖습니까. 저는 뒷이야기를 듣는 것만으로도 괜찮습니다. 그리고 그날에 모일 인파들을 생각하면 안전을 위해서라도 누군가는 아래에 있는 것이 맞을 테고요."

옳은 말이었다. 카리브를 지지하는 예술가들이 머무르는 번지는 1번지가 아니라 광장이 있는 10번지 근방이었으니까.

"그때 만났다고 한 청년을 기억하십니까?"

제리가 딘의 얼굴 앞으로 스패너를 닦던 걸레를 내밀며 물었다.

"장벽 앞에서 만났다는 그 청년 말인가요? 전에도 말씀하셨죠."

"네. 아무래도 계속 신경이 쓰여서 말입니다."

"제리 씨 생각은 어떠십니까? 그때 들은 말로써는 별 볼 일 없는 사람 같던데요. 우리의 앞으로 나타나기만 했지 제대로 된 협박조차 없지 않았습니까."

"그래도 의도가 없지는 않을 겁니다. 뒷배에 누가 있는 게 아니라면 혼자의 몸으로 그렇게 나서기가 쉽지는 않았을 테니까요."

그리고 제리는 담배를 꺼내며 말을 이었다.

"걸리는 말이 하나 있습니다."

"말씀하시죠."

"동료들이 하나둘 증발할 거라고 했거든요, 그놈이."

"아, 들은 기억이 납니다. 그런데 결국엔 허풍일 거라고 결론짓지 않았는지요."

"허풍이라…"

말끝을 흐린 제리는 길게 연기를 내뿜었다.

"아니라고 생각하십니까?"

"글쎄요. 그런 말을 들을 줄은 상상도 못 하고 있었던지라."

"감이 잡히지 않는다는 말씀이시군요."

"사실대로 말하자면 그렇습니다."

거기서 딘은 슬쩍 제리를 떠봤다.

"저는 변절을 꾀한 자가 있다고 생각하지 않습니다. 만약의 가능성을 제시하라고 한다면, 우리와 비슷한 계획을 도모 중인 제3의 집단이 있다고 판단하는 게 맞겠죠. 이를테면, 다리 한쪽을 다른 데에다가도 걸쳐 놓았다던가, 하는."

그리고, 두 사람이 서 있는 철제 난간이 흔들거렸다. 하지만 그뿐이었다. 흥분이라기엔 강도가 약했다. 오히려 제리는 그 중간에 생긴 시간을 즐기는 듯 보였다. 쫓기는 티 하나 없이, 마지막에 마지막까지 제리는 말을 하지 않았다. 담배에 붙은 불씨가 차차 꺼져 갔다. 그리고 모두 타 버린 담배에서 타이어 타는 듯한 냄새가 번질 때쯤에 제리는 혀로 담배를 툭 밀어뜨리며 말을 뱉어냈다.

"저를 의심하고 계셨군요."

딘은 저에 대한 자신의 대답이 그 어느 때보다도 중요하게 작용할 것이라는 걸 빠르게 알아챘다. 셀 수 없는 모래알들이 모래시계의 좁은 구멍 속으로 지체 없이 떨어지기 시작했다. 얼마인지도 모를 시간이 순식간에 지나갔다. 제리가 딘을 기다려 주지 않은 건, 아마도 그의 귓가에 들리던 모래 소리가 그쳤기 때문일 것이다.

"요약해서 말씀드리자면, 저는 배신하지 않았습니다. 단지 반걸음 정도 물러나 있는 사람일 뿐이죠. 그러나, 인정합니다. 물러나 있는 사람치고는 격한 모습을 자주 보인 것도 사실이니."

그리고 제리는 덥수룩한 수염을 손으로 쓸어내리며 물었다.

"다른 사람들도 마찬가지입니까?"

딘은 어깨를 으쓱이며 대답했다.

"그런 것 같더군요."

"아, 이 질문을 잊을 뻔했네요."

"말씀하세요."

"소년의 손을 빌려 쓴 편지는 무슨 뜻이었습니까?"

철제 난간이 이번엔 확실하게 흔들렸다. 그러나 제리는 거짓을 입에 담는 소인배적인 모습을 보이지 않았다. 고민의 틈도 없이 곧바로 답을 했다.

"그걸 어떻게 알게 되셨는지 참으로 궁금합니다만, 이미 탄로가 난 마당에 의문을 품을 필요는 없을 것 같군요."

딘은 부릅뜬 눈으로 제리를 바라봤다.

"이유를 묻고 있습니다."

"이유라…, 글쎄요. 한참 전의 일이라서."

"전이요? 최근에 보낸 것이 아니란 말씀이십니까?"

"네. 58번지에서 창고를 관리할 당시에 보냈던 것입니다. 그때 몇몇 사람들 사이에 소문이 돌았죠. 재고가 맞지 않는다. 누군가가 물품을 빼돌리는 것 같다. 저는 그곳의 총책임자였기에 그 문제를 하루빨리 해결해야만 했습니다. 그렇지 않으면 가더에게 끌려가 고문을 당할 처지가 될 게 뻔했으니까요. 그때부터 공식적인 서류가 아닌, 저 혼자만의 일지를 적어 나가기 시작했습니다. 어느 시점에 재고가 비고, 물건이 사라지는 주기는 어떻게 되는지를요."

"그러다가 그들을 발견한 것이로군요. 그 뒤로는 전에 말했다시피 방관을 한 것이고요."

"그렇습니다. 컨테이너가 맞물리는 구석 자리에 배기관만 한 구멍이 하나 있습니다. 사이로 오가는 것이라고 해 봐야 쥐새끼들뿐이니 아무도 관심을 가지지 않았던 것이지요."

딘은 방금 제리가 말한 구멍이 무엇인지 단번에 떠올랐다. 그러나 그를 보았다는 말은 하지 않았다.

"그 구멍을 그들이 사용했나요?"

"맞습니다."

"어떻게 그게 가능했던 거죠? 창고 바로 옆에는 가더들이 머물고 있었을 텐데요."

딘의 물음에 제리는 두 번째 담배를 입에 물며 불을 붙였다. 그리고 연기가 폐에 가득 찰 때까지 빨아들이는 것을 멈추지 않았다. 딘은 그를 보며 펍에서 오고 갔던 대화를 회상했다. 그러다 정확히 한 단어를 포착해 내었다. **보험.**

"제가 도왔습니다. 사실상 방관만 한 건 아닌 셈이지요."

제리는 물고 있던 담배를 손으로 옮기며 말을 이었다.

"가짜 라이선스를 가지고 있더군요. 도망자는 즉각 사살이지만, 수확 따위를 위한 외출은 허가가 나던 때이기 때문에 그를 파고든 듯합니다. 머리를 잘 쓴 거죠."

"그렇다면 지킴이라는 지칭을 이미 알고 계셨겠군요?"

"그건 아닙니다. 제대로 대면을 한 적은 한 번도 없었어요. 순전히 관찰과 조달만 했습니다. 한번 날짜를 기록하고 보니, 오는 날이 일정하더군요. 매달 마지막 주, 토요일, 혹은 일요일. 주말이지요. 창고의 직원들이 조기퇴근을 하는 날도 그때입니다."

"흥미롭군요. 그럼, 그들이 가져가고 난 이후에 비게 되는 자리는 어떻게 하셨습니까? 양이 적다고 한들 금방 탄로가 날 텐데요."

"하하하."

나지막한 웃음소리를 낸 제리는 또다시 담배를 혀로 밀어내 바닥에 떨어뜨린 다음, 세 번째 담배를 꺼내 들었다. 그리고 불을 붙이려던 손을 내린 후, 말했다.

"머리를 좀 썼습니다. 쓰레기장에 있는 통들을 닦고, 그 안에 무거운 돌을 넣어 새것처럼 보이게끔 포장했죠. 보통은 맨 앞에 있는 것부터 선출이 되기 때문에, 한 달 정도의 기간이라면 들키지 않는 데 문제가 없었습니다."

딘은 보험이라는 단어가 입에서 맴돌았지만, 참았다.

"선행을 하셨군요."

"아뇨. 저를 위해 한 일이었을 뿐입니다. 전에도 말씀드렸다시피 저는 그 당시에 큰 그림을 그리고 있었으니까요."

"그 그림에 소년의 편지도 포함되어 있습니까."

딘의 말에 제리는 버티기를 포기했다는 듯이 공허한 웃음을 터뜨렸다. 그리곤 생각을 정리할 시간이 필요하다는 손짓을 딘을 향해 들어 보였다. 딘은 짧은 시간을 예상했지만, 시간이 길어졌다. 제리는 차고의 천장에 눈을 올려둔 채로 혀를 날름거렸다. 입술이 적셔지고 마르기를 여러 차례, 그럴 때면 눈의 명암도 함께 변하곤 했다. 딘은 생각했다. 밝은 눈이 보이는 건 빠져나갈 구멍을 찾았기에 그런 것이고, 어두운 눈이 보이는 건 찾은 구멍이 다시 막혔기에 그런 것이라고. 딘은 시험해 보기로 했다. 자신의 예상이 맞는지. 그리고 때마침 제리의 눈이 다시 어둡게 변하였다. 그때, 딘은 말을 걸었다.

"생각을 길게 하시네요."

그에 제리가 대답했다.

"어떻게든 좋게 풀고 싶어서 그런가 봅니다. 일전의 일도 있고 하니."

"제가 화라도 낼까 봐 그러십니까."

딘의 대답을 들은 제리는 줄곧 손가락 사이에 끼고 있던 담배를 조용히 케이스에 집어넣었다.

"이미 화가 나 계신 것으로 알고 있었습니다만."

"그럼, 어느 부분에서 화가 나 있는지도 알고 계시겠군요?"

"물론입니다."

"그럼, 그냥 말씀하십시오. 어차피 풀고 갈 문제였으니까요."

"둘 다 말씀드리면 되겠습니까."

"네, 둘 다."

딘은 둘 다, 라고 연거푸 중얼거리는 제리의 목소리와 그의 한숨 소리를 들었다. 제리는 천천히 손을 올려 넥타이를 풀었다. 그리고 공허한 웃음이 터졌던 때와 비슷한 시간이 흘러갔다. 딘의 손톱과 난간의 봉이 부딪히며 작은 무기를 제련하는 듯한 소리가 울렸다. 누가 보면 재촉의 행동으로 보였겠지만, 딘의 경우에는 아니었다. 애당초 간사함과는 거리가 먼 사람이랄까. 손톱을 굳이 봉에 대고 두드리는 것도 아마 그곳이 손톱과 가장 인접해 있었기 때문일 것이다. 제리에게 들릴 쇳소리까지는 생각지도 않을 사람이다.

"…음."

제리가 입을 열었다.

"정리가 다 되셨습니까."

딘은 난간에서 몸을 떨어뜨리며 말했다.

"네, 완벽하게요."

"좋습니다. 이제 이야기를 들을 일만 남았군요."

그리고 딘은 코트 속에 손을 넣어 제리에게 자신의 담배 한 개비를 건넸다. 담배를 받아 든 제리는 고개를 꾸벅이고는 손바닥 너머에 숨어 불을 붙였다. 라이터의 불씨가 옮겨붙는 그 순간에 제리의 얼굴에 덮여 있던 어둠이 일순 걷혔다. 딘은 그를 보며 생각했다. 적어도 제리가 거짓된 말을 하진 않겠구나, 라고.

"편지의 내용도 물론 알고 계시겠군요."

"네. 너무도 짧은 문구였기에."

"먼저 말씀드려야 할 것 같아 하는 말입니다만, 그때의 저와 지금의 저는 완전히 다른 사람입니다. 실제로 많은 게 변했어요. 삶의 공간, 식사의 재료, 정신의 상태, 여러 가지가 요."

딘은 제리의 눈을 보며 딱 한 차례 고개를 끄덕였다.

"그 같은 짓을 일삼던 처음 몇 달은 누구의 방해도 받지 않았습니다. 오히려 눈치를 채는 사람이 없을 정도였죠. 가더들은 사건을 종결지었고, 모든 걸 제게 일임하고서는 더 이상 창고에 감시를 붙이지 않았습니다. 그렇게 달이 흐르고, 또 달이 흘러갑니다. 모두가 괜찮은 상황이라 느껴지는 그때, 사건이 발생하고 말았죠. 분명 딘 씨께서도 그날을 기억하고 계실 겁니다."

"한 시간에 걸쳐 총성이 이어지던 죽음의 밤을요."

그래. 기억이 안 날래야 안 날 수 없는 밤이었다. 딘은 눈을 감지 않고도 그날을 또렷이 떠올릴 수 있었다. 처음 그 소리가 들린 건, 불면에 시달리던 소년이 신경질적으로 이불을 박차는 때였다. 뇌를 칼로 도려내는 듯한 사이렌, 사냥개와 같은 가더들의 발소리, 무수한 남녀들의 비명. 그리고, 탕. 총탄에 맞은 누군가의 피가 창문에 튀었다. 딘은 욕설과 동시에 고개를 가로저으며 황급히 커튼을 쳤다. 그리고 정확히 5초의 시간이 흐른 뒤, 현실로 돌아왔다.

"기억합니다."

그리고 딘은 잠시 시간을 두었다가 이어 말했다.

"그 이후로 일이 틀어지게 된 건가요?"

"일이 틀어졌다…, 그걸로는 부족합니다. 밥을 먹는 게 어렵다, 숨을 쉬는 게 곤욕스럽다, 집 밖으로 나가는 게 두렵다. 그런 접근으로 가야 그나마 한 가닥의 평안을 챙길 수 있죠. 내가 잘못해서 일이 틀어진 게 아니라는 마음이 불안을 가라앉혀 주니까요."

"제 기억으로는 그와 비슷한 시기에 일을 그만두신 것으로 알고 있는데 맞습니까?"

"그랬죠. 정확히는 트라우마 때문이었습니다. 도저히 일을 할 수 없었어요. 어딜 가나 혈흔이 보이더군요. 아니, 그땐 제가 오히려 핏자국을 찾는 듯한 느낌이 들었습니다. 같이 일하던 동료들의 핏자국 말입니다."

"살아남은 사람은…"

"없습니다."

1층 바닥으로 또 하나의 담배꽁초가 떨어졌다. 지난번 두 개비와는 달리, 끈기 있게, 마지막까지 타오를 줄 아는 놈이었다. 딘은 그 자리에서 바로 속도를 냈다.

"그럼, 편지가 작성된 건 그 무렵이겠군요."

딘의 예상대로 제리는 한 치의 망설임 없이 대답했다.

"네. 더는 참을 수가 없더군요. 아시겠지만, 그 일이 있기 한참 전에도 소문은 돌고 있었습니다. 시티를 빠져나간 반역자들이 여전히 시티에 있다. 그리고 그것을 실제로 본 적이 있다. 하지만, 소문은 소문이었을 뿐, 어느 한 사람도 확실한 물증을 잡아 내지 못했죠. 심지어 가더들조차도요. 그게 제겐 행운이었습니다. 저는 그들이 언제, 어느 곳으로 시티에 들어오는지를 알고 있는 유일한 사람이었으니까요."

"워블과 퓨티, 그 두 사람도 그들 중 한 명이었나요?"

제리는 고개를 저었다.

"늘 같은 사람이었습니다. 백발의 여자. 아주 키가 크고, 상당한 미인이었죠. 대화는 거의 하지 않습니다. 제가 통조림을 건네주면 그 여자는 아주 빠른 속도로 시야에서 사라졌습니다. 흰 불빛의 모든 패턴을 알고 있다는 듯이 성큼성큼 달려 나갔죠. 솔직히 표현하자면, 멋있더군요."

"일을 그만두고부터는 어떻게 하셨습니까? 저들은 그 사실을 모르고 시티에 들어왔을 텐데요."

"아, 저 역시 회사에서 나온 이후로는 보지 못했습니다. 대신에 새로 들어온 사람과 대화가 잘 통해서요. 이리저리 찔러 보던 와중에, 불쑥 물었더니 그렇게 하겠다고 하더군요. 만약 그 사람이 저를 고발했다면, 저는 아마 이 자리에 없었을 겁니다. 가더에게 팔이 분질러졌겠죠."

그에 딘은 낮게 깐 목소리로 말했다.

"그러니까, 후견인의 손을 타고 간 **편지**라는 셈이군요."

제리는 길게 한숨을 내뱉었다.

"소년의 필체를 빌린 건 제가 생각이 짧았습니다. 여기서 말을 더 해 봤자, 변명밖에 되지 않겠지요."

딘은 몸을 처음처럼 돌려 난간의 봉을 잡았다. 그리고 말했다.

"아뇨, 모두 이해했습니다. 그러나, 마지막으로 묻겠습니다. 편지의 글귀는 무슨 뜻이었습니까?"

—— 66 모자 형제

클래식과 함께한 잠은 누구에게 있어서도 세상 달콤한 밤이었을 것이다. 가게의 불은 새벽이 되어서도 꺼지지 않았다. 밤새 머무르고 있던 길가의 검은색이 점점 옅어져 갔다. 그리고, 두 사람이 기대어 있는 가게의 유리에서 엔틱한 황동색이 뿜어져 나오기 시작했다. 그것은 가게의 전부를 어우르고 있는 것이기도 했다. 퓨티와 워블은 서로에게 기댄 채 잠들어 있다. 퓨티의 품에는 녹색의 백팩이 안겨 있었고, 워블에게는 스카프가 감겨 있었다. 그리고 한 번씩 강한 바람이 불 때면 워블의 새끼손가락에서 찰그랑 소리가 났다. 가게 주인은 끝끝내 모습을 드러내지 않았다. 홀로 고고한 세계에 있기를 바라는 사람이거나, 가게 밖에서 나는 불협화음의 존재에 겁을 먹어 나오지 못하는 중이거나, 둘 중 하나일 것이다. 아마도 여자보다는 남자일 가능성이 크고, 황혼기를 지나 보낸 노인이기보다는 겉만 늙은 애늙은이이지 않을까. 1번지에서 금관악기를 판다는 건 축제가 이곳까지 번지기를 바라고 있다는 뜻일 테니. 클래식은 계속해서 흘렀다. 작곡가가 일정하게 바뀐다는 건 주인의 섬세함을 말하는 거겠지. 그리고 어제 흘러나왔던 말러의 곡이 다시 나올 무렵, 퓨티는 잠에서 깨어났다. 기시감이라고 말하기에는 모호했다. 여전히 시티는 퓨티에게 낯섦을 자아내는 곳이었으니까. 눈을 뜬 퓨티는 고개를 돌려 자신이 어디에 있는 것인지 확인했다. 그리고 오른쪽으로 고개가 돌아가려는 그때, 퓨티는 움직임을 멈추었다. 워블이 어깨 아래로 숨을 내쉬고 있었다. 퓨티는 워블을 깨울까 고민하다, 그녀 스스로 일어날 때까지 기다리기로 했다. 새벽하늘과 황동색이 더해진 워블의 얼굴은 나이를 훨씬 더 많이 먹은 사람처럼 보였다. 퓨티는 그들 중 유독 길게 뻗어 있는 주름 하나를 따라 워블의 얼굴을 눈으로 훑어 내려갔다. 주름진 피부는 굵은 바늘로 장시간 누른 것 같이 파여 있었다. 윤이라곤 찾아볼 수 없었으며, 애초에 수분이란 게 있었을까 싶을 정도로 몹시 푸석했다. 퓨티는 주름이 끝나는 마지막까지 숨을 쉬지 않고 집중했다. 그러다 문득, 워블의 잠잠하던 숨소리가 멈추어 있다는 걸 알게 됐다.

"언제 깨셨어요."

퓨티의 속삭이는 목소리에 워블은 살며시 눈을 뜨며 대답했다.

"남의 얼굴을 불쌍하단 표정으로 보기 시작했을 때부터?"

"누가요?"

"네가."

"불쌍하단 생각은 하지 않았어요."

"아니긴. 딱 불쌍한 사람 동정하는 눈이던데."

"아니에요."

"정말?"

"정말."

"아, 워블 씨. 말씀드릴 게 있어요."

"네, 말해요."

워블은 기대어 있던 얼굴을 눈치 있게 떨어뜨려 주었다. 그리고 들을 준비가 되었다는 눈으로 퓨티를 바라봤다.

"어제 장벽을 만지고 왔어요."

"무슨 뜻이에요?"

"장벽 너머에 있는 사람과 대화도 나누었고요."

"…음, 실제 이야기는 아니죠?"

퓨티는 웃으며 고개를 끄덕였다.

"미소를 보니 좋은 말을 들었나 보네요."

"네. 대부분이 격려의 말이었어요. 먼 곳까지 오느라 고생 많았다고, 시티에 돌아온 걸 환영한다고요. 그들 대부분의 목소리가 마치 레드 할아버지를 품은 듯했어요. 한없이 넓음에도 푸근함을 잃지 않은 목소리. 그런 목소리는 흔치 않거든요."

"그럼, 결심이 선 거예요?"

"네."

"잘됐네요. 나도 마침 결심이 선 참이었는데."

그 말에 퓨티는 소리 내 웃었다. 워블은 뜬금없는 웃음에 어색하게 눈동자를 굴렸다.

"사실 처음부터 정해져 있던 거 아니었어요?"

"뭐가요?"

"장벽을 넘는 일이요."

"그럴 리가요. 줄곧 고민했는걸요. 답이 정해져 있었다면 그 사람들을 두고 이렇게 나오지도 않았겠죠."

"아니요. 새끼손가락의 열쇠가 그를 증명해 주고 있어요."

"열쇠?"

워블은 열쇠가 걸린 손가락을 내려다봤다. 그 순간, 퓨티는 워블을 향해 말을 던졌다.

"저희가 타고 온 트럭이 지금 어디에 세워져 있죠?"

퓨티의 목소리는 순식간에 지나갔다. 그리고, 말을 들은 워블은 무언가를 준비하듯 조금 더 아래로 상체를 숙였다. 아마도 그렇게 솔직한 모습을 누군가에게 보이는 건, 워블에게도 참으로 오랜만의 일이었을 것이다. 주름 맺힌 살점이 잊힐 만큼 부풀어 오름과 동시에 언제고 처져 있던 입꼬리가 끝을 모르는 채 치솟아 오르는, 말하자면, 광휘로 가득 찬 여인의 향기. 워블은 그 모습을 고스란히 유지한 상태로 퓨티에게 대답을 건넸다.

"58번지. 아이를 만났던 곳."

"그것 보세요. 정해져 있었잖아요."

"그래도 너무 나쁜 사람 취급하진 말아요. 난 세상을 얻은 기분이었으니까요."

"그 아이를 어떻게 하실 생각이세요?"

"어머, 퓨티. 그건 납치범한테나 할 말 아니에요?"

"어떻게 하는 방법에 납치만 있는 게 아니니까요."

"달리 일을 꾸밀 생각은 없어요. 그냥 그들 속에 있을 거예요."

퓨티는 자세를 고쳐 앉았다. 그리고 다시 물었다.

"말씀해 보세요. 어떻게 하실 생각이신지."

"우선은 그곳으로 돌아가도록 해요. 이야기는 그다음에."

워블은 몸을 일으켰다. 그녀가 일어난 자리에서 찰그랑 소리가 울렸다. 퓨티는 승자가 된 양 미소 띠며 백팩을 어깨에 걸쳤다.

"웃지 말아요."

워블이 일어나는 퓨티의 머리를 톡 치며 말했다. 그리고 워블은 이대로 발을 떼는 게 아쉬운지 가게 내부를 힐끔 훔쳐봤다. 아마도 사람 행색을 한 누군가를 워블이 발견했더라면, 그녀는 당장 떠나기를 마다했을지도 모른다. 퓨티는 가게의 블록에서 내려와 워블의 팔을 당겼다. 그래요, 워블이 말했다. 길은 조용했다. 저 멀리 장벽 아래 그늘진 곳을 제외하면 모든 건물이 남청색으로 보였다. 온도는 초가을쯤의 쌀쌀함이 느껴지는 정도. 워블이 블록에서 내려오자 퓨티는 자연스럽게 워블의 손을 잡았다. 그리고 처음과 같이 두 사람은 1번지를 걷기 시작했다. 퓨티의 화두는 길을 걷는 한동안에도 트럭 열쇠에 있었으나, 워블은 언제나 비슷한 대답을 내놓을 뿐 다른 말은 하지 않았다. 그 대화가 끝나고부터는 설명의 시간이 이어졌다. 워블은 퓨티에게 알고 있는 모든 것을 알려 줬다. 퓨티의 눈길이 닿는 곳이면, 워블의 목소리가 뒤따랐다. 특히, 길가의 가로등이 꺼지는 순간, 퓨티는 어느 때보다 놀란 모습을 보였다. 그 부분에 있어서는 워블도 그랬다. 그녀 역시 이제야 깨달은 듯했다. 가더들이 철수한 지 한 달이 넘어가는 지금, 어째서 그들은 아직도 전기를 공급하고 있는 걸까. 그때부터 워블은 말을 아꼈다. 퓨티는 워블이 그처럼 변하자, 더 이상 질문을 건네지 않았다. 그러나 퓨티는 관찰을 계속했다. 퓨티는 작은 물건보다 큰 물건에 관심이 있었다. 이를테면 주택, 자동차, 유리, 도로, 시계, 간판. 그리고 퓨티는 곧잘 적응해 나갔다. 하나 아쉬운 것이 있다면, 58번지에서 1번지까지 오는 길에 잠을 자고 있었다는 것, 그게 아쉬웠다. 퓨티는 입을 앙다물며 그 사이에 있을 법한 것들을 상상했다. 워블에게 묻고 싶은 마음이 굴뚝 같았지만, 워블은 아직도 변한 모습에서 되돌아오지 못하고 있었다. 그리고 어느덧 길이 밝아졌다. 워블의 왼편으로 커다란 시계탑이 서 있었다. 퓨티는 워블을 힐끔 쳐다보고는 한 번 더 눈을 돌려 탑을 올려다봤다. 숫자는 얼핏 읽을 수 있었다. 퓨티는 소리 내 말했다.

"5에 하나, 1에 하나."

"아니다. 2에 좀 더 가까운 건가?"

"아아 영 모르겠네. 이럴 줄 알았으면, 그냥 덤덤하게 있을걸."

"그래, 괜히 호들갑을 떨었어. 사실은 그다지 놀란 것도 아니었는데 말이야. 보여 주기식 엉덩방아 한 번에 사람이 입을 다물 줄 누가 알았겠어. 상상도 못 했다, 정말."

워블의 입꼬리는 아아− 하는 퓨티의 탄식서부터 이미 움직거리고 있었다.

"1인극이라도 하는 거예요?"

워블이 참던 웃음을 한 번에 터뜨리며 말했다.

"제가 뭐 하려고요. 보는 사람도 없는데."

"잠시 생각할 게 있었어요. 삐치지 말아요."

"무슨 생각을 그리 골똘히 하셨는지 설명해 주시면 풀게요."

그 말에 워블은 걸음을 멈춰 세웠다.

"이상한 게 있어서요."

"구체적으로 말씀하시면, 제가 못 알아들을까요?"

"네."

"약소하게 알려 주시면요?"

"약소라는 단어도 알아요?"

"마토 씨네 심부름을 가면 책을 종종 읽었거든요. 대부분이 전문 서적이라 볼 수 있는 건 몇 없었지만."

그에 워블이 이해했다는 얼굴로 말했다.

"그래서 그가 소설 이야기를 꺼냈을 때 흥미를 가졌던 거군요? 그들은 상대적으로 읽기가 수월한 책이니까요."

퓨티는 홈과 사형대에 갔던 그날이 떠올라 기분이 오묘했지만, 부정하지는 않았다. 퓨티가 고개를 끄덕이자 워블이 말을 이었다.

"어디 보자, 그럼 나도 그와 비슷하게 설명해 볼게요."

그리고 그때, 키가 무척이나 큰 사내 둘이 길모퉁이에서 튀어나왔다. 워블은 즉시 퓨티를 길의 안쪽으로 옮겼고, 숨을 죽인 채 퓨티의 손을 놓았다. 한 명은 흰색 모자를 깊게 눌러쓰고 있어 얼굴이 보이지 않았지만, 다른 한 명의 얼굴은 분명히 알아볼 수 있었다. 눈 밑에 검은 칠을 진하게 그려 있는 사람이었다. 장신인 사람답게 그들의 보폭은 널찍했다. 이쪽에서 조심성을 떠어도 금방 거리가 좁혀질 만한 속도였다. 조금만 더 있으면 스쳐 지나갈 거리가 되었다. 워블은 조금 더 퓨티를 안쪽으로 밀어 넣었고, 몸으로 밀침과 동시에 나지막이 속삭였다.

"가만히 따라와요. 절대 아무 말 하지 말고요."

모자를 쓴 사람이 워블을 슬쩍 보더니 도로에 대고 침을 퉤 뱉었다. 그리고 동행 중인 남자의 옆구리를 쿡쿡 찌르며 소곤거렸다. 목소리가 어찌나 낮은지 미세한 진동을 제외하면 어느 글자도 알아들을 수 없었다. 이제 세 걸음이면 닿을 거리가 되었다. 퓨티는 워블의 신발을 보며 걸음을 맞추었다. 두려움이 들진 않았다. 상황 자체를 이해 못 한 것도 있었지만, 워블의 걸음이 너무도 당당했기에 퓨티는 안심을 느꼈다. 그리고, 모자를 쓴 사내와 워블의 어깨가 스치듯이 부딪히며 지나갔다. 워블은 걸음을 멈추지 않았다. 그러나, 뒤에서 목소리가 들려왔다.

"아ー 역겹게."

검은 칠을 한 사내가 말했다. 그 소리를 들은 워블은 퓨티를 앞쪽에 내버려둔 채 홀로 뒤돌아 대꾸했다.

"조용히 가던 길 가도록 해요. 우린 짐승들과 어울릴 시간이 없는 사람들이니까."

"어이, 늙은이. 다시 말해 봐."

언성이 높아지자, 그를 기다렸다는 듯이 모자 쓴 사내가 앞으로 걸어 나왔다.

"짐승은 그쪽 두 사람이 아닌지요?"

여전히 입술 위로의 얼굴은 그늘에 가려져 있었다.

"무슨 근거로 그런 말을 하는 거죠?"

"근거라. 보통 사람 같았으면 근거를 논하지 않았겠죠. 우릴 정신 나간 사람 취급하며 제 갈 길을 갔을 겁니다. 그러나, 당신께선 근거를 대령하라고 하시는군요. 이게 무슨 말인지 이해되십니까."

퓨티는 사내의 말을 정확히 이해했다. 워블이 고개를 숙이라고 한 것도, 당당하게 저들을 상대하던 워블이 한순간에 벙어리가 돼 버린 것도, 모두. 그리고 퓨티는 지난밤, 페퍼의 목소리가 들렸다.

'그랬던 자기 동료들이 모두 증발해 버렸대요. 거짓말이겠죠?'

—— 67 마스와 택시기사

마스의 움직임은 한 마리의 바퀴벌레 같았다. 품위 있게 지휘봉을 휘두르며 모두를 통제하던 모습은 찾아볼 수 없었다. 그리고 보이는 그 모습 그대로 배포까지 변한 듯 보였다. 가게 바닥에 흩어져 있는 유리 조각이 작은 소리를 내는 때면, 그의 턱시도가 크게 흔들거렸다. 마스는 흰 장갑을 입에 꽉 문 채 수시로 뒤를 돌아봤다. 간혹 자동차의 클랙슨이 가까이에서 울릴 때면 그의 그러한 행동은 더욱 심화되었다. 잡화점의 조명이라고는 작은 매입등이 전부였다. 곡류를 담는 용도로 쓰일 법한 상아색의 보따리엔 이미 먹을 것들이 가득 채워져 있었다. 보따리의 용량은 그렇게 크지 않았다. 보통 체격을 가진 마스의 등판을 가까스로 가릴 정도의 크기였다. 마스는 이 일을 자진해서 도맡았다. 남을 못 믿는 성격과 완벽주의 성향을 지닌 마스에게 도둑질은 너무도 쉬운 일이었다. 그리고, 악단 내 사람들 중에서 마스처럼 빈 가게를 잘 찾는 사람이 없었다. 아마 축제를 처음 벌였던 무렵, 골목 구석구석까지 침범하여 사람들을 포섭했던 기억의 기여가 클 것이다. 마스는 보따리를 앞으로 끌어안았다. 입에 문 장갑이 정확히 보따리의 입구에 얹혔다. 그리고 여느 도둑처럼 마스는 가게를 빠져나왔다. 그때쯤 길가에 있는 가게들의 조명이 켜지기 시작했다. 그를 지나는 마스의 표정은 가히 압권이었다. 본인은 여전히 화폐에 대한 믿음이 있고, 지금 내 앞에 있는 것이 그 증거입니다, 라고 말을 하는 것 같달까. 마스는 도로 가까운 곳으로 걸음을 옮겼다. 저 멀리서 택시 한 대가 다가오고 있었다. 마스를 본 택시는 곧장 핸들을 틀었다. 마스는 인상을 찌푸렸다. 마스 앞에 선 택시는 그 자리에서 조수석 창문을 내렸다. 검은 선글라스에 그을린 얼굴. 낯이 익다. 마스는 떨떠름한 표정으로 허리를 굽혔다.

"목적지."

기사가 말했다. 그를 들은 마스의 인상이 더욱 안 좋아졌다.

"택시 맞습니까?"

마스가 장갑을 뺄으며 물었다.

"왜, 어디 파시스트라도 돼 보이나?"

"저는 단지 택시가 맞는지를 물었습니다만."

기사는 대답 대신 손으로 미터기를 가리켰다. 마스는 힐끔 보고는 말없이 조수석의 문을 열었다. 기사는 마스의 품에 있는 보따리엔 관심이 없어 보였다. 역시나 그는 손님의 옷차림에 관심이 있는 사람이었다.

"연주자인가?"

마스가 문을 닫자, 기사가 질문했다.

"비슷합니다."

그리고 마스는 뒷좌석으로 고개를 넘기며 말했다.

"내부는 멀쩡하군요."

기사는 코웃음 쳤다.

"당연한 소릴. 제아무리 대단한 장난질이라도 잠긴 문을 뚫지는 못해. 게다가 이건 장난 축에도 못 껴. 알잖아?"

"저를 안 좋은 사람으로 보고 계시겠군요."

"아니, 자네 같은 사람은 양반이야. 보아하니 악단과 관련 있는 사람인 것 같은데, 맞나?"

마스는 쉽게 대답하지 않았다. 숨을 참고 있는 걸로 봐서 아마 그는 생각 중일 것이다.

"말하고 싶지 않으면 그만두게. 기껏 태운 손님을 잃으면 나만 손해니."

"17번지."

"17번지?"

"예. 17번지로 부탁합니다."

기사는 미터기를 켰다. 그리고 양손을 핸들 위에 올리며 말했다.

"가까워도 너무 가깝군. 이야기를 듣고 싶었는데 말이야."

"천천히 가셔도 됩니다. 저도 이 택시에 흥미가 생겨서요."

"오, 그래? 그거 아주 잘됐군. 반가운 소리야."

그러던 중, 마스가 무언갈 발견하고는 말했다.

"그런데, 지도는 보지 않으십니까?"

기사는 사이드미러를 주시하며 대답했다.

"다 불필요한 것들이야. 오히려 차만 무거워질 뿐이지. 내 택시는 그래야만 해. 난 가벼운 인생을 추구하거든."

마스는 장갑과 보따리를 다리 사이에 내려놓으며 말했다.

"그러시군요. 사실 기사님의 얼굴을 봤을 때 느꼈습니다. 회사의 차량을 손수 저렇게 만들 인물은 아닐 것 같다고요."

"그렇고말고. 밤사이였을 거야. 나는 평소처럼 암막커튼을 치고 있던 터라 바깥에서 무슨 소동이 일어난 줄도 모르고 있었지."

"그게 첫날이었습니까?"

마스의 말을 들은 기사는 슬그머니 고개를 오른쪽으로 돌렸다. 아무래도 조수석에 탄 사람이 그날의 장본인이라는 걸, 셈이 빠른 기사는 눈치를 챈 것이 아닐까.

"그래, 빌어먹을 날이었지. 야단도 그런 야단이 없었어. 모두가 깨지고, 부서지고, 제자리에 온전히 붙어 있는 게 없었으니까."

"그날의 출근길은 정말 비장했어. 통 큰 각오를 했거든."

"각오라고 하시면?"

"내 퇴직금 전부를 회사에 투척할 각오."

마스는 눈을 부풀리며 놀란 표정을 지어 보였다.

"퇴직금을 반납할 각오를 하셨는데, 여전히 일을 하고 계시네요. 그 일이 있었던 지도 벌써 기간이 꽤 됐는데. 일이 잘 풀린 겁니까?"

거기서 기사는 공기 빠진 풍선 같은 소리를 내며 대답했다.

"그날 회사 주차장에서 뭘 본 줄 아나."

"글쎄요. 다들 기사님과 비슷한 처지였을 것 같습니다만."

"아니, 반대야."

마스의 눈썹이 움찔거렸다.

"모두가 멀쩡했어. 나 하나, 나 혼자만이 무참하게 짓밟혔더군. 연극과도 같은 비극이지. 한 명의 희생으로 모두에게 웃음을 줄 수 있으니. 그 광경에 난 공황이 왔다네. 왜일까. 왜 내 택시만 이런 짓을 한 걸까. 이유가 없나? 단지 우연일 뿐인가? 별별 생각이 머릿속을 휘저었지. 그러던 중에 무리 사이에서 조용히 보스가 다가오더군. 모두의 이목이 나와 보스를 향해 집중되었어. 그때의 감정을 말로 표현하자면, 마치 수사자 한 마리가 내 살점을 물어뜯고 있는 하이에나들을 몰아내기 위해 나타난 것 같았달까."

그리고 기사는 숨을 고르며 계기판을 힐끔 확인했다. 본인 이야기를 했으니, 마스의 이야기를 들을 시간을 얼추 계산하는 듯했다.

"재밌었나?"

기사가 속도를 줄이며 물었다.

"재밌었습니다."

마스가 대답했다. 그리고 물었다.

"해답은 찾으셨습니까?"

"해답? 무슨 해답."

"기사님의 차량만 더럽혀진 이유."

"아니, 찾지 않았네."

그리고 기사는 당시를 회상하는 듯한 얼굴로 말했다.

"찾을 이유가 없었지."

"왜죠?"

"회사가 좋아했거든."

"책임자를 말씀하시는 건가요?"

"그래, 책임자. 내가 말했던 보스 웃기지 않나?"

기사의 말에 마스는 무던한 말투로 대꾸했다.

"둘 중 하나일 겁니다."

"현명한 사람이거나, 겁에 질린 사람이거나."

"겁이라, 겁이란 표현은 좀 섬찟하군. 마치 내가 태우지 말아야 할 손님을 태웠다는 말처럼 들려."

"그럴 리가요. 그런 속뜻은 조금도 없었습니다. 그냥 제가 그 책임자였으면 마음이 어땠을까, 생각해 봤을 뿐입니다."

"자네가 책임자였으면 겁에 질렸을 거란 이야기인가?"

"아무래도 그랬겠죠. 가더의 철수, 집단이 된 사람들, 어딜 보나 전쟁의 징조 아닙니까?"

　기사는 목이 타는 듯 침을 꿀꺽 삼켰다. 그리고 남은 침으로 자신의 마른 입술을 적셨다. 겁과 징조, 두 단어에 기사는 대화의 주도권을 완전히 상실했다. 그 뒤로는 마스의 시간이었다. 마스는 조금의 빈틈도 없이 기사의 말문을 틀어막았다. 마스는 말했다. 자신은 다수를 휩쓸 급류를 한 방향으로 조정하는 데 음악만 한 것이 없을 거라 확신했고, 그렇기에 누구보다 빨리 지휘봉을 차지한 한 사람이 될 수 있었다고.

　"원래도 그쪽 일을 하던 사람이었나?"

　라는 기사의 물음에 마스는 이렇게 대답했다.

　"지휘봉이란 물건이 그다지도 가벼운 물건인 줄 몰랐습니다."

　"허, 그거 대단하군."

　"대단한 건 제가 아닙니다. 오른손에 들려 있는 지휘봉이죠."

　그리고 마스는 품 안에 있는 막대를 왼손으로 툭툭 건드렸다.

　"사실은 말이야."

　기사가 말했다.

　"말씀하십시오."

　"근래에 아주 재밌는 손님을 태웠었어."

　"재미라면, 어떤?"

　"안개가 자욱했으니 아마 30이 조금 더 되는 번지였을 거야. 껑다리 사내놈 하나와 키가 작은 꼬마 손님이었지."

　"특이한 게 있었나요?"

　"특이하기보다는 희귀함에 가까워. 그런 요구를 하는 손님은 내 택시 인생에 처음 봤거든."

　마스는 대꾸 없이 기사를 흘겨봤다.

　"1번지로 가자고 하더군. 아무런 부연도 없이 딱 그 말만 했어."

　"1번지요?"

　"그래. 원래라면, 귀빈 대접을 해 줬을 거야. 거기까지 가는 운행료만 계산해 봐도 그렇지. 두 달 치 실적은 채우고도 남으니까. 그런데, 느낌이 좀 이상했어. 딱히 행색이 추레하거나 한 것도 아니었는데 말이야. 어째선가 1번지에 사는 사람이 아닌 듯 보였지. 그래서 물어봤다네. 직업이 무엇이냐고."

기사는 다시 생각해 봐도 우습다는 듯 홀로 웃었다. 그리고 마스를 곁눈질로 쳐다보며 어서 대꾸하라는 눈빛을 보냈다.

"직감이 맞으셨군요."

"정확해! 그들이 자신을 뭐라고 표현했는지 아나? 장사꾼이라고 하더군. 사실 그 뒤로의 말은 제대로 듣지도 않았어. 꼬마의 거짓말은 나름 그럴싸했지만, 사내놈 얼굴이 죽상이었 거든."

"그리곤 어떻게 됐습니까?"

"나야, 뭐, 계속해서 운전을 했다네. 거리가 길었지. 날이 어둑해지자, 꼬마는 잠이 들었 고, 그때부터 제대로 된 이야기를 나눌 수 있었던 것 같아. 사내놈이 뭐랄까, 아무리 내려 쳐도 여간내기로는 보이지 않았거든. 자네가 봐도 그렇게 느꼈을 거야. 초짜가 아니었어. 분야가 어느 쪽인지는 알 수 없었지만 말이야."

그에 마스는 창문을 살짝 내리며 말했다.

"저 또한 그런 사람을 좋아합니다. 한 방이 있죠. 악단을 꾸리기 전에는 잘못 내린 정의 인가 하는 생각을 했습니다. 그러나, 저만의 악단이 생기고, 사람들을 취합하는 경험이 쌓이고 나니 확신이 생기더군요. 급변하는 상황에서 살아남는 사람은 속한 무리가 있거나, 조용히 무리를 주시하는 사람이라는 것을. 아무래도 기사님이 보신 분은 후자이지 싶습 니다."

마스의 단호한 결론에 기사의 미간으로 주름이 잡혔다.

"그나저나 궁금하군요."

마스가 말했다.

"뭐가?"

"30번지에서 1번지까지의 운행료."

"돈?"

"예. 꽤 나왔을 것 같아서요."

그리고 마스는 그 뒤로 들으라는 듯이 중얼거렸다.

"…그 돈이면."

"돈은 받지 않았네."

기사는 마스를 향해 고개를 돌리며 재차 확인시켜 주었다.

"돈은 받지 않았어. 얘기했잖나. 여간내기로 보이지 않았다고."

"그것과 운행료는 별개의 문제 아닌지요."

"자네는 여전히 화폐의 가치를 믿나?"

"조폐를 뜻하시는 겁니까."

"잘 알아듣는군. 그래, 맞아."

"저는 아직 믿습니다. 그래야만 한다는 생각도 가지고 있죠."

기사는 피식 웃었다. 그리고 선글라스를 살짝 내리며 음흉한 얼굴로 마스의 목덜미를 노려봤다.

"거기서 조금만 더 목소리를 깔았더라면 깜빡 속았을 거야."

그 말을 들은 마스는 재치 있게 대꾸했다.

"제가 거짓말을 하였나 보군요?"

"하나 더 맞혀 볼까."

"그러시죠."

"자네 가랑이 사이에 있는 보따리, 돈을 내고 받은 것 같진 않군. 어떤가."

어색한 웃음소리가 이어졌다.

"하하하…"

그리고 아마도 순수하게 그를 놀리기 위한 말이었을 것이다.

"이번엔 진실이군."

"맞습니다. 제 단원들을 위한 음식이죠. 오늘 밤, 공연이 예정돼 있거든요. 트러블이 생겨서 하나 있던 트럼펫 연주자가 빠져 버리긴 했지만."

"그렇지 않아도 그대들의 소문을 들었네. 듣자 하니, 자네 같은 무리가 총 세 개가 있다고 하더군. 자세한 사정을 알진 못하지만, 세 무리 모두 약속한 시각에 각기 다른 장르의 곡을 연주한다고."

"세세하게 따지면 차이가 있을 순 있습니다만, 그렇게 다르지는 않습니다. 그리고 그를 알고 있다고 하시니 참고삼으시라고 말씀드리는 건데."

말을 멈춘 마스는 내려놓은 창문을 올렸다. 그리고, 좌우를 살피며 완전한 침묵의 상태라고 느껴질 때쯤, 입을 열었다.

"제가 첫 번째입니다."

"나머지 두 악단은 저로부터 떨어져 나간 부산물들일 뿐이죠."

"오호."

기사의 무심한 듯한 대꾸에도 마스는 이어서 말을 했다.

"두말할 것도 없는 사실입니다. 하나 같이 어찌 그리도 창의성이 없는지. 그리고 시각 같은 걸 약속한 적도 없습니다. 모두 저희 '피리 부는 소년'을 따라 하는 것일 테죠."

"피리 부는 소년?"

"제가 이끄는 악단의 이름입니다."

"작명 한번 좋군."

"원작이 따로 있습니다. 세상이 아직 살기 좋았을 때 그려진 그림이죠. 군악대의 소년을 세워 놓고 그린 유화입니다."

"그림을 좋아하나?"

"예, 하지만 그것도 벌써 한참 전의 이야기군요. 구역에 알파벳조차 붙어 있지 않았던 때이니. 10년쯤 되었으려나요."

"17번지라고 했었나?"

기사가 미터기를 슬쩍 보며 물었다.

"도착했습니까."

"글쎄. 선글라스를 끼고 있으니 표지판의 숫자가 침침하게 보였어. 17이 지나간 게 맞나. 확신 못 하겠는데."

마스는 기사의 말에 호응했다.

"저 역시 보지 못하였습니다. 대화에 너무 집중한 나머지."

"그래? 이를 어쩐다."

"저는 이 차의 기사가 아니니 길을 정할 수 없습니다. 기사님께 달렸죠. 이대로 차를 세우시든지, 아니면 지금껏 하시던 대로 같은 길을 맴도시든지요."

그리고 마스는 말을 끝맺었다.

"아무래도 이다음 공연 장소는 기사님께 달린 것 같습니다."

—— 68 제리의 변명

"너희라는 단어는 확실히 악에 받쳐 사용한 문구입니다. 변명의 여지가 없죠. 당시에는 눈이 돌아가 있었으니까요. 옳고 그름의 판별은 제게 중요하지 않았습니다. 설령 그것이 억지일지라도 접점을 찾기만 하면 되었죠. 눈을 뜨고 있는 매 순간 화가 났습니다. 아주 사소한 순간에서도요. 머리로도 모자라 손과 발까지로 뻗어나가는 화는 제가 굴복할 상대로 충분하고도 남더군요. 그리고 깨달았습니다. 이와 같은 몸 상태가 지속된다면 나는 제명을 미처 채우지 못하고 죽겠구나, 라고요. 한 번 죽음을 떠올리니 그 뒤는 자연스럽게 따라붙더군요. 두려움에 절어 있던 머리가 드디어 움직이기 시작한 겁니다. 목표를 세우고, 실행할 일들을 노트에 적어 나갔습니다. 처음부터, 보풀 하나 놓치지 않았죠. 맨 처음 실행한 것은…"

제리는 순간 목이 멘 듯 말을 멈췄다. 그리고 딘이 계단으로 향하자, 무엇을 하기 위한 발걸음인지 안다는 사람처럼 그의 뒤를 붙잡았다.

"물은 괜찮습니다. 사레가 들린 것뿐이에요."

딘은 헛웃음을 터뜨리며 물었다.

"어떻게 아셨습니까?"

"딘 씨는 다정하신 분이시죠. 또, 새로이 아침을 맞은 차고의 공기가 어떤지를 아시는 분이기도 하고요. 그러니까, 저를 위해 물을 가지러 가는 것이겠구나, 쉽게 유추할 수 있었습니다."

"정말이지 대단하시군요."

그에 제리가 딘이 기대어 있던 난간으로 몸을 옮기며 말했다.

"아양 떠는 것 하나로 1번지까지 기어 온 사람이니까요. 바다를 빌려 표현한다면, 저는 망망대해의 돛단배입니다. 형태 없는 모든 풍파를 겪어 봤죠."

"아양이란 표현을 쓴 것에 있어서는 다시 한번 사과드립니다."

제리는 손사래 쳤다. 그러고는 꽁초를 떨어뜨렸던 1층을 내려다보며 숨과 함께 말을 길게 뱉어냈다.

"틀린 표현도 아닙니다. 그리고, 안 좋았던 일들에 대한 화해는 이미 서로 끝마쳤잖습니까. 물론 좀 더 나은 상황으로 흘러갈 수도 있었다고 생각은 합니다만, 지나간 시간은 지나간 시간이지요. 긴장이 저희를 뒤덮고 있었고, 불안이 온몸을 휘감고 있었으니까요. 저였어도 그랬을 겁니다."

그리고 제리는 고개를 돌려 딘을 바라보았다.

"아, 잡설이 길어졌군요. 이어서 말을 하겠습니다. 제가 처음으로 실행한 것은 동료들의 이름 작성이었습니다. 함께 담배를 피웠던 사람, 함께 밥을 먹었던 사람, 함께 담소를 나눴던 사람. 이름을 적으니 그들이 꿈에 나오더군요. 아주 건강하고, 멀쩡히 살아 숨 쉬는 모습으로요. 꿈을 꾸는 순간만큼은 즐거웠습니다. 하지만, 눈을 뜨는 그 순간은 지옥이나 다름없었죠. 그래, 다들 죽었지. 다시 죽음이라는 단어가 머릿속에 채워집니다. 그런 생활이 이어지다 보니 실제로 죽음이 보이는 것처럼 느껴지더군요. 언제, 어디서나, 그들의 혈흔이 보였습니다. 앞서 말씀드린 트라우마죠. 저항 한 번 하지 못하고 죽었을 게 뻔한 그들의 모습이 눈앞에 그려져, 시간이 흐를수록 저의 환시가 악화되었고, …뭐, …결국은 이런 겁니다."

딘은 조심스레 제리의 앞으로 한 걸음 다가섰다.

"무엇입니까?"

제리는 다시 담배 케이스로 손을 가져갔다. 손이 떨리고 있었다. 특히 검지 쪽의 떨림이 유독 심했다. 제리는 두어 번 담배를 놓치다, 결국은 안 되겠는지 얼굴을 가까이 가져다 대어 입술로 담배를 물었다. 그리고 손바닥 뒤로 불꽃이 일었다. 창문을 통해 들어오는 얇은 빛줄기에, 앞서와 같은 어둠이 보이지는 않았다. 대신에 연기가 퍼지는 곳으로 노랗게 변한 먼지가 아른거렸다. 제리는 그를 멍하니 바라보다 고개를 아래로 떨구며 길었던 변명을 마쳤다.

"자책감, 분노, 투쟁심."

"지금은 괜찮으신지요."

"편지를 보낼 때의 저와 지금의 저를 말씀하시는 거라면, 예, 괜찮습니다. 완전하지는 않지만, 아무래도 조금은 무뎌졌죠."

그리고 제리는 담배를 쥔 손을 배꼽 아래로 내리며 말했다.

"충분한 변명이 되었을까요."

딘은 제리를 보며 고개를 끄덕였다.

"충분합니다. 모호하던 짝이 맞추어졌달까. 제리 씨께서 그 같은 편지를 쓴 이유와 시티 밖 사람들을 보험이라고 말씀하셨던 것이."

"이젠 제가 보험이라고 표현한 것을 사과할 차례인 것 같군요."

"아뇨, 괜찮습니다."

그 말에 제리가 고개를 비스듬히 기울이며 물었다.

"화를 내지 않으셨던가요?"

"그때는 몰랐으니까요. 제리 씨께서 그들에게 선함을 베풀었다는 것과 일을 그만두시게 된 구체적인 까닭까지. 모두."

딘의 말에 제리는 쓸쓸한 표정으로 재를 털었다. 그 모습에 딘은 잠시 망설임이 들었지만, 입술을 한 번 깨물고서 말문을 뗐다.

"실례되는 질문입니다만, 한 가지 이해가 되지 않는 것이 있습니다."

"편히 물어보시죠."

"제가 알기로는 그날 밤, 탈출을 감행했던 사람들 대부분이 시티로 들어오는 58번지의 끝자락에서 죽임을 당한 것으로 알고 있는데, 통조림 창고와는 어느 정도 거리가 있는 곳이 아닌지요?"

"맞습니다. 도망자들의 비명이 들리기에도 거리가 있는 곳이죠."

제리의 대답에 딘은 빠르게 말을 이었다.

"그 이유를 알아보셨습니까? 왜 하필 창고에 일하는 사람들만을 추려 내 따로 학살하였는지."

"그게 제 두 번째 일이었습니다. 이유를 찾는 것."

제리는 다시 담배를 입에 물었다.

"정말이지 쉬운 일이 아니더군요."

"그랬을 것 같습니다."

"어딜 가나 위축된 사람들밖에 보이지 않았거든요. 평소라면 반가이 인사를 나눴을 절친한 친구조차도 땅을 보며 걸음을 내밟더군요. 마치 죽은 사람처럼. 이후에 그 친구의 아내와 딸이 죽었다는 소식을 들었지만, 저로서는 줄 수 있는 게 없었죠. 게다가 시간이 흐를수록 사건의 행방은 점점 더 어둠 속으로 멀어져 갔습니다. 무자비하게 총질을 휘갈기던 가더들은 피 묻은 손을 고스란히 흔들며 거리를 걸어 다녔고, 그를 볼 때마다 저는 쪼그라들었습니다. 인간이기에 어쩔 수 없이 차오르는 본능적인 공포심이었다고, 그러니, 나의 위축 또한 당연한 것이라고, 매일 밤 최면을 걸었죠."

던은 심하게 떨리는 제리의 손을 동정의 눈으로 바라봤다. 그리고, 그의 감정에 해가 되지 않을 정도의 작은 목소리로 말했다.

"분노와 자책감이 그때부터 시작되신 거군요."

"…예."

"왜 진작 말씀하시지 않으셨습니까? 그러니까 제 말은, 페퍼 씨에게 말입니다. 두 분은 보다 각별한 사이로 알고 있었는데요."

제리는 소리 내 웃었다. 수염에 침이 묻을 만큼.

"그녀는 이제 너무 말이 없어요. 언제부터인가 자기주장마저도 할 줄 모르는 사람이 되어 버렸죠. 그런 사람에게 속마음을 턴다는 것이 썩 내키지 않더군요. 내가 내 얘기를 한들 무슨 소용이 있나, 이 사람은 듣기만 하는데, 라고요."

"그럼, 그런 그녀를 이끌고 1번지까지 올라온 이유는 왜죠?"

던의 물음에 제리는 미소를 띠며 물었다.

"정말 몰라서 물으시는 겁니까?"

던은 입꼬리를 살짝 올리며 고개를 저었다.

"한때 저의 속사정을 모두 품어 준 유일한 여자입니다. 정말이지 귀한 사람이에요. 첫 만남부터, 처음으로 잠을 잔 그 순간까지, 그녀는 이야기를 멈추지 않았습니다. 세상의 온갖 사랑을 받고 자란 듯한 얼굴과 어울리는 성격이더군요. 58번지에 배정받은 것을 부끄러워하지 않으며, 화를 내야 하는 때와 화를 참아야 하는 때를 분간할 줄 아는 사람이었습니다. 그것 하나만으로도 매료되기 충분했죠."

그에 던은 물었다.

"그랬던 페퍼 씨가 갑자기 변하게 된 계기가 있습니까?"

제리는 담배 연기를 한숨과 함께 내뿜으며 대답했다.

"그녀는 갑자기 변하지 않았어요. 갑자기 변한 건 아니지만, 그 원초가 이유를 찾는 일부터였던 것만은 확실합니다."

"이유? 통조림 창고 말씀이신가요."

"예, 맞습니다. 거기서부터 저희 둘을 둘러싸고 있는 모든 톱니바퀴에 흠집이 나기 시작했죠. 마음을 다잡고 일을 시작할 때만 하더라도 58번지의 그 누구보다 힘이 차 있었습니다. 길가를 서성대는 가도, 항시 누군가를 겨누고 있는 듯한 그들의 총구도, 두렵지 않았죠. 오히려 모든 걸 내려놓은 듯 보이는 시민의 얼굴을 보는 것이 고역이었습니다. 그렇게 추적의 나날을 보내다 남자인 제가 먼저 힘이 빠지기 시작했고, 그때부터 페퍼는 저와의 거리를 벌리기 시작하더군요."

그리고 제리는 필터까지 검게 타 버린 담배를 손가락으로 멀리 튕기었다. 손이 아직까지 심하게 떨리고 있었다. 딘은 코트의 주머니에서 다비도프 클럽 하나를 꺼내 제리에게 내밀었다. 그를 본 제리는 고맙다는 제스처를 취한 뒤, 여전히 자신이 한심스럽다는 얼굴로 그에 불을 붙였다. 딘은 뒤따라 같은 것을 입에 물었다. 그리고, 직전에 지나간 제리의 표정을 머릿속에 저장했다. 의식이 시켜서 한 일은 아니었다.

'언젠가 써먹을 수 있을 거야.'

무의식이 말했고, 딘은 그것을 따랐을 뿐이었다.

"그럼에도 제리 씨를 여기까지 따라온 것은 믿음이 있어서가 아닐까요."

"믿음이라, 글쎄요. 잘 모르겠습니다. 사실 펍에 모이는 날까지도 거의 말을 섞지 않았거든요. 섹스는 물론이고요. 여러 차례 변화를 시도해 봤지만, 달라지는 건 없었습니다. 특별한 거라고는 없는 일상의 연속이었죠. 아침 9시에 일어나 화분에 물을 주고, 창을 열어 전날의 공기를 내보내고, 실로 공허한 아침 식사를 식탁에 마주 앉아 입 안으로 집어넣습니다. 인사는커녕 눈조차 마주치지 않죠. 그리고 그것이, 해가 있을 때 볼 수 있는 그녀의 마지막 모습입니다."

"그리곤 곧장 차고로 오시는 거군요."

"예, 그런 셈이죠."

"그런 사정이 있는 줄은 전혀 몰랐습니다. 지금껏 본 페퍼 씨의 모습은 옛날과 다름없어 보였거든요. 여전히 꿈을 품고 계신 눈망울이 아름다우셨죠."

그에 제리가 가라앉은 목소리로 말했다.

"꿈이라…, 아직도 품고 있을까요."

"네. 예전에 본 눈과 정확히 같으셨어요."

"허허. 그렇게 말씀해 주시니 안심입니다. 감사함도 들고요. 더군다나, 딘 씨의 관찰력은 타의 추종을 불허하는 수준이시니까요. 눈을 감고 떠올리시는 신비로움에 가까운 기억력도 한몫하시죠."

딘은 보일 듯 말 듯 한 미소를 띠며 말했다.

"너무 걱정하지 마세요. 다 잘될 겁니다. 저희가 조금 전 서로의 오해를 풀었듯이 말입니다."

제리는 고개를 끄덕이며 난간 아래로 숙이어 있던 몸을 돌렸다. 수심 있던 얼굴이 조금은 풀린 듯 보였다. 줄곧 이어지던 딘의 추궁에 힘이 들어가 있던 어깨도 마찬가지.

"이것 참 괜찮은 시가이군요. 장벽에 올라, E구역의 경치를 눈에 담으며, 피우면 아주 환상이겠습니다."

제리가 회색빛으로 길게 매달려 있는 재를 난간의 손잡이에 부드러운 손놀림으로 떨어뜨리며 말했다. 딘은 제리의 말에 만 퍼센트 동의했다. 그리고 코트 주머니에 손을 넣어 마지막 하나가 담겨 있는 케이스를 비밀스러운 손길로 문질렀다.

"제리 씨."

"예."

"괜찮으시다면, 했던 질문을 다시 한번 여쭤봐도 되겠습니까?"

"그러시죠."

제리는 아마 양보한 것일 테다. 딘이 질문할 거라곤 뻔한 거였으니. 그러나, 딘도 이미 그 수를 읽고 있었다.

"그날 말입니다. 모두가 장벽에 모이는 그날. 제 머리로는 도저히 계산이 서질 않아서 그런데, 제리 씨의 생각은 어떤지 궁금해서 말이죠. 하지만 또, 질문하기 껄끄러운 주제라고 생각이 드는지라, 뭐랄까, 좀체 입이 잘 떨어지지 않는군요."

딘은 문장 하나당 거의 10초를 사용했다.

"무엇이 궁금하시기에 그리도 뜸을 들이십니까."

제리는 딘의 얼굴을 바라보며 말했다.

"사실, 간단한 질문입니다. 개인적인 호기심이기도 하고요."

"준비되었습니다. 편히 말씀하시죠."

그리고 딘은 제리와 마찬가지로 재를 부드럽게 떨어뜨린 다음, 다른 한 손에 마치 위스키 잔을 들고 있는 것처럼 손목을 돌렸다.

"500명이 모일 거라고 말씀드렸었는데, 혹 기억하십니까?"

"기억합니다. 그리고 제가 리프트의 길이에 대해 의문을 제기했었죠."

"네. 그리고 그 말이 나왔던 당일 밤, 잠을 자는데 문득 이런 궁금증이 들더군요. 500명이 정말로 모인다면, 장벽의 위쪽이 위험할까, 장벽의 아래쪽이 위험할까."

그에 제리가 물었다.

"정도를 말씀하시는 건지요?"

"네. 뭐가 있을지도 모르는 장벽 위, 무엇이 있을지 확실한 장벽 아래, 제리 씨는 어느 쪽이 더 위험할 거라고 생각하십니까?"

물음을 건넨 딘은 칠흑같이 고요하고도 차분한 눈빛으로 제리의 표정을 살폈다. 긴 대화에서 마지막으로 남은 퍼즐이었다. 소년의 손을 빌린 편지, 시티 밖 사람들을 향해 날린 글귀, 그럼에도 그들에게 도움을 건넸던 역설적인 제리의 행동. 그리고 딘은 생각했다. 이 질문에 대한 제리의 대답 속에 그 모든 해답이 들어 있을 거라고.

─── 69 납치1

　퓨티가 마지막으로 기억하는 건, 눈앞이 번쩍했다는 것. 그리고 고통에 겨워하는 워블의 쇳소리가 높은 곳으로 하염없이 올라갔다는 것. 퓨티는 감긴 눈을 뜨기에 앞서, 이 같은 감정을 언젠가 한 번 겪어 본 적 있는 것 같다고 생각했다. 또한, 온몸에서 느껴지는 작은 이물감들은 잘게 잘린 모래일 것이라 단정 지었다. 특히 팔과 뺨이 보내는 신호에 퓨티는 거의 확신했다. 퓨티는 몽롱하게 가라앉아 있는 신경을 단번에 곤두세웠다. 쫓김과 도망의 경험치를 극한의 상황에서 터득한 퓨티였기에, 그는 더 이상 그녀에게 어려운 일이 아니었다. 심장이 곧 소리를 내며 빠르게 뛰기 시작했고, 수축되어 있던 근육들이 차례대로 잠에서 깨어나 두근거렸다. 그리고 오래가지 않아 경련이 멈추자, 퓨티는 숨을 죽인 채 눈을 떴다. 빛을 품은 하얀 가루들이 사방에 널브러져 있었다. 퓨티는 아름다움이란 모순적인 단어를 떠올리며 뺨에 묻은 가루들을 손으로 털어 냈다. 워블은 보이지 않았다. 그녀가 같은 공간에 머물러 있었다는 최소한의 흔적조차 없었다. 퓨티는 크게 심호흡했다. 그리고 퓨티는 눈을 한 번 세게 감았다가 뜨며 몸을 일으켰다. 그리고 발걸음을 내딛는 시점에서, 아름답게 보였던 가루들이 사실은 고통을 안겨 주는 작은 악마들이라는 걸 깨달았다. 뾰족한 가루가 퓨티의 발바닥을 파고들었다. 퓨티는 너무도 큰 아픔에 걸음을 잠시 멈추었지만, 입술을 깨물고서 천천히 앞으로 나아갔다. 퓨티가 갇힌 곳은 작은 방이었다. 햇빛이 들어오는 곳에는 굵은 철창 세 개가 촘촘히 박혀 있었다. 그리고 그 반대편에 문이 있었는데, 안쪽의 순백과도 같은 분위기와는 어울리지 않는 퉁명스럽기 그지없는 문짝이었다. 퓨티는 어떻게든 고통을 참으며, 문을 향해 걸었다. 그리고 발아래에서 마지막으로 으깨지는 소리가 들릴 때, 바깥에서 말소리가 들려왔다. 퓨티는 문에 바짝 몸을 기댄 채 귀를 가져다 댔다.

　"이 여자들이 아니면 어떡하지?"

"아냐, 확실해."

"하지만, 저 나이 든 여자가 말하는 거로 봐선 확신을 갖긴 어려워. 너도 들었잖아."

"탁한 목소리에 겁을 먹었군."

그리고 어딘가에서 또 다른 문이 닫히는 소리가 들렸다. 퓨티는 더욱 몸을 밀착시켜 둘의 대화에 귀를 기울였지만, 더 이상의 말소리가 들려오는 일은 없었다. 보다 확실하게는 정적에 가까웠다. 만약 퓨티가 납치라는 상황과 단어를 조금이라도 알았더라면, 적어도 문에서 떨어지는 시늉이라도 보였을 것이다. 문이 거칠게 열렸다. 퓨티는 안으로 넘어졌고, 온 힘을 실어 문을 걷어찬 남자는 바닥에 쓰러진 퓨티를 보며 어이가 없다는 듯이 바닥에 침을 뱉었다. 눈가에 검은 칠을 한 남자였다. 그는 혀를 날름거리며 퓨티 쪽으로 향하는가 싶더니 껄렁한 걸음걸이로 바깥을 향해 뒷걸음질 쳤다. 퓨티는 아픈 배를 움켜쥘 뿐, 아무것도 할 수 없었다. 할 수 있는 게 조금도 생각나지 않았다. 그리고 남자가 다시 방 안으로 들어왔다. 빈손이던 손에 무릎 높이 정도 되는 나무 의자가 들려 있었다. 퓨티는 가루에 쓸려 붉게 달아오른 허벅지를 움직여 어떻게든 남자에게서 멀어지려 애썼다. 그 모습에 남자는 의자를 퓨티의 앞에 내려놓고는 눈을 문지르며 말했다.

"우리 예쁜 아가씨의 이름과 나이는 차차 알아가는 거로 하고."

그리고 남자는 또다시 침을 뱉었다. 바닥이 아니라, 퓨티의 얼굴에. 이어서는 거슴츠레한 표정과 함께 성교를 연상시키는 손동작을 보였다. 퓨티는 가만히 있었다. 엄지와 검지로 만든 동그라미 속으로 열렬히 침을 묻혀 가며 반대 손 검지를 쑤셔 대던 남자는 퓨티가 반응하지 않자, 하던 짓을 멈췄다. 그리고 앞서 놓아둔 의자에 몸을 앉혔다.

"재미없나 보네."

남자가 퓨티의 눈을 뚫어지게 바라보며 말했다. 퓨티는 무섭지 않았다. 단지, 남자가 하던 더러운 희롱을 그만 볼 수 있어서 다행이라고 생각했다.

"침이 조금 튀었네. 닦아 줄까?"

퓨티는 대꾸하지 않았다. 대신에 조용히 준비했다. 남자가 만약 허리를 숙여 자신의 얼굴에 손을 대려고 한다면, 오른손에 움켜쥔 하얀 가루를 그의 눈에 사정없이 문지르겠다고. 그러나 남자는 운이 좋은 건지, 눈치가 빠른 건지, 말을 행동으로 옮기지 않았다.

"뭐, 대강은 이해하지? 이런 걸 너랑 같이 온 늙은이한테다 할 순 없으니까 말이야. 예의가 있지."

그리고 남자는 덧붙여 말했다.

"아무리 굶주린 남자라도 자기 씨 뿌릴 자리는 보는 법이거든."

퓨티는 귀담아듣지 않았다.

"어떻게 했어?"

"오! 말을 할 줄 아는구나, 너?"

"난 또 벙어린 줄 알고 계속해서 네 오른손만 주시하고 있었지, 뭐야. 아니라 다행이다. 노인네랑은 영 대화가 통하질 않아서…"

"어떻게 했냐고 묻잖아."

"걱정하지 마. 그냥 대화를 좀 했을 뿐이야."

"만나게 해 줘. 확인해야겠어."

그에 남자는 고개를 격하게 끄덕이며 말했다.

"그럼, 그렇고말고. 하지만 그 전에 조건이 있어."

"조건?"

"너희들이 하려는 게 뭔지 말해. 그럼, 두 사람 모두 별 탈 없이 여기서 나갈 수 있을 거야."

예감이 확실시되는 순간. 퓨티는 당황하지 않고, 모든 신경을 입가로 끌어모았다. 어떤 대답, 어떤 말투, 이 남자가 듣고 싶어 하는 말을 무엇이며, 언제, 어디서부터 우리를 발견하고, 또, 그 뒤를 뒤쫓았는가. 그리고 그 모두를 제쳐 두고 가장 중요한 것. 이유.

"말하지 않는다면요?"

"고통을 느끼게 되겠지?"

"그래도 말할 수 없다고 하면요?"

"너, 몇 살이야?"

"열일곱이요."

"그래? 그럼 열여덟의 삶을 살아 보지 못하고 죽게 될 거야."

"집요하시네요. 그리고, 비겁하세요."

퓨티의 말에 남자는 피로에 찌든 얼굴로 대꾸했다.

"그래, 네 말이 다 맞아. 노인이랑 애를 상대로 이게 뭐 하는 건가 싶긴 해. 하지만 어쩌겠어. 우리도 우리대로 사정이 있는걸."

"언제부터였어요?"

퓨티는 물었다. 그리고 그대로 굳어 버린 얼굴의 침을 긁어냈다.

"뭐, 너희 두 사람을 미행한 거?"

"네."

"그건 너무 쉬운 일이었는데. 너랑 저 할망구의 옷차림을 보고도 알 수 있었고, 시티를 신기하다는 듯이 바라보는 네년 눈깔로도 알 수 있었고. 하지만 뭐니 뭐니 해도, 너랑 저 할망구가 타고 온 트럭이 결정적이었지. 단종이 돼도 한참 전에 단종된 차량이거든."

그리고 남자는 손가락으로 총을 만들어 퓨티를 향해 쐈다.

"그날 계셨었나 보네요. 58번지에."

"응. 운이 좋았지. 너희 입장에선 운이 더럽게 없었던 거고. 그걸 보기 전까지만 해도 말이야, 갈피를 못 잡고 있었어. 분명 어딘가에서 꿉꿉한 냄새가 진동을 하는데 위치가 안 보였거든. 그래서 나는 너희를 경멸하는 한편, 감사를 느껴. 지금이라도 잡을 수 있게 되었으니까."

"음— 아니요. 운이 없으신 건, 그쪽이에요."

남자의 반응은 조금 전과 똑같았다. 지겹고, 피곤하다는 얼굴.

"무슨 뜻이야?"

"가장 중요한 걸 알아내지 못하셨잖아요. 불운하게도."

퓨티는 이 느슨한 분위기가 언제고 돌변하여 자신을 덮칠까 두려움에 휩싸인 지 오래였지만, 이미 불구덩이로 뛰어들어 미친 듯이 뛰고 있는 심장에, 자신의 모든 걸 바치기로 했다. 그리고 잊지 않고 떠올렸다. 떨림이 그치지 않던 워블의 모습과 장벽을 오르려는 당돌한 소년의 목소리를. 그래, 두 사람이면 충분했다. 퓨티는 두 눈을 스르르 감았다. 그를 본 남자는 코웃음과 함께 고개를 갸웃거리더니, 이해했다는 표정으로 의자에서 일어났다. 그리고 의자의 등받이를 커다란 손으로 번쩍 들고서, 순간의 망설임도 없이 있는 힘껏 퓨티의 머리를 내리찍었다. 퓨티는 상상을 뛰어넘는 고통에 소리 한 번 내지 못하고 그대로 고꾸라졌다. 남자는 산산조각이 난 의자를 바닥에 냅다 던지고는 피가 묻은 나무 파편이 있는 쪽으로 침을 퉤 뱉었다.

그리고, 그 건너의 방.

"어떻게, 이제는 다른 말씀을 하실 생각이 좀 드십니까?"

흰색 모자를 쓴 남자가 말했다.

"…난 분명 너희에게 기회를 줬어."

워블이 지친 목소리로 대답했다.

"기회라…, 저는 여사님으로부터 어떤 기회도 받은 기억이 없습니다만."

그 말에 워블은 미소 지으며 말했다.

"처음에 말했잖아. 네가 우리로부터 들을 수 있는 건 아무것도 없으니, 그냥 나가게만 해달라고."

남자는 혀로 입 안 구석구석을 굴리며 꼭 맛없는 사탕을 먹듯이 워블의 말을 천천히 음미했다.

"제가 원하는 답을 해 주시기 전까진 그런 일은 일어나지 않을 겁니다. 앞으로도, 그 앞으로도, 영원히."

남자의 말이 끝나자마자 워블은 큰 목소리로 웃었다. 남자는 워블을 따라 웃는 시늉을 하다가 이내 입꼬리를 내리며 정색했다.

"마음대로 하도록 해. 난 손해 볼 게 없어. 젊은 남자가 자기의 귀중한 시간을 써 준다고 하는데, 싫어할 여자가 어딨겠어. 오히려 환영이야."

그리고 워블은 붉게 물든 눈을 남자에게로 부라리며 말했다.

"시티 밖으로 나가 본 적 있어?"

남자는 고개를 저었다.

"시도는?"

"없습니다."

"겁쟁이네."

그 말에 남자의 왼쪽 눈썹이 크게 들썩였다.

"시간 끌기는 아무런 도움이 되지 못합니다."

"아, 미안. 네가 영원이라는 단어를 쓰는 바람에 내가 들떠 버리고 말았어."

"자, 계속해."

워블은 남자의 손을 보며 등을 내밀었다. 기다란 생채기의 합이 총 다섯이었다. 옷의 실오라기가 보였으며, 살갗은 찢어지고, 피와 노란 진물이 뚝뚝 떨어져 등과 허리 전체를 물들여 있었다. 남자는 깊게 숨을 들이마시며 자세를 취했다. 왼쪽 팔이 거의 오른쪽 뺨에 닿을 듯했다. 그리고 아주 정확하고도 날카로운 동작으로, 반동을 실은 오른손의 채찍을 워블의 등에 내리꽂았다. 워블의 비명 섞인 쇳소리가 다시 한번 어딘지 모를 공간에 울려 퍼졌다. 그 뒤로 연달아 한 번, 두 번, 세 번. 워블이 제아무리 독한 여자일지라도 여덟 번의 채찍질을 버티는 건 무리였다. 몸이 먼저 중심을 잃었고, 다음으로 의식이 날아갔다. 남자는 채찍 쥔 손을 이끌고서 워블을 향해 뚜벅뚜벅 걸어왔다. 그리고, 바닥의 먼지를 쓸 듯, 워블의 얼굴을 채찍의 끝부분으로 툭툭 건드렸다.

"쳇."

남자가 모자를 벗으며 말했다. 천장의 조명이 줄곧 어둠에 숨어 있던 남자의 얼굴을 비췄다. 강직한 얼굴이었다. 눈은 거짓된 사람을 손쉽게 꿰뚫어 볼 만큼 깊이가 매서웠고, 코는 특별한 높이 그 이상을 웃돌고도 한참이 남았으며, 입은 필요에 따라 말투를 갈아 끼울 수 있을 정도로 가히 수평적이었다.

"이 여자에게 들었어야 했는데."

그리고 남자는 채찍을 손에서 놓았다. 말의 다리를 연상케 하는 굵다란 손잡이가 데굴데굴 구르다 워블의 발끝에서 멈춰 섰다. 남자는 의식 없는 워블을 한동안 노려보다가 걸음을 돌렸다. 노크 소리가 들려왔다. 소리가 울린 타이밍이 절묘했다. 남자가 나가려는 바로 그 순간이었다. 그리고, 문이 열렸다.

"뭐야, 어떻게 됐는지 보러 왔는데 상황이 더 심각해졌네?"

검은 칠을 한 남자가 안으로 들어오며 말했다.

"그쪽은?"

"기절했어. 이쪽은 너도 어차피 기대하지 않았잖아? 그래도 어린 년이 꼴에 담이 나쁘지 않더라. 침까지 얼굴에 뿌려 줬는데 말이지."

"그럴 수밖에. 이들은 시티 밖에서 살았던 사람들이니까."

"이제 어쩔 거야? 두 번째 계획이 있어?"

"쫓기지 않아도 돼. 시간은 우리 편이야."

"그들이 이 사람들을 버리면?"

"그런 일은 일어나지 않을 거야."

"만약에."

"그때의 답은 이미 알고 있잖아."

남자는 대답과 동시에 그의 몸을 문밖으로 밀쳤다. 그리곤 뒤로 돌아 문의 걸쇠를 단단히 잠갔다. 문이 잠기고, 둘만이 복도에 남게 되자, 검은 칠을 한 남자는 보다 빠르게 말을 토해 내기 시작했다.

"방법이 없다고? 그 대답을 떠올리라는 거야? 그건 아니지. 난 네가 하자는 대로 했어. 너만 따라왔다고."

"호들갑 떨지 마. 이제 막 시작 단계에 올랐을 뿐이니까."

그 대답을 들은 남자는 잔뜩 심각한 표정을 짓다, 질문했다.

"근데 왜 이 여자들이지? 아지트도 알아냈잖아. 다른 사람을 데려다 족치는 게 더 빠르지 않았어?"

"그들이 이들을 데려간 것과 같은 이유야."

"그게 뭔데?"

남자는 손에 들고 있던 모자를 푹 눌러쓰며 대답했다.

"중요한 순간에는 필요한 존재이지만, 죽어도 상관없는 사람들."

—— 70 피리 부는 소년과 고가도로

마스는 손가락으로 장소를 가리켰다. 기사는 차를 멈췄고, 마스는 미터기에 찍힌 돈을 기사에게 건넸지만, 그는 이번에도 딘 때와 마찬가지로 고개를 가로저었다. 마스는 말없이 물건을 품에 안으며 차에서 내렸다. 그리고 미리 열어 둔 창문의 틈 사이로 돈을 던지듯 집어넣었다. 기사는 조수석에 떨어진 지폐를 내려보았다가, 선글라스를 벗어 창문 너머의 마스를 노려봤다. 마스는 눈을 피하지 않았다. 아마 기사가 꼬리를 내리지 않고 먼저 자리를 뜨지 않았더라면, 마스는 평생 그곳을 지켰을 것이다. 택시가 보이지 않을 정도로 멀어지자 마스는 하늘을 올려다보며 중얼거렸다.

"…이럴 거였으면, 트럼펫 청년은 죽지 않아도 되었으려나."

그리고, 마스는 품에 안은 보따리를 소리 나게 다잡은 다음, 걷기 시작했다. 17번지의 풍경은 뭐랄까, F구역의 중간다웠다. 더럽게 보이지는 않았지만, 그렇게 깨끗하지도 않은 정도, 딱 가운데의 모습이었다. 사람들의 옷차림도 그러했고, 주택과 상가의 구분 지점 역시 마찬가지였다. 모든 게 중간이었다. 한마디로 궁핍 속에서 균형을 잡고 있는 곳이었다. 18번지와는 확연히 달랐다. 마스는 고개를 들고 자신감 있는 발걸음을 이어 나갔지만, 무언가에 시선을 주지는 않았다. 지나가는 사람, 자동차, 건물, 모두를 무시했다. 초점 없는 눈동자가 그를 말해 주고 있었다. 기사와의 대화가 마스의 머릿속을 확실히 휘저은 듯했다. 그리고, 어느 순간부터 마스는 걸음의 속도를 늦추었다. 그러다가 또 한번은, 완전히 두 다리를 바닥에 멈춰 세우기도 했다. 그때에는 한숨 소리가 함께였다. 그 한 번을 끝으로 마스가 멈춰 서는 일은 없었다. 그리고 얼마의 시간이 지나지 않아서, 마스의 머리 위로 그늘이 지기 시작했다. 18번지의 밤에서 본 곳과 비슷하게 생긴 장소였다. 다른 게 있다면, 지금은 다리 아래 터널의 입구와 출구로 빛이 들고 있다는 것. 마스가 들어서자 출구 앞에 있던 사람부터 수군거림을 멈추기 시작했다. 마스의 눈은 여전했지만, 그늘이 그를 가려 주었다.

"일찍 오셨네요!"

무용수 여자가 무리 깊숙한 곳에서 손을 번쩍 들며 말했다. 그리고 뒤이어 남자 단원들이 고개를 숙이며 마스를 향해 인사를 건넸다.

"아무나 좀 거들어 주시겠습니까. 짐이 꽤나 무겁습니다."

마스가 말했다. 무용수는 가만히 있었고, 가까이 있던 남자 몇이 잰걸음으로 다가와 보따리를 들고 자리로 돌아갔다. 마스는 손바닥을 비벼 먼지를 툭툭 턴 다음, 원래의 근엄한 리더의 모습으로 말을 이었다.

"다들 떠날 준비를 하세요. 오늘 공연은 취소입니다."

수 초간 침묵이 흘렀다. 그러다 무용수 옆에 있던 깡마른 안경잡이가 입을 열었다.

"무슨 일 있으십니까? 컨디션이 안 좋으신 건가요?"

그의 말에 단원들의 수군거림이 다시 시작되었다.

"아니요. 몸이라면 좋습니다. 아니, 이보다 좋았던 적은 없었던 것 같군요."

"그럼, 무슨 이유로…"

마스는 말끝을 흐리는 안경잡이를 똑바로 바라보며 대답했다.

"1번지로 직행한 사람들의 이야기를 들었습니다."

"예? 누가요? 어느 악단입니까?"

"악단이 아닙니다. 그들은 무려 34번지부터 1번지까지를 직행했더군요."

그리고 무용수가 구석에서 빠져나와 물었다.

"악단이 아니면, 저희가 신경 쓸 이유가 없지 않나요?"

"물론 그렇습니다. 그런데, 뭔가 찝찝한 기분이 들어서요. 애초에 그들은 34번지에서 출발한 게 아닙니다. 구역의 끝, 58번지에 사는 이들이거든요."

무용수가 다시 손을 번쩍 들었다. 마스는 고갯짓으로 무용수에게 허락을 건넸다.

"1번지로 바로 가기에는 무리가 있지 않나요? 이동 수단도 없고, 무엇보다 가는 데 필요한 시간과 비용이 만만치 않을 텐데요. 저희가 준비한 곡들도 순서가 엉켜 버리고요."

"알고 있습니다. 여기까지 오는 동안 그걸 모두 정리했어요. 시간과 비용이 어마어마할 거라는 것과 곡을 작곡한 여러분들의 노고도 포함해서 말이죠. 하지만, 저는 이제 마음을 굳혔습니다. 지금도 제 마음이 저를 계속 꾀고 있어요. 1번지에서 큰일이 벌어질 것이니어서 빨리 떠나라, 라고요. 저는 제 직감을 믿습니다. 그리고, 인생에 있어 직감을 따라가 낭패를 본 기억도 없는 것 같군요. 그래서 지금 여러분들께 목소리를 낮추는 것입니다. 부탁하겠습니다. 저를 따라와 주시겠습니까?"

그리고 마스는 품에서 지휘봉을 꺼내며 오른손을 단원들 앞으로 내밀었다. 지휘봉을 잡으라는 의미였을 것이다. 그러나, 선뜻 나서는 단원은 없었다. 아예 마스가 선 곳으로부터 등을 돌리는 사람도 있었고, 그가 없었던 때처럼 시끄럽게 떠드는 사람들도 생겨났다. 평소의 마스였더라면, 이들을 가만히 보고만 있지 않았을 것이다. 오히려 먼저 목소리를 높여 주의를 주거나, 호통을 쳤을 게 분명하다. 하지만 지금은, 그럴 때가 아니라는 것을 마스스스로 아는 듯했다. 리더의 자리에서 내려와, 자신을 따르는 우민들에게 머리를 조아리며 기다려야 할 때임을. 마스는 팔을 들고 기다렸다. 일체의 벙긋거림도 없었다. 그리고 그러한 시간 속에서 마스의 눈빛이 서서히 돌아왔다. 마스는 이제 사물에 초점을 맞출 수 있었다. 멍했던 눈동자가 밤의 고양이처럼 매섭고, 하늘의 별처럼 고요하게 빛났다. 마스의 눈을 제일 먼저 발견한 건 깡마른 안경잡이였다.

"저는 따르겠습니다."

안경잡이의 말에 모두가 그를 바라봤다. 수군대던 이들의 입이 동시에 닫히었다. 그리고 안경잡이가 마스의 지휘봉을 향해 성큼성큼 걸음을 내밟자, 단원들의 눈빛이 흔들렸다. 안경잡이는 지휘봉을 잡지 않고, 곧장 마스의 옆에 나란히 섰다. 안경잡이가 마스의 귀에 대고 속삭였다.

"…어째 분위기가 딱딱합니다, 마스 씨."

마스는 대답했다.

"트럼펫 청년 때문일 겁니다. 제가 언급하지 않아도, 고작 하루 전의 일을 잊을 사람들이 아니죠."

"…그렇지 않아도 저기 첼리스트들이 그 일을 말하는 것 같더군요. 자기들은 뭐가 되나며."

"그래요?"

"…"

마스는 안경잡이의 어깨를 툭툭 두드렸다. 그리고 숨을 깊게 들이마셨다. 시선이 집중되었고, 지휘봉을 쥔 마스의 오른손이 사시나무처럼 떨리며 요동쳤다.

"모두 앞으로 나와 보세요!!! 드릴 말이 있습니다!!!"

마스는 첼리스트들이 있는 곳을 노려봤다. 그러자 그들은 감정을 얼굴에 모두 드러낸 채로 마스를 향해 걸어왔다. 그리고 눈치를 보던 단원들이 조용한 걸음으로 그들의 뒤를 뒤따랐다.

"그래요."

마스가 운을 띄웠다.

"우선 가장 중요한 부분부터 말하겠습니다. 어젯밤의 일입니다. 그 청년이 말했었죠, 곧장 장벽으로 가자고. 그리고 저는 규율대로 망설임 없이 그를 처단했습니다. 분명히 말하지만, 여러분은 죄가 없습니다. 모두가 저의 결정이었고, 지금으로 보자면 저의 변덕이었습니다. 그 누구도 죄책감을 가지지 마십시오. 제 잘못이고, 제 변덕이며, 제게 한정된 죄입니다. 지옥에서의 벌도 제가 모두 짊어지겠습니다. 그리고…"

마스는 지휘봉을 들어 첼리스트들을 가리켰다.

"이 말은 그대들에게 바치는 참회입니다. 여전히 저를 좋지 못한 눈빛으로 바라보고 계시는군요. 부탁이자, 요청입니다. 자신을 탓하지 말고, 저를 탓하세요. 그대들은 아무런 죄가 없습니다. 제가 뭐라고 지껄이든, 저는 신이 아닙니다. 감히 그분의 곁에도 인접하지 못할 사람입니다. 이번이 마지막입니다. 이번을 마지막으로 말을 줄이겠습니다. 그대들은 죄가 없습니다."

다시 찾아온 침묵. 마스의 가까이로 온 단원들은 이제 더 이상 수군거리지도 못했고, 그를 경멸하는 듯한 눈빛도 비출 수 없었다. 마스의 말이 끝난 지금, 그의 옆에 선 안경잡이가 말을 보태고 싶은지 계속해서 입을 벌렸다가 다물었지만, 결국에 그는 용기를 내지 못한 채, 열리지 않는 입과 자신의 한계에 통탄한 듯 입술 전체를 붉게 올라올 정도로 세게 긁었다. 마스의 지휘봉은 여전히 앞으로 뻗어 있었다. 오른손의 떨림은 사라졌다. 남은 건, 단원들의 대답이었다. 그들의 눈은 재빨랐으며, 오고 가는 손동작도 착시를 일으킬 정도로 빠르게 지나갔다. 모든 수신호가 오간 뒤에, 첼로 연주자 중 한 명이 입을 열었다. 연주자 중 가장 풍채가 좋고, 키가 큰 사람이었다. 그는 손을 들거나, 하는 것 없이 단원들 사이를 불도저와 같은 기세로 밀며 길을 만들었다. 그와 마스와의 거리는 금세 1m가 채 되지 않았다. 마스는 조금의 움츠림 없이 머리 하나는 훌쩍 넘는 그의 얼굴을 쳐다봤다. 그리고 돌아오는 그의 말을 기다렸다.

"구체적인 방법을 말해 주실 수 있으시겠습니까?"

마스는 일 초의 시간이 안 되어 대답했다.

"물론입니다."

그리고 남자의 한 번의 눈 깜빡거림과 동시에 마스의 설명이 시작되었다.

"1번지까지의 거리는 일반적으로 반나절 안쪽이 될 겁니다. 그리고 그것은 이동 수단을 이용했을 때의 시간이죠. 하지만 우리에겐 모두를 태울 만한 대형 차량이 없습니다. 현재, 우리에게 주어진 문제는 세 가지입니다. 어떻게 차량 없이 남은 16개의 번지를 올라갈 것인가. 또, 그때까지의 식량과 비용은 어떻게 해결할 것인가. 곰곰이 생각해 봤습니다. 그리고 제 생각이 행여 틀리진 않았는지 여러 번 곱씹어도 봤습니다. 그러나, 아무리 짜내 봐도 이것 이상의 해결책은 없었습니다."

마스 앞에 선 남자가 물었다.

"그게 무엇입니까?"

마스는 곧장 대답하지 않았다. 우선은 앞으로 뻗어 놓은 지휘봉을 아래로 내렸다. 그리고 안경잡이와 남자를 제외한 모든 단원들 개개인과 살얼음 같은 눈맞춤을 나누었다.

"가더들이 쓰던 고가도로를 걷는 것입니다."

하루가 남았다. 시일이 가까워지자, 차고엔 서늘함만이 짙게 감돌았다. 누가 누구와 맞닿든 퓨티와 워블의 이야기뿐이었다. 그리고 거기엔, 제리가 장벽 앞에서 만났던 앞치마 청년이 항상 끼어들었다. 어제는 딘과 쟝이 짝을 이뤄 퓨티를 수배했지만, 누구도 어린 소녀를 보지 못했다고 말했다. 그리고 그를 들은 몇몇 남자들은 발정 난 개새끼 마냥 반문했다. 'F구역에 소녀가 있어?' 라고. 쟝은 퓨티가 어려우면 워블이라도 찾아보자고 딘에게 말했지만, 딘은 거절했다. 이미 퓨티라는 소녀를 수배한 것도 위험한 일인데, 거기에 워블까지 낀다는건 리스크가 크다는 게 그 이유였다. 그리고, 오늘 아침. 모두가 차고 2층에 모였다.

"이제 그만 포기하도록 하죠."

모두의 표정이 굳어 있는 그때, 제리가 냉정한 목소리로 말했다.

"포기라고요?! 우리가 책임져야죠! 애초에 그녀들은 시티에 들어오는 것만으로도 만족할 사람들이었다고요! 제가 사라졌어도 이런 식으로 나올 거였어요?"

카리브가 자리에서 벌떡 일어나, 소파의 팔걸이를 발로 강하게 걷어차며 소리쳤다.

"카리브 씨…"

페퍼의 만류는 소용없었다.

"정말이지 너무들 하시네요. 어제는 딘 씨와 쟝 씨가 나섰었죠."

그리고 카리브는 제리를 응시하며 말했다.

"당신은요? 당신은 왜 아무것도 하지 않죠?"

제리가 처진 눈으로 대답했다.

"저는 애당초 그들을 들이는 것에 동의하지 않았습니다."

"그게 끝인가요?"

"네."

카리브는 어이없다는 듯 한숨을 뱉어냈다.

"다른 의견은 없어요? 다들 이 사람 말에 찬성하는 거예요?"

그때, 누군가가 손을 번쩍 들었다. 어른은 아니었다.

"어이."

쟝이 튀어 나가려는 소년을 팔로 가로막으며 말했다. 그러나 소년은 굴복하지 않았고, 그의 굵은 팔을 온몸으로 들어 올리며 카리브 옆으로 갔다.

"저는 반대예요!"

소년의 한마디에 딘은 손으로 이마를 짚었다.

"누나와 할머니는 우릴 도우러 온 사람들이에요! 그러니까 우리가 구해야 해요! 책에서 읽었는데, 이런 상황을 두고 감탄고토라고 하던데요? 음식이 자기 입에 달면 삼키고, 쓰면 뱉는다고. 그 누나와 할머니가 음식은 아니잖아요?"

제리를 제외한 나머지 세 사람이 그를 듣고는 딘과 마찬가지로 탄식에 가까운 자세를 취했다. 제리는 무표정한 얼굴로 소년의 키에 맞추어 눈을 내렸다. 별거 아니라는 얼굴임에도 시선이 갔다는 건, 타격이 있었다는 이야기일 것이다.

"자리로 와."

딘이 말했다.

"왜요?"

"네가 낄 자리가 아니야."

"저도 장벽에 오르지 않나요?"

"그건 별개의 문제야."

"별개? 별개가 뭔데요?"

딘은 이마에 붙이고 있던 손을 떼며 대답했다.

"어른들의 대화라는 뜻이지."

그리고 쟝이 소년을 향해 손짓하며 소파를 두드렸다.

"싫어요! 저도 제 권리가 있어요! 제가 틀린 말을 하고 있는 것도 아니잖아요!"

소년의 고집은 갈수록 완강해져 갔다. 거기다 카리브의 팔까지 붙들었으니 말은 다 한 것이다.

"아이 보기 부끄럽지 않아요? 애도 잘 아는 사실을 어른들이 외면하는 건 쪽팔린 짓인 것 같은데."

편이 된 사람이 나이 어린 소년이라도 힘을 얻은 것일까, 카리브의 목소리가 커졌다.

"부끄러운 짓이든, 아니든, 저희가 할 수 있는 것은 아무것도 없습니다, 카리브 씨."

제리가 말했다.

"이 모습이었군요? 어둡고, 진지하고, 솔직하다고 했던 게."

제리는 대답하지 않았다.

"다른 분들요? 같은 생각이신가요?"

그리고 차례차례 대답이 들려왔다.

"어쩔 수 없습니다."

"못 찾아요, 못 찾아. 말마따나 작정하고 데려간 사람을 어떻게 찾겠습니까?"

딘과 쟝이 말했고, 이제 페퍼의 차례였다.

"……"

"페퍼 씨는요?"

카리브가 그녀를 바라보며 물었다. 제리는 덤덤히 눈을 감았고, 그 외 나머지의 시선들이 그녀를 향했다. 페퍼는 고고하게 입을 다물고 있었다. 그 모습이 꼭 고대 그리스의 여신 같았지만, 제리의 말대로 그녀는 정말 말이 없었다. 페퍼는 긴 다리를 꼰 채 상황을 관망했고, 이따금 한 번씩 카리브와 눈을 맞추며 고민하는 척을 보였다. 실제로는 아무 생각이 없을 것이다. 아, 그물 이야기가 나왔을 때는 달랐다. 이유는 간단하다. 자기 목숨이 걸린 일이니까.

"어떻게 하는 게 좋겠어?"

기다리다 지친 제리가 페퍼에게 물었다. 페퍼는 고개를 살짝 돌려 제리를 흘깃 보고는 다시 카리브와 눈을 맞췄다.

"편하게 말씀하세요, 페퍼 씨. 눈치 보지 않으셔도 됩니다."

딘이 말했다.

"……"

"뭐?"

참을 만큼 참았다는 목소리였다.

"···시티의 대도가 될 사내잖아요. 소년의 말이 틀렸다고 생각되지 않아요."

"···하."

그리고 제리의 한숨이 그친 뒤, 쟝이 입을 열었다.

"아뇨, 아뇨, 아뇨 페퍼 씨, 지금은 그런 쉬운 상황이 아닙니다. 길이 없어요. 정말로 우리를 미행한 누군가가 있었고, 그들이 그녀들을 인질로 데려갔다면, 우리는 위험한 상황에 처해 있는 겁니다. 단순히 인질로 삼고자 한다면 다행이지만, 지금 우리가 있는 거처, 우리가 목표로 하는 것, 그것들이 그들의 귀에 들어가기라도 하는 날엔 모두가 끝장나는 거라고요. 다년간의 준비가 물거품이 된다, 이 말입니다."

"그만해, 쟝. 아직 확실한 건 없어."

딘이 말했다.

"아니, 외면하려 들지 마. 고작 오늘 하루가 남았어. 이제 곧 시작이라고. 내 직감으로는 그녀들이 잡힌 것 같아. 확실해. 그렇지 않고선 이렇게 모습을 비추지 않는 게 말이 안 돼. 적어도 거절을 표하기 위해 한 번은 방문했겠지. 둘의 성격을 알잖아? 이렇게 나올 사람들이 아니야. 절대로."

"알겠으니, 그만하라고."

그리고 딘은 은밀히 소년을 가리켰다.

"조금만 더 기다려 보자. 만약 네 말대로라면 우린 위기에 처한 게 맞아. 하지만, 그녀들이 지금까지 고민 중일 수도 있으니까. 나와 약속한 시간은 일주일이야. 네 말대로 아직 하루가 남았고."

"내일 새벽에도 오지 않으면?"

쟝이 물었다.

"그럼, 약속이 깨질 뿐이야."

"딘!!!"

딘 역시 자리를 박차며 소리쳤다.

"제발 좀 그만해!!! 그들은 그들이야! 계획에 없던 사람들이라고! 이젠 우리 손을 떠났어. 그리고 계속 말했지···, 소년이 있다고."

"이런 이기적인 새끼가. 야, 쟤는 장벽을 안 올라? 쟤만 왜 별도 취급인 건데? 그들은 그들이라고? 네 말대로면 소년을 뺀 우리는 아무것도 아니란 뜻이야? 어???"

그리고 쟝은 쥐고 있던 맥주를 딘의 얼굴 옆으로 힘껏 던졌다. 병이 박살 나는 소리가 2층을 크게 울렸고, 다음으로 쟝의 목소리가 이어졌다.

"변명해 봐."

딘은 순간 숨이 콱 막히는 것을 느꼈다. 쟝의 말이 맞았으니까. 이젠 모두의 시선이 딘을 향해 쏠렸다. 딘은 조금의 긴장도 드러내 보이지 않았다. 그리고, 앞으로 자신이 내뱉을 단어 하나하나가 작금의 분위기에 얼마나 큰 영향을 미칠지도 딘은 알고 있었다.

"틀려."

"뭐가 틀린데?"

"제리 씨의 말대로야. 그들을 들이는 건 계획에 없었어. 나를 포함한 여기 여섯이 딱 적당한 수야. 여덟은 많지."

그에 카리브가 고개를 기울이며 물었다.

"어머, 저도 계획에 있었다는 말씀이신가요? 처음 듣는 이야기 같은데."

딘은 카리브를 똑바로 바라보며 힘주어 대답했다.

"네. 카리브 씨는 꼭 필요한 사람이었습니다. 없어서는 안 될."

제리와 페퍼, 그리고 쟝은 소리 내지 않았다. 딘의 말이 음흉한 거짓부렁이고, 분위기를 잠식시킬 속삭임일 뿐이라는 것을. 그들도 눈치를 챈 것이다. 저 말을 걸고넘어졌다간, 분열은 순식간이라고.

"선택해."

딘은 말했다.

"그 두 사람을 살리고 우리의 계획을 접을 건지, 그 두 사람을 배제하고 우리의 계획을 실행에 옮길 건지. 이제 20시간 남았어."

퓨티는 물속에 잠겨 있던 사람처럼 크게 몸부림치며 눈을 떴다. 깨어난 퓨티는 머리의 피를 닦을 새도 없이 고개를 좌우로 돌렸고, 문이 열려 있는 것을 발견하고는 곧장 문을 향해 질주했다. 복도는 일직선이었다. 퓨티는 자신이 갇혀 있던 방, 바로 앞에서 남자 둘의 말소리가 들린 것을 까먹지 않았다. 그렇기에 금방 결론을 지을 수 있었다. 자신의 방에서 멀지 않은 방에 워블이 갇혀 있다고. 길게 뻗은 복도에는 방이 아주 많았다. 퓨티는 우선 맞은편 문의 손잡이를 세게 흔들었다. 문은 열리지 않았다. 퓨티는 좌우를 번갈아 살폈다가, 다시 양손으로 문을 세게 두드렸다. 그리곤 귀를 가져다 댔지만, 들려오는 소리는 없었다. 퓨티는 수많은 방을 보며 생각했다. 대체 그 두 사람은 무엇을 잘못이라고 판단하기에 사람들을 가두는 건지, 그를 행함으로써 보상받을 성취감은 무엇을 의미하는지를. 그러나 그와 같은 상상은 잠시였다. 퓨티는 금방 되돌아왔다.

'중요한 건 워블 씨야.'

퓨티는 중얼거리며 다른 방문을 차례차례 두드려 나갔다. 문을 열 개째 두드렸을 무렵, 어느 방에서 기침 소리가 울렸다. 퓨티는 잽싸게 그쪽으로 가, 다시 한번 문을 두드리며 워블의 목소리가 맞는지 확인했다. 문이 두꺼운 탓에 소리가 선명히 들리진 않았지만, 퓨티는 워블의 목소리가 저렇게 굵을 리 없다고 생각했다. 그리고, 그냥 지나쳤다. 워블의 목소리를 찾을 뿐, 다른 건 생각지 않았다. 협소한 복도의 무게감에 퓨티는 당장이라도 눈물을 쏟을 것 같았지만, 입술을 꽉 깨물며 마음을 다잡았다. 나는 나갈 수 있어. 반드시 워블 씨와 함께 여길 빠져나갈 거야. 절대 이런 곳에서 죽을 순 없어. 발걸음이 삐걱할 때면, 복도 천장에 있는 알전구가 퓨티의 정수리를 스치듯 지나갔다. 쉬지 않고 문을 두드리던 퓨티의 손은 금방 한계에 이르렀다. 손날은 첫 번째 문을 두드릴 때부터 검게 변하고 있었다. 퓨티가 멍든 손의 아픔을 인지할 때쯤, 그리고 그녀가 이제는 손바닥으로 문을 두드려야겠다고 생각할 때쯤, 불행의 그림자가 성큼성큼 퓨티를 향해 걸어왔다. 퓨티는 문에서 눈을 떼지 않았다. 그림자는 소리 없이 접근했고, 박쥐처럼 날아올라 퓨티의 뒤를 순식간에 점령했다. 그리고 진한 악취를 풍기며 퓨티의 귀에 속삭였다.

"피 닦아 줄까?"

"꺼져요."

"입이 험하네. 그러면 너 영영 못 볼 수도 있다?"

"대화만 했다면서요."

"대화에는 종류가 많아. 입으로 하는 대화, 마음으로 하는 대화, 눈으로 하는 대화, 몸으로 하는 대화. 내가 말한 대화는 어느 쪽일 것 같아?"

퓨티는 대답했다.

"…마지막 대화겠죠."

"맞아! 정답이야!"

그리고 남자는 퓨티의 머리를 천연덕스럽게 쓰다듬었다. 퓨티는 침을 맞았던 그때처럼 가만히 침묵을 유지했다. 그를 본 남자는 웃으며 어디 계속해 보란 듯이 퓨티의 머리를 이리저리 마구 휘저었다. 헝클릴 대로 헝클린 머리에도 퓨티는 전혀 반응하지 않았다.

"독하네."

남자가 말했다.

"겨우 이 정도로 우릴 무너뜨릴 수 있을 거라 착각하지 마세요. 더한 것도 참을 수 있으니까."

퓨티는 붉게 변한 눈으로 말했다.

"어디까지 참을 수 있을지는 내가 정해. 너는 이제 자유인이 아니야. 지금 네 모습이 의리로 가득 차 있다고 생각하겠지만, 곧 그게 아니었다는 걸 알게 될 거야. 그들은 이미 너를 버렸거든. 어딘가에 뻗어 있을 노인네도 마찬가지고, 너흰 선택을 잘못했어. 한마디로, 길을 잘못 든 거지."

"길? 당신은 이게 길이라고 생각해서 걷고 있는 건가요?"

남자는 움찔거렸다.

"부끄럽지 않아요? 제가 짐작건대 당신은 하수인이에요. 모자를 쓴 사람의 시종이라는 이야기죠. 소설엔 당신 같은 사람을 두고 이렇게 묘사하더라고요. 시다바리."

남자는 조금도 예상하지 못했다는 듯 벙찐 얼굴로 퓨티를 바라봤다. 그리고 그의 두뇌는 느리기 그지없어서, 이해를 하는 데 시간이 걸렸다. 그러나, 그는 결국 이해했다. 남자는 숨을 크게 내쉰 뒤, 양손에서 물소리가 들릴 때까지 손을 비벼댔다. 달아오른 그의 몸은 손에 땀을 만들기에 짧은 시간만이 필요했다. 남자는 축축해진 손을 올려, 눈 아래에 있는 검은 칠을 손가락에 묻혔다. 남자의 양손이 시커멓게 변하는 걸 보며 퓨티는 아, 이제 저 검은 주먹이 나에게로 날아오겠구나, 짐작했다. 금세 남자의 손이 시커멓게 변하였다. 양손 전체를 검게 물들인 남자는 주저 없이 주먹을 내밀었다. 퓨티는 소리 한 번 내지 못한 채 바닥을 짚었다. 신물이 올라와 목이 메었고, 온몸의 장기들이 똬리를 트는 듯한 고통이 배꼽을 시작으로 곳곳에 번져 나갔다. 남자가 말했다.

"쓰레기통에 있는 건 누구도 신경 쓰지 않아. 설령 거기에 금덩이나 돈이 들었다고 한들, 두려움에 가져가지 못하지. 이해해? 지금 네가 있는 곳이 쓰레기통이야. 아무도 너를 찾지 않을 거라고. 그러니까 하루라도 빨리 말하는 게 좋을 거야. 맘 같아선 너의 그 탐스러운 입을 찢어 버리고 싶지만, 우리한테 필요한 게 네년 입에 담겨 있으니까, 그럴 수 없지. 너희를 무너뜨릴 수 있냐고 물었지. 내가 보여 줄게. 남자가 여자를 얼마나 추하게 만들 수 있는지."

"그쯤하고 데려와."

모자 쓴 남자가 멀찍한 곳에서 말했다.

"이거 봐요. 당신은 그냥 시다바리라니까."

퓨티는 바닥에 엎드린 채 키득키득 웃었다.

"이런 쌍년이."

남자는 발을 들어 올렸다. 그 사이, 그의 곁으로 온 남자가 낮게 깐 목소리로 말했다.

"데려오라고 했잖아."

"이 시발, 내가 시키는 대로만 움직이는 로봇이야?"

"뭘 들은 거야, 대체?"

모자 쓴 남자의 물음에 그는 침을 퉤 뱉고는 남자의 옆을 지나갔다. 그리고 뒤를 돌아보며 말했다.

"네가 데려와. 네가 나보다 힘이 세니까."

구시렁대며 퇴장하는 남자를 향해 모자 쓴 남자가 작게 말했다.

"미친놈이 또 시작이네."

남자는 퓨티가 일어설 수 있도록 그녀의 팔을 어깨에 걸었다.

"일어설 수 있겠어요?"

퓨티는 대답 없이 킥킥거렸다. 남자가 물었다.

"우리 둘 사이를 분열이라도 해 보게요?"

퓨티는 대답했다.

"못 할 것도 없죠."

남자가 웃으며 말했다.

"어림도 없어요. 그런 시도를 해 본 게 아가씨만이 아니거든."

"저는 좋아해요. 최초라는 단어."

"그래, 어디 열심히 해 봐요. 응원할게요. 우선은 움직입시다. 어르신을 뵈러 가야죠?"

"다치셨나요?"

그에 남자는 공손한 웃음을 띠며 대답했다.

"네, 많이 다치셨어요. 그쪽이라도 입을 열었으면, 그렇게까지는 다치지 않았을 텐데. 뭐…, 어쩔 수 없죠. 이미 다친 걸 어떡해."

"항상 이런 식이에요?"

퓨티는 물었다.

"어떤 게요?"

"마음에 안 드는 사람들을 이곳에 가두는 거요."

남자는 다시 웃었다.

"하하, 아뇨. 전부 틀렸어요. 마음에 안 드는 사람을 고르는 것도 아니고, 가둔다는 표현까지 전부. 우리는 단지 시티에 숨어 있는 불순분자들을 가려내는 것뿐이에요. 왜? 가더가 철수했으니까."

"삐뚤어져도 한참 삐뚤어지셨네요."

"왜요?"

"당신들은 자기가 일반인들 위의 가더라도 된 양 생각하고 있겠지만, 제가 볼 땐 그냥 범죄자들이에요. 삐뚤어진 것도 당신들이고요."

"이야, 말재간이 여간 유려한 게 아니네요. 저놈하고 방을 바꿨어야 했나. 우리 둘은 말이 아주 잘 통했을 텐데. 어르신보다 훨씬 나은데요? 시티 밖에 있는 마을에도 선생님이 있어요?"

퓨티는 하마터면 그의 질문에 대답할 뻔했다.

"무슨 마을을 말하는지 모르겠는데요."

남자는 모자를 벗었다. 그리고 퓨티를 내려다보며 말했다.

"하하하하. 이거 봐요. 우린 정말 말이 잘 통한다니까요. 방금도 눈치를 챈 거죠? 그런데, 걱정할 필요 없어요. 우리는 시티를 떠날 생각이 조금도 없으니까."

"그거 아세요?"

퓨티는 물었다.

"뭐죠?"

남자는 다시 모자를 눌러썼다. 퓨티의 다음 말을 예상 못 한 채.

"시티 밖은 여기 못지않은 지옥이에요. 당신은 고작 우물 안 개구리일 뿐이죠. 가더한테 아무 말 못 하는 겁쟁이 소시민이랄까."

남자는 어깨에 있는 퓨티의 팔을 거칠게 떨어뜨렸다. 손으로 뺨을 긁적이는 꼴을 보아하니, 이미 화가 끝까지 차오른 듯했다. 남자는 뺨을 긁적이던 손을 이마로 옮겼고, 이마마저 살살 긁다가 그대로 퓨티의 머리채를 움켜쥐었다. 퓨티는 굴하지 않았다. 이들이 쓰레기라는 걸 알았으니까. 남자가 퓨티의 머리를 더 강하게 움켜쥐며 말했다.

"역시, 대화로는 힘들겠어요. 워낙에 강하게 자라신 분들이라."

그리고 그는 휘청이는 퓨티를 붙잡고 성큼 걸이로 제일 구석에 있는 문까지 끌고 갔다. 오른손으로 열쇠를 꺼냈다. 문짝에 어울리는 녹이 잔뜩 긴 열쇠였다. 문이 열리자, 워블이 검은 칠 남자에게 걷어차이고 있는 모습이 드러났다.

"워블 씨!!!"

퓨티는 어떻게든 남자의 손을 뿌리치고 워블에게 달려가려 했으나, 남자는 꿈쩍도 하지 않았다. 다시 한번 퓨티는 소리쳤다. 그러나 워블은 이미 빈사에 가까운 상태였고, 고개를 움직일 힘조차 없어 보였다. 퓨티는 워블의 젖꼭지가 드러난 곳과 그 옆으로 보이는 핏자국에 눈물을 글썽였다.

"이렇게까지 할 필요는 없잖아요!!!"

그에 검은 칠을 한 남자가 퓨티의 얼굴을 음흉하게 보며 더러운 표정을 지었다. 그리고 보란 듯이 워블의 얼굴을 발로 지그시 눌렀다. 워블의 입에선 어떠한 소리도 새어 나오지 않았다.

"그만해!! 개자식아!!"

모자 쓴 남자가 퓨티의 머리를 놓았다. 퓨티는 거의 엎어지다시피 한 걸음으로써 워블에게 향했다. 퓨티는 워블의 얼굴을 조심스럽게 만졌다. 눈물이 그칠 줄 몰랐다. 퓨티는 고개를 숙이며, 남자의 귀에 들리지 않을 목소리로 말했다.

"…죄송해요. …정말 죄송해요."

워블은 듣지 못했다. 퓨티는 남은 옷을 끌어모아 그녀의 상반신을 가렸다. 그리고 눈물을 닦고서는 두 명의 남자를 겹쳐 보며 말했다.

"당신들에겐 천벌이 내려질 거야."

검은 칠을 한 남자가 다리를 휘둘렀다. 발이 정확히 퓨티의 턱을 강타했고, 퓨티는 워블과 나란히 쓰러졌다.

"그만하라니까."

모자 쓴 남자가 말했다.

"맞을 말을 했잖아."

"둘 다 병신 되면 답은 누구한테서 들을래? 네가 말할 거야?"

"괜찮아~ 이 정도로 턱이 나가지는 않아."

그의 말에 남자가 시선을 옆으로 돌리며 말했다.

"옷은 왜 벗겼어?"

"궁금하잖아. 이 년의 젖꼭지가 무슨 색일지."

"그래, 여자 한 번 못 만나 본 네게 매너라는 게 있을 리 없지."

그를 들은 남자는 대충 귀찮은 말을 들었다는 듯 허공에 손짓했다. 모자 쓴 남자는 시선을 돌려 있는 그 상태 그대로 퓨티와 워블을 향해 걸어왔다. 그의 눈에 동정은 전혀 없었다. 다가온 남자는 연신 고개를 좌우로 까딱였다.

"아무래도 차고에 가 봐야겠는데."

"얘들 기지?"

"응. 가만히 있다간 때를 놓칠 것 같아."

"선수를 치자? 난 찬성이야."

"아니, 그거 말고."

"그럼?"

"일단, 이들의 아지트가 정비소인 것 같으니, 위장 잠입을 좀 해 볼까 싶어. 그 안에 머무르는 사람들의 얼굴을 확인도 할 겸. 너는 밖에 있는 차에 구멍을 좀 뚫어 놔. 내가 다녀올게."

검은 칠을 한 남자가 물었다.

"들킬 가능성이 없다는 보장은?"

"제로야."

그리고 남자는 이어 말했다.

"껄렁거리는 너와 같이 들어간다면 말이지."

"그럼, 차라리 나를 보내."

"너를?"

"형이 잘못되면 난 헤매고 말 거야. 그러니 내가 가는 게 맞아. 형이 남아야 그 잘난 혓바닥으로 협상이라도 하지 않겠어?"

──── 73 고가도로에 오른 단원들

고가도로, 말 그대로 가더 전용 도로이다. 도로의 높이를 장벽에 빗대어 표현하자면, 대략 4층 정도, 1번지부터 58번지까지 끊이지 않는 도로는 F구역 시민들의 주택가 위로 넓게 연이어져 있다. 그는 마치 큼지막한 지네의 다리를 보는 것과 같다. 가더의 철수 이전과 이후 모두를 통틀어도 고가도로를 눈여겨본 사람은 없다. 아마 그는 긴 시간에 걸쳐 무의식에 새겨진 낙인과 비슷한 것이 아닐까 싶다. 고가도로에는 특유의 붉은빛을 띠는 볼라드가 솟아 있는데, 가더의 차량이 출입하는 때면 땅 밑으로 사라졌다가, 차량이 완전히 통과하고 나면 무서운 소리를 내며 다시 솟구쳤다. 마스는 그 길을 선택한 것이다. 감히 넘본 사람이 없는 그 길을. 또한, 터널에서는 여러 사람이 등을 보였다. 여전히 악단은 콰르텟이었다. 사람들이 등을 돌리는 가운데, 무용수가 마스와 눈이 마주쳤다. 마스는 묵묵히 무용수를 바라보았고, 머지않아 90도의 인사로써 작별을 건네는 그녀의 뒷모습을 보아야 했다. 그리고 현재.

"예상 시간은 9시간!"

마스가 단원들을 향해 중간 크기의 목소리로 말했다.

"우리의 첫 번째 목표는 안전한 도착입니다! 그래서! 여러분들의 협조가 필요합니다!"

말을 마친 마스는 손전등을 켰다. 그리고 불빛이 땅을 향하도록 하여 모두의 이목을 하얀 동그라미에 집중시켰다.

"아침 해가 뜰 때까지 들켜선 안 됩니다. 제가 맨 앞에서 길을 안내할 테니, 여러분께선 각자에게 주어진 물건들을 잘 지키시기를 바랍니다."

아울러.

"어쩌면 오늘이, 피리 부는 소년의 마지막 연주가 될지도 모릅니다. 그렇기에 도로에 오르기에 앞서, 그동안의 노고를 기리며 감사의 인사를 올리도록 하겠습니다."

마스는 왼손을 오른쪽 가슴에 얹으며 살짝 고개를 숙였다. 단원들이 마스를 따라 고개를 숙였다. 마스는 입구에서 살짝 뒷걸음친 뒤, 손전등으로 볼라드 아래를 비추어 덩치가 작은 순으로 통과시켰다. 마지막은 덩치 큰 첼리스트였다. 그는 마스의 얼굴을 바라본 다음, 무기력과 투쟁심이 섞인 묘한 눈으로 조용히 볼라드를 통과했다. 마스는 모든 이들이 길에 접어드는 걸 보고서, 손전등을 끄고, 길에 또 다른 사람이 없는지 마지막으로 확인했다. 길은 가로수를 제외하고는 온통 어둠뿐이었다. 마스는 인접한 주택과 가게의 창문을 뚫어지게 쳐다보는 걸 끝으로 고가도로에 발을 올렸다. 모두가 잠든 시간, 고가도로의 방음벽 안으로 새하얀 불빛이 희미하게 반짝거렸다. 마스는 달렸다. 모두가 그를 기다리고 있었다. 줄의 맨 앞으로 간 마스는 헐떡이는 숨을 힘주어 끌어내렸다. 그리고 뒤에 있는 안경잡이에게 속삭이듯 말했다.

"제가 옳은 길을 선택한 걸까요."

안경잡이가 대답했다.

"물론입니다. 이렇게나 많은 단원이 마스 씨의 등을 보고 있지 않습니까."

"만약 제가 틀린 길로 이끈 게 된다면, 그때도 저 사람들이 저의 등을 봐줄지 걱정이 됩니다."

그에 안경잡이가 말했다.

"마스 씨."

"네."

"옛날 서적을 보면 이런 글귀가 있습니다. 제아무리 뛰어난 지능을 가진 인간이라도 절대 자신의 앞날을 예견할 순 없다고요. 마스 씨를 포함한 저희 모두는 그때와 다를 게 없는 한낱 인간일 뿐입니다. 그리고 저희가 걷는 지금 이 길은, 옳다고도, 틀리다고도 말할 수 없죠."

"이유가 무엇인가요."

마스가 물었다. 안경잡이는 미소를 지으며 대답했다.

"길의 갈래는 누구에게나 공평하고, 무한하지만, 우리에게 주어진 시간은 그를 모두 순회할 만큼 길지 않으니까요. 그렇기에 조금 전 마스 씨가 하신 틀린 길에 대한 이야기는…"

안경잡이가 말을 매듭짓지 않자, 그의 말을 집중해서 듣고 있던 마스는 조용한 실소를 뱉어냈다.

"이거 한 방 먹었군요."

안경잡이는 헛헛한 표정으로 말했다.

"그래도 선은 지켰습니다. 무례한 사람이 되긴 싫거든요."

"고맙습니다."

밤은 길었다. 빛이라고는 마스가 쥔 손전등과 밤하늘에 떠 있는 달이 유일했다. 수다쟁이였던 무용수가 빠진 지금, 말을 하는 사람은 아무도 없었다. 어둠 속에서 그들의 발걸음은 안전하지 못했다. 누군가는 넘어졌고, 누군가는 공포에 휩싸이기도 했다. 공포는 무서운 것이었다. 하늘거리는 바람처럼 안락함을 안겨다 주며, 동시에 그들의 마음을 잠식해 나갔다. 마치 독과 같았다. 줄의 끝에 있는 첼리스트는 그를 본능적으로 감지한 것인지 일정한 간격을 두고 계속해 물을 들이켰다. 문제는 앞서 말한 연약한 단원들이었다. 그들은 여렸다. 독은 지능이 높다. 그래서 굳이 애를 먹을 만한 상대를 건드리려 하지 않는다. 두 시간이 지나갈 즘, 기어코 한 명의 부상자가 발생했다. 일전에 무용수 뒤에서 기타를 치던 남자였다. 남자는 두려움에 찬 눈으로 연신 걸어온 길을 되돌아보았다. 마스까지의 전달은 등을 두드리는 것으로 이루어졌다. 마스는 손전등을 뒤로 비추어 상황을 파악했다. 누가 봐도 문제가 있어 보였다. 남자의 증상은 강박과 비슷했다. 입으로는 숫자를 외우고 있었으며, 고개는 반복적으로 앞뒤를 오갔다. 마스는 반대 손의 주먹을 비추어 단원들에게 멈춤을 지시했다. 그리고 안경잡이의 어깨를 시작으로 단원들의 수를 세며 남자가 있는 곳을 향해 뛰어갔다. 그의 증세는 하얀 불빛이 가까워져도 사그라지지 않았다. 마스는 첼리스트에게 손전등을 건넨 다음, 남자의 머리를 흔들며 소리쳤다.

"괜찮아요!! 괜찮습니다!!"

"제 눈을 보세요!! 어서!!!"

남자의 눈은 좀체 멈추지 않았다.

"괜찮아요…, 괜찮아…, 내가 미안합니다. 내가 사과하겠습니다."

모든 단원이 어느새 마스의 곁으로 다가와 있었다. 모두 똑같은 눈빛이었다. 독에 집어삼켜진 남자를 응원하는 눈빛. 그리고, 자신도 저와 같이 되진 않을까, 두려워하는 눈빛. 남자가 경련을 멈춘 건, 모두의 응원도, 마스의 다그침도 아니었다. 시간이었다. 15분. 정신을 차린 남자는 마스와 단원들의 눈을 바라보다, 자의로써 숨을 들이마시고, 내쉬기를 반복했다.

"죄송합니다."

남자가 말했다. 그리고 마스가 숨을 길게 내뱉으며 말했다.

"…천만다행입니다. 몸은 좀 괜찮으십니까?"

마스의 물음에 남자는 그제야 깨달았다. 자신의 턱시도가 침 얼룩으로 가득하고, 입가에는 실신한 사람처럼 거품이 쌓여 있단 걸. 남자는 충격을 받은 듯했지만, 애써 덤덤하게 말을 이었다.

"하하, 이것 참. 나이 마흔이 넘어서 이게 무슨 꼴값인지."

그리고 그는 짐을 주섬주섬 챙기며 마스에게 말했다.

"저 때문에 많은 시간을 잃었군요. 죄송합니다."

마스는 말없이 남자의 오른쪽 어깨를 툭툭 두드렸다. 그리고 모여 있는 단원들을 재정렬했다.

"자, 다시 나아가겠습니다. 모두 준비하세요."

마스는 말했다.

"그리고 앞으로도 이런 경우가 없으리라는 보장은 없습니다. 저 역시도 방심해선 안 되겠지요. 그러니 모두 지금처럼만 해 주시길 부탁드리겠습니다. 절대 동료를 버리지 마십시오. 또, 조금이라도 비슷한 느낌을 느끼시거든 곧장 저를 부르세요. 제가 멈춤 지시를 내리겠습니다. 그럼…, 모두 힘내 주시길 바랍니다."

말을 마친 마스는 덩치 큰 첼리스트의 시선을 느껴, 그를 흘깃 보는 척하다가 이내 앞으로 걸음을 내밟었다. 그도 거기서 시선을 내렸다. 그리고 첼리스트는 좀 전 마스의 손전등에 비친 기타리스트의 턱시도를 두꺼운 손으로 털어 주며 짐을 멨다. 그 모습을 본 단원들은 역시나 한껏 긴장해 있었는지, 저마다 한숨을 내쉬었다. 그들 사이로 작은 속삭임이 있었는데, 기타리스트가 듣지 못할 정도의 소리였다. 맨 앞으로 간 마스의 손전등 빛이 뒤를 향했다. 단원들은 빛을 보며 다시금 줄을 맞췄다. 그리고 마스가 활짝 편 손바닥을 손전등으로 비추자, 줄줄이 꿴 사탕처럼 그들의 발이 움직이기 시작했다. 어둠은 길었다. 마스의 뒤에서 본 풍경은 끝이 안 보이는 광산 터널과도 같았다. 단원들은 생각할지도 모른다. 이젠 내릴 시간이 지났고, 지금처럼 걸음을 앞으로 내딛는 것만이 본인의 목숨을 지킬 수 있는 유일한 방법이라고. 다시 시간이 흘러, 네 시간쯤에 접어들었을 때, 우측으로 급격히 꺾이는 갈림길이 등장했다. 마스는 손을 올렸다. 그리고, 손전등의 머리를 바닥으로 내리며 단원들에게 집합 명령을 내렸다. 단원들이 하나둘 마스의 곁으로 모였다. 모두들 지친 기색이 역력했지만, 정신력 하나로 버티고 있는 듯했다.

"이제 절반인 건가요?"

누군가가 물었다.

"거의요. 속도가 꽤 빨랐네요."

마스가 시계를 보며 대답했다.

"한 시간 이상은 여유가 생긴 것 같습니다. 그러니 잠시 쉬었다 가는 걸로 하죠. 제가 지휘봉 위에 손전등을 엎어 놓을 테니 물을 마실 사람은 물을, 배가 고픈 사람은 음식을, 잠이 필요한 사람은 잠을, 각자 알아서 취하시길 바랍니다. 조금만 더 가면 됩니다. 다들 조금만 더 힘내 주세요."

원래도 마스를 제외하면 격식이 그리 갖춰진 집단은 아니었다. 내가 이 이야기를 하는 건, 지금에 보이는 그 정도가 조금 더 세 보이기 때문이다. 마스의 말이 끝나자마자 단원들은 각자 메고 있던 악기 가방을 벽에 세웠다. 그리고 나눠서 들고 있던 식량을 자신과 옆 사람에게 조달하기 시작했다. 특히나 굶주려 보이는 단원이 있었는데, 그는 등의 악기를 내려놓을 새도 없이 허겁지겁 음식을 입에 밀어 넣었다. 그런 와중에 간혹, 어떻게 이곳에 있는지도 모를, 검고 흰 고양이들이 눈을 밝히며 단원들을 향해 다가왔지만, 이들은 냉혹했다. 개중에는 새끼 고양이도 있었다. 무용수였더라면 빵의 한 점을 떼서 줬을 법한 아주 귀여운 고양이였다. 녀석은 모두의 뿌리침에도 도망치지 않았다. 끈기 있는 녀석이었다. 그리고 끝내 제일 구석에 앉아 조용히 음식을 씹고 있는 첼리스트의 다리에 안겼다. 첼리스트는 남은 물의 양을 확인한 뒤, 손바닥에 덜어 고양이에게 내밀었다. 고양이는 바다를 보는 것 같았을 것이다. 큼지막한 손에 담긴 물은 태어나 몇 보지 못한 양이었을 테니까. 그리고 그 많은 물을, 새끼 고양이는 순식간에 먹어 치웠다. 첼리스트는 가만히 녀석의 얼굴을 쓰다듬으며 말했다.

"이제 엄마에게 가. 너를 먹이려고 왔을 거야."

새끼 고양이는 야옹 하고 소리를 냈다. 그제야 단원들이 첼리스트를 바라봤다. 다들 비슷한 표정이었다. 흐뭇한 표정, 감상에 젖은 표정. 그리고 새끼 고양이는 덩치 큰 남자를 향해 한 번 더 울음소리를 내보이고는 손전등의 불빛이 닿지 않는 먼 어둠속의 다른 고양이 들과 함께 자취를 감췄다.

"이제 다들 마무리해 주시기를 부탁드리겠습니다!"

마스가 크게 말했다. 그의 말은 곧 법이었다.

"쓰레기는 더러운 고가도로에 버리고 갑니다."

그에 멍청한 얼굴로 쓰레기를 가방에 넣던 단원 한둘이 깊숙이 넣어 놓은 봉지를 도로 에 쏟아 냈다. 안경잡이가 조용히 물었다.

"…근데, 마스 씨. 둘 중 어디로 가야 하는지 알고 계십니까?"

"물론입니다."

그리고 마스는 되물었다.

"애초에 갈림길이 왜 있을까요. 어차피 한곳으로 통하는 곳인데 말입니다."

"잘 모르겠습니다."

마스는 손전등을 들어 앞을 비췄다. 그리고 말했다.

"저기 우측으로 굽이진 곳은 아마 12나 13번지로 향하는 길일 것입니다. 사실, 우리는 지금까지 저런 갈림길을 몇 차례나 지나왔었습니다. 길이 줄곧 왼쪽에 있었을 뿐이에요."

"그럼, 곧 있으면 광장의 거울이 보이겠군요."

"글쎄요. 저 개인적으론 이 벽이 거울보다 높은 곳에 있었으면 좋겠습니다만…"

마스는 방음벽을 두드리며 말했다. 안경잡이는 아차, 싶은 모양이었다.

"그러네요. 만약 거울이 더 위에 있다면…"

마스는 손전등을 쳐듦과 동시에 하늘을 올려다보며 말했다.

"거울에 우리 모습이 비치겠지요. 거기다 불빛이 흰색이니, 사람들이 우릴 보며 가다가 돌아온 게 아닌지 두려워하기도 할 거고요. 제가 이곳을 오르기로 결정했을 때 가장 염려 했던 점입니다. 광장의 거울 높이가 어떤지 알지 못하기에."

그의 말에 안경잡이는 어색한 웃음을 띠며 물었다.

"하하…, 그럴 리는 없겠죠?"

마스가 뒤에 길게 늘어선 단원들을 비추며 대답했다.

"그래야만 합니다. 그렇지 않으면 우리는 장벽으로 군단을 끌고 가는, 정말이지 미친 음 악대가 될 테니까요."

—— 74 동생의 잠입

퍼진 세단이 길을 질러오는 것을 가장 먼저 발견한 사람은 제리였다. 그는 의미 없는 토론 뒤에, 청소를 위해 계단을 올랐고, 그것을 발견한 것이다. 마찬가지로 브러쉬와 걸레, 광택제가 제리의 손에 들려 있었다. 제리는 조용히 창을 닫았다. 그리고 시가의 불을 끄고서 손에 쥔 것들을 바닥에 사뿐히 내려놓았다. 차고로 차가 다가오는 속도에 맞춰 제리는 계단에 발을 내렸다. 2층에 도착한 제리는 소파를 바라봤다. 여전히 토론의 목소리가 끊이질 않고 있었다. 제리는 단 한 번의 고함으로 그들 모두를 멈췄다.

"숨으세요!"

그를 들은 모두가 어정쩡하게 있는 사이, 딘의 상황판단이 가장 빨랐다. 딘은 카리브에게 소년을 맡기며 방을 가리켰다. 반드시 문을 잠그고 있으라는 당부도 잊지 않았다. 카리브는 소년을 잡고 뛰었다. 그리고 딘은, 제리를 향해 고개를 끄덕이며 페퍼를 방 안으로 들여보내고, 자신도 황급히 몸을 숨겼다. 쟝은 차고 1층에 가득히 쌓여 있는 상자 뒤에 숨어 총알을 장전하고, 조준경으로 입구를 겨눴다. 그러는 사이, 남자가 도착했다. 벨이 우렁차게 울렸다. 제리는 쟝을 향해 대기하라는 사인을 보냈다. 그리고 한 번 더 벨이 울렸다. 제리는 목소리를 가다듬었다.

"예- 있습니다."

그에 밖의 남자가 말했다.

"아아, 다행이다."

제리는 차고 문의 잠금을 천천히 풀었다. 그리고 문을 여는 순간, 절반이 채 열리지도 않은 곳으로 남자의 얼굴이 보였다. 그만큼 그는 차고 문에 가까이 있었다는 뜻이다. 제리는 덤덤한 웃음으로 그의 손에 무기가 없는지 확인했다.

"여기, 수리도 하나요?"

흰색 모자를 쓴 남자가 물었다.

"음…. 보통은 하기도 합니다만, 거의 대형 차량을 다루는지라."

제리의 다음 말은 '오늘은 좀 힘들 것 같습니다.' 였다. 하지만, 남자의 대꾸가 너무 빨랐다.

"잘됐네요! 그럼, 저 정도 크기의 차는 순식간에 해치우실 수 있는 것 아닙니까?"

제리는 대답했다.

"더 가까운 정비소가 있었을 텐데."

"아, 이 집이 제일 가까워서요."

"엔진도 나갔습니까?"

"아뇨. 타이어 하나만."

남자는 슬쩍슬쩍 웃으며 대답했다.

"일단 상태를 보죠."

그리고 제리는 남자를 안으로 불러들이며 차고 문의 반을 마저 열었다. 쟝의 조준경이 남자를 따라 움직였다.

"차를 끌고 올까요?"

남자가 물었다.

"보통은 펑크 난 차를 견인하는 게 정석입니다만, 거리가 가까우니 그렇게 해 주셔도 됩니다."

"네네. 그럼, 잠시만…"

남자가 나가자, 박스 뒤에 숨어 있던 쟝이 벌떡 일어나며 제리를 불렀다.

"저 개새끼 당장 죽여야 합니다."

"조금만 더 기다려 봅시다. 아직은 몰라요. 여차하면 제가 신호를 드리겠습니다."

"아니요. 제가 봤습니다. 저 음흉한 새끼가 제리 씨 차고를 여우 같은 눈으로 훑는 것을요."

"그건 누구나 하는 일입니다. 넓은 곳에 오면 분위기에 압도당하는 게 당연한 거니까요. 일단은 섣불리 행동하지 마시고 기다리세요. 말씀하신 대로 정말 개새끼가 맞으면, 그땐 제가 뼈를 분지르겠습니다."

그리고 차의 시동 소리가 들리자, 쟝은 다시 몸을 숨겼다. 털털거리는 소리가 났다. 흰색 유광에 군데군데 붉은 얼룩이 있는 세단이었다. 핏자국은 아니었다. 피와는 색이 달랐다.

"어디에 세우면 되죠?"

입구를 통과한 남자가 창문을 내리며 물었다.

"조금 더 안쪽으로 들어오세요. 어차피 바퀴를 갈려면 잭도 올려야 하고, 벽돌도 놓아야 하니까요."

"아, 네. 알겠습니다."

그리고 남자는 천연덕스럽게 말했다.

"차 한 잔 가능할까요?"

제리는 대답했다.

"가져다드리죠."

"메리골드로."

차바퀴가 제리가 뱉어 놓은 담배꽁초를 지르밟으며 차고 깊숙한 곳에 멈춰 섰다. 남자가 차에서 내렸다. 그의 옷차림은 간소했다. 검은색 반팔 티셔츠에 흰색 슬랙스 발목이 보였고, 아래에는 헐렁한 슬리퍼가 발을 감싸고 있었다.

"어느 바퀴입니까?"

제리가 물었다.

"저기 저, 왼쪽 앞바퀴입니다. 사실 왼쪽 뒷바퀴도 간당간당하긴 한데, 저것까지 갈 필요는 없는 것 같아서."

제리는 뒷바퀴를 슬쩍 봤다.

"어중간하네요. 어떻게, 오신 김에 저것도 고치시겠습니까?"

"아뇨, 됐습니다. 그냥 앞바퀴만 손봐 주세요."

그리고 남자가 이어 말했다.

"메리골드는?"

"죄송하지만, 그런 비싼 찻잎은 없습니다."

"그래요? 아쉽네…"

"다른 거라도 드릴까요?"

남자는 껄렁하게 고개를 가로저었다. 그리곤 물었다.

"이 넓은 곳을 혼자 관리하시나요?"

그에 쟝은 말을 돌렸다.

"근처에 사신다고 들은 것 같은데."

제리가 대답했다.

"아, 네. 근데 여기는 처음 와 보는 거라서요. 제 질문이 이상했나요?"

"전혀요."

"그래서, 혼자 관리하신다는 거죠?"

쟝은 남자의 관자놀이를 겨누었다. 그리고 숨을 참으며 제리의 수신호를 기다렸다.

"뭐, 일단은 그렇습니다. 근데 그게 왜 궁금하십니까?"

남자는 기침을 콜록대는가 싶더니 더 이상 참을 수 없다는 듯이 끝내 웃음을 터뜨렸다. 그의 우렁차고, 날카로운 웃음소리가 차고 구석구석을 찔렀다. 그가 웃음을 그친 건, 제리가 풀어진 장사치의 얼굴에서 무표정으로 남자를 바라볼 때였다. 제리의 표정을 본 남자는 모자를 벗으며 공손히 인사했다.

"처음 뵙겠습니다."

그리고 그는 상자 쪽으로 몸을 돌리며 또 한 번 같은 동작을 보였다.

"거기 숨어 계신 분도 만나서 반갑습니다."

"이 개새끼가!!!"

쟝이 방아쇠를 당길 자세로 몸을 일으키며 소리쳤다. 제리는 말리지 않았다.

"저는 죽으러 온 게 아니에요."

남자가 말했다. 그리고 그는 공중을 향해 소리쳤다.

"혹시 왼쪽 타이어가 구멍 나지 않으셨습니까!!!!!"

쟝은 한 걸음, 한 걸음, 남자에게서 눈을 떼지 않으며 그에게로 다가갔다. 그리고 위층에서 문이 열렸다. 딘이었다. 딘은 이제 막 불을 붙인 담배를 그에게로 떨어뜨리며, 그리고 침을 뱉으며, 계단을 터벅터벅 내려왔다. 남자는 해맑음을 띤 미소로 딘을 맞았다.

"이거, 뵙고 싶었습니다."

딘은 내려옴과 동시에 남자의 얼굴에 침을 뱉었다. 그리고 말했다.

"난 당신을 모르는데, 당신은 날 아나 보군요."

남자는 침을 닦으며 소리 내 웃었다.

"하하하. 물론 알지요. 그러니까 내가 여기 찾아왔지."

제리는 남자의 시선이 딘에게 쏠린 사이, 다른 사람이 나오지는 않았는지 확인했다.

"뭘 망설여? 그냥 죽이면 되는 일을."

쟝이 총을 겨누며 말했다.

"소용없어."

딘이 말했다. 그리고 딘은 여전히 쪼개고 있는 남자에게 물었다.

"당신이 일전의 앞치마인가?"

"앞치마?"

"아닙니다. 녀석은 이놈처럼 키가 크지 않았어요."

제리가 말했다.

"무슨 얘기가 오가는 것인지?"

남자가 물었다.

"아니면 됐습니다."

그리고 딘은 물었다.

"그래서 어떻게 하자고요?"

남자는 고개를 끄덕이며 대답했다.

"당신들의 계획을 들으러 왔습니다. 물론 알고 계시겠죠. 질문에 대답하지 않으면 그녀들이 어떻게 되는지."

"어떻게 되든, 넌 오늘 살아서 못 나가."

쟝이 말했다.

"…아, 그렇습니까? 근데 저는 죽어도 딱히 상관이 없어요. 동생이 있거든요. 제 동생을 찾지 못하는 이상, 당신들이 이 재밌는 인질극을 막을 순 없을 거예요. 그러니, 그녀들을 살리고 싶으면 계획을 말하세요. 뭘 하려는 건지, 또, 언제 그걸 할 예정인지."

"뭐야, 결국 넌 아는 게 하나도 없네?"

딘이 재잘대는 남자 앞으로 다가서며 말했다. 목소리가 낮았다. 단순히 낮은 어조는 아니었다. 분노가 깔려 있었다.

"그 사람들을 통제하지 못했구나? 그렇지?"

"그래서 제 발로 여길 찾아온 거고. 하하."

딘은 남자의 정강이를 세게 걷어찼다. 그리고 아래로 주저앉은 남자의 머리를 손가락으로 밀며 그를 비스듬히 내려다보았다.

"미안하지만 우린 **어제** 결론을 내렸어. 그녀들을 버리기로."

남자는 전혀 예상치 못했다는 눈으로 딘을 올려다보았다. 혼돈은 순식간에 남자를 잡아 먹었다. 비유하자면, 전지가 다 되어 가는 장난감을 보는 것 같달까. 남자는 납득할 수 없다는 듯 바닥에 몸을 이리 처박고, 저리 처박았다. 동생이 그에게 말한 대로 그에 대한 답이 현실에 나타난 것이다. '그들이 이 사람들을 버리면?'

그리고 남자는 한동안 바닥에 웅크려 일어나지 않았다. 제리와 딘, 그리고 쟝까지. 세 사람 모두 남자를 향한 경계가 풀린 지 오래였다. 다들 끝난 싸움이라 생각했다. 쟝은 이미 총의 레버를 올려 있었다. 세 사람은 그렇게 남자가 고통스러워하는 모습을 말없이 바라보기만 했다.

"그만 일어나시죠."

제리의 말에도 남자는 꿈쩍하지 않았다. 그리고 쟝이 뭔가 비실거리는 남자의 몸을 발로 걷어차자, 그의 손에 들린 통신기가 모습을 드러냈다.

"뭐야?"

쟝이 말했고, 동시에 총구를 그의 손에 겨누어 발사했다. 2층에선 비명이 들렸다. 그리고 1층의 모두에게로 새빨간 피가 튀었다. 남자는 온갖 욕을 곁들여 팔을 껴안고 뒹굴었다. 그가 뒹굴 때마다 손이 날아간 자리에서 피가 솟구쳤다. 마치 거꾸로 매달아 놓은 분수대 같았다. 쟝은 장소를 바꿔 그의 머리 쪽으로 걸음을 옮겼다. 제리가 딘의 곁으로 왔다. 딘의 손에는 키패드가 날아간 통신기가 들려 있었다. 작은 창 위로 단어 하나가 떠올라 있었다.

Tomorrow.

메시지가 떠 있는 곳은 발신함이었다. 그렇다는 건, 동생이 메시지를 무사히 받았다는 의미가 된다. 딘은 제리를 보며 가쁘게 숨을 내쉬었다. 제리는 딘에게 통신기를 달라고 말했다. 제리는 주머니에서 드라이버를 꺼내 통신기의 뒤판을 살살 풀었다. 초록색 표시등이 멀쩡히 반짝이고 있었다. 딘은 허리를 짚었고, 제리는 단말기를 남자가 있는 바닥으로 힘껏 내던지며 고함을 질렀다. 소강상태가 찾아온 건, 그 일이 있고 난 이후 대략 15분이 경과했을 때. 남자는 더 이상 욕을 하지 않았다. 정확히는, 반쯤 미쳐 있었다. 2층에 숨어 있던 모두가 아래로 내려왔고, 소년도 예외는 아니었다.

"야단났네."

카리브가 눈앞의 광경을 쭉 보고는 말했다.

"죄송합니다."

딘이 말했다.

"나 같은 사람한테 죄송할 게 뭐 있어요. 사과를 하려면 애한테 해요. 애가 볼 풍경은 아니잖아요, 이게?"

"그렇게 하겠습니다."

그리고 카리브는 소년을 자신의 뒤로 숨기며 앞으로 나왔다.

"그래서, 이 사람인가요? 퓨티 씨와 워블 씨를 데려간 게."

쟝이 총을 내리며 말했다.

"예, 맞습니다. 개새끼가 총 두 마린데, 이 새끼가 형이랍니다."

"동생은요?"

"시발. 그게 문제인데…"

딘이 팔을 뻗어 쟝의 입을 막았다.

"일단 가장 중요한 건, 그 두 사람이 아직 살아 있다는 겁니다."

"행방이 더 중요한 거 아닌가요?"

"방법이 없습니다. 저 통신기는 가더 전용이거든요. 우리로선 해킹도, 탐지도 불가능하죠."

카리브가 물었다.

"그런 걸 애네들이 어떻게 가지고 있는 거죠?"

딘은 이마를 긁으며 대답했다.

"글쎄요. 길에서 주웠거나, 친하게 지내던 가더가 있었거나, 둘 중 하나겠죠."

그리고 구석에서 손을 씻던 제리가 말을 보탰다.

"뭐가 됐든 우리는 계획대로만 하면 됩니다."

카리브가 피식 웃으며 대꾸했다.

"그래요, 저더러 500명을 막으라고요. 알겠어요, 알겠어."

"꼭 그런 뜻으로 한 말은 아닙니다. 나와 봤자 동생 혼자일 거예요. 혼자로는 우리를 막을 수 없지요. 동생이 똑똑한 사람이라면 애를 먹을 수도 있겠지만, 그렇지 않은 경우엔 총알 한 발로 쉽게 상황을 끝낼 수 있습니다. 구출이 오히려 쉬워진 거죠."

그에 소년이 손을 번쩍 들며 끼어들었다.

"그럼, 오늘 새벽에 누나 둘을 다시 볼 수 있는 건가요?"

딘이 대답했다.

"그래, 그럴 거야."

그리고 쟝이 딘에게 물었다.

"이봐, 딘. 저 개새끼는 어떻게 하지? 아직도 살아 있어. 대단한 새끼야."

딘은 다문 입속으로 혀를 한 바퀴 돌린 다음, 쟝에게 있는 총을 가로채어 남자에게로 성큼성큼 걸어갔다. 그를 본 카리브는 한숨을 길게 내뱉으며 양손으로 소년의 두 눈을 가려 주었다. 바닥에 누워 있는 남자의 모자는 더 이상 흰색이 아니었다. 남자는 총구를 빤히 바라보며 말을 흘렸다.

"……너희들 뜻대로 되지 않을 거야. 그걸 알려 주려고 왔어. 그리고 또 한 가지, …메리골드는 내가 아는 유일한 찻잎이야."

가만히 놔두어도 죽을 사람이었다. 딘은 그걸 바라지 않았고

"한 손은 곧 만날 동생에게서 받아. 받을 수 있다면 말이지."

그렇게 딘은 남자의 머리통을 날려 버렸다. 카리브는 소년을 데리고 올라가 버렸고, 나머지 사람들은 청소에 매진했다. 특히 차고가 제리의 것이었기 때문에, 청소가 매우 중요했다. 줄곧 말이 없던 페퍼도 걸레질에는 동참했다. 제리는 하나하나 세심하게 청소가 필요한 장소를 가리켰다. 남자의 시체는 그가 타고 온 세단과 함께 폐차장으로 옮겨졌다. 쟝이 기름을 둘렀고, 딘이 라이터를 던졌다. 비록 번지가 1번지지만, 차고에서 검은 연기가 오른다고 한들, 신경 쓸 사람은 아무도 없다. 밀대를 든 쟝은 바닥을 밀며 끊임없이 투덜댔다. 그의 긴 혼잣말을 요약하자면, 어차피 장벽을 올라 E구역으로 넘어갈 것인데, 무엇 하러 F구역에 남을 걸 신경 쓰느냐는 것이었다. 쟝의 옆을 지나가는 사람은 한 번쯤 그를 들어야 했다. 당연하게도, 쟝의 말을 들은 체하는 사람은 아무도 없었다. 청소가 끝난 시간은 오후 4시가 다 되어 갈 무렵이었다. 늦은 오후의 이른 저녁밥 냄새가, 은은히 가라앉은 피비린내와 뒤섞여 차고 1층을 가득 채웠다. 그러나 왠지 모르게 2층은 기념일 분위기가 물씬 느껴졌다. 존재하지 않던 식탁 위에는 예쁜 그릇들이 처음으로 등장했고, 윤이 흐르는 접시

위에는 육즙으로 가득 찬 두툼한 스테이크가 높게 쌓여 있었다. 마지막으로 와인잔을 닮은 자그마한 술잔이 있었는데, 그에 불을 지피려는 제리의 행동에, 말들이 오갔다.

"이러다 아주 기도문까지 외겠구먼."

쟝이 포크와 나이프를 소리 나게 비비며 말했다.

"왜, 또 뭐가 문젠데요."

카리브가 말했다.

"잘 봐요. 이게 포크고, 이게 나이프예요. 저건 스테이크고."

딘은 고개를 절레절레 저었다.

"저건 단순한 촛불이 아니에요! 은총의 빛이라고요!"

소년이 포크를 번쩍 치켜들며 말했다. 거기서 쟝의 얼굴이 시뻘겋게 달아올랐다.

"뭐?! 은총의 뭐? 야."

카리브는 웃으며 소년의 기세에 동참했다.

"어우— 낭만적이야. 소년아, 너는 그렇게만 자라렴. 나이가 들어서도 담배랑만 키스하는 저런 아저씨가 되지 말고."

"나이?!! 이봐, 아가씨. 몇 살이야?"

쟝의 시끄러운 목소리에 카리브는 소년을 보며 말했다.

"솔직히 말하자면, 그냥 아무것도 배우지 마."

그 사이 제리는 술이 담긴 여섯 개의 유리잔에 불을 피워 놓았다. 그를 본 페퍼는 가만히 있던 상체를 앞으로 숙여, 불을 손안에 머금었다. 페퍼의 행동에는 묘한 흡입력이 있었다. 재잘대던 쟝을 다물게 했고, 무겁게 떠 있는 주변의 공기를 사뿐히 디딜 수 있을 것처럼 가볍게 만들었다. 따뜻하고, 푸근했다.

"음악은 어떤 걸로 할까요?"

제리가 진지한 표정으로 물었다.

"재즈!"

카리브가 제일 먼저 대답했다. 그리고 다시 쟝이 반박했다.

"음악이요? 오늘 뭐, 뒤진 개새끼 추모라도 하자는 겁니까?"

"아, 진짜. 왜 이렇게 눈치가 없어요."

"딘, 내가 틀려?"

딘은 가만히 듣고 있다가, 입꼬리를 올리며 쟝에게 말했다.

"야 이 등신아. 어느 미친놈이 추모곡으로 재즈를 틀어?"

"뭔데, 그럼?"

쟝이 물었다. 그리고, 모두가 한목소리로 대답했다. 축배. 개 같은 거. 쟝은 한바탕 구시렁대고 나서 불이 붙은 잔을 들었다. 여섯 개의 불꽃이 원을 그리며 치솟았다. 하나의 잔이 유독 낮았다. 소년은 눈치를 보다가 어른들이 불을 끄고 술을 들이켜는 걸 보고는 그를 따라 불을 껐다. 높은 도수의 술에 표정을 찡그리는 어른들의 얼굴을 보며 소년은 눈을 반짝였다. 소년은 심호흡을 하고는 잔을 입술에 가져다 댔다. 그리고 소년은 잔을 입에 붙인 그 상태 그대로 굳어 버렸다. 딘은 진즉에 그를 지켜보고 있었다. 일종의 도박인 셈이었다. 딘은 키득키득 웃으며 얼어 있는 소년에게서 잔을 빼앗았다.

"역시 대도가 될 사내야."

그를 본 쟝이 딘과 같은 웃음소리를 내며 말했다. 카리브는 놀라서 소리쳤지만.

"담배는 몰라도, 술은 아직 일러."

딘은 공중에 떠 있는 소년의 손을 툭툭 치며 말했다.

"담배는 몰라도? 두 사람 진짜 안 되겠네요."

카리브가 딘의 손에 들려 있는 소년의 잔을 멀찍이 내려놓으며 말했다. 그리고 세 사람을 바라보던 제리가 말을 얹었다.

"너무 그러지 마세요, 카리브 씨. 이 험한 시티에서 대도가 되려면 술과 담배 정도는 일찍 배우는 것도 나쁘지 않아요."

카리브는 탄식했다.

"보수적인 사람이었네."

쟝이 말했다. 딘도 거들었다.

"그러게. 예술 하는 사람들은 보통 진보적이지 않나?"

"저 진보적인 사람 맞고요, 예술 하는 사람이었던 것도 맞고요, 타투이스트로 전향한 것도 맞고요, 다 맞는데요, 당신들이 너무 드세요, 순수한 애를 갖다가 왜 타락시키려고 하는 건데요? 쟤를 봐요, 얼마나 예쁘고 사랑스러워요."

그 말은 남자들의 조롱거리가 되기에 충분했다. 여자로는 페퍼가 있었지만, 그녀는 조용히 있는 사람이니까. 제리가 선두로 가장 크게 웃음을 터뜨렸다. 그리고 딘과 쟝이 카리브를 쏙 빼놓고 대화를 이어 나갔다.

"들었어?"

"들었어, 들었어."

"정말로 내가 들은 게 맞아? 얼마나 예쁘고…"

"네가 들은 게 맞아."

"이런."

"여자들이란."

"저놈이 어려서 그렇지 조금만 나이 들어 봐, 저런 소리 하려야 할 수 없을걸."

"당연하지! 내 말이 그 말이야, 딘. 여기 바글거리는 노인네들을, 아니지, 당장에 타투 받으러 오던 사람들을 떠올려 봐요. 그 사람들이 예쁘고 사랑스러웠어요? 크하하하."

둘의 이야기를 가만히 들으며 고기를 썰던 카리브는 챙 소리가 나도록 나이프를 접시 위에 내려놓으며 말했다.

"진짜 저질이야."

그리고 이 세상의 온갖 인상을 번갈아 쓰며 말을 이었다.

"그런 비유가 어딨어요? 도대체. 나이가 다르잖아, 나이가. 얘가, 어? 이렇게 귀여운 애가 그들처럼 큰다고요? 오케이. 그럴 수 있다고도 쳐요. 그럼, 이 귀엽고 착한 애를 그런 우락부락한 짐승으로 키운 사람은 얼마나 쓰레기인 거예요? 말해 보세요."

쟝이 큼직한 고기를 베어 물며 대답했다.

"그건 키우는 사람의 문제가 아닙니다, 카리브 씨."

"그럼요? 뭐가 문제인데요?"

입에 음식을 잔뜩 머금은 쟝은 딘과 제리를 한 번씩 바라보고는 입을 틀어막으며 웃었다. 도저히 대답할 상황이 못 된다는 구원의 요청 같았다.

"카리브 씨."

제리가 고기 조각을 잘게 자르며 말했다.

"뭐가 문제라기보다는…, 사내놈들이 다 그렇습니다. 남자아이인 경우엔 특히 더 그렇죠. 카리브 씨를 빗대어 말하는 것은 아닙니다만, 제 인생에서 그런 부모들을 몇 차례 보았습니다. 아들을 마치 딸 키우듯이 키우는 부모들을요. 어릴 땐 당연히 귀엽고 사랑스럽죠. 어린애가 귀엽지 않으면 문제가 있는 것인데…, 그 마음 이해합니다. 하지만 카리브 씨. 사내는 결국 사내일 뿐이에요."

그리고 제리는 잘게 썬 조각을 입에 넣으며 말을 끝맺었다.

"본성이죠."

카리브는 제리의 말에는 반박하지 못했다. 말이 길기도 길었고, 논리적이었으니까.

"알겠어요. 이 얘기는 그만하기로 해요. 재미없어요."

카리브의 말을 끝으로, 남은 시간은 다른 이야기들이 오갔다. F구역에서의 탄생, 왕년, 추억. 그들의 말소리를 듣고 있자니, 단순히 그저 그런 이야기가 아니었다. 모든 이야기에 화가 껴 있었다. 그럼에도 후회는 없다는, 그런 이야기. 개개인의 이야기가 끝나고, 남은 사람은 페퍼 한 사람뿐이었는데, 그녀는 꾹 다문 입술로 딴청을 피웠다. 괜스레 술잔 위의 촛불을 멍하니 본다든가, 기름이 묻은 포크를 입에 물고 있다든가, 다들 조금은 기대를 하며 기다리는 눈치였는데, 끝내 페퍼는 자기 이야기를 한 단어도 꺼내지 않았다.

—— 75 고가도로에서의 시간

합이 7시간. 단 한 번의 휴식 이후, 다음 세 시간은 아무 문제없이 지나갔다. 거기서 마스를 포함한 단원들은 깨달았을 것이다. 그럼 그렇지, 가더를 위한 도로가 어떻게 거울보다 아래에 있겠어, 라고. 그를 선두에서 가장 먼저 살피던 마스는 이제 더 이상 하늘 위로 손전등을 쳐들지 않았다. 마스의 뒤에는 커다란 폐와 심장이 달려 있는 것 같았다. 폐는 끊임없이 수축과 팽창을 반복했고, 심장은 당장이라도 터질 것처럼 폭주했다. 그들은 사람들이 알아듣지 못할 말들로 서로에게 응원을 불어넣었다. 응원은 열기가 되었고, 열기는 곧 단원들의 입 밖으로 뿜어져 나와 뜨거운 바람이 되었다. 마스의 손전등 앞으로 또 하나의 갈림길이 나타났다. 마스는 자신의 뒤에 있는 안경잡이가 한참 전부터 한계에 다다라 있다는 것을 알고 있었다. 그리고 마스는 시간을 확인했다. 새벽 3시 39분. 손전등의 불빛이 바닥으로 떨어졌다. 다시 휴식의 시간이다. 단원들은 이제 마스가 말하지 않아도 알아서 움직였다. 앓는 소리가 일었고, 무거운 가방과 짐이 벽 쪽으로 쌓여 갔다. 그리고 그들은 동그랗게 모여 앉았다. 마스는 부들거리는 다리를 질질 끌다시피 하며 손전등과 지휘봉을 그들 중 한 명에게 건넸다. 단원들은 말이 없었다. 마스도 힘이 바닥난 건 마찬가지였다. 심지어는 음식을 꺼내는 이도 보이지 않았다. 덩치 큰 첼리스트만이 바닥이 보이는 물병을 열고는 물을 들이켰다. 그리고 그는 다소 거칠게 빈 물병을 멀찍이 내던졌다. 만약 내가 이곳에 있었더라면 시간을 물었겠지만, 안경잡이의 첫마디는 달랐다.

"이젠 돌아갈 방법도 없군요."

그를 들은 누군가가 피식하며 말했다.

"전 안 돌아가렵니다. 아예 1번지에서 노숙을 하지."

그에 여러 단원이 찬동했다.

"그래, 까짓거 그냥 거기서 연주합시다. 다를 거 있습니까?"

"맞습니다. 돈도 없고, 음식도 없고, 그냥 1번지에 있죠?"

"1번지에 있으면 누가 돈과 음식을 공짜로 준답니까?"

"이게 현실이잖아요?"

"그래도 전 어떻게든 돌아갈 겁니다. 1번지의 더러운 놈들과는 같이 자기 싫어요."

"맘대로 해요. 어차피 이번 일이 끝나면 각자도생이 될 테니까."

"그런 거예요?"

"당연히 그런 거죠. 1번지까지 쫓아온 악단을 누가 반기겠습니까. 특히나 그들은 가더의 철수 후에 죽은 듯이 살고 있는걸요. 조심스럽겠죠, 아무래도, 장벽이 사는 곳 바로 앞에 있으니까요. 저었어도 장벽을 보면 절로 입이 다물어질 것 같습니다."

"근데 궁금한 게, 왜 1번지 사람들까지 버리고 간 걸까요? 그들은 그래도 충성심을 보였잖아요."

"그들은 그걸 충성심이라고 생각하지 않나 보죠. 그리고 단어가 좀 그렇습니다. 같은 인간끼리 충성심이라니…"

"제가 말씀드렸잖아요. 이게 현실이라고."

남자는 쳇, 하며 침을 찍 뱉었다.

"다행이군요. 그래도 기운들이 남아 있으시니."

마스가 말했다. 마스는 가방을 뒤적거리더니 빵을 꺼냈다. 생크림이 잔뜩 들어 있는 슈크림이었다.

"이놈만큼은 1번지에 도착하고 나서 먹으려고 했는데, 안 되겠습니다. 당이 너무 떨어졌어요."

단원들은 웃었고, 마스는 슈크림을 둘러싸고 있는 포장을 하나씩 벗겨 나갔다. 손이 어찌나 떨리는지 빵에 구멍이 뻥뻥 뚫렸다. 모두가 그를 바라봤다. 떨리는 손이 아니라, 무사히 속살을 드러낼 슈크림을 말이다. 마지막 필름 한 겹, 마스의 손가락은 크림 범벅이었다. 얇게 발린 접착제가 떨어지지 않고 계속해 마스의 손가락에 미끄러졌다. 마스는 손가락을 빨며 고심했다. 그리고 그가 내린 결론은, 필름을 벗기지 않고 그대로 씹어 삼키는 것이었다. 마스는 코팅제가 있는 그대로 입을 벌려 슈크림을 한 입 베어 물었다. 온 얼굴에 퍼진 행복감, 마스의 몸이 순간 공중으로 붕 뜬 것처럼 보였다.

"필름은 뱉으세요. 그건 소화 안 돼요."

첼리스트가 말했다. 그도 슈크림만큼은 관심이 있었던 모양이다. 마스는 그의 말을 귀담아들었다. 우물우물하던 입에 손가락을 넣고는 잇자국이 찍혀 있는 필름을 잡아당겼다. 그리고 마스는 남은 슈크림을 한입에 우겨넣었다. 그렇게 잠시간의 쉼이 있고 난 뒤에 폐와 심장이 정상 궤도에 올랐을 때, 마스는 다시 몸을 일으켰다.

"얼마나 남았습니까?"

첼리스트가 물었다. 마스는 시간을 확인했다. 정확히 4시였다.

"4시입니다. 정각이에요."

"저희가 몇 시간 왔죠?"

"어디 보자…, 7시간을 걸었군요."

"여기는 몇 번지쯤 됩니까?"

"제가 기억하는 갈림길의 수는 열 개입니다. 계산해 보면…"

마스는 지휘봉으로 방음벽을 탕탕 두드리며 말했다.

"7번지가 되겠군요. 지금 저희가 서 있는 곳이."

그리고 첼리스트가 말했다.

"꽤 빨리 왔네요. 처음 예상한 대로 2시간 안에 다섯 구역을 넘을 수도 있겠어요."

마스는 지휘봉을 품에 넣으며 말했다.

"이제부턴 정말 각별히 조심하셔야 합니다. 10, 9, 8번지는 어떻게 조용히 넘어왔지만, 7부터는 사람들의 귀가 더욱 발달해 있을 거예요. 보통의 소음에도 불을 켜고 창밖을 바라볼 겁니다."

그에 안경잡이가 물었다.

"그럼, 손전등을 꺼야 하나요?"

"아뇨, 곧 있으면 해가 떠오를 테고, 지금까지 아무 인기척도 느껴지지 않은 걸 보니, 아마도 방음벽 바깥으로는 불빛이 보이지 않는 모양입니다."

"든든하네요. 이 방음벽이."

"뭐, 지금 상황에선 그런 셈이죠."

마스는 손전등의 머리를 뒤로 돌렸다.

"다들 준비되셨습니까?"

첼리스트가 기타리스트의 어깨를 주무르고 있었다.

"좋습니다. 다들 가십시다! 1번지로!"

그리고 마스는 슈크림을 두르고 있던 필름 종이를 방음벽과 콘크리트 사이에 깊숙이 밀어 넣었다.

──── 76 헷이라는 이름을 가진 사내

헷의 집에는 흰색 모자로 가득했다. 어디에든 모자가 있었다. 현관, 창가, 침대, 욕실, 심지어 냉장고까지. 헷은 으레 짐작하고 있었다. 동생이 대신 가겠다고 한 순간부터, 동생이 상황을 보고하겠다는 등의 핑계로, 추락한 가더의 드론 한 대를 분해할 때까지. 헷은 피범벅이 된 몸을 내려다보며 가지런한 호흡을 유지했다. 그리고 다시금 수신함으로 날아온 메시지를 처음부터 천천히 읽었다.

Tomorrow.

헷은 소리 내 말했다.

"내일."

그리고 한 번 더 말했다.

"내일."

세 번은 없었다. 헷은 한 손의 악력만으로 아귀에 쥐인 통신기를 산산조각 냈다. 그리고 그는 곧장 부엌으로 갔다. 헷은 입으로 위스키를 열며, 아직 물기가 남아 있는 잔에 얼음 없이 반을 채웠다. 그리고 한 손을 싱크대에 내밀고 그 위로 남은 위스키를 모조리 흘려보냈다. 큼지막한 파편 하나와 손으로 뽑을 수 있을 듯 말 듯 한 파편 두 개가 손바닥에 박혀 있었다. 헷은 빈 병의 주둥이와 엄지를 집게 삼아 큰 것부터 뽑아냈다. 시간이 걸리는 건 작은 놈이었는데, 그 역시 결국은 헷의 손바닥에 오래 머물지는 못했다. 그리고 헷은 남겨 둔 잔을 한 번에 들이켰다. 이제 헷은 앞으로의 자신이 무엇을 해야 하는지 확실히 인지할 수 있는 상태가 되었다. 헷은 눈을 내려 손목에 걸린 시계를 바라봤다. 오후 5시. 헷은 방으로 가, 외투를 집어 들었다. 그리고 무늬가 없는 브라운 계열의 뿔테를 가볍게 코에 얹었다. 헷은 이제 새벽이 되기만을 기다릴 것이다. 헷은 신발 끈을 단단히 죄었다. 신발장

바로 옆에 냉장고가 있었다. 헷은 손을 뻗어, 먼지 쌓인 흰색 모자를 그대로 푹 눌러썼다. 문이 쾅 소리를 내며 닫혔다. 내부의 불은 하나도 꺼지지 않았다. 커튼 역시 몽땅 열려 있는 상태였다. 빌라 출입문으로 나온 헷은 스무 개는 넘어 보이는 열쇠 꾸러미에서 차량 열쇠를 촉감만으로 골라냈다. 차에 오른 헷은 전속력으로 달렸다. 결코 한산하지만은 않은 저녁 도로가 헷을 반겼다. 뒤에선 시끄러운 클랙슨이, 앞에선 더 이상의 양보는 없다는 듯 비상등이. 그들은 약속한 것처럼 헷의 차량을 둘러싸려 했다.

"아직도 교통 가더가 있는 줄 아나, 머저리 새끼들."

헷은 액셀을 밟았다. 그리고 핸들을 급격히 틀어 그들의 모서리를 공략했다. 범퍼가 떨어지는 소리가 들렸다. 헷은 가운뎃손가락으로 비상등을 누르며 창밖으로 팔을 내밀어 그를 흔들었다. 그리고 헷이 도착한 곳은 1번지라고 하기엔 다소 외딴 장소로 보이는 건물이었다. 황토색 벽돌이 양옆으로 길게 붙어 있었다. 창문은 총 20개였다. 크기는 벽돌 하나와 맞먹을 정도로 매우 작았다. 1번지의 누군가에게 묻는다면, 백이면 백 이렇게 대답할 것이다.

'그냥 좀 오래된 주택 아니에요?'

차에서 내린 헷은 두리번거리며 미행이 없나 확인했다. 그리고 다시 열쇠를 꺼내, 가 쪽에 자리한 녹색 철문을 열었다. 길쭉하게 뻗은 복도, 다닥다닥 매달려 있는 알전구들. 헷은 복도로 들어와서 철문을 안쪽에서 잠갔다. 뚜벅뚜벅 구두 소리가 복도를 울렸다. 사위는 고요했다. 일전에 퓨티가 워블을 찾아 나섰을 때처럼 어느 한 사람도 소리 내지 않았다. 헷은 열쇠를 뒤로 넘겨 뒷짐을 진 자세로 걸음을 내밟었다. 찰랑이는 소리가 긴 복도를 따라 메아리처럼 번져 나갔다. 그리고 그 메아리는 퓨티와 워블이 있는 곳에서 멈추었다. 눈을 뜬 건, 워블이었다. 워블은 퓨티를 발견하자마자 그녀의 얼굴에 손을 올렸다.

"…퓨티."

그리고 워블은 신음했다. 채찍에 찢겨나간 등의 고통이 엄청난 모양이었다. 워블은 다시금 퓨티를 부르며 그녀의 뺨을 문질렀다. 퓨티는 미동하지 않았다. 워블은 퓨티의 목에 손을 얹어 맥박을 확인했다. 그리고 워블이 퓨티의 숨을 확인하고는 손을 떼려는 찰나, 감옥의 문이 덜컹 열렸다. 헷은 워블을 뚫어지게 쳐다보다, 주먹으로 문을 힘껏 쳤다.

"지금부터 말을 하는 사람은 혓바닥을 자를 거야. 지금부터. 당장 시작이라는 뜻이지. 배운 사람들이니까 내 말을 잘 이해했을 거라 믿어. 자, 시작."

헷이 문고리에 열쇠를 걸며 말했다. 그와 동시에 워블은 빠르게 행동했다. 워블은 속으로 되뇌었다. 이건 게임이야. 재수가 없어서 걸려 버린 게임. 내가 주인공이야. 주인공은 악당에게 당하는 수밖에 없어. 시키는 대로 하자. 그리고 워블은 창 아래, 벽면에 세워져 있는 퓨티의 백팩을 발견했다. 한 번의 움직임에 큰 심호흡 한 번이 뒤따랐다. 헷은 제자리에 쪼그려 앉아 문고리에 걸린 열쇠를 손가락으로 튕기며 구경했다. 워블이 꺼낸 건 얇은 옷과 그를 동여맬 수 있는 밧줄 같은 것들이었다. 정확히는 속옷에 들어 있는 고무밴드가 그녀의 목표였다. 워블은 온몸을 부들거리며 퓨티의 옷을 찢었다. 그리곤 얇은 가지처럼 길게 엮은 그것을 퓨티의 입에 집어넣었다. 그때, 퓨티가 머리를 흔들었다. 그에 워블은 그녀가 깨는 게 아닌가 싶어 움직임을 잠시 멈추었다가, 퓨티의 의식이 돌아오지 않을 걸 확신하고는 하던 작업을 마저 이어 나갔다. 워블은 퓨티의 뒷머리를 빼내어 매듭을 마무리 지었다. 이제 퓨티는 의식이 돌아온다고 하더라도 말을 할 수 없다. 이제 자신의 차례였다. 워블은 쓰고 남은 옷의 조각을 여러 겹 포개어 대충 입 안을 채웠다. 그리곤 확인했다.

"……?"

헷은 인정한다는 눈빛을 워블에게 전달했다.

"그래, 의성어까진 허락해 줄게. 정말이지 가상한 노력이야."

워블은 고개를 두 차례 끄덕였다.

"너희 둘은 내일까지만 그렇게 하고 있어. 내일은 아주 중요한 날이거든. 나에게도, 너희에게도."

그리고 헷은 열쇠 꾸러미를 챙기며 계속해 말했다.

"오늘 하루 정도 굶는다고 죽지는 않을 거야. 정신력을 조금 더 발휘해 봐. 그 정도는 할 수 있잖아, 안 그래?"

헷은 문을 닫았다. 철창 사이로 들어오던 빛줄기가 어느새 약해져 있었다. 헷은 발걸음을 떼려다, 잊은 게 떠올랐다는 듯이 몸을 돌렸다. 워블은 퓨티를 쓰다듬고 있었다.

"12시간 뒤에 보자고."

그리고 헷은 손바닥 크기만 한 물병 두 개를 안으로 밀어 넣었다. 워블의 심호흡 소리가 다시금 작은 감옥을 채웠다. 워블은 문 앞에 주저앉은 채로 물을 벌컥벌컥 들이켰다. 물 한 병이 순식간에 바닥을 보였다. 워블은 멍청한 여자가 아니다. 아마도 계획하에 벌인 일일 것이다. 워블은 오른쪽 팔로 남은 물병을 퓨티가 있는 곳으로 강하게 때렸다. 물병이 퓨티의 손에 정확히 안착했다. 그리고 워블은 그 자리에서 잠이 들었다. 꿈은 달콤하고, 아름다웠다. 온갖 네온사인이 물에 비치며 하늘의 별을 흉내 냈고, 매혹의 자태를 뽐다가 물감의 색깔이 풀리듯 물속에서 사라졌다. 다음 장소는 계곡이었다. 힘찬 물줄기가 끝없이 흘러내리는 곳. 소리는 경쾌하게 이어졌다. 퓨티는 이제 자신이 마을에 있는지, 시티에 있는지, 분간이 가질 않았다. 그리고 마지막, 포의 울음, 단락에서 퓨티는 눈을 떴다. 아주 길고 찡한 두통이 이어졌다. 퓨티는 자동으로 이마 위로 손이 갔다. 아직 그녀에겐 주변을 살필 만한 겨를이 없었다. 퓨티는 바닥을 손으로 쓸며 하얀 모래가 있는지 확인했다. 모래는 느껴지지 않았고, 차갑고 매끈한 촉감이 그녀의 손을 스치어 지나갔다. 방이 바뀌었구나. 그리고 퓨티가 입마개의 존재를 알아차린 건, 턱으로부터 찌릿한 통증이 올라오는 게 느껴질 즈음이었다. 퓨티는 바닥에 누운 채로 더듬더듬 입 주위를 만져 나갔다. 퓨티는 그것이 속옷이라는 걸 금방 알아차렸다. 퓨티는 곧장 자신의 몸을 확인했다. 그리고 그때, 문 앞에 쓰러져 있는 워블을 발견했다.

"…!" 워블 씨!

퓨티는 한달음에 워블의 곁으로 갔다. 그리고 퓨티는 거의 알몸인 것과 다름없는 워블의 옷매무새를 다듬어 주었다. 다음으로 그녀가 발견한 것은 워블의 입을 가득 채우고 있는 천 쪼가리들이었다. 퓨티는 그를 손으로 빼려다 멈칫했다. 이유가 있을 거야. 협상을 한 거겠지. 그리고 퓨티는 빈 물병을 보며 생각했다. 물을 주는 대가로 입을 막기로 했나? 애초에 입을 왜 막으려는 거지? 언제는 입을 열라고 하더니, 입을 열지 못하게 했다…, 뜻을 모르겠어. 하지만 입을 열면 안 되는 상황이라는 건 알 것 같아. 퓨티는 고개를 돌리며 웅얼거렸다.

"……" 그래, 물은 두 병이겠지.

퓨티는 물병을 향해 사뿐히 걸음을 내밟았다. 그리고 확인했다. 열린 흔적이 있는 병인지, 아닌지를. 눈으로는 흔적이 보이지 않았다. 퓨티는 조심스럽게 뚜껑을 열었다. 물을 마시는 방법은 하나밖에 존재하지 않았다. 천을 적셔 물기를 빨아들이는 것. 퓨티는 그렇게 했다. 병의 입구를 손으로 거의 막고서는 가는 물줄기를 입으로 떨어뜨렸다. 천은 서서히 젖어 갔다. 그리고 혀로 물기가 느껴질 때쯤 퓨티는 병을 바로 세웠다. 식도를 충분히 적시지는 못했지만, 그런대로 마른 입을 축축하게 만드는 데엔 충분했다. 입이 축축해지자 허기가 밀려왔다. 따뜻한 밥을 먹었던 게 언제였더라. 이제 배에서 꼬르륵 소리조차 나지가 않

아. 지쳤어…, 왜 하필 이 사람들을 만난 거지. 그리고 내일이면 정확히 일주일이 되는 날이야. 우리가 떠난 거라고 생각할 테지…

"…" 워블 씨.

"……" 좀 일어나 봐요.

"……" 할 얘기가 잔뜩이라고요.

이제 어떻게 하죠. 지켜 준다는 약속이 있었잖아요. 약속이 깨어졌어요. 이제는 입까지 막혀 버렸고요. 저흰 정말 시티에서 살아갈 수 있는 걸까요. 저는 살고 싶어요. 시티의 삶을 누리고 싶어요… 이렇게 끝날 거였으면 마을을 떠나지 않았을 거예요. 그냥 평생을 참으며 살면 되는 거였으니까. 근데 이젠 그 선택지마저 사라져 버렸네요. 어딜 가든 우린 도망자 취급을 받겠죠. 마을에서도, 시티에서도. 애초에 1번지로 따라오는 게 아니었어요. 저희는 차곡차곡 올랐어야 했어요. 58번지부터 하나씩, 하나씩. 너무 급하게 올라온 나머지, 천벌을 받은 거예요. 방금은 아버지께서 저를 붙잡던 밤이 나오는 꿈을 꾸었어요. 꿈이 어찌나 생생한지 눈을 뜨기 전까지는 내가 아직 마을을 떠나지 않았구나, 라고 착각했지 뭐예요. 그래도 눈이 떠졌을 때, 후회가 밀려오진 않았어요. 제 선택이고, 제 욕망이었으니까요. 다만, 지금 상황이 안타깝게 느껴질 뿐이에요. 워블 씨는 그 아이를 오래도록 보고 싶으셨을 텐데…

퓨티의 마음속 소리는 워블에게 닿지 않았다. 워블은 여전히 눈이 감겨 있었다. 지친 숨소리를 내며. 퓨티는 빈 가방을 끌어안고 워블의 옆에 나란히 누웠다. 창살에 들던 구슬 만한 빛줄기는 차차 힘을 잃어 갔다. 언젠가 한 번 무지개가 보이는 시간이 있었는데, 비스듬히 누워 있는 두 여인의 눈꺼풀에 잠시 머물다가 사라졌다. 그리고 어둠이 빛을 완전히 밀어냈다. 복도의 알전구가 미약한 밤바람을 따라 차례대로 불이 켜지기 시작했다. 그들이 좌우로 흔들릴 때면 감옥 문이 낮과는 다른 빛깔을 냈다. 퓨티와 워블이 갇힌 곳의 문은 검은색이었다. 전구의 빛이 없었더라면 그곳은 아마 막다른 길처럼 보였을 것이다. 창살로 강한 바람이 불어왔다. 알전구들이 부딪치며 복도가 시끄러워졌다. 퓨티는 그 소리에 눈을 떴다. 깊은 잠이 아니었기에, 그 정도의 소음은 퓨티를 잠에서 깨우기에 충분했다. 눈을 뜬 퓨티는 깊게 숨을 내쉬며 몸을 일으켰다. 여전히 머리로 두통과 어지러움이 있었지만, 그것은 이제 큰 문제가 아니었다. 퓨티는 창살을 양손으로 잡으며 너머의 풍경을 바라봤다. 밖은 밝았다. 각양각색의 색을 머금은 건물들이 얼마 떨어지지 않은 곳에서 불을 밝히고 있었다. 그리고 그때, 퓨티의 발목으로 손길이 찾아왔다.

"퓨티."

워블은 천 쪼가리들을 빼내어 있었다. 퓨티는 그 자리에서 무릎을 꿇으며 워블의 얼굴을 쓰다듬었다. 워블은 퓨티의 입을 만지며 말했다.

"미안해요, 퓨티."

"이건 어쩔 수가 없었어요."

퓨티는 고개를 세차게 끄덕였다. 눈가엔 이미 눈물이 그렁그렁했다.

"일종의 게임이라고 생각해요. 모자 쓴 사내가 변했더라고요. 원래는 조금이나마 신사적인 사람이었는데…, 어느 부분에서 화가 난 건진 모르겠지만, 아무튼 우린 지금 이렇게 있어야 해요. 아무 말 없이, 어디로도 도망가지 않으며."

퓨티는 다시 고개를 세차게 끄덕였다. 그리고 퓨티는 눈물을 떨어뜨리며 워블의 등을 조심스럽게 쓸어내렸다. 워블은 눈을 감으며 입술을 꽉 깨물었다.

"괜찮아요. 죽지 않아요."

"자식을 먼저 보낸 값이라고 생각하고 맞았어요."

퓨티는 고개를 가로저으며 대꾸했다.

"……" 그렇게 생각하지 마세요.

"이쪽이 마음이 더 편안하답니다."

그리고 워블은 퓨티를 향해 문을 가리켰다. 퓨티는 손가락으로 문을 가리켰고, 워블은 네, 라고 대답했다. 퓨티는 살금살금 문으로 걸음을 옮겼다. 워블은 문고리를 손으로 돌려 보라는 시늉을 보였다. 퓨티는 시키는 대로 행동했다. 워블이 보였던 손짓과는 돌아가는 범위가 달랐다. 퓨티는 고개를 돌려, 여기서 더 이상 돌아가지 않는다는 제스처를 보였다. 워블은 한숨을 내쉬며 미소를 지었다. 퓨티는 자리로 돌아갔다.

"…?" 어떡하죠?

퓨티는 물었다.

"기다려야죠. 밖에서 문을 열어 주길."

워블이 대답했다.

"……" 내일이면 일주일이에요.

"큰일이네요. 그 사내도 말했거든요. 내일 중요한 일이 있을 거라고. 어디서 정보가 샌

걸 수도 있겠어요."

워블은 또다시 한숨을 내쉬었다.

"소년이 걱정이네요. 카리브 양도 그렇고요."

"…?" 없을까요?

"방법이요? 없어요. 우린 걸려도 한참 잘못 걸린 거예요, 퓨티. 내 예상이 맞다면 우리를 인질로 삼으려는 걸지도 몰라요. 쉽게 설명하면 세력이 나뉘는 거랍니다. 장벽을 넘으려는 사람들과 그것을 막으려는 사람들로."

퓨티는 물었다.

"……?" 싸움이 벌어지는 건가요?

"맞아요. 우리가 있던 쪽이 소수예요. 수적으로 많이 밀리는 상황이죠. 하지만 1번지에 산다고 해서 모두가 멍청하지는 않을 거예요. 비록 그들이 가더에 빌붙어 부유함을 가지긴 했다지만, 가더들이 떠난 지금으로선 상황이 위태로운 건 매한가지니까요."

그때, 워블은 급히 말을 멈추고서 퓨티의 손을 잡았다.

"쉿. 아무 말 하지 말아요."

워블이 천을 입에 쑤셔 넣는 순간, 문이 열렸다. 헷은 빙그레 웃으며 말했다.

"뭐라 뭐라 하던데, 내가 잘못 들은 건가?"

헷의 손에는 쇠로 된 목줄이 쥐어 있었다. 그는 심각한 표정으로 목줄을 바닥에 쾅 찍고는 이어 말했다.

"아, 내가 그걸 설명 안 했구나. 내가 왜 이렇게 화가 났는지."

워블은 일전의 길에서와 마찬가지로 퓨티를 뒤로 보냈다.

"네년들을 꾄 친구들을 만나러 갔어. 내 동생이."

"원래는 내가 가는 걸로 돼 있었는데, 걔가 나서더라고."

헷은 퓨티와 워블 쪽으로 한 걸음 다가서며 말을 이었다. 그리고 특히, 워블을 바라보며 말했다.

"통신기를 서로 나눠 가지고 있었는데, 연결이 끊어. 이게 뭘 의미하는 걸까. 동생이 죽었다는 거야. 네년들 친구 중 한 명이 내 동생을 죽였다는 뜻이지. 뭐, 사실 나는 어느 정도 예상했었어. 걔는 분명 신분을 드러냈을 거야. 원래 성미가 급한 친구거든. 위장에는 소질이 없는 애지."

헷은 말을 멈추지 않았다.

"지금쯤 눈에 불이 나도록 나를 찾고 있을걸? 왜냐면 내가 유일한 사람이거든. 너희가 **내일** 장벽에서 무언갈 실행하려는 걸 아는. 그러니까, 너희도 내 계획에 동참해 주었으면 해."

그리고 워블이 턱을 까딱거리며 물음을 표시하자, 헷이 답했다.

"별로 어려운 거 아니야. 그냥 실험? 그 정도로 이해하면 돼."

워블은 다시 턱을 까딱였다.

"아. 방식은 좀 야만적일 거야. 그리고 약간의 치욕스러움도 뒤따를 거고. 뒤에 아가씨는 알려나 모르겠는데, 이건 개 목줄이야. 근데 나는 언젠가 책에서 읽은 적이 있어. 이걸 사람에게도 걸 수 있다는 걸 말이야."

헷은 소매를 걷어 시계를 봤다. 새벽 4시. 분침은 숫자 6을 천천히 지나가고 있었다. 그리고 헷은 쇠사슬을 둘에게로 던졌다.

"목에 걸어."

── 77 장벽과 붉은 사다리

　　붉은 사다리는 리프트 위에 얹혔다. 리프트는 제리의 지시대로 화물칸에서 운전석이 가장 잘 보이는 곳에 바짝 붙여 놓았다. 시간이 필요한 사람이 많았다. 특히 페퍼. 그녀는 방에 들어가서 한동안 밖으로 나오지 않았다. 술을 마시는 사람은 없었다. 담배와 커피도 그랬다. 모두가 이완을 바랐다. 소년은 어른들의 묵직한 기류에 눌려 아무 말도 하지 않았다. 이어서 쟝이 자기 덩치만 한 공구함을 들고나왔고, 카리브는 붓과 물감, 이젤을 등에 메고 모습을 드러냈다. 바람은 적당했다. 딘은 그동안 모아 두었던 약이 든 작은 유리병을 한 개비의 시가가 담긴 주머니 반대쪽에 조심스럽게 집어넣었다. 딘은 홀로 서 있는 소년으로 발걸음을 옮겼다. 그리고 그의 작은 손을 잡으며 말했다.

　　"괜찮아?"

　　소년은 금방 대답하지 않았다. 생각을 하고 있다기보다는 풍경을 살피는 모습이었다. 소년의 대답을 기다리던 딘은 말했다.

　　"우습다고 생각하고 있지, 너."

　　그 말에 소년이 입을 열었다.

　　"아니요."

　　"그럼, 왜 그렇게 멍하게 있어."

　　"다들 이렇게 있길래요."

　　"그 이유가 아닌 것 같은데."

　　"아니에요. 그래서 궁금해하고 있었어요."

　　"뭐를?"

　　"다들 죽음이 두려운 걸까, 라고요."

그리고 페퍼가 차고에서 나왔다. 방금까지만 해도 커져 있던 동공이 작아져 있는 걸 보아, 그녀는 약을 먹은 게 분명했다. 페퍼의 옷차림은 처음 펍에서 입었던 것과 완전히 똑같았다. 아마도 당시로 돌아가고 싶은 마음이거나, 이 일행이 무탈하게 펍에 다시 모일 수 있기를 바라는 의미일 것이다.

"준비됐어요."

페퍼가 말했다.

"출발할까요?"

운전석에 있는 제리가 트럭의 열쇠를 손으로 잡으며 물었다. 딘은 소년을 흘깃 보고는 코트의 어깨를 툭툭 털며 말했다.

"가시죠."

조수석에는 딘이, 그 가운데에는 소년이, 뒷좌석에는 카리브, 쟝, 페퍼 순으로 자리를 차지했다. 1번지의 새벽 도로는 무척이나 깜깜했다. 어딘가에서 작은 동물이 튀어나오거나, 사람이 불쑥 나타난다면 비명 한 번 내지 못하고 죽음을 맞이할 정도의 어둠이었다. 화물칸에선 계속해서 덜컹거리는 소리가 났다. 딘은 제리에게 속도를 조금 늦추라고 말했지만, 제리는 이게 최대한 느리게 달리는 것이라며 어쩔 수 없다고 이야기했다. 그리고 한동안 아무도 말을 하지 않았지만, 시간이 흐를수록 한 사람씩 말문이 열리기 시작했다.

"이날을 얼마나 기다렸는지 몰라, 쟝."

딘은 전조등의 불빛을 내려다보며 말했다.

"그래, 나도 마찬가지야. 하지만 조금 떨리는걸."

"왜?"

"이것 봐. 또 알면서 모르는 척하잖아. 너는 이번 기회에 그 나쁜 버릇 좀 고쳐야 돼."

"못 고쳐. 불치병이야."

그리고 카리브가 슬쩍 대화에 끼어들었다.

"저는 사실 조금 설레는 중이에요."

그 말에 딘과 쟝이 동시에 고개를 돌렸다.

"어머, 그렇게들 쳐다보지 마세요. 저도 어디까지나 그림쟁이일 뿐이라고요. 그리고, E구역이 어떻게 변했는지, E와 D구역 사이에도 여기와 같은 장벽이 지어졌는지 궁금하잖아요? 저 망원경까지 챙겼어요!"

"변태."

소년이 말했다.

"뭐?!"

"그런 걸 그려서 뭘 하려고요. 그냥 눈으로 보세요. 눈으로 느껴지는 황홀감이 그림보다 몇 배는 더 아름답게 느껴지실걸요?"

카리브는 팔을 뻗어 소년의 머리를 헝클이며 말했다.

"그래, 너 잘났다."

그리고 카리브는 어린아이에게 찔린 곳이 아프게 느껴졌던 건지 소년의 머리카락을 계속해서 헝클어뜨렸다.

"근데, 소년아."

"네?"

"그림도 보고 있으면 황홀감이 느껴진다?"

"설마요."

소년이 머리를 정돈하며 대답했다.

"진짜. 너, 제대로 된 그림 본 적 없지."

"있어요! 58번지에서! 거긴 온통 그림뿐이라고요!"

"야. 그런 건 그림이 아니라 낙서라고 하는 거야."

"낙서도 그림이에요. 지금 그림 조금 그린다고 잘난체하시는 거예요?"

"야! 그 말이 아니잖아!!"

카리브의 고함에 모두가 웃었다. 페퍼도 피식하고 웃음을 비쳤다. 그리고 어느덧 트럭이 달린 지 20여 분째, 서서히 어둠이 걷히기 시작했다. 날이 밝아질수록 사람들의 웃음기는 사라져 갔고, 다시 처음의 모습으로 되돌아갔다. 페퍼가 유독 많이 떨었다. 그녀의 손엔 이미 약통이 쥐여 있었다. 물안개처럼 저며 있던 어둠이, 이제 빛에 절반의 공간을 내줄 정도가 되었다. 장벽이 보인다.

"곧장 붙이겠습니다."

제리는 전조등의 밝기와 트럭의 속력을 짧은 시간 내에 전속력으로 올렸다. 내가 잘못 본 게 아니라면, 하늘의 별 하나가 트럭과 비슷한 속도로 움직였다. 제리는 벽과 평행하게 트럭을 세우자마자 시동을 꺼뜨렸다. 그리고 어두운 장벽 아래, 분주한 움직임들이 이어졌다. 차에서 내린 딘은 곧장 장에게로 가서 말했다.

"최소한의 조명은 남겨 둬야 하지 않을까요?"

제리는 단호하게 거절했다.

"안 됩니다. 곧 날이 밝을 거예요."

"리프트에 올라 사다리를 설치하려면 조명이 필요합니다. 아직은 너무 어두워요."

"인근의 사람들이 알아채는 순간엔 모든 게 끝입니다, 딘 씨. 다른 선택지가 없어요. 그리고, 리프트를 작동시키면 작지만, 시야가 트일 만한 작은 조명이 바닥에 붙어 있습니다. 지금으로선 그게 최선의 방법인 것 같군요."

딘은 한숨을 한 차례 내쉬고는 고개를 끄덕였다. 이제 남은 일은 고요함 속에서 떨고 있는 사람들을 위로하는 것뿐이었다. 우선 딘은 소년부터 찾았다. 소년은 시티의 대도답게 여유가 넘쳤다. 딘은 소년의 손을 꼭 잡고서 페퍼를 향해 천천히 걸음을 내딛었다.

"긴장되시죠?"

페퍼는 입술을 깨물며 웅얼거렸다. 그녀의 이가 아랫입술을 조금이라도 놓치는 순간에는 한겨울의 헐벗은 여인처럼 떨림이 심했다. 딘은 그러지 말라며 말하려다, 눈을 감고 입술에 침을 적셨다.

"저도 긴장이 됩니다, 페퍼 씨. 여기 있는 누구보다 더요."

딘의 말을 들은 페퍼는 곧바로 고개를 가로저었다.

"정말입니다. 아까 차에서 심박수를 재어 보니 거의 160에 가깝더군요. 운동을 한 것도 아닌데 말이죠. 저뿐만이 아닐 겁니다. 그리고 페퍼 씨뿐만도 아닐 거고요. 모두가 그렇습니다. 지금 우리가 하려는 일은 뭐랄까…, 좋은 곳이든, 나쁜 곳이든, 기록이 될 일이니까요."

딘의 말이 끝남과 동시에 리프트에 불이 들어왔다. 딘은 고개를 돌려 제리에게 신호를 보냈다. 그리고 다시 페퍼에게 고개를 돌리며 말했다.

"진정제를 너무 많이 드시진 마세요. 행여 잠이라도 들어 버리면, 좋은 경치를 놓치잖아요?"

—— 78 1번지에 도착한 악사들

피리 부는 소년의 등을 떠밀던 바람은 그들이 1번지에 도착하는 순간, 유령처럼 사라졌다. 푸른 색감이 번지의 모든 건물을 뒤덮고 있었다. 마스는 손전등을 껐다. 일렬로 오던 단원들이 부채가 펼쳐지듯 그의 등 뒤에서 우르르 쏟아져 나왔다. 모두 지친 기색이 역력했다. 마스는 상황을 파악했다. 그리고 빠르게 손짓했다. 고가도로에서 멀어지라는 신호였다. 단원들이 흩어지자, 마스는 고갤 숙여 시간을 확인했다. 뿔뿔이 흩어진 단원들은 힘이 빠진 와중에도 경계를 늦추지 않았다. 다행히 행인도 없었고, 불 켜진 가게도 보이지 않았다. 운이 좋았다. 이제 남은 건, 기사에게서 들은 말들을 확인하는 것이었다. 마스는 단원들을 조용한 골목으로 불러들였다.

"1번지도 별것 없어 보이는군요."

첫마디였다.

"깨끗함. 그 이상의 것을 떠올리셨다면, 분명 지금 속으로 실망하고 계실 테죠. 저 역시나 그 한 명에 속합니다."

"우리 피리 부는 소년은 본디 광장이 있는 10번지까지를 목표로 하였었습니다. 목표를 달성하면 미련 없이 해산하기로 서약까지 했었더랬죠. 그런데 지금 우리는 목표를 초과한 곳에 서 있습니다. 그것도 억지에 가까운 강행군을 이겨 내고서 말이죠. 정말이지 여러분들은 놀라운 사람들이 아닐 수 없습니다. 고생하셨습니다."

그리고 마스는 지휘봉이 든 주머니를 주먹으로 쿵- 두드리며 말했다.

"동경하지 맙시다. 우리가 소수이고, 우리가 어느 편에 설지 정해지지 않았어도, 우리는 우리의 길을 나아가면 됩니다. 연주는 고귀한 것이며, 어느 시대에도 사라지지 않은 문화입니다. 역사가 기억할 것이고, 기록이 우릴 찬양할 것입니다. 우리는 그를 위해 이곳까지 걸어왔습니다. 부디 걸음을 헛되이 하지 맙시다. 황혼처럼 차가운 눈빛에도 굴하지 맙시다. 한 줄기의 빛 끝에 길이 찾아왔듯 기나긴 어둠을 두려워하지 맙시다. 오직 하나…"

마스는 지휘봉을 하늘 위로 치켜들었다.

"음악대의 자긍심을 지킵시다!"

단원들은 일제히 박수 쳤다. 그때, 누군가 창문으로 고개를 빼꼼히 내밀어 이들을 내려다봤다. 잠을 자르고, 자르고, 잘라서 잔 사람처럼 얼굴이 엉망이었다. 그녀를 가장 먼저 발견한 건 박수에서 빠져 있던 첼리스트였다. 그는 곧장 마스에게 다가와 보고했다.

"누군가 우릴 보고 있습니다."

첼리스트는 눈으로 여자가 있는 곳을 가리켰다. 마스는 옅게 고개를 끄덕인 뒤, 단원들의 박수를 그치게 했다. 그리고 하늘을 보는 척, 뒷짐 진 몸을 돌린 뒤에 여자가 있는 곳을 찾아냈다. 여자는 마스와 눈이 마주치자, 담배를 베어 물었다. 마스는 딱딱한 얼굴을 최대한 움직여 그녀를 바라보았지만, 여자는 본 체도 하지 않고서 연기만을 뻐끔거리며 뿜어냈다. 마스는 천천히 원래의 위치로 돌아섰다. 그리고, 참고 있던 숨을 크게 뱉어냈다.

"출발이 좋군요. 감정이 고양되는 기분입니다."

마스는 지휘봉을 턱시도에 넣으며 말을 이었다.

"마음 같아선 휴식의 자리를 펴고 싶지만, 우리는 조금 더 나아가야 합니다. 곧 깨어날 시선들이 쏠리기 전에요."

그에 안경잡이가 물었다.

"어디로 가실 겁니까? 마스 씨."

"글쎄요. 우선은 이곳 중심부부터 벗어나 보는 걸로 하죠."

그리고 첼리스트가 말했다.

"집결지를 정해야 하지 않습니까?"

마스는 고개를 끄덕이며 대꾸했다.

"물론 그게 맞는 방법이겠죠. 늘 우리가 써 오던 방법이기도 하고요. 그런데, 여기서만큼은 변칙을 좀 두고 싶군요."

"변칙이라 하심은?"

"흩어지지 맙시다."

"그렇게 되면 설사 이곳 중심부를 벗어난다손 쳐도 이목이 점차 쌓여 갈 텐데요. 버틸 수 있겠습니까?"

"이목은 우리에게 집중되지 않을 겁니다."

"그를 어떻게 확신하십니까?"

"58번지에서 올라온 이들이 우리보다 먼저 일을 터뜨릴 테니까요."

첼리스트는 확신이 들지 않는 듯 고개를 갸웃거렸다.

"그건 그저 택시 기사의 주장일 뿐이지 않습니까."

"아뇨, 주장이 아니라, 사실입니다. 가설을 세운 건 저이지만요. 58번지 사람이 택시를 타고 1번지로 직행했다…, 유례없는 일입니다. 시티의 바깥쪽에 사는 그들이 무엇을 보고, 무엇을 들었기에, 전 재산을 털어 1번지로 내달렸을까요. 저는 보통 일은 아니라고 생각합니다."

그를 들은 첼리스트가 생각에 잠긴 사이, 둘의 대화를 듣고 있던 다른 이가 대화에 끼어들었다.

"장벽으로 가려는 게 아닐까요?"

이름 없는 사람의 툭 내뱉은 말은 모두를 술렁거리게 만들었다. 마스는 곧장 손을 들어 침묵을 지시했다.

"장벽이라고요?"

마스는 그를 보며 말했다.

"네."

"그렇게 생각한 근거를 제시해 주시겠습니까?"

남자는 바이올린이 든 작은 가방을 품에 꼭 안으며 조심스럽게 입을 떼었다.

"작금의 F구역은 누구의 통치도 없는 무법 상태에 놓여 있습니다. 건드리는 사람이 없다는 건, 다시 말해, 무엇이든 할 수 있다는 것을 반증하기도 합니다. 따라서, 줄곧 58번지에 묶여 있던 그들은 이제 더 이상 그곳에 남을 이유가 없습니다. 어떻게든 물자와 식량이 풍부한 상위 구역으로 올라오기를 바랄 겁니다. 마스 씨가 그들과 같은 택시를 탄 건, 행운이라고 할 수 있습니다."

"왜입니까?"

"누구보다 빨리, 구역에 내린 신호탄을 본 셈이 되거든요."

"신호탄?"

"네. 전쟁의 신호탄입니다."

그에 첼리스트가 다시 대화에 참여했다.

"그럴듯하군요. 하지만 여전히 근거가 부족합니다. 만에 하나 당신이 말한 가설이 맞아떨어진다 해도, 악사들인 우리가 무얼 할 수 있습니까. 아무것도 할 수 없습니다."

마스는 말했다.

"아뇨. 할 수 있는 게 있습니다."

모든 단원들이 마스를 바라봤다.

"음악은 군중의 마음을 움직일 수 있습니다. 악령과 천둥이 나오는 음악으로 불을 지필 수 있는 반면, 고요한 들판의 바람과 풀 소리로 불을 꺼뜨릴 수도 있지요."

첼리스트가 말했다.

"1번지 사람들은 그를 저버린 족속들입니다."

마스는 부정하지 않았다.

"맞습니다. 그렇겠죠. 하지만 결코 과거의 감성 모두를 떼어 내진 못했을 겁니다. 그들의 마음 한편엔 분명 향수가 남아 있을 거예요. 이전의 시간 역시 삶의 일부이니까요."

"그럼, 우리는 누구의 편을 들어야 합니까?"

——— 79 세 집단

 덜그럭덜그럭 소리는 아무도 신경 쓰지 않는 섬에서 떠밀려 온 쓰레기처럼 울려댔다. 두 마리의 개는 상처를 가득 지닌 채로 바닥을 기었다. 목줄을 쥔 주인은 개들의 속도가 늦춰질 때면 오른손에 쥔 채찍을 바닥에 내리찧으며 수시로 공포감을 주입했다. 수천 가닥의 울부짖음이 그가 가는 길을 따라 족적을 남겼다. 잠들어 있던 사람들이 깨어난 것은 거리가 푸르게 변하는 순간과 개들의 죽어가는 소리가 고조되는 무렵이었다. 창문이 열릴 때마다 주인은 모자를 벗어 낯선 이웃에게 인사를 건넸다. 그리고 인사 뒤에는 좋은 아침입니다, 라는 말을 빼먹지 않았다.

 "어때. 정말 개가 된 것 같지 않아?"

 헷이 사슬을 힘껏 당기며 말했다. 퓨티는 필사적으로 목이 졸리는 것을 막으려 애썼다. 그러나, 워블에겐 남아 있는 힘이 없었다. 그녀는 헷이 당기는 쪽으로 그대로 딸려가 넘어졌다. 퓨티는 언제고부터 눈물이 고이지 않았다. 그녀는 다른 것을 찾을 생각도 없이 쓰러진 워블을 일으켰다. 워블의 입가엔 침 자국이 가득했다. 그리고 다시 검고, 굵은 채찍이 바닥을 찧었다. 퓨티는 워블의 양팔을 잡아 땅에 놓았다. 그녀의 팔은 마치 기계와도 같아서, 이제 퓨티의 손길이 느껴지는 때면 저절로 땅을 짚었다. 워블이 자세를 취하자, 퓨티는 헷을 힐끔 돌아봤다. 길들임이란 무서운 것이었다. 반항의 의지는 사라지고, 굴복만이 가슴에 자리한다. 해가 완전히 뜨면 두 사람은 이제 껍데기밖에 남아 있지 않을 것이다.

 "자, 조금만 더 가면 장벽이야. 힘들 내라고."

 헷이 말했다. 그리고 퓨티는 고개를 들어 앞을 바라봤다. 사람의 무릎 높이에서 보는 풍경은 확실히 달랐다. 장벽이 눈동자를 가득 채웠고, 하늘은 조금도 보이지 않았다. 퓨티는 워블에게 속삭였다.

"워블 씨, 장벽이 보여요."

돌아오는 대답은 없었다.

"얼마 안 있으면 장벽에 도착할 것 같아요. …아니, 장벽이 우리에게로 다가오고 있는 걸지도 모르겠어요. 이젠 모든 게 의심스러워요. 손과 발의 감각도, 점점 무거워지는 눈꺼풀도, 제 숨소리까지도요."

그리고 퓨티는 애원하는 투로 목소리를 짜내었다.

"그러니, 뭐라고 대답 좀 해 주시면 안 될까요, 워블 씨…"

말은 저렇게 했지만, 퓨티는 기대하지 않았다. 워블의 상태를 누구보다 잘 알기 때문이다. 찢긴 등에는 이제 몸을 가릴 것이 얼마 남아 있지 않았다. 곧 있으면 떨어질 실 뭉텅이 하나와 팔랑거리는 스카프의 매듭이 고작이었다. 슬슬 해가 떠올랐다. 그리고 푸른색에 숨어 있던 퓨티와 워블의 모습이 점차 또렷이 거리에 드러나기 시작했다. 1번지 사람들은 해가 뜸과 동시에 눈을 떴다. 그들은 약속이라도 한 듯 베란다의 창을 열었고, 난간에 팔 한쪽을 올려 담배를 입에 물었다. 그들은 곧바로 경악을 보이기보다, 시간을 두고 세 사람을 관찰했다. 어떻게 생겨 먹은 놈이 이른 아침부터 개장수 행세를 하고 있는지가 가장 큰 화두인 듯했다. 물론 그들은 목줄에 걸린 두 여자를 보기는 했다. 하지만 그쪽에는 크게 흥미를 느끼지 못하는 얼굴들이었다. 헷은 벙실벙실 웃으며 베란다의 사람들에게 일방적인 인사를 건넸다. 대부분은 그를 무시했다. 그러나 눈썰미 있는 몇몇 사람은 그의 인사를 받음과 동시에 창문을 닫고 허둥지둥 옷을 챙겼다. 아마도 곧 있으면 그들은 빌라의 계단을 뛰어 내려와 헷을 향해 부리나케 달려올 것이다. 헷은 벗었던 모자를 다시 눌러썼다. 그리고, 여전히 베란다에서 담배를 즐기고 있는 무지한 사람들을 위해 검은 채찍을 휘둘러 보였다. 채찍이 얼마 남지 않은 길바닥의 습기와 맞물려 쫙하고 달라붙었다.

"…아니! 이게 뭐야?"

곱슬머리에 앞치마를 두른 여자가 목줄에 걸린 것이 개가 아님을 보고는 당혹스러움을 감추지 못하였다. 그리고 줄줄이 사람들이 몰려들었다.

"…당신 제정신이야?"

"미쳤군, 단단히 미쳤어."

"어휴, 세상에나. 난 또 가더가 돌아온 줄 알았네."

사람, 사람, 사람. 줄은 끊이지 않았다. 그러나 그 누구도 목줄에 걸린 퓨티와 워블의 근처로 접근하는 사람은 없었다. 헷은 사람들의 재잘댐이 황홀하다는 듯 고개를 연거푸 좌우로 흔들었다. 사람들이 겹겹이 주변을 에워쌌고, 헷의 이야기는 금세 인근에 거주하는 모두의 귀로 흘러 들어갔다. 그리고 점차 헷을 둘러싼 사람들의 입에서 큰소리가 튀어나왔다. 설명을 요하는 말들이었다. 헷은 여유로웠다. 인파에 의해 마지막 출구가 막혔음에도 그는 조금도 떨지 않았다. 오히려 홀인원을 직감한 선수처럼 코웃음 칠 뿐이었다.

"설명하세요!"

"그래, 아침부터 이게 무슨 난리입니까?!"

"애초에 당신, 1번지 사람이 맞나요?"

여자의 말에 헷은 처음으로 입을 열었다.

"물론입니다."

"어디에 사시는데요?"

여자가 물었다.

"빌라에 삽니다. 당신처럼."

"직업이 뭐죠?"

"직업이라…"

그리고 헷은 생각하는 척하다가 퓨티의 등에 채찍을 내리꽂으며 분위기를 순식간에 자신의 것으로 만들었다. 퓨티는 비명을 지르며 앞으로 고꾸라졌다. 그러나 금방 다시 양팔을 땅에 짚었다. 사람들은 그를 믿을 수 없다는 얼굴로 바라봤다.

"가더가 있을 적엔 조련사였습니다. 말 안 듣는 동물들을 길들이는 게 제 일이었죠. 그 능력 하나로 1번지까지 올라오게 되었고요. 그래서 저는 냄새를 잘 맡습니다. 어느 녀석이 말썽을 피우는 놈이고, 어느 녀석이 순종적인 놈인지 분간할 수 있는 능력을 지니고 있죠."

"이 여자들은 뭐죠?"

질문한 여자는 침을 꿀꺽 삼켰다.

"아, 이 여자들이요?"

채찍의 끄트머리가 살금살금 움직였다.

"이 여자들은 시티 밖에서 온 사람들입니다. 제 판단으로는 불순분자라고 여겨졌기에, 이렇게 결박해 놓은 상태이고요."

마을 밖이란 말에 사람들이 웅성거렸다.

"증거 있습니까?"

어느 남자가 물었다.

"너무도 많습니다. 일단은 라이선스가 없고, 단종된 트럭을 타고 시티에 입성했으며, 배정받은 집이 없죠."

"당신은 그런 걸 어떻게 알고 있는 거죠?"

"제가 그 현장에 있었으니까요."

"이 사람들이 시티 밖에서 들어오는 걸 봤다는 이야깁니까?"

"네, 그렇습니다."

사람들의 수군거림이 더욱 심해졌다. 그리고 좀 전까지 대화에 속해 있던 여자가 헷을 향해 질문했다.

"잠시만요. 그럼, 당신 역시 58번지에 있었다는 얘기가 되지 않나요?"

"그렇습니다만."

"58번지엔 왜 가신 거죠?"

"아아."

헷은 콧잔등을 손등으로 훑으며 대답했다.

"냄새를 맡았거든요."

"냄새요?"

"사실 냄새를 처음 맡은 건, 1번지였습니다. 말로는 표현치 못할 고약한 냄새가 코끝을 찔러댔죠. 하지만, 어딘가에서 맡아 본 냄새였기에, 저는 장소를 떠올리기만 하면 되었습니다. 늪지대에 서 있는 것처럼 꿉꿉하고, 온 숲이 저를 수렁으로 밀어 넣는 듯한 느낌. 그러던 어느 날, 저는 그곳이 어딘지 기억해 내었습니다. 58번지였죠."

"단순히 후각만으로 이들을 잡아내셨단 말씀입니까?"

남자가 물었다.

"단순하다기보다는 직감과 실행력, 그리고 운이 좋았죠."

그 말을 끝으로 헷을 향한 사람들의 물음이 사방에서 쏟아졌다. 헷은 여유와 끈기를 앞세워 모두의 질문에 성실히 대답해 주었고, 완전히 날이 밝을 무렵에는 모두가 헷의 행동을 인정하는 단계에 이르렀다. 다시 말해, 이제 이 많은 인파의 표적은 퓨티와 워블이 된 것이다.

"그럼, 좀 지나가겠습니다."

헷은 사슬과 채찍을 앞세워, 길을 막고 있는 사람들을 향해 말했다. 그들은 너무도 손쉽게 길을 열어 주었다. 헷이 인파에서 빠져나와 첫걸음을 내딛자, 뒤쪽에서 누군가의 목소리가 들려왔다.

"어디로 가는 건가요?"

헷은 모자챙을 손으로 슬쩍 올리며 대답했다.

"장벽이요."

"어디요?"

또 다른 누군가가 대답을 확인했다.

"장벽으로 갑니다."

헷은 분명하고 큰 목소리로 말했다. 조금의 장난기도 없는, 표정과 목소리, 그리고 단호함에 사람들은 순식간에 얼어붙었다. 개중 가장 어이없는 표정을 띠어 보이는 건, 길을 터준 사람들이었다.

"장벽이라고요?"

"네, 그렇습니다."

"거긴 갈 수 없어요!"

어느 남자가 소리쳤다.

"그걸 누가 정했습니까? 제 기억으론 가더들이 그런 말을 하고 떠난 적은 없는 것 같은데요."

"1번지 주민이라면 알 거 아닙니까? 그곳은 불침의 영역이란 것을요."

남자의 말에 헷은 조롱 발린 말을 완곡히 돌려 반박했다.

"음…, 그랬군요. 그런 게 있는 줄은 미처 알지 못했습니다. 저는 그게 겁쟁이들만의 암묵적인 사안인 줄로만 이해하고 있어서."

"필히 겁쟁이가 되어야지요! 거기에 갔다가 무슨 꼴을 당하시려고 그러십니까? 가더들의 총탄이 두렵지 않으십니까?"

"그들의 총구가 장벽 위에 있던가요?"

헷이 말했다.

"물론 사라졌지만, 그래도 너무 위험한 곳입니다."

"돌로 건설된 벽이 위험하단 뜻인지요?"

남자는 곧장 대답하지 못하고 입을 얼버무렸다. 거기서 또 다른 누군가가 입을 열어 왔다.

"왜 하필 장벽입니까? 이들을 그곳으로 데려가는 이유는요?"

헷은 그 질문을 기다렸다는 듯이 표정을 바꿨다.

"거기서 일이 터질 거거든요. 아무도 생각지 않은 일이 말이죠. 그 누가 상상도 하지 못한 일이 말입니다."

"어떤 일을 말하는 겁니까?"

"우선은 저를 따라오시겠습니까? 시간이 없거든요. 지체했다간 그들을 놓칠 수도 있어서."

그 시각, 장벽.

하늘엔 구름이 잔뜩 껴 있었고, 딘의 목소리가 울렸다.

"제리! 리프트를 내려요!"

"길이가 조금 짧지만, 그래도 오를 순 있을 것 같습니다."

"일단은 구멍은 모두 뚫었어요. 접착제가 굳을 때까지 기다려야 합니다."

제리가 말했다.

"좋군요."

그리고 그는 딘을 조용한 곳으로 불러냈다.

"딘, 나쁜 소식이 있습니다."

"나쁜 소식이요?"

"네. 이쪽으로 대규모 인원이 접근하고 있어요."

"위쪽에선 아무것도 보이지 않던데요?"

"저도 몰랐습니다. 카리브 씨의 망원경을 통해 점을 발견했죠."

"사람이던가요?"

"틀림없습니다."

딘은 말했다.

"서둘러야겠군요."

"그것도 그건데…"

"또 뭐가 남았나요?"

"페퍼의 상태가 좋지 않습니다."

제리가 딘의 어깨너머로 눈짓하며 말했다.

"제가 가 보겠습니다. 제리 씨께선 쟝과 함께 리프트에 올라, 망원경으로 다시 한번 확인해 주세요."

"알겠습니다."

딘은 제리의 어깨를 툭툭 친 뒤, 트럭 구석으로 뛰어갔다. 페퍼는 만원 열차에 갇힌 사람처럼 몸을 웅크리고 있었다. 딘은 조심스레 그녀를 향해 걸음을 내밟았다. 페퍼는 작은 발소리에도 놀랄 만큼 긴장에 녹아들어 있었다. 어깨에 앉은 손이 벌벌 떨렸고, 동공은 푸른 눈을 모두 뒤덮을 만큼 확장되어 페퍼를 검은 눈을 가진 사람처럼 보이게 했다. 그녀 옆에는 카리브가 어깨를 토닥이고 있었다.

"페퍼 씨."

자신을 부르는 소리에 페퍼는 화들짝 놀라며 몸을 더욱 웅크렸다. 딘은 손을 내밀며 다시금 페퍼를 불렀다.

"괜찮아요, 괜찮습니다."

페퍼는 고개를 들어 올렸다. 얼굴이 창백하다 못해 불쌍해 보였다.

"무척 힘들어 보이시는군요. 인데놀을 드릴까요?"

페퍼는 고개를 가로저었다. 그리고 그녀는 말했다.

"…약은 이제 소용이 없어요. 공포가 가시질 않아요. 갑자기 왜 이러는지 모르겠어요. 밤을 새워서 그런 건지, 커피를 마시지 않아서 그런 건지, 저조차도 답답해요. 제가 이렇게 걸림돌이 될 줄은 몰랐어요."

"걸림돌이라뇨. 그런 생각하지 마세요. 다 괜찮습니다. 저 또한 사다리에 발을 올릴 때면 어떤 사람이 될지 알 수 없습니다. 까마득한 아래를 내려다보며 추락할 수도 있고, 위만을 쳐다보며 오를 수도 있겠지요. 중요한 건 과정이 아닙니다. 결과만이 저희를 기다리고 있으니까요. 그러니 페퍼 씨도 사다리까지만 용기를 내 보세요. 그때가 되어서도 공포를 느끼신다면, 오르시지 않으셔도 됩니다. 강요는 없습니다. 스스로를 지키세요. 여기까지 온 것만으로도 페퍼 씨는 충분히 용기를 내신 겁니다."

페퍼는 눈물을 닦으며 고개를 끄덕였다. 그리고 마중 나와 있는 딘의 손을 잡으며 몸을 일으켰다. 뒤에선 리프트 올라가는 소리가 들렸다. 그때, 소년이 쪼르르 달려와 셋에게로 말했다.

"리프트가 멈췄어요!"

딘은 소년의 머리를 쓰다듬으며 고맙다고 말했다. 딘은 페퍼를 리프트까지만 데려갈 요량이었다. 페퍼는 발을 내딛기 전, 기다리라고 말했고, 주머니에서 약을 꺼내 혀 밑에 넣었다.

"스스로 가 볼게요."

페퍼가 말했다.

"얼마든지요."

제리와 쟝의 머리 뒤로 붉은 사다리가 보였다. 검은색과 붉은색의 조화가 너무도 잘 어우러져 마치 원래 있었던 구조물처럼 보였다. 비유하자면, 거인을 위한 손잡이 같아 보인달까.

"딘!!!"

리프트 위에 있던 쟝이 아래를 보며 소리쳤다.

"어마어마한 인파야!! 1번지 사람들이 이쪽으로 오고 있어!!"

딘은 자신도 모르게 순간 이를 꽉 깨물었다. 그리고 제리와 쟝이 리프트에서 내려왔다. 쟝은 땅에 발을 붙이자마자 불평했다.

"어쩐지 일이 술술 잘 풀린다 싶더니만. 쳇."

딘은 제리를 바라봤다.

"제리 씨, 그들이 도착하기까지 얼마나 걸릴 것 같습니까?"

"좀 전에 제가 본 이미지와 겹치어 계산해 본다면, 10분 내외가 될 것 같습니다."

"…10분. 10분으로는 부족합니다. 접착제가 완전히 굳으려면 시간이 조금 더 필요해요. 방법이 없겠습니까?"

"기관총이 있으면 쓸어 버리면 되는데, 개놈들."

쟝이 말했다.

"쟝 씨."

제리가 담배를 입에 물며 말했다.

"총을 가져오셨죠?"

"이건 위협용밖에 되지 못할 겁니다. 저 많은 사람을 상대로는 새총에 불과해요."

"제게 주시겠습니까?"

"총을요?"

"네."

쟝은 잠시 멈칫거리더니 제리에게 총을 건넸다. 그리고 딘은 눈치가 빨랐다.

"제리 씨는 어쩌시려고요."

제리는 호탕하게 웃으며 대답했다.

"하하하. 글쎄요. 어차피 누군가는 차를 빼야 하니까요. 운전을 할 줄 아는 사람이 저밖에 없지 않습니까. 제가 해야죠."

제리의 말에 아무도 대꾸하지 못했다. 그와 눈이 마주친 페퍼조차도 아무런 미동이 없었다. 모두가 아는 단어였다. 희생. 딘은 고개를 숙여 제리에게 사과를 건넸다.

"죄송했습니다."

제리는 포옹으로 화답했다. 그리고 딘의 귀에 속삭였다.

"어떻게든 오르세요. 또, 페퍼를 부탁합니다."

이어서 쟝도 제리와 포옹했다. 그리고 소년이 쪼르르 달려와 안기었다. 페퍼는 움직이지 않았고, 카리브는 포옹을 거부했다.

"아, 저는 됐어요. 그냥 감사만 표할게요."

그에 제리는 카리브에게 말했다.

"망원경은 돌려 드리죠. 어차피 지금부터는 스코프로만…"

카리브는 말이 끝나기도 전에 제리의 손에 쥐인 망원경을 잽싸게 낚아챘다. 제리는 웃으며 말했다.

"부디 많이 보시고, 많이 그리시길 바랍니다."

그리고, 피리 부는 소년들.

"저는 이제 모르겠습니다, 마스 씨."

안경잡이가 말했다.

"원래 모르는 게 정상입니다."

마스가 대답했다.

"길이 이상할 정도로 조용합니다."

"저도 지금 그를 이상하게 여기고 있습니다. 아까 골목에서 눈이 닿은 여자를 제외하곤 사람을 못 봤어요. 가게의 불이 모두 꺼져 있는 것도 이상하고요."

"이렇게 되면, 아까 그 남자의 말에 신빙성이 생기는 것 아닙니까? 정말 장벽에서 무슨 일이 벌어지려는 게 아닐까요?"

그에 첼리스트가 대답을 가로챘다.

"속도를 높이시죠. 이제 확실해졌습니다."

마스는 그의 말에 순순히 응했다. 체력이 바닥난 단원들의 발걸음이 마지막으로 박차를 가하였다. 얼마를 걸었을까. 사실 얼마를 걸었다고 한들, 이제 이들에게 무의미하긴 했다. 팔은 스스로 움직이기 시작한 지 오래였고, 다리의 감각 또한 사라진 지 오래였으니까. 나아진 건 별로 없었다. 어둠에 싸인 긴 터널을 빠져나왔다는 것, 그리고 방해꾼이 보이지 않는다는 것. 장벽은 얼마 지나지 않아 단원들 앞에 모습을 드러냈다. 그리고 눈이 좋은 첼리스트는 장벽에 박힌 사다리를 단번에 캐치해 냈다. 그는 무리에서 빠져나와 가방이 거세게 흔들릴 정도로 내달렸다. 그의 눈에 보이는 것은 붉은 사다리뿐만이 아니었다.

"사다리가 있습니다."

무리로 돌아온 첼리스트가 마스에게 말했다.

"어떤 사다리를 말하시는 건지."

"장벽! 장벽을 오르고 있습니다! 그때 택시를 탔던 그 사람들이요! 서둘러야 합니다!!"

"장벽을 오르고 있다고요?"

첼리스트의 고성과 동시에 단원들은 달리기 시작했다. 두 다리를 분주히 움직이던 마스는 하나의 생각밖에 없었다. 누구의 편에 서야 하는가. 그리고 미래를 상상했다. 소수의 편에 선다면 사람들의 북적거림이 들리지 않도록 시끄러운 음악을 틀어야 할 것이고, 다수의 편에 선다면 잔잔한 클래식으로써 그들의 목소리를 부각시켜야 할 테니. 하지만 사실, 마스는 알고 있었다. 어느 쪽이 되든 소수의 단원으로는 누구에게도 큰 도움이 되지 않으리란 걸. 그걸 알면서도 마스는 달릴 수밖에 없었다. 말하자면 죄책감이었다. 그날 밤, 청년의 말을 조금 더 귀 기울여 들었더라면, 조금 더 자존감을 내려놓고 그의 말을 경청했었더라면…. 개미 떼와 같은 사람들이 목전에 모여 있다. 마스와 단원들은 뜀박질을 멈추지 않았다. 그리고 그 순간, 총소리가 났다. 비명이 사방에서 들려왔고, 한 몸으로 뭉쳐 있던 인파들이 순식간에 지키고 있던 자리를 이탈했다. 제리의 목소리였다.

"여긴 내 구역이야! 당장 꺼져!!"

그리고 또 하나의 목소리가 울렸다.

"총으로는 날 막을 수 없어!! 당장 저들을 끌어내리지 않으면 이 두 여자의 목을 칼로 썰어 버릴 거야!!"

팽팽한 긴장감이 느껴지는 현장에 마스는 발걸음을 멈췄다. 안경잡이가 마스를 향해 말했다.

"마스 씨, 아무래도 길을 잘못 든 것 같습니다."

—— 80 마지막, 장벽.

결국 페퍼는 함께하지 못했다. 제리의 곁을 지키기 위해 남았다고는 보이지 않는다. 리프트가 사다리를 향해 오를 때, 헷이 이끄는 1번지의 주민들이 트럭 코앞까지 덮쳤다. 제리는 헷의 머리 위로 경고탄을 쏘았다. 그리고 사다리에 매달려 있던 딘을 포함해 리프트에서 대기하고 있던 쟝, 카리브, 소년의 고개가 일제히 돌아갔다.

"퓨티!!!"

카리브가 소리쳤다.

"저 망할 새끼는 또 뭐야."

그리고 쟝은 사다리에 올라 있는 딘을 향해 말했다.

"이봐, 딘! 퓨티와 워블 씨야!"

딘은 이를 갈며 헷을 내려봤다.

"저놈이었던 거군."

"그래! 퓨티와 워블 씨는 우리의 제안을 거절한 게 아니야! 저놈한테 납치됐던 거라고!"

"형제라고 했던 거 기억해? 쟝?"

"뭐야. 그럼, 그때 네가 날린 대갈통이 동생이었다고?"

"그런 것 같아. 그놈은 멍청했거든."

그리고 옆에서 카리브가 발을 동동 굴렀다.

"이제 어쩌죠? 저들을 구해야 하지 않나요? 방법이 없을까요?"

딘은 단호히 대답했다.

"저 사람이 바라는 건 우리가 아래로 내려가는 걸 겁니다. 어느 쪽을 선택하든 우리는 저놈에게 패배한 셈이 되는 거죠."

"퓨티와 워블 씨를 죽게 놔둘 순 없어요."

"아니요. 우리는 그렇게 해야만 합니다."

"어려운 결정을 쉽게 말씀하시네요."

"이게 최선의 결정이니까요. 그리고 저 녀석은 두 사람을 죽이지 못합니다. 사람들을 선동하는 데는 성공했을지 몰라도, 살인자로 낙인이 찍히는 순간엔 모든 이들이 저 인간을 경계할 테니까요. 스스로도 잘 알 겁니다. 상대에게 내민 칼이 되려 자신의 몸을 관통할 수도 있다는 걸요. 또한 저는, 이대로 내려갈 수 없습니다."

"하지만…"

그때, 소년이 입을 열었다.

"장벽을 올라야 해요!"

"목표를 정했으면, 희생이 있더라도 어쩔 수 없는 거라고 배웠어요. 저 또한 저기 있는 누나들처럼 희생양이 되었더라도 이쪽을 응원했으면 했지, 목표를 포기하는 걸 바라진 않았을 거예요."

그에 쟝이 말했다.

"이놈 봐라. 말솜씨가 점점 늘어나는데?"

"딘, 나는 이 녀석 말에 찬성이야."

딘은 애초에 반대쪽에서 의견을 제시하고 있지 않았다. 선택의 고통을 떠안고 있는 건 카리브 혼자뿐. 카리브는 심장이 쿵쿵 뛰는 걸 느꼈다. 귀가 울리고, 가슴이 두근거리며, 붉은 홍조와 함께 땀이 맺히는 느낌까지, 모든 게 긴장의 신호였다. 그 끝없는 혼돈 속에서 누군가의 목소리가 대포처럼 날아왔다.

"카리브다!!!"

그 목소리에 딘은 조용히 미소를 훔쳤다. 그리고 시선들이 움직였다. 가더와 연루돼 있던 인간들이라면 카리브의 얼굴을 모를 수 없다. 그의 말이 있고 난 뒤, 이곳저곳에서 목소리가 튀어 올랐다.

"카리브?"

"카리브라고?"

"그 카리브를 말하는 거야?"

"닮은 사람이겠지."

"아냐, 정말 카리브야. 내가 직접 봐서 알아."

헷 또한 카리브를 모르지 않았다. 그는 채찍을 쥔 손의 힘이 풀릴 만큼 놀란 듯했다. 어째서, 라는 말과 함께. 그러나 그는 강인했다. 헷은 제리의 총구를 힐끗 보고는 앞으로 걸음을 내밟기 시작했다. 제리는 다시 한번 경고 사격을 날렸다. 총알이 헷의 이마 옆을 스치며 지나갔다. 피부가 터졌고, 왼쪽 눈 아래로 피가 줄줄 흘러내렸다. 헷은 계속 걸었다. 그리고 제리의 장전 소리를 들은 헷은 거기서 멈춰 섰다.

"카리브 씨!!! 당신이 왜 거기 있는 겁니까!!!"

그 목소리에 퓨티는 고개를 들었다. 풀린 눈으로는 볼 수 있는 게 한정적이었지만, 소년만큼은 확실히 알아볼 수 있었다. 헷과 카리브가 한창 말을 나누는 사이, 퓨티는 뒤를 슬쩍 흘겼다가 워블을 깨웠다.

"워블 씨, 소년이에요."

"…어디?"

"저기 사다리 아래에요. 장벽을 넘을 준비가 모두 끝난 것 같아요. 소년도 무사하고요."

"무사하다고요?"

"네."

"…그것참 다행이네요. 줄곧 그 생각만 했었는데."

"제리 씨께서 트럭을 지키고 계세요. 아마 페퍼 씨와 마찬가지로 장벽에 오르지 않을 모양이에요. 그리고…"

총을 지니고 있어요, 라고 퓨티는 말했다. 워블은 고개를 끄덕이며 눈을 감았다. 퓨티는 워블과 같은 자세로 땅에 엎드렸다.

"아직도 모르겠어요? F구역은 버려진 거라고요!!"

카리브가 소리쳤다.

"그들이 물러난 지 한 달이 지났어요! 공급이 끊겼습니까? 공급되는 물자들이 여전히 우리의 배를 채워 주고 있는데, 그걸 당신이 어떻게 확신합니까?!! 저희는 버려지지 않았습니다!!"

"공급이 끊기면 어떡할 건가요? 전기와 수도, 가스가 끊기면 이곳은 일주일도 버티지 못할걸요?"

"그럴 리 없습니다. 저들은 우리를 버리지 않았어요."

"왜 자꾸 그러는 거죠?"

가리브가 물었다.

"무엇을 말입니까?"

헷이 되물었다.

"버려졌다는 말을 되풀이하고 있잖아요."

"…그건!"

"부정하고 싶은 거군요?"

헷은 움찔거렸다.

"그래, 이제야 이해가 되네요. 지금 당신과 저의 위치가 이렇게 돼 버린 게. 당신도 처음부터 악한 사람은 아니었겠죠. 사람의 목에 목줄을 걸 만큼."

딘은 다리에 힘을 실어 사다리와 구멍 사이로 스며든 접착제의 유격을 확인한 다음, 리프트에서 벗어나 사다리에 올랐다. 그리고 이어서 소년, 쟝, 카리브가 사다리에 발을 올렸다. 1번지 주민들이 일제히 요동쳤다. 멍청이들은 당장 거기서 내려오라고 이야기했다. 반면, 솔직한 사람들은 절규했다. 헷은 쇠사슬을 내려놓고서 멍청이들을 이끌고 제리를 향해 돌격했다. 제리는 조수석에 앉아 있는 페퍼를 향해 시동을 걸라고 신호를 보냈다. 트럭에 시동이 걸리고, 헷을 필두로 한 멍청이들이 금세 트럭을 덮쳤다. 제리는 제일 먼저 트럭에 도착한 사람을 총으로 쐈다. 그리고 나머지 한 발은 리프트를 붙잡고 있는 밧줄에 날렸다. 제리는 운전석에 미처 오르지 못했다. 무게가 실린 트럭이 좌우로 흔들렸다. 리프트가 쓰러졌고, 짐칸이 으스러지는 소리가 그 뒤를 이었다.

"어서! 빨리!"

장벽 위에 올라선 딘이 소년을 향해 팔을 뻗으며 외쳤다. 소년이 오르고, 쟝이 오르고, 카리브가 올랐다. 딘은 소년을 가장 안쪽으로 밀어 넣었다.

'탕.'

모두가 넋을 놓고 아래를 보고 있을 때, 왼편 끝에서 울린 총성이었다. 그리고 다시 모두가 넋을 놓고 그곳을 바라봤을 때, 소년이 양 무릎을 꿇은 채로 앞으로 쓰러지고 있었다.

'탕.'

또 한 발의 총탄이 소년의 배에 날아와 박혔다. 모두를 둘러싼 극도의 고양감은 단 두 번의 총성과 함께 하늘로 사라졌다. 무리는 한 사람도 빠짐없이 조용해졌다. 그리고, 그들 사이에서 가장 먼저 이성을 되찾은 건 쟝이었다.

"이런 망할!! 다들 엎드려!!!"

카리브는 몸을 숙인 채로 소년에게로 달려갔다.

"딘!! 뭐 하고 있어! 당장 몸을 숙여!!"

딘은 쟝의 목소리를 못 듣지 않았다. 다만 바라볼 뿐이었다. 왼쪽 어깨와 오른쪽 아랫배를 관통당한 소년을.

"살아야지, 딘! 살아야 하는 거라고!! 소년은 아직 죽지 않았어!! 네가 혼이 나가면 우리는 끝장이야!!!"

쟝이 울부짖다시피 소리쳤다. 그러나 딘은 움직이지 못했다. 딘은 여전히 귓가에서 총성이 들렸다. 힘겹게 올랐던 노력의 장면들은 산산이 부서졌고, 소년을 노린 저격수와 소년에게서 뿜어져 나오는 피, 그리고 목 놓아 절규하는 카리브의 울음소리만이 딘의 머릿속에 계속해서 꿈틀거렸다. 거기서 쟝이 딘의 목덜미를 잡고 내리꽂지 않았더라면, 딘은 소년 다음으로 저격수의 총탄을 맞은 사람이 되었을지도 모른다. 쟝은 넓은 손바닥으로 감싼 딘의 얼굴을 바닥에 밀어 넣으며 갈라진 목소리로 소리쳤다.

"닥치고 내 말 똑똑히 들어!!"

딘은 힘없이 쟝의 눈을 바라보며 고개를 끄덕였다.

"소년은 살 수 있어. 네 선택에 달린 문제야. 우리의 목표가 무엇이었는지, 우리가 가고자 한 곳이 어디까지였는지, 그걸 생각해야만 하는 시점이야."

"…목표?"

"그래, 목표. 겁쟁이 이상주의자들이잖아, 우리는. 잊었어?"

쟝의 말에 딘은 허탈하게 웃음 지었다.

"틀렸어, 쟝."

그리고 딘은 몸을 돌려 검은 하늘을 보며 말했다.

"우린 용감해. 더할 나위 없이."

"진짜 겁쟁이들은 저기에 있는 것 같아. 어른이 아닌 아이부터 노렸잖아. 저 겁 많은 개새끼들이 말이야."

그리고 딘은 마지막 말을 남기고 E구역 아래로 몸을 던졌다.

"우리가 졌어."

반반한 마을

발행	2023년 12월 18일
저자	현영강
펴낸이	한건희
펴낸곳	주식회사 부크크
출판사등록	2014.07.15.(제2014-16호)
주소	서울특별시 금천구 가산디지털1로 119 SK트윈테크타워 A동 305호
전화	1670 - 8316
E-mail	info@bookk.co.kr
ISBN	979-11-410-6048-0

www.bookk.co.kr